Vistazos

Un curso breve

Vistazos

Un curso breve

Bill VanPatten
University of Illinois at Chicago

James F. Lee
Indiana University, Bloomington

Terry L. Ballman
Western Carolina University

McGraw Hill

Boston   Burr Ridge, IL   Dubuque, IA   Madison, WI   New York   San Francisco   St. Louis
Bangkok   Bogotá   Caracas   Kuala Lumpur   Lisbon   London   Madrid   Mexico City
Milan   Montreal   New Delhi   Santiago   Seoul   Singapore   Sydney   Taipei   Toronto

McGraw-Hill Higher Education

A Division of The **McGraw-Hill** *Companies*

This is an EBI book.

Vistazos
Un curso breve

Published by McGraw-Hill, an imprint of the McGraw-Hill Companies, Inc., 1221 Avenue of the Americas, New York, NY 10020. Copyright © 2002 by McGraw-Hill. All rights reserved. No part of this publication may be reproduced or distributed in any form or by any means, or stored in a database or retrieval system, without the prior written consent of The McGraw-Hill Companies, Inc., including, but not limited to, in any network or other electronic storage or transmission, or broadcast for distance learning.

This book is printed on acid-free paper.

4 5 6 7 8 9 0   DOW   DOW   0 9 8 7 6 5 4 3

ISBN 0-07-248711-9 (Student Edition)
ISBN 0-07-248713-5 (Instructor's Edition)

Editor-in-chief: *Thalia Dorwick*
Executive editor: *William R. Glass*
Director of development: *Scott Tinetti*
Senior marketing manager: *Nick Agnew*
Project manager: *Christina Gimlin*
Senior production supervisor: *Richard DeVitto*
Designer: *Matthew Baldwin*
Cover designer: *Matthew Baldwin*
Cover illustration: *Puerta del Convento de la Merced* by Oscar Sologaistoa Romero
Art editor: *Nora Agbayani*
Editorial assistant: *Fionnuala McEvoy*
Compositor: *TechBooks*
Typeface: *New Aster and ITC Kabel*
Printer: *R. R. Donnelley & Sons*

Because this page cannot legibly accommodate all the copyright notices, page A53 constitutes an extension of the copyright page.

Library of Congress Cataloging-in-Publication Data

VanPatten, Bill.
    Vistazos: un curso breve / Bill VanPatten, James F. Lee, Terry L. Ballman.
      p.   cm.
    Abridged ed. of: Sabías que— ? / Bill VanPatten. 3rd ed. 2000.
    Includes index.
    ISBN 0-07-248711-9 (hc.)
    1. Spanish language—Textbooks for foreign speakers—English. I. Lee, James F. II. Ballman, Terry L. III. VanPatten, Bill. Sabías que— ? IV. Title.
PC4128 .S23 2001
468.2′421—dc21   2001030928

http://www.mhhe.com

Contents

Preface   xvii

LECCIÓN   **PRELIMINAR**   **¿QUIÉN ERES?**   1

Vistazos   ¿Quién eres?   1
Vocabulario esencial
¿Cómo te llamas?   Introducing Yourself   2
¿De dónde eres?   Telling Where You Are From   3
Gramática esencial
¿Ser o no ser?   Forms and Uses of **ser**   5

Vistazos   Las carreras y las materias   7
Vocabulario esencial
¿Qué estudias?   Courses of Study and School Subjects   7
Gramática esencial
¿Te gusta?   Discussing Likes and Dislikes   9
Vocabulario esencial
¿Qué carrera haces?   Talking About Your Major   11

Vistazos   Más sobre las clases   12
Gramática esencial
¿Clases buenas?   Describing   12
Vocabulario esencial
¿Cuántos créditos?   Numbers 0–30   15
Gramática esencial
¿Hay muchos estudiantes en tu universidad?   The Verb Form **hay**   16
¿Sabías que... ?
¿Sabías que... ?   Spanish in the United States and Abroad   18
Los hispanos hablan
¿Qué materias te gusta estudiar?   19
Otros vistazos   22

UNIDAD uno Entre nosotros

	VOCABULARIO ESENCIAL	GRAMÁTICA ESENCIAL
LECCIÓN 1 **¿Cómo es tu horario?** 25	**Vistazos La vida de todos los días 26**	
	¿Cómo es una rutina? Talking About Daily Routines 26	¿Trabaja o no? Talking About What Someone Else Does 28
	Vistazos Durante la semana 30	
	¿Con qué frecuencia? (I) Talking About How Often You Do Things 30 ¿Qué día de la semana? Days of the Week 32	¿Y yo? Talking About Your Own Activities 33
	Vistazos Más sobre las rutinas 36	
	¿A qué hora... ? Telling When Something Happens 36 ¿Y tú? ¿Y usted? Addressing Others 38	¿Qué sueles hacer? Talking About What You Do Regularly 39
LECCIÓN 2 **¿Qué haces los fines de semana?** 46	**Vistazos Actividades para el fin de semana 47**	
	¿Qué hace una persona los sábados? Talking About Someone's Weekend Routine 47 ¿Con qué frecuencia? (II) More About Discussing Frequency of Activities 49 ¿No haces nada? Negation and Negative Words 50	
	Vistazos Las otras personas 52	
		¿Qué hacen? Talking About the Activities of Two or More People 52 ¿Qué hacemos nosotros? Talking About Activities That You and Others Do 54 ¿A quién le gusta... ? More About Likes and Dislikes 55
	Vistazos El tiempo y las estaciones 57	
	¿Qué tiempo hace? Talking About the Weather 57 ¿Cuándo comienza el verano? Talking About Seasons of the Year 61	
LECCIÓN 3 **¿Qué hiciste ayer?** 66	**Vistazos Ayer y anoche (I) 67**	
	¿Qué hizo Alicia ayer? Talking About Activities in the Past 67	¿Salió o se quedó en casa? Talking About What Someone Else Did Recently 70 ¿Salí o me quedé en casa? Talking About What You Did Recently 73
	Vistazos Ayer y anoche (II) 76	
		¿Qué hiciste anoche? Talking to a Friend About What He or She Did Recently 76 ¿Salieron ellos anoche? Talking About What Two or More People Did Recently 77 ¿Qué hicimos nosotros? Talking About What You and Someone Else Did Recently 79

LECTURAS CULTURALES Y OTRAS ACTIVIDADES

¿Sabías que... ?
Cultural Activity Patterns   42

En tu opinión   42

Los hispanos hablan
¿Funcionas mejor de día o de noche?   43

Otros vistazos   45

¿Sabías que... ?
Seasons in the Northern and Southern Hemispheres   62

Observaciones   63

Los hispanos hablan
¿Qué diferencias has notado?   63

Otros vistazos   65

¿Sabías que... ?
Grabbing the Reader's Attention   75

Situación   80

Los hispanos hablan
¿En qué gastaste tu primer sueldo?   81

Otros vistazos   82

**Grammar Summary for
Lección preliminar–Lección 3**   83

UNIDAD dos　　Lo que nos forma

	VOCABULARIO ESENCIAL	GRAMÁTICA ESENCIAL

LECCIÓN 4

¿Cómo es tu familia?
89

Vistazos　La familia nuclear　90

¿Cómo es tu familia?
　Talking About Your Immediate Family　90

¿Cuántas hijas... ?
　Question Words: A Summary　93

Vistazos　La familia «extendida»　96

¿Y los otros parientes?
　Talking About Your Extended Family　96
¿Tienes sobrinos?
　Additional Vocabulary Related to Family
　　Members　98

Vistazos　Mis relaciones con la familia　100

¿Te conocen bien?
　First- and Second-Person Direct Object
　　Pronouns　100
¿La quieres?
　Third-Person Direct Object Pronouns　104
Llamo a mis padres
　The Personal **a**　106

LECCIÓN 5

¿A quién te pareces?
111

Vistazos　Características físicas　112

¿Cómo es?
　Describing People's Physical Features　112
¿Nos parecemos?
　Talking About Family Resemblances　115

Vistazos　Más sobre las relaciones familiares　117

¿Te conoces bien?
　True Reflexive Constructions　117
¿Se abrazan Uds.?
　Reciprocal Reflexives　120

Vistazos　La herencia genética frente al medio ambiente　122

¿Cómo eres?
　Describing Personalities　122

Parece que...
　Making Assertions and Expressing Your
　　Opinions; Use of **que**　124

LECCIÓN 6

¿Y el tamaño de la familia?
130

Vistazos　Años y épocas　131

¿Qué edad?
　Numbers 30–199 and Talking About
　　People's Age　131
¿En qué año... ?
　Numbers 200–1999 and Expressing Years
　　133

Vistazos　Épocas anteriores　135

¿Era diferente la vida? (I)
　Introduction to the Imperfect Tense:
　　Singular Forms　135
¿Era diferente la vida? (II)
　More on the Imperfect Tense:
　　Plural Forms　137
¿Tienes tantos hermanos como yo?
　Comparisons of Equality　139

LECTURAS CULTURALES Y OTRAS ACTIVIDADES

¿Sabías que... ?
Hispanic Last Names   95

En tu opinión   107

Los hispanos hablan
¿Cómo son las relaciones familiares en
tu país?   108

Otros vistazos   110

¿Sabías que... ?
Physical Characteristics of Heritage Spanish
Speakers   114

Observaciones   126

Los hispanos hablan
¿A quién de tu familia te pareces más?   127

Otros vistazos   129

¿Sabías que... ?
Life Expectancy in Various Countries   132

Situación   141

Los hispanos hablan
¿Te gusta el tamaño de tu familia?   141

Otros vistazos   142

Grammar Summary for Lecciones 4–6   143

UNIDAD
tres   En la mesa

	VOCABULARIO ESENCIAL	GRAMÁTICA ESENCIAL

LECCIÓN 7

¿Qué sueles comer?
147

Vistazos   Los hábitos de comer   148

¿Cuáles son algunos alimentos básicos?
Talking About Basic Foods in Spanish
148
¿Qué meriendas?
Talking About Snacks and Snacking   151

Vistazos   A la hora de comer   153

¿Qué desayunas?
Talking About What You Eat for Breakfast
153
¿Qué comes para el almuerzo y para la cena?
Talking About What You Eat for Lunch and
Dinner   156

Vistazos   Los gustos   158

¿Que si me importan los aditivos?
Other Verbs like **gustar** and the Indirect
Object Pronoun **me**   158
¿Te importan los aditivos?
Te and **nos** as Indirect Object Pronouns
161
¿Le pones sal a la comida?
Le and **les** as Third-Person Indirect
Object Pronouns   163

LECCIÓN 8

¿Qué se hace con los brazos?
170

Vistazos   Los buenos modales   171

¿Qué hay en la mesa?
Talking About Eating at the Table   171

¿Se debe... ?
Impersonal **se**   172

Vistazos   Las dietas nacionales   174

¿Hay que... ?
Expressing Impersonal Obligation   174

¿Se consumen muchas verduras?
Passive **se**   176

Vistazos   En un restaurante   179

¿Para dos?
Talking About Eating in Restaurants   179

LECCIÓN 9

¿Y para beber?
186

Vistazos   Las bebidas   187

¿Qué bebes?
Talking About Favorite Beverages   187

¿Qué bebiste?
Review of Regular Preterite Tense Verb
Forms and Use   188

Vistazos   Prohibiciones y responsabilidades   192

¿Qué se prohíbe?
Review of Impersonal and Passive **se**   192

LECTURAS CULTURALES Y OTRAS ACTIVIDADES

¿Sabías que... ?
Spanish **tapas**   153

En tu opinión   166

Los hispanos hablan
¿Qué hábitos de comer te llamaron la
atención?   166

Otros vistazos   169

¿Sabías que... ?
Cultural Differences Relating to Restaurants   181

Observaciones   182

Los hispanos hablan
¿Qué diferencias notas?   183

Otros vistazos   185

¿Sabías que... ?
Chilean Wines   191

Situación   195

Los hispanos hablan
¿Qué diferencias notaste?   195

Otros vistazos   196

Grammar Summary for Lecciones 7–9   197

UNIDAD

cuatro El bienestar

	VOCABULARIO ESENCIAL	GRAMÁTICA ESENCIAL
LECCIÓN 10 **¿Cómo te sientes?** 201	**Vistazos Los estados de ánimo 202**	
	¿Cómo se siente? Talking About How Someone Feels 202	¿Te sientes bien? More on "Reflexive" Verbs 204
	Vistazos Reacciones 207	
	¿Cómo se revelan las emociones? Talking About How People Show Their Feelings 207	¿Te falta energía? The Verbs **faltar** and **quedar** 210
	Vistazos Para sentirte bien 214	
	¿Qué haces para sentirte bien? Talking About Leisure Activities 214	¿Qué hacías de niño/a para sentirte bien? Using the Imperfect for Habitual Events: A Review 217
LECCIÓN 11 **¿Cómo te relajas?** 221	**Vistazos El tiempo libre 222**	
	¿Qué haces para relajarte? More Activities for Talking About Relaxation 222 ¿Adónde vas para relajarte? Talking About Places and Related Leisure Activities 224	
	Vistazos En el pasado 227	
	¿Qué hicieron el fin de semana pasado para relajarse? More Leisure Activities in the Past (Preterite) Tense 227	¿Y qué hiciste tú para relajarte? Preterite Tense: Review of Forms and Uses 229
	Vistazos La buena risa 231	
		¿Qué hacías que causó tanta risa? Narrating in the Past: Using Both Preterite and Imperfect 231
LECCIÓN 12 **¿En qué consiste el abuso?** 238	**Vistazos Hay que tener cuidado 239**	
	¿Qué es una lesión? More Vocabulary Related to Activities 239	¿Veías la televisión de niño/a? Imperfect Forms of the Verb **ver** 241
	Vistazos Saliendo de la adicción 243	
		¿Qué debo hacer? —Escucha esto. Telling Others What To Do: Affirmative **tú** Commands 243 ¿Qué no debo hacer? —¡No hagas eso! Telling Others What *Not* to Do: Negative **tú** Commands 246

LECTURAS CULTURALES Y OTRAS ACTIVIDADES

¿Sabías que... ?
Weather and Emotions   213

En tu opinión   218

Los hispanos hablan
¿Practicas algún deporte?   218

Otros vistazos   220

¿Sabías que... ?
University Sports Programs   226

Observaciones   234

Los hispanos hablan
¿Crees que hay diferencias?   235

Otros vistazos   237

¿Sabías que... ?
Television in the Spanish-Speaking World   242

Situación   247

Los hispanos hablan
¿Qué has notado?   248

Otros vistazos   249

Grammar Summary for Lecciones 10–12
250

UNIDAD
cinco
Somos lo que somos

	VOCABULARIO ESENCIAL	GRAMÁTICA ESENCIAL
LECCIÓN 13 **¿Con qué animal te identificas?** 257	**Vistazos** El horóscopo chino (I) 258	
	¿Cómo eres? Describing Personalities (I) 258 ¿Cómo es la serpiente? Describing Personalities (II) 260	
	Vistazos El horóscopo chino (II) 264	
	¿Y el gallo? ¿Cómo es? Describing Personalities (III) 264	
	Vistazos La expresión de la personalidad 266	
		¿Has mentido alguna vez? Introduction to the Present Perfect 266 ¿Te atreves a... ? More Verbs That Require a Reflexive Pronoun 269
LECCIÓN 14 **¿Qué relaciones tenemos con los animales?** 274	**Vistazos** Las mascotas (I) 275	
		¿Sería buena idea? Introduction to the Conditional Tense 275
	Vistazos Las mascotas (II) 278	
		¿Te hacen sentirte bien? Review of Direct and Indirect Object Pronouns 278
	Vistazos La vivienda 281	
	¿La ciudad o el campo? Talking About Where You Live and Why 281	
LECCIÓN 15 **¿Es el ser humano otro animal?** 289	**Vistazos** De aquí para allá 290	
	¿Dónde está la biblioteca? Telling Where Things Are 290 ¿Cómo se llega al zoológico? Giving and Receiving Directions 291	
	Vistazos Los saludos 294	
		¿Cómo se saludan? Review of Reciprocal Reflexives 294

LECTURAS CULTURALES Y OTRAS ACTIVIDADES

¿Sabías que... ?
Animals as Symbols   263

En tu opinión   270

Los hispanos hablan
¿Cómo te describes a ti mismo?   271

Otros vistazos   273

¿Sabías que... ?
Endangered Storks in Spain   285

Observaciones   286

Los hispanos hablan
¿Notaste algunas diferencias?   286

Otros vistazos   288

¿Sabías que... ?
Sense of Direction in Animals   293

Situación   296

Los hispanos hablan
¿En qué se diferencian los animales y los
seres humanos?   296

Otros vistazos   298

Grammar Summary for Lecciones 13–15
299

LECCIÓN **FINAL** **¿ADÓNDE VAMOS?** 302

Vistazos **La ropa y el viaje** 303
Vocabulario esencial 303
   ¿Cómo te vistes?   Talking About Clothing 303
Vocabulario esencial 306
   ¿En tren o en auto?   Talking About Trips and Traveling (I) 306
Vocabulario esencial 308
   ¿Dónde nos quedamos?   Talking About Trips and Traveling (II) 308

Vistazos **Las profesiones** 310
Vocabulario esencial
   ¿Qué profesión?   Talking About Professions 310
Vocabulario esencial 313
   ¿Qué características y habilidades se necesitan?   Talking About Traits
      Needed for Particular Professions 313

Vistazos **Las posibilidades y probabilidades del futuro** 315
Gramática esencial
   ¿Cómo será nuestra vida?   Introduction to the Simple Future Tense 315
   ¿Es probable? ¿Es posible?   Introduction to the Subjunctive:
      Expressions of Uncertainty 318
¿Sabías que... ?
   Women in Professional Fields 318
Situación 322
 **Los hispanos hablan**
     ¿Cómo ves el futuro de la lengua española? 323
Otros vistazos 326
Grammar Summary for Lección final 327
Appendix: Verbs A1
Spanish-English Vocabulary A8
English-Spanish Vocabulary A34
Index A46
About the Authors A55

Preface

When we wrote the first edition of *¿Sabías que... ?* in 1992, our goal was to create a package of instructional materials that would truly make a difference in the classroom to instructors frustrated with grammar-based approaches. Our thought was simply this: without a change in approach, there can be no change in classroom instruction. We believe that the overwhelming success of *¿Sabías que... ?* through three editions speaks to this thought.

Now, ten years later, requests from professionals around the country for a shorter version of *¿Sabías que... ?* have lead us to offer the present textbook, *Vistazos: Un curso breve.* Just like *¿Sabías que... ?*, the briefer *Vistazos*:

- encourages students to concentrate on exchanging real-life information about each other and the world around them
- makes as much use of class time as possible to communicate ideas
- is at times provocative
- is filled with engaging activities

Vistazos retains the hallmark information exchange and task-oriented nature of *¿Sabías que... ?* But in response to professionals' requests for something shorter and simpler, we have:

- removed long readings but retained the shorter ones (**¿Sabías que... ?** boxed features)
- removed lesson-ending tasks but retained the essential lesson internal **Comunicación** tasks
- reduced the amount of material in the final unit and condensed it into a single **Lección final**
- trimmed selected activities or portions of activities to make them briefer and easier to manage in class

The end result is a book that can be more easily used in intensive one-semester courses or regular courses that meet only three days a week. *Vistazos* contains most basic grammar points and vocabulary topics that are typical of a first-year syllabus. With its emphasis on the meaningful use of language, it also is a fun yet serious introduction to the Spanish language and to Hispanic cultures. We hope that you'll share our enthusiasm for *Vistazos* and that you and your class will enjoy many hours of both learning Spanish and learning about each other.

Organization of the text

Vistazos consists of a preliminary lesson (**Lección preliminar**), five units of three lessons each, and a final lesson (**Lección final**). Each of the five units presents a general theme that is explored in its three lessons.

The organization of the major sections of each lesson allows instructors to organize class meetings better and develop course syllabi (see the *Instructor's Manual* for ideas on lesson and syllabus planning). Each of these major sections is described in the Guided Tour through *Vistazos* on the following pages. The first two lessons of every unit include:

- three **Vistazos** sections
- vocabulary (**Vocabulario esencial**) and grammar (**Gramática esencial**) presentations within each **Vistazos** section
- **Los hispanos hablan**

The third lesson of each unit includes:

- two **Vistazos** sections
- **Vocabulario esencial** and **Gramática esencial** presentations
- **Los hispanos hablan**

A Guided Tour through

vistazos

Lesson-Opening Page

Each lesson-opening page contains an advance organizer that informs students about what they will be focusing on in the current lesson and the cultural topics presented in the new CD-ROM.

Vistazos

Each **Vistazos** section introduces a subtopic of the lesson theme through the **Vocabulario esencial** and **Gramática esencial** presentations.

Vocabulario esencial

Each **Vocabulario esencial** presents new active vocabulary related to the lesson theme and is followed by activities that encourage students to use the new vocabulary in context.

    Some **Vocabulario esencial** sections include **Vocabulario útil** features. These boxes highlight additional active vocabulary that students can use in the activities of the lesson.

xviii

Gramática esencial

A highlighted box accompanying each **Gramática esencial** section focuses on the presentation material in an easy-to-follow format. Grammar explanations are succinct, and the accompanying activities allow students to use the grammar in meaningful exchanges with their classmates.

Vistazos does not offer purely mechanical grammar practice, such as transformation and substitution drills. Grammar is presented bit by bit, with points explained only as necessary for students to perform the various tasks in the lesson.

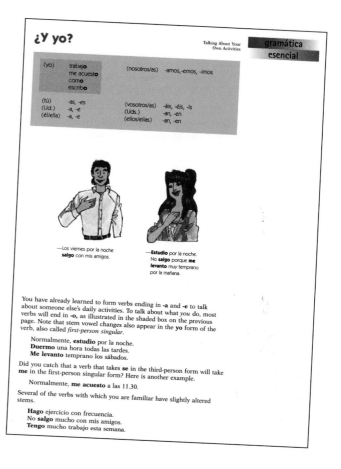

¿Y yo?

Talking About Your Own Activities

gramática esencial

(yo)	trabaj**o** me acuest**o** com**o** escrib**o**	(nosotros/as)	-amos, -emos, -imos
(tú)	-as, -es	(vosotros/as)	-áis, -éis, -ís
(Ud.)	-a, -e	(Uds.)	-an, -en
(él/ella)	-a, -e	(ellos/ellas)	-an, -en

—Los viernes por la noche **salgo** con mis amigos.

—**Estudio** por la noche. No **salgo** porque **me levanto** muy temprano por la mañana.

You have already learned to form verbs ending in **-a** and **-e** to talk about someone else's daily activities. To talk about what *you* do, most verbs will end in **-o**, as illustrated in the shaded box on the previous page. Note that stem vowel changes also appear in the **yo** form of the verb, also called *first-person singular*.

Normalmente, **estudio** por la noche.
Duermo una hora todas las tardes.
Me levanto temprano los sábados.

Did you catch that a verb that takes **se** in the third-person form will take **me** in the first-person singular form? Here is another example.

Normalmente, **me acuesto** a las 11.30.

Several of the verbs with which you are familiar have slightly altered stems.

Hago ejercicio con frecuencia.
No **salgo** mucho con mis amigos.
Tengo mucho trabajo esta semana.

Comunicación

These activities are done with a partner or in small groups. Although all activities in *Vistazos* are meaning-based in nature, **Comunicación** activities involve more interaction with classmates.

Actividad D ¿A qué hora?

COMUNICACIÓN

Pair up with a classmate you haven't already interviewed to find out at what time (**a qué hora**) he or she does the following things. Write down the information. Then switch roles.

MODELO E1: ¿A qué hora almuerzas?
E2: A las doce.

¿A qué hora...

1. te levantas los lunes?
2. vas a tu clase favorita?
3. te acuestas los jueves?
4. vas a la universidad los miércoles?
5. regresas a casa los viernes?
6. miras la televisión, generalmente?

¿Sabías que... ?

¿Sabías que... ? boxes highlight facts about Hispanic cultures as well as the world around us. All **¿Sabías que... ?** boxes are accompanied by an activity and can be heard on the Listening Comprehension CD that accompanies the text.

Also found in these boxes is a reference to the *Vistazos* website where, among other things, additional information about the content of **¿Sabías que... ?** boxes may be accessed through authentic Internet links.

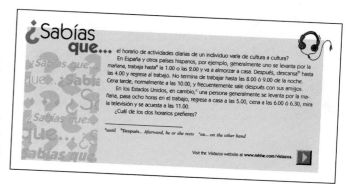

¿Sabías que... el horario de actividades diarias de un individuo varía de cultura a cultura? En España y otros países hispanos, por ejemplo, generalmente uno se levanta por la mañana, trabaja hasta[a] la 1.00 o las 2.00 y va a almorzar a casa. Después, descansa[b] hasta las 4.00 y regresa al trabajo. No termina de trabajar hasta las 8.00 ó 9.00 de la noche. Cena tarde, normalmente a las 10.00, y frecuentemente sale después con sus amigos.

En los Estados Unidos, en cambio,[c] una persona generalmente se levanta por la mañana, pasa ocho horas en el trabajo, regresa a casa a las 5.00, cena a las 6.00 ó 6.30, mira la televisión y se acuesta a las 11.00.

¿Cuál de los dos horarios prefieres?

[a]*until* [b]*Después... Afterward, he or she rests* [c]*en... on the other hand*

Visit the *Vistazos* website at www.mhhe.com/vistazos.

En tu opinión, Observaciones, Situación

Vistazos offers three optional, open-ended activities. These contain thematically related questions, observations, or situations for partner/pair or small-group discussion that can then lead to whole-class discussion. Beginning with **Lección 1,** one of these three activities will appear in each lesson.

En tu opinión

1. «El estudiante típico tiene un horario más flexible que el profesor típico.»
2. «Estudiar por la mañana es más difícil que estudiar por la noche.»

Be prepared to share your opinions, first with a partner or a small group, and then with the class.

Observaciones

¿Cuántos de tus amigos hacen las siguientes actividades en su tiempo libre?

correr
limpiar el apartamento (la casa)
leer
participar en una actividad espiritual o religiosa

ser voluntario/a para una organización o un servicio
navegar la red

Situación

Un estudiante, Juan Mengano, pasó toda la noche estudiando para su examen de química. Esta mañana faltó a[a] la clase de matemáticas a las 9.00 y fue a su clase de química a las 10.00 para tomar el examen. Después descubrió que la profesora de matemáticas dio una prueba de sorpresa.[b] ¿Crees que Juan tiene una buena excusa para preguntarle a la profesora si es posible tomar la prueba en su oficina?

Multimedia and *Vistazos*

Three exciting multimedia sections are integrated within each lesson of *Vistazos*. **Los hispanos hablan** is based on an interview with one or more heritage Spanish speakers who answer a question based on the lesson theme. The interviews are supported in the text by previewing and postviewing activities. The interviews appear on the video to accompany *Vistazos* and may be heard on the Listening Comprehension CD as well.

Otros vistazos highlights the CD-ROM to accompany *Vistazos*. Using a literary piece as its starting point, the CD-ROM includes interactive activities on language, history, geography, biographies, and authentic cultural information. The CD-ROM is designed to be self-guided so that students can work alone and receive feedback as they proceed through the activities. It may also be used in the classroom as part of a whole-class interactive discussion.

Los hispanos hablan

¿Funcionas mejor de día o de noche?

Paso 1 Read the following **Los hispanos hablan** selection. The blank represents a deleted word. Based on what you read, what is the missing word?

¿Funcionas mejor de día o de noche?

NOMBRE: Néstor Quiroa
EDAD: 28 años
PAÍS: Guatemala

«Yo, por ser original de Guatemala, me gusta mucho el café, y tomo[a] café durante todo el día. Esto me da mucha energía[b] y entonces la energía no se termina[c] hasta en la noche.»

«En conclusión, pienso que funciono mejor de _____ porque el café me da mucha energía.»

[a]*I drink* [b]*me... gives me a lot of energy* [c]*no... does not end*

Paso 2 Now watch or listen to the rest of the segment. Is your answer to **Paso 1** correct?

Otros vistazos

In the **Vistazos** CD-ROM, you will learn more about Hispanic cultures, including:

- a poem by Chicano poet Luis Maguregui
- a few facts about the poet's life
- something on the geography of Texas
- some information on the history of Texas
- interesting facts in ¿**Sabías que...** ?

Rounding out the multimedia aspect of *Vistazos* is **Navegando la red,** a brief, optional activity that encourages students to explore the Internet in search of interesting information from the Hispanic world that relates to the lesson theme. Students may begin their information searches on the text-specific *Vistazos* website at **www.mhhe.com/vistazos.**

The website contains exciting resources for students to explore, such as authentic links and additional information to accompany the text's **¿Sabías que... ?** and **Navegando la red** sections. The site also contains valuable instructor resources such as samples of key supplements, professional resources, online transparencies, PowerPoint slides, and a bulletin board system on which instructors may post and share information about using *Vistazos* with colleagues from around the country.

Surf the Web for the hours of operation of one or two businesses in a Spanish-speaking country. Bring this information to class.

Icons

Icons identify listening comprehension, video, and CD-ROM activities and features as well as activities requiring a separate sheet of paper.

Grammar Summary

A Grammar Summary appears at the end of each unit and highlights the major grammar points presented in the preceding lessons. This summary offers students a handy guide to help them improve upon their knowledge of grammatical structures in Spanish.

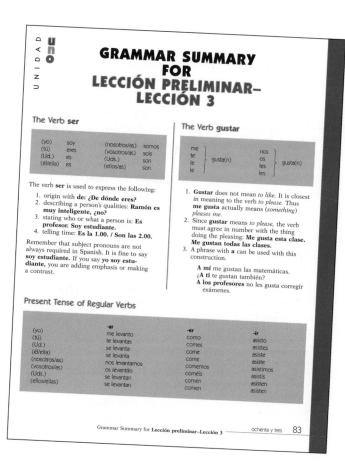

Grammar Summary

A Grammar Summary appears at the end of each unit and highlights the major grammar points presented in the preceding lessons. This summary offers students a handy guide to help them improve upon their knowledge of grammatical structures in Spanish.

Supplements

The supplements listed here may accompany *Vistazos*. Please contact your local McGraw-Hill sales representative for details concerning policies, prices, and availability, as some restrictions may apply.

- The *Manual que acompaña Vistazos* offers additional outside practice in vocabulary, grammar, and listening comprehension. At the end of each lesson is a practice quiz (**Prueba de práctica**) that students may complete to measure what they have learned and retained from the lesson.
- Available on cassettes or CDs, the *Audio Program* to accompany the *Manual* provides further listening comprehension practice outside the classroom.
- The annotated *Instructor's Edition* contains detailed suggestions for carrying out activities in class. It also offers options for expansion of and follow-up to the activities.
- The combined *Instructor's Manual and Testing Program* expands on the methodology of *Vistazos*. Among other things, the *Instructor's Manual* portion offers suggestions for carrying out the activities in the text and suggests ways to provide students with appropriate feedback. The *Testing Program* portion includes sample quizzes for each lesson as well as unit tests. The *Testing Program* is also available in an electronic format so that you can modify the tests to best suit the needs of your students.
- The *Audioscript*, available to instructors only, contains the material on the audio program that accompanies the *Manual*. There is no tapescript for the Listening

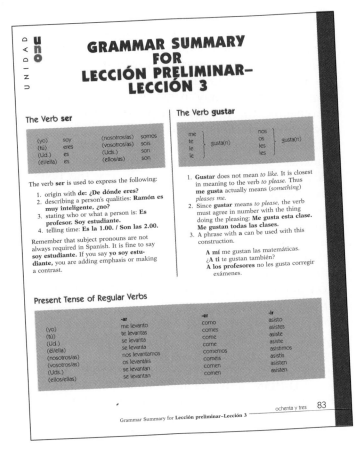

Comprehension CD; **¿Sabías que... ?** boxes are printed in the Student Edition and **Los hispanos hablan** texts are included in the annotated *Instructor's Edition*.

- The *McGraw-Hill Electronic Language Tutor* (MHELT), available in PC and Macintosh formats, is a text-specific software program that contains single-response exercises from the main text.
- Adopters of *Vistazos* may purchase the *Destinos Video Modules*, developed by Bill VanPatten. This set of four modules (Vocabulary, Situations, Functional Language, Culture), accompanied by supplementary activities, can be used to increase student proficiency.
- A *Training/Orientation Manual* by James F. Lee offers practical advice for beginning language instructors and coordinators.

ACKNOWLEDGMENTS

We would like to thank the following instructors, whose insightful comments on previous editions of *¿Sabías que... ?* provided the impetus to create a briefer version of that book and were indispensable in the development of *Vistazos*. The appearance of their names does not necessarily constitute an endorsement of the text or its methodology.

Irene Agüero, *Brandeis University*
Jorge Barrueto, *Broome Community College*
Helen Child, *Treasure Valley Community College*
Donna Farquhar, *State University of New York, Morrisville*
Jeff Feyerabend, *Broome Community College*
Fabiola Franco, *Macalester College*
Wendy Greenberg, *Pennsylvania State University, Fogelsville*
Pam Halton, *Brandeis University*
Mary Hoff, *University of Northern Colorado*
Tony Houston, *St. Louis University*
Alita Kelley, *Pennsylvania State University, Delaware County*
Sylvia Kline, *Mt. Angel Seminary*
Ronald P. Leow, *Georgetown University*
Margaret Lyman, *Bakersfield College*
Leira Manso, *Broome Community College*
Susan McMillen-Villar, *University of Minnesota*
Nancy Nash, *Parkland College*
Ronald Takalo, *Northwestern College of Iowa*
Lourdes Torres, *University of Kentucky*
Mayela Vallejos-Ramírez, *University of Nebraska, Lincoln*
Anita J. Vogely, *Binghamton University*
Lisa Waggoner, *Andrew College*

Many other individuals deserve our thanks and appreciation for their help and support. First, we would like to thank our colleague Trisha Dvorak, co-author of the first edition of *¿Sabías que... ?*, who helped provide structure and content to the program that has continued through to *Vistazos*. Thanks also go to Laura Chastain (El Salvador), whose careful reading of the manuscript for details of style, clarity, and language added considerably to the quality of the final version. And as for the people who generously gave time to be interviewed for the **Los hispanos hablan** sections, we very much appreciate their thoughts on a wide range of topics.

Thanks are also due to Diane Renda and the editorial and production team at McGraw-Hill in San Francisco, especially Christina Gimlin, Richard DeVitto, and Nora Agbayani. Many thanks to Matthew Baldwin for the visually pleasing and easy-to-follow design.

We are also grateful to our Editor-in-Chief, Thalia Dorwick, for her continued support of *¿Sabías que... ?* and enthusiasm for the new *Vistazos*. Thanks are also due to Nick Agnew, our Marketing Manager, for his unflagging support in promoting the *Vistazos* program. We would also like to thank our Executive Editor, William R. Glass, and our Director of Development, Scott Tinetti, for making this brief text happen.

Last, but not least, we would like to thank our family and friends who have given us a great deal of support over the years. You know who you are and we care a great deal about you all!

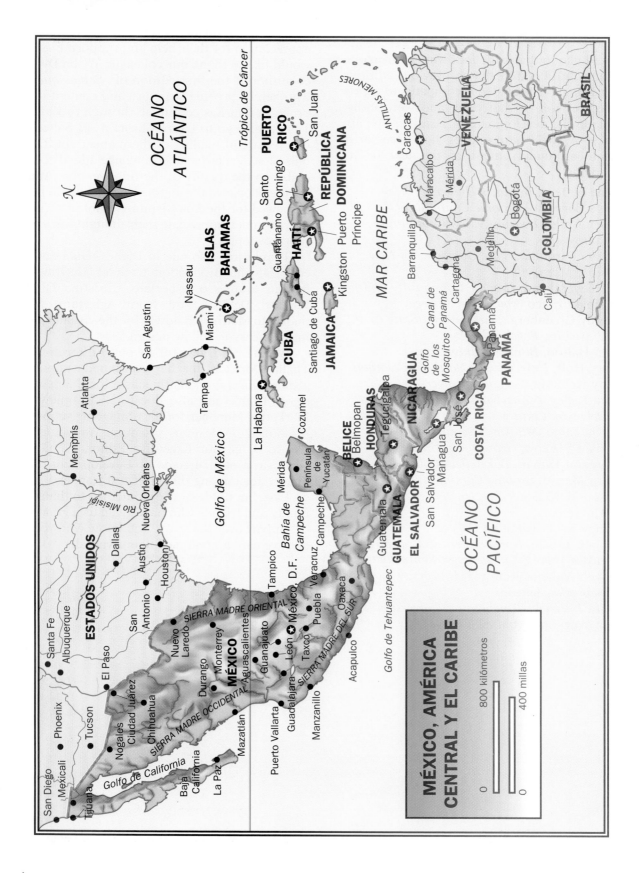

MÉXICO, AMÉRICA CENTRAL Y EL CARIBE

OCÉANO ATLÁNTICO

Trópico de Cáncer

ESTADOS UNIDOS

Santa Fe
Albuquerque
Phoenix
Tucson
El Paso
Nogales
Ciudad Juárez
Chihuahua
Durango
Mazatlán
La Paz
Baja California
Golfo de California
Tijuana
Mexicali
San Diego

Dallas
Austin
San Antonio
Nuevo Laredo
Monterrey
Durango
Aguascalientes
Guanajuato
León
Guadalajara
Puerto Vallarta
Manzanillo
Acapulco

SIERRA MADRE ORIENTAL
SIERRA MADRE OCCIDENTAL
SIERRA MADRE DEL SUR

MÉXICO

Memphis
Atlanta
Nueva Orleáns
Río Misisipí
Houston
Tampico
México, D.F.
Taxco
Puebla
Veracruz
Oaxaca
Golfo de Tehuantepec

San Agustín
Tampa
Miami
Nassau
ISLAS BAHAMAS

Golfo de México

Bahía de Campeche
Mérida
Península de Yucatán
Campeche
Cozumel

La Habana
CUBA
Santiago de Cuba
JAMAICA
Kingston

Guantánamo
HAITÍ
Puerto Príncipe
REPÚBLICA DOMINICANA
Santo Domingo
PUERTO RICO
San Juan

ANTILLAS MENORES

MAR CARIBE

BELICE
Belmopan
GUATEMALA
Guatemala
EL SALVADOR
San Salvador
HONDURAS
Tegucigalpa
NICARAGUA
Managua
COSTA RICA
San José
PANAMÁ
Golfo de los Mosquitos
Canal de Panamá
Panamá

OCÉANO PACÍFICO

Barranquilla
Cartagena
COLOMBIA
Medellín
Bogotá
Cali
VENEZUELA
Maracaibo
Mérida
Caracas
BRASIL

N

0   800 kilómetros

0   400 millas

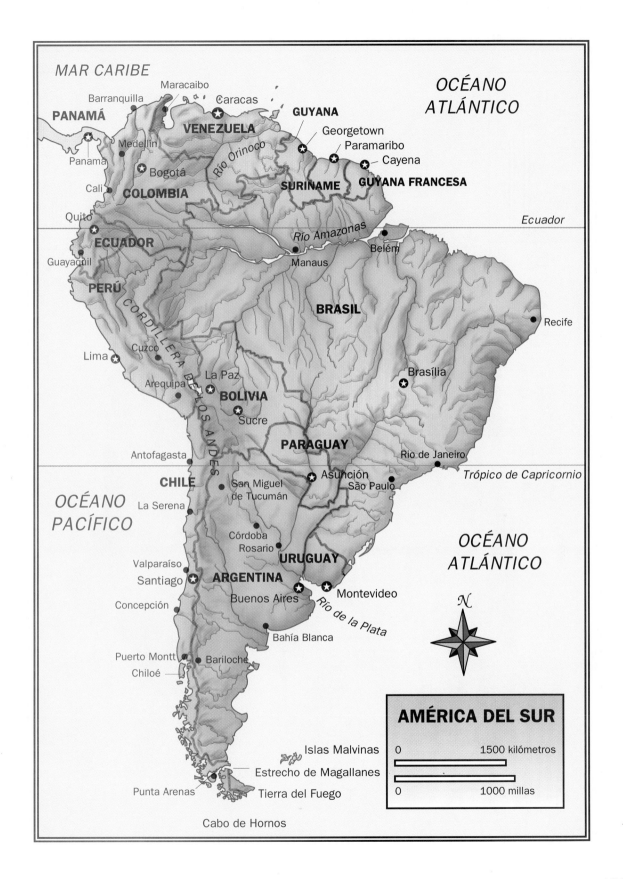

MAR CARIBE

OCÉANO ATLÁNTICO

Barranquilla
Maracaibo
PANAMÁ
Caracas
GUYANA
VENEZUELA
Georgetown
Medellín
Paramaribo
Río Orinoco
Panamá
Cayena
Bogotá
SURINAME
GUYANA FRANCESA
Cali
COLOMBIA
Quito
Ecuador
ECUADOR
Río Amazonas
Guayaquil
Belém
Manaus
PERÚ
BRASIL
Recife
Cuzco
Lima
La Paz
Brasília
Arequipa
BOLIVIA
Sucre
PARAGUAY
Antofagasta
Río de Janeiro
Trópico de Capricornio
CHILE
Asunción
OCÉANO PACÍFICO
San Miguel de Tucumán
São Paulo
La Serena
OCÉANO ATLÁNTICO
Córdoba
Valparaíso
Rosario
Santiago
URUGUAY
ARGENTINA
Concepción
Montevideo
Buenos Aires
Río de la Plata
Bahía Blanca
Puerto Montt
Bariloche
Chiloé
N
Islas Malvinas
Estrecho de Magallanes
Punta Arenas
Tierra del Fuego
Cabo de Hornos

AMÉRICA DEL SUR

0	1500 kilómetros

0	1000 millas

CORDILLERA DE LOS ANDES

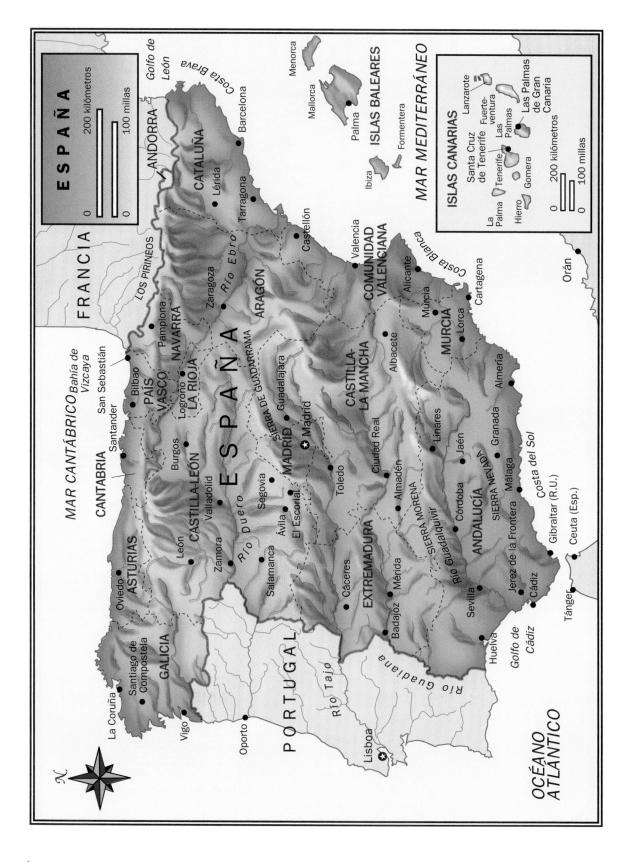

ESPAÑA

Dedications

To my sister, Gloria, who has always been there for me. Love you lots, sis.
—Bill VanPatten

To Bill and Terry for their enduring friendships and the stimulation that working with them always brings me. To **las chiquitas** for the promise of what will be. And to Murphy who, when the kids scream, just gets up and calmly leaves the room.
—James F. Lee

To Brian, Alex, and Nick, the loves of my life.
—Terry L. Ballman

¿QUIÉN ERES?

In this lesson, as you get to know your classmates, you will share information about yourself and

☐ ask your classmates their names and where they are from

☐ ask about their majors, what classes they are taking, and which subjects they especially like or dislike

☐ learn the forms and uses of the verb **ser**

☐ learn the subject-pronoun system in Spanish

☐ learn to use the verb **gustar** to talk about yourself and someone you know

☐ learn about gender and number of articles and adjectives

☐ learn the numbers 0–30

☐ learn the verb **hay**

☐ listen to someone talk about her favorite academic subjects.

 You will also learn about Chicanos and read a poem by Chicano poet Francisco Alarcón.

Vistazos

¿Quién eres?

vocabulario esencial

—**Hola. Me llamo** Carlos.
  ¿Cómo te llamas?
—**Soy** María.
—**Mucho gusto.**
—**Encantada.**

¿Cómo te llamas?

Introducing Yourself

In Spanish, you can use the following expressions to introduce yourself to others.

> ¡Hola! Soy _____
> *or* Me llamo _____
> *or* Mi nombre es _____

To find out another person's name, you can ask

> ¿Cómo te llamas?
> ¿Cómo se llama usted?

¿Cómo te llamas? is used with a person your own age or with a friend or someone with whom you are on close terms. **¿Cómo se llama?** is generally used with someone older than yourself or when there is a bit of formality or social distance between you and the other person. (You will learn more about this in **Lección 1**.)

To respond to an introduction you can say

> Mucho gusto.
> Encantado. (*if you're a man*)
> *or* Encantada. (*if you're a woman*)

Actividad A   ¡Hola!

Below you will find the beginnings of two conversations. Choose the expression that would most likely follow each one.

1. E1:* ¿Cómo te llamas?
   E2: _____
   ❑ Mi nombre es Juan.
   ❑ Mucho gusto.
   ❑ Encantada.
2. E1: ¡Hola! Soy Adriana.
   E2: _____
   ❑ Encantado. ¿Cómo te llamas?
   ❑ Mucho gusto. Soy Daniel.
   ❑ ¡Hola! ¿Cómo te llamas?

_____

*E1 and E2 will be used throughout *Vistazos* as abbreviations for **Estudiante 1** and **Estudiante 2**.

COMUNICACIÓN

Actividad B ¿Cómo te llamas?

Now that you are familiar with several expressions used to introduce yourself and meet others, get up and circulate through the classroom and meet as many people as you can! Write down their names.

1... 2... 3... 4... etcétera

vocabulario esencial

¿De dónde eres?

Telling Where You Are From

To find out where someone is from you say

¿De dónde eres? *or* ¿De dónde es usted?

¿De dónde eres? is used with the same people as **¿Cómo te llamas?** **¿De dónde es usted?** is used with the same people as **¿Cómo se llama usted?** Which question would you use to address one of your classmates? You're correct if you said **¿De dónde eres?** Which question would you use to address your professor? (Yes, you would say **¿De dónde es usted?**)

---

*This notepad icon signals that the accompanying activity should be done on a separate sheet of paper. It will be for your instructor to decide whether you should hand in the completed activity or not.

—¿**De dónde eres,** Luis?

—**Soy de** San Antonio. ¿Y tú?

—**De** San Francisco.
—Ah, **de** California, ¡Fenomenal!

To respond to these questions, say

Soy de (*place*).

or simply

De (*place*).

To report someone else's information, you can say

Se Llama (*name*).
Es de (*place*).

Actividad C   ¿Qué sigue?°

¿Qué... *What follows?*

Match each expression from column A with a logical response from column B.

A	B
1. _____ ¡Hola! ¿Cómo te llamas?	**a.** De Nueva York.
2. _____ ¿De dónde eres?	**b.** Mucho gusto.
3. _____ Soy de Honolulú.	**c.** Soy Rodrigo.
4. _____ Mi nombre es Teresa.	**d.** Ah, de Hawai.

COMUNICACIÓN

Actividad D   ¿Cómo te llamas? ¿De dónde eres?

Paso (*Step*) 1 Introduce yourself to three people you don't know in your class, and find out where each is from. Write down their names and hometowns.

1...   2...   3...

Paso 2 Now be prepared to introduce one or two of your classmates to everyone else. Follow the model.

MODELO   Clase, les presento a (*I'd like to introduce you to*) un amigo (una amiga). Se llama _____ y es de _____.

¿Ser o no ser?

Forms and Uses of **ser**

Yo (*I*)	soy	nosotros/nosotras (*we*)	somos
tú (*you*)	eres	vosotros/vosotras (*you [pl.]*)	sois
usted (*you*)	es	ustedes (*you [pl.]*)	son
él (*he*) / ella (*she*)	es	ellos/ellas (*they*)	son

The verb **ser** generally translates into English as *to be*. (Another verb, **estar**, also translates as *to be*. You will learn the differences between the two in later lessons.) In this lesson you have already seen some forms of **ser**. See the shaded box above for all of its forms.

Ser is a common verb in Spanish and serves to express a variety of concepts.

1. to tell what someone or something is

    María **es** estudiante.

2. to say where someone or something comes from

    Soy de California. ¿De dónde **eres** tú?

3. to indicate possession

    ¿Las fotografías? **Son** de Carmen.

4. to describe what someone or something is like

    Ana Alicia **es** inteligente.

—¡Ramón! ¿**Eres** tú?
—Sí, **soy** yo.

By now, you have noticed subject pronouns such as **tú** (*you*). The complete list of subject pronouns in Spanish is provided in the shaded box at the top of the page. In contrast to English, Spanish allows for the deletion of subject pronouns. In many instances, subject pronouns are used only to emphasize or clarify to whom the speaker is referring. Compare the following

Soy estudiante.	*I am a student.* (It is obvious from the verb that you are only talking about yourself.)
Yo soy estudiante, pero **él** es profesor.	*I am a student, but he is a professor.* (Here you are emphasizing the differences.)

NOTA COMUNICATIVA

Here are several useful expressions to ask someone to repeat a statement that you didn't understand.

Repita, por favor.	*Repeat, please.*
Otra vez, por favor.	*Again, please.*
¿Cómo?	*Pardon me?*
¿Cómo dice?	*What did you say?*

Actividad E ¿Qué opinas?°

¿Qué... *What do you think?*

Paso 1 Tell how you feel about each item or person listed. Choose from the list of adjectives provided. Use the correct form of **ser** in your responses.

MODELO el presidente
   a. tonto (*foolish*)   **b.** inteligente   **c.** sincero →
   El presidente es inteligente.

1. mis clases
   a. interesantes   **b.** buenas (*good*)   **c.** aburridas (*boring*)
2. Nueva York
   a. atractiva   **b.** cosmopolita   **c.** espantosa (*scary*)
3. mi familia
   a. aburrida   **b.** atractiva   **c.** simpática (*nice*)
4. el vicepresidente
   a. insincero   **b.** cómico   **c.** sincero
5. yo
   a. una persona optimista   **b.** una persona pesimista   **c.** una persona realista

Paso 2 Compare your opinions with those of two classmates. How many opinions do you have in common?

COMUNICACIÓN

Actividad F ¡A conocernos!°

¡A... *Let's get acquainted!*

Paso 1 Interview someone in the class you do not know. Be sure to greet the person, introduce yourself, find out where he or she is from, and tell where you are from.

Paso 2 With the information you obtained in **Paso 1,** complete the paragraph below.

Mi nombre es _____ y mi compañero/a de clase se llama _____. Él (Ella) es de _____ y yo soy de _____.

Lección preliminar   ¿Quién eres?

CONSEJO PRÁCTICO

Spanish and English share many cognates, words that look or sound alike in various languages. Generally, these words have the same meaning. See whether you can guess the meanings of these Spanish words.

bicicleta	confusión	examinar
cámara	diccionario	malicioso
cancelar	disco	revolución

When spoken, some cognates may not sound like cognates to you because of the differences between Spanish and English pronunciation. Here are some examples.

gen *(gene)* jirafa *(giraffe)* rifle

Some cognates are "false" cognates; their meanings are different in the two languages. Here are four common examples.

conferencia	*lecture*	librería	*bookstore*
fábrica	*factory*	pariente	*relative*

Most cognates, however, will share the same meaning and thus will be useful tools in helping you comprehend written and spoken Spanish.

Vistazos

Las carreras y las materias

¿Qué estudias?

Courses of Study and School Subjects

vocabulario esencial

Here is a list of courses of study and subjects in Spanish.

Las ciencias naturales
la astronomía
la biología
la física
la química

Las ciencias sociales

la antropología	**la geografía**
las ciencias políticas	**la historia**
las comunicaciones	**la psicología**
la economía	**la sociología**

Las humanidades (Las letras)

el arte
la composición
la filosofía
los idiomas, las lenguas extranjeras
 (*foreign languages*)
  el alemán (*German*)
  el español
  el francés
  el inglés
  el italiano
  el japonés
  el portugués
  la literatura
  la música
  la oratoria (*speech*)
  la religión
  el teatro

¿NO HABLA INGLÉS?
¿Qué espera?...

APRÉNDALO
EN 30 DÍAS
CON

APRÉNDALO
EN TREINTA DÍAS
INGLÉS
FÁCIL
Un método novedoso,
rápido y efectivo

UN MÉTODO NUEVO,
RÁPIDO Y
EFECTIVO

2da. Edición Revisada

Un sistema fácil para
lograr un vocabulario de
2000 palabras
Cómo formar frases y oraciones
¡Converse en inglés!
UNA PUBLICACIÓN DE EDITORIAL AMÉRICA, S.A.

Otras materias y especializaciones

la administración de empresas (*business*
 administration)
la agricultura, la agronomía
el cálculo
la computación (*computer science*)

la educación física
la ingeniería
las matemáticas
el periodismo (*journalism*)

Actividad A   ¿Quién?°

Who?

Listen as your instructor names a subject or field of study. Can you identify who in the following list is most closely associated with each subject named?

1. Albert Einstein
2. Picasso
3. Galileo
4. Margaret Mead

5. Mozart
6. Marie Curie
7. Sigmund Freud
8. Cervantes

NOTA
COMUNICATIVA

Here are several expressions you will find useful when you simply don't understand what someone says to you, and you would like clarification.

No entiendo.
No comprendo. } *I don't understand.*

If you understand what's been said, but don't know the answer, you can simply say

No sé.   *I don't know.*

Lección preliminar   ¿Quién eres?

ASÍ SE DICE

Have you noticed that in Spanish all nouns have grammatical gender and number? Gender means that all nouns are considered either masculine or feminine, whether they have masculine or feminine qualities or not. Number means they are either singular or plural. Like English, Spanish has articles that are used with nouns. In English, the articles are *the* (definite article) and *a/an* (indefinite articles).

DEFINITE ARTICLE	MASCULINE	FEMININE
SINGULAR	**el** diccionario	**la** computadora
PLURAL	**los** diccionarios	**las** computadoras

INDEFINITE ARTICLE	MASCULINE	FEMININE
SINGULAR	**un** profesor	**una** profesora
PLURAL	**unos** profesores	**unas** profesoras

Note that **unos** and **unas** are the equivalent of *some* in English.

As a general rule, nouns that end in **-o** are masculine and those ending in **-a** are feminine. When you learn a new noun, be sure to learn the definite article that goes with it!

COMUNICACIÓN

Actividad B   «Firma aquí, por favor.»°

«Firma... *"Sign here, please."*

Think of a particular subject. Then survey your classmates to find five who are taking this subject this semester. Proceed as follows: Number a sheet of paper from 1 to 5. Then walk around the room and interview your classmates.

MODELO   —¿Tienes clase de _____ este semestre (trimestre)?
—Sí, tengo clase de _____. *o* —No, no tengo.

If a person answers **Sí,** say **Firma aquí, por favor,** and have him or her sign your sheet. If a person answers **No,** ask someone else. Be sure to thank each classmate (**Gracias.**). Do not return to your seat until you have at least five signatures.

¿Te gusta?

Discussing Likes and Dislikes

gramática esencial

me gusta(n)	no gusta(n)
te gusta(n)	os gusta(n)
le gusta(n)	les gusta(n)
le gusta(n)	les gusta(n)

—¿Qué materias **te gustan**?
—Pues, **me gusta** mucho la sociología y...

—¿Y **te gustan** las matemáticas?

—¡Huy, no! **¡No me gustan para nada!**

Spanish has no exact equivalent for the English verb *to like*. Instead, the verb **gustar** (literally: *to please* or *to be pleasing*) is used. For example, to say that you like history, you would say

> **Me gusta** la historia.   *History is pleasing to me.*

If more than one thing pleases you, the verb takes the plural form **gustan.**

> **Me gustan** las ciencias.   *Sciences are pleasing to me.*

To ask another person about his or her likes, you can say

> ¿**Te gusta** la clase de español?
> ¿**Te gustan** las matemáticas?

To report on what he or she says, you can say

> **Le gusta** la clase de español.   *Spanish class pleases him/her.*
> **Le gustan** las matemáticas.   *Math pleases him/her.*

If you mention the person's name, you must place an **a** before the name.

> **A** Roberto **le gustan** las ciencias.
> **A** Ricardo y **a** Felipe **les gusta** la clase de oratoria.

Me, te, and **le** are called indirect object pronouns. As you can see, they precede the verb forms **gusta** or **gustan.** You will learn more about indirect object pronouns in later lessons.

COMUNICACIÓN

Actividad C   Una encuesta°   *survey*

Here is a rating scale for your likes and dislikes regarding subjects of study. Circle a number to indicate how you feel about each subject. Fill in the blank with any other subject you may be taking.

	5 (CINCO) Me gusta(n) mucho.	4 (CUATRO) Me gusta(n).	3 (TRES) Me da igual. (It's all the same to me.)	2 (DOS) No me gusta(n)	1 (UNO) No me gusta(n) para nada.
Administración de empresas	5	4	3	2	1
Computación	5	4	3	2	1
Física	5	4	3	2	1
Historia	5	4	3	2	1
Idiomas *language*	5	4	3	2	1
Inglés	5	4	3	2	1
Matemáticas	5	4	3	2	1
Química	5	4	3	2	1
_____	5	4	3	2	1

¿Qué carrera haces?

Talking About Your Major

To inquire about a classmate's major, you can ask

¿Qué estudias? — *What are you studying?*
¿Qué carrera haces? — *What's your major? (lit. What career are you doing?)*

To tell what your major is, you can use either of the following expressions.

Estudio biología. — *I'm studying biology.*
Soy estudiante de historia. — *I'm a history student.*

If you don't have a major yet, you can say

No lo sé todavía. — *I don't know yet. (I still don't know.)*

Actividad D ¿Cómo respondes?°

¿Cómo... *How do you answer?*

Give a logical response based on the contexts provided.

1. —¿Qué estudias?
   —_____. (*You're a history major.*)
2. —¿Qué carrera haces?
   —_____. (*You haven't declared a major.*)
3. —¿Estudias psicología?
   —_____. (*No, you're studying journalism.*)

—Mamá, quiero presentarte aª Segismundo, mi **compañero de cuarto.** *Roommate*
—Mucho gusto, Segismundo.
—Igualmente, señora Méndez.
—**¿Qué carrera haces,** Segismundo?
—**Estudio** ingeniería.
—¡Qué bien!

ªquiero... *I want to introduce you to*

Actividad E ¡A conocernos mejor!°

¡A... *Let's get better acquainted!*

Using everything you now know how to say in Spanish, introduce your-self to three people in the class whom you haven't met yet. Ask them for the information requested in the chart and fill it in.

NOMBRE	DE...	CARRERA
_____	_____	_____
_____	_____	_____
_____	_____	_____

Vistazos

Más sobre las clases

**gramática
esencial**

¿Clases buenas?

Describing

sincer**o**	interesant**e**
sincer**a**	interesant**e**
sincer**os**	interesant**es**
sincer**as**	interesant**es**

As you have probably noticed, Spanish nouns (for example, **la historia, los idiomas**) show gender and number. Similarly, descriptive adjectives, which are words that describe someone or something (for example, **inte-resante, sincero, optimista**), also show gender and number:

	MASCULINE	FEMININE
Singular	un amigo sincero	una clase buena
Plural	unos amigos sinceros	unas clases buenas

Lección preliminar   ¿Quién eres?

Adjectives that end in **-e** and most that end in consonants only show number.

	MASCULINE	FEMININE
Singular	un amigo inteligente	una clase difícil
Plural	unos amigos inteligentes	unas clases difíciles

Have you noticed that these descriptive adjectives tend to follow the noun rather than precede it?

Actividad A ¿De qué habla tu profesor(a)?° ¿De... *What is your professor talking about?*

Listen as your instructor makes a statement. Based on what you know about descriptive adjectives, decide which of the choices given refers to what the statement is talking about.

MODELO PROFESOR(A): Son muy serios.
      ESTUDIANTE: **a.** la profesora
              b. las enciclopedias
              c. el libro
              (d.) los profesores

1. a. la historia **b.** las comunicaciones **c.** el arte **d.** los idiomas
2. a. la profesora **b.** las profesoras **c.** el profesor **d.** los profesores
3. a. la estudiante **b.** las profesionales **c.** el estudiante **d.** los actores
4. a. la clase **b.** las computadoras **c.** el inglés **d.** los estudiantes
5. a. la música **b.** las ciencias políticas **c.** el cálculo **d.** los estudios
6. a. la clase **b.** las clases **c.** el béisbol **d.** los libros

Actividad B Entrevista

COMUNICACIÓN

Interview two classmates to find out how they feel about each item or person listed on the next page. The people interviewed can choose an adjective from the list provided. Make sure your classmates use logical adjectives in their correct form. Jot down each person's responses. Remember to greet each person before asking him or her the question below.

MODELO E1: ¡Hola! ¿Qué opinas de... ?
      E2: Es/Son... (No es / No son...)

Adjetivos

aburrido (*boring*)
barato (*inexpensive*)
bonito (*pretty*)
bueno
divertido (*fun*)
espantoso (*scary*)
inteligente
interesante
malo (*bad*)
regular (*so-so*)
tonto

	E1	E2
1. las ciencias políticas	_____	_____
2. la pizza de (nombre de un restaurante)	_____	_____
3. los senadores en Washington, D.C.	_____	_____
4. la MTV	_____	_____
5. los libros de esta clase	_____	_____

ASÍ SE DICE

Not all adjectives in Spanish follow a noun. Here are some adjectives that generally precede nouns.

poco/a (*little*)	Juan tiene **poco** tiempo (*time*) para estudiar.
pocos/as (*few*) "eye"	Hay **pocas** profesoras de ingeniería.
mucho/a (*much*)	El chico (*boy*) tiene **mucha** paciencia.
muchos/as (*many*)	**Muchos** estudiantes son de California.
algunos/as (*some*)	**Algunos** estudiantes son de Colorado.
este/a (*this*)	**Este** libro es interesante.
ese/a (*that*)	**Esa** materia es fascinante.
estos/as (*these*)	**Estos** estudiantes son de China.
esos/as (*those*)	**Esas** chicas son de Bolivia.

Lección preliminar   ¿Quién eres?

You may have noticed that certain possessive adjectives, those that indicate "ownership," show number (singular or plural) only.

Mi clase es interesante.
My class is interesting.

Su libro es bueno.
Their book is good.

¿Son aburridas **tus** clases?
Are your classes boring?

Sus libros son buenos.
Her books are good.

Notice that **su(s)** can be used to describe what belongs to *him, her,* or *them.* You will learn more about the possessive adjective **su(s)** in later lessons.

¿Cuántos créditos?

Numbers 0–30

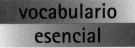

—¿**Cuántas** clases **tienes** este semestre, Rodrigo?
—**Cinco. Tengo dieciséis** créditos en total.

—Pues yo **tengo dieciocho.** ¡Mucho trabajo!

—¡Pobrecita!

Knowing the numbers zero through thirty will enable you to talk about the number of classes and credits you are taking this term.

0 cero	8 ocho	16 dieciséis	24 veinticuatro
1 uno	9 nueve	17 diecisiete	25 veinticinco
2 dos	10 diez	18 dieciocho	26 veintiséis
3 tres	11 once	19 diecinueve	27 veintisiete
4 cuatro	12 doce	20 veinte	28 veintiocho
5 cinco	13 trece	21 veintiuno*	29 veintinueve
6 seis	14 catorce	22 veintidós	30 treinta
7 siete	15 quince	23 veintitrés	

*__Veintiuno__ becomes **veintiún** when used with masculine nouns (**veintiún profesores**) and **veintiuna** when used with feminine nouns (**veintiuna profesoras**).

Actividad C   ¿Cuántos créditos?

Your instructor will read a series of questions. Base your answer on the courses and credit systems at your institution.

MODELO   PROFESOR(A): Si un estudiante tiene una clase de matemáticas, una de biología y una de alemán, ¿cuántos
créditos tiene?

ESTUDIANTE: Tiene doce.

1... 2... 3... 4... 5... etcétera

Actividad D   ¿Cuántas clases?

¿Cuántas? is used to express *How many?* when the item in question is feminine plural (**las clases, las ciencias**). **¿Cuántos?** is used with masculine plural items (**los estudiantes, los números**). Following the model, interview as many classmates as possible and fill in the chart. Don't forget to introduce yourself if you haven't met the person yet!

MODELO   E1:

Hola. Me llamo _____.
¿Cómo te llamas?   Me llamo _____.
¿Cuántas clases tienes?   Tengo _____.
¿Y cuántos créditos?   _____ créditos.

NOMBRE DEL ESTUDIANTE (DE LA ESTUDIANTE)	NÚMERO DE CLASES	NÚMERO DE CRÉDITOS
_____	_____	_____
_____	_____	_____
_____	_____	_____
_____	_____	_____
_____	_____	_____
_____	_____	_____
_____	_____	_____

---

gramática esencial

¿Hay muchos estudiantes en tu universidad?

The Verb Form **hay**

To express the concept *there is* or *there are*, Spanish uses the verb **hay** (pronounced like English *eye*). **Hay** is used for both singular (*there is*) and plural (*there are*). In Spanish, **h** is silent, so do not pronounce it when you say the word **hay**.

—¿Cuántos estudiantes **hay** en tu
clase de inglés?
—**Hay** veintiocho.

Lección preliminar   ¿Quién eres?

Actividad E   ¿Cierto o falso?

Is each statement about your Spanish class true (**cierto**) or false (**falso**)?

		CIERTO	FALSO
1.	Hay treinta estudiantes en mi clase de español.	☐	☑
2.	Hay más hombres (*men*) que mujeres (*women*) en esta clase.	☑	☐
3.	Hay en total tres exámenes (*tests*) en esta clase.	☐	☑
4.	Hay estudiantes que tienen sólo (*only*) dos clases este semestre (trimestre).	☐	☑

Did you Know That

Actividad F   ¿Sabías que... ?

Listen to and read the **¿Sabías que... ?** selection on the following page. Then, answer these questions.

1. ¿En cuántos países es español el idioma oficial?
   a. 10 **b.** 15 **c.** 20 **d.** 25
2. If you are not familiar with geography, consult the map that accompanies the **¿Sabías que... ?** selection. Then answer the following questions with a partner.
   ¿Cómo se llama...
   a. un país de habla española en Europa?
   b. una isla (*island*) de habla española en el Caribe?
   c. una isla de habla española asociada con los Estados Unidos?
   d. un país de habla española que tiene un canal importante?
3. Think about the town or city you are from. Which statement best describes it?
   a. ☐ No hay personas de habla española.
   b. ☐ Hay pocas personas de habla española.
   c. ☐ Hay muchas personas de habla española.

Actividad G   ¿Dónde hay... ?

COMUNICACIÓN

Interview a classmate to find out his or her responses to the following questions. Jot down your partner's answers. Then, switch roles. Do you agree?

1. ¿En qué clases hay muchos estudiantes?
2. ¿En qué clases hay pocos estudiantes?
3. ¿Dónde hay mucha acción en el *campus*?
4. ¿Dónde hay poca acción en el *campus*?
5. ¿ ?

¿Sabías que...

en el mundo hay aproximadamente 409 millones de personas de habla española? Una de las razones[a] de la popularidad del idioma español en los Estados Unidos
es el número elevado de países donde el idioma oficial es el español.

Claro que[b] otra razón es la presencia de muchas personas de habla española en los
Estados Unidos. Es posible oír[c] español en las calles[d] de varias ciudades[e] grandes y también[f] en zonas rurales del oeste y suroeste de los Estados Unidos.

---

[a]*reasons*   [b]*Claro... Of course*   [c]*to hear*   [d]*streets*   [e]*cities*   [f]*also*

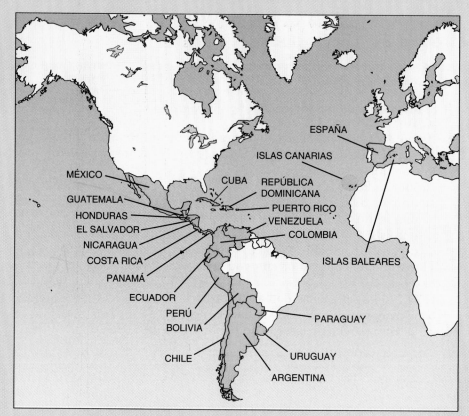

Visit the *Vistazos* website at **www.mhhe.com/vistazos**.

Los hispanos hablan

¿Qué materias te gusta estudiar?

Paso 1 Read the following **Los hispanos hablan** selection. Then answer these questions.

1. Monica probablemente (*probably*) es una estudiante _____.
   a. buena   **b.** mala   **c.** regular (*so-so*)
2. ¿Cuál es la oración (*sentence*) correcta?
   a. A Mónica le gustan todas las materias por igual (*the same*).
   b. Mónica tiene varias opiniones sobre las materias.
   c. A Mónica no le gustan para nada todas las materias.
3. Mónica usa una palabra que es un sinónimo (*synonym*) de **materias.** ¿Qué palabra usa? _____

¿ Qué materias te gusta estudiar?

NOMBRE: Mónica Prieto
EDAD:[a]   24 años[b]
PAÍS: España

«Me gusta mucho estudiar, pero algunas cosas me gustan más que otras. Por ejemplo,[c] no me gustan para nada las matemáticas porque me parecen[d] muy difíciles.»

. . .

«En España estudiábamos[e] el latín, el griego,[f] el inglés. Y otras asignaturas que tenía[g] eran la religión y la filosofía. La religión me parece aburrida pero la filosofía me parece muy interesante. Sin embargo,[h] mi favorita son los idiomas.»

[a]*Age*   [b]*years (old)*   [c]*Por... For example*   [d]*me... they seem to me*   [e]*we used to study*   [f]*Greek*   [g]*I used to have*   [h]*Sin... Nevertheless*

Paso 2 Now watch or listen to the rest of the segment. After listening, answer the following questions.

Vocabulario útil

estudiaba	I used to study
más o menos	more or less
me encantan	I love (*lit.* they enchant me)

1. ¿Qué prefiere Mónica, las matemáticas o las ciencias?
2. ¿Qué le gusta más, la química o la física?
3. ¿Qué materia prefiere, la religión o la filosofía?
4. De todas las materias, ¿cuál es su favorita? Da ejemplos (*Give examples*).

Paso 3 Complete the paragraph with information about yourself. Soy (diferente de / similar a) _____ Mónica porque (sí/no) _____ me gustan mucho los idiomas y no me gusta(n) mucho _____.

diecinueve   19

Los hispanos hablan

Vocabulario

¡Hola! — Hello

¿Cómo te llamas? }
¿Cómo se llama usted? } What's your name?
¿Cuál es tu nombre? }

Me llamo _____. }
Mi nombre es _____. } My name is _____.

Soy _____. — I'm _____.

Se llama _____. }
Su nombre es _____. } His/Her name is _____.

Mucho gusto. }
Encantado/a } Pleased to meet you.

Igualmente. — Likewise.

¿De dónde eres? }
¿De dónde es usted? } Where are you from?

Soy de _____. — I'm from _____.

¿Y tú? }
¿Y usted? } And you?

Saludos y despedidas — Greetings and Leave-takings

Buenos días. — Good morning.
Buenas tardes. — Good afternoon.
Buenas noches. — Good evening.
¿Qué tal? — What's up? How's it going?
Adiós. — Good-bye.
Chau. — Ciao.
Hasta mañana. — See you tomorrow.
Hasta pronto. — See you soon.
Nos vemos. — We'll be seeing each other.

En la clase — In Class

¿Cómo? — Pardon me?
¿Cómo dice? — What did you say?
¿Cómo se dice _____ en español? — How do you say _____ in Spanish?
No comprendo. }
No entiendo. } I don't understand.
No sé. — I don't know.
Otra vez, por favor. — Again, please.
Repita, por favor. — Repeat, please.
Tengo una pregunta, por favor. — I have a question, please.

Los verbos — Verbs

hay — there is, there are
ser — to be
tengo — I have
tienes — you have

Las carreras y las materias — Majors and Subjects

Las ciencias naturales — Natural Sciences
la astronomía — astronomy
la biología — biology
la física — physics
la química — chemistry

Las ciencias sociales — Social Sciences
la antropología — anthropology
las ciencias políticas — political science
las comunicaciones — communications
la economía — economics
la geografía — geography
la historia — history
la psicología — psychology
la sociología — sociology

Las humanidades (las letras) — Humanities (Letters)
el arte — art
la composición — writing
la filosofía — philosophy
los idiomas }
las lenguas } foreign languages
  extranjeras }
    el alemán — German
    el español — Spanish
    el francés — French
    el inglés — English
    el italiano — Italian
    el japonés — Japanese
    el portugués — Portuguese
la literatura — literature
la música — music
la oratoria — speech
la religión — religion
el teatro — theater

Otras materias y especializaciones — Other Subjects and Majors
la administración de empresas — business administration
la agricultura }
la agronomía } agriculture
el cálculo — calculus
la computación — computer science
la educación física — physical education
la ingeniería — engineering
las matemáticas — mathematics
el periodismo — journalism

Más sobre las clases — More About Classes

el/la compañero/a de clase	classmate
el/la estudiante	student
el libro	book
el/la profesor(a)	professor

¿Qué carrera haces?	What is your major?
¿Qué estudias?	What are you studying?
Estudio _____.	I am studying _____.
Soy estudiante de _____.	I am a(n) _____ student.
No lo sé todavía.	I don't know yet.

Preferencias — Preferences

¿Te gusta(n) _____?	Do you like _____?
Sí, me gusta(n) _____.	Yes, I like _____.
No me gusta(n) _____.	I don't like _____.
No me gusta(n) para nada.	I don't like it (them) at all

Los números 0 a 30 — Numbers 0–30

cero	ocho	dieciséis	veinticuatro
uno	nueve	diecisiete	veinticinco
dos	diez	dieciocho	veintiséis
tres	once	diecinueve	veintisiete
cuatro	doce	veinte	veintiocho
cinco	trece	veintiuno	veintinueve
seis	catorce	veintidós	treinta
siete	quince	veintitrés	

Pronombre de sujeto — Subject Pronouns

yo	I
tú	you (*fam. s.*)
usted, Ud.	you (*form. s.*)
él, ella	he, she
nosotros/as	we
vosotros/as	you (*fam. pl. Sp.*)
ustedes, Uds.	you (*form. pl.*)
ellos, ellas	they

Los adjetivos descriptivos — Descriptive Adjectives

aburrido/a	boring
barato/a	inexpensive
bonito/a	pretty
bueno/a	good
espantoso/a	scary
malo/a	bad
tonto/a	foolish

Cognados: atractivo/a, cómico/a, cosmopolita, famoso/a, favorito/a, insincero/a, inteligente, interesante, optimista, pesimista, raro/a, realista, serio/a, sincero/a

Adjetivos de posesión — Possessive Adjectives

mi(s)	my
tu(s)	your (*fam. s.*)
su(s)	your (*form. s., pl.*), his, her, their

Adjetivos de cantidad — Quantifying Adjectives

algunos/as	some
mucho/a	much
muchos/as	many
poco/a	little
pocos/as	few

Adjetivos demostrativos — Demonstrative Adjectives

este/a	this
estos/as	these
ese/a	that
esos/as	those

Artículos indefinidos — Indefinite Articles

un(a)	a, an
unos/as	some

Artículos definidos — Definite Articles

el, la los, las	the

Otras palabras y expresiones útiles — Other Useful Words and Expressions

el/la amigo/a	friend
el/la chico/a	boy, girl
el/la compañero/a de cuarto	roommate
el examen	test
el país	country
aquí	here
¿cuántos/as?	how many?
de	of; from
gracias	thank you, thanks
mucho	a lot, very much
muy	very
no	no
o	or
por favor	please
que	that, when
¿qué?	what?
¿quién?	who?, whom?
sí	yes
y	and

Otros vistazos

In the **Vistazos** CD-ROM, you will learn more about Hispanic cultures including:

- a short poem titled "Dialéctica"
- brief biographical notes on the author of the poem, Francisco Alarcón
- a little bit on geography related to Chicanos
- some history regarding Chicanos
- interesting facts in **¿Sabías que... ?**

Listen to and read the following brief biography. Click on the words in blue to pull up first a hint and then, if all else fails, an English rendition!

Francisco Alarcón (1954-)

Nativo de Los Ángeles, Francisco Alarcón es chicano y poeta. Reside en San Francisco pero también es profesor en la Universidad de California en Davis. Sus obras importantes incluyen el poema «Mestizo» y la colección de poemas *Cuerpo en llamas*[1].

[1]*Cuerpo... Body in Flames*

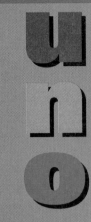

El camión (1929) por Frida Kahlo (mexicana, 1907–1954)

ENTRE NOSOTROS

entre nosotros means both *between us* and *among us*. In the first unit of *Vistazos*, you and your classmates will begin to get to know each other. You'll find out about each other's activities, likes and dislikes, pastimes, and other things.

Before you begin, take a glance at the photos that introduce **Entre nosotros**. Read the captions and think about them. What ideas occur to you as you look at the photos?

The tower clock (University of Puerto Rico, Río Piedras) says 12:00. Where are you and what do you normally do at noon during the week?

When you see people you know, how do you greet them?

Is music a part of your life? Do you play an instrument? Do you go to many musical events? (*Tres músicos* [1921] por Pablo Picasso [español, 1881–1973])

LECCIÓN

1

¿CÓMO ES TU HORARIO?

In this lesson, you'll focus on daily routines and schedules. You will also

- describe, ask, and answer questions and make comparisons related to people's daily routines
- talk about time and the days of the week
- learn how to form the singular forms of present-tense verbs
- learn to express when and how often you do something
- listen to someone talk about whether he is a day person or a night person

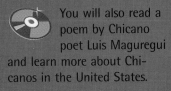

You will also read a poem by Chicano poet Luis Maguregui and learn more about Chicanos in the United States.

1 de cada 10 españoles
ve todos los días TV3

Vistazos

La vida de todos los días

¿Cómo es una rutina?

Talking About Daily Routines

El horario de Alicia Soto, estudiante de ecología en la Universidad de Texas

1. Alicia **se levanta** temprano.

2. **Hace** ejercicio aeróbico.

3. **Desayuna** café con leche.

4. **Asiste** a clase.

5. **Lee** un libro en la biblioteca.

6. **Trabaja** en un laboratorio por la tarde.

7. **Regresa** a casa.

8. **Come** en casa.

9. **Escribe** la tarea.

10. **Estudia** en su cuarto.

11. **Juega** con los gatos.

12. **Se acuesta** a las once.

El horario de Ramón Menéndez, vendedor de libros y estudiante de noche en la Universidad de Puerto Rico

1. **Ramón se despierta** tarde.
   WAKe up

2. **Lee** el periódico.
   Read

3. **Va** en carro a la oficina de *La Hispánica*.

4. **Habla** por teléfono.

5. **Almuerza** con una amiga.

6. **Sale** de la oficina.

7. **Asiste** a una clase.

8. **Duerme** en clase.

9. **Cena** solo en casa.
   eAT dinner

10. **Toca** la guitarra.

11. **Escucha** música y estudia.

12. **Se acuesta** muy tarde.

VOCABULARIO ÚTIL

¿Cuándo?	When?		
por la mañana	in the morning	temprano	early
por la tarde	in the afternoon	tarde	afternoon; late
por la noche	in the evening, at night		

Note in the **Vocabulario útil** box on the previous page that the word **tarde** as a noun means *afternoon* **(la tarde),** and as an adverb means *late*. **(Ramón se levanta tarde.)**

Actividad A   ¿Cierto o falso?

Look again at the pictures of Alicia and Ramón on pages 26–27 and listen as your instructor reads statements about them. Is each statement **cierto** or **falso?** Correct the false statements.

> MODELOS   PROFESOR(A): En el número ocho, Ramón duerme en clase.
> ESTUDIANTE: Cierto.
>
> PROFESOR(A): En el diez, Alicia come.
> ESTUDIANTE: Falso. Alicia estudia en su cuarto.

1... 2... 3... 4... 5... 6... 7... 8...

COMUNICACIÓN

Actividad B   ¿Y otra persona?

With what you know now, how many things can you say about another person's daily routine? Using the vocabulary for daily routines, present five statements to the class about someone you all know. The class will decide if you are correct or not. Here are some suggestions, but feel free to use other people.

> el presidente de los Estados Unidos
> la primera dama (*First Lady*)
> un actor o una actriz
> el profesor (la profesora)
> un(a) estudiante de esta clase

> MODELO   El presidente de los Estados Unidos se levanta temprano todos los días.

1... 2... 3... 4... 5...

¿Trabaja o no?
Talking About What Someone Else Does

gramática esencial

(yo)	-o	(nosotros/as)	-amos,-emos,-imos
(tú)	-as, -es	(vosotros/as)	-áis, -éis, -ís
(Ud.)	-a, -e	(Uds.)	-an, -en
(él/ella)	trabaj**a** se acuest**a** com**e** esrib**e**	(ellos/ellas)	-an, -en

As in many languages, Spanish verbs (words that express actions, states, processes, and other events) consist of a stem (the part that indicates the action, state, or event) and an ending. In the verb form **trabaja, trabaj-** is the stem (it means *work*) and **-a** is the ending that tells you several things: present tense, third-person singular (some other person is doing the working).

Verbs can be conjugated, that is, they can indicate who or what the subject is (as in **trabaja**) or they can be in the infinitive. Infinitives in English are usually indicated with *to: to run, to get up, to sleep*. Spanish infinitives end in **-r** and belong to one of three classes: **-ar (trabajar), -er (leer),** or **-ir (salir).**

To talk about someone else, a conjugated verb is used. It is called *third-person singular*. Take the stem and add **-a** or **-e** as shown in the shaded box. (Note that **-er** and **-ir** verbs share the same ending in this case.)

Some Spanish verbs have stem vowel changes. You will simply have to memorize these.

o → ue
ac**o**starse → se ac**ue**sta
d**o**rmir → d**ue**rme

e → ie
t**e**ner (*to have*) → t**ie**ne

e → i
p**e**dir (*to ask for, request*) → p**i**de

If you see a third-person singular verb form that has a **ue, ie,** or **i** in the stem, chances are that in the stem of the infinitive there is an **o, e,** or **e,** respectively!

Here are other stem-changing verbs you will find useful.

o → ue	e → ie
jugar* (*to play*)	pensar (*to think*)
poder (*to be able to, can*)	entender (*to understand*)
volver (*to return*)	querer (*to want*)
	preferir (*to prefer*)
	venir (*to come*)

e → i
vestirse (*to get dressed*)

Notice that the present tense in Spanish is used to talk about (1) habitual actions and (2) things that are happening *right now*.

*****Jugar** follows the pattern of **o → ue** verbs although its stem vowel is **u.** It is the only verb in Spanish that does so.

AS Í SE DICE

Why are some verbs preceded by **se?** Such verbs are called reflexive verbs, and you will learn about them in **Lección 5.** For now, take note of which verbs are used with **se.** ¡OJO! (*Watch out!*) **Se** does not mean *he* or *she*. **Él** and **ella** mean *he* and *she*.

(Ella) Se levanta.
She gets up.

(Él) Se acuesta.
He goes to bed.

CONSEJO PRÁCTICO

Why are the verb presentations in *Vistazos* broken up? Why do you only learn one piece of the verb (e.g., third-person singular) at a time? In this part of the lesson, you are focusing on hearing, reading, and talking about someone else's daily routine (e.g., that of Alicia or Ramón). Later in this lesson you will talk about your own daily routine, and you will then learn the first person, or **yo,** verb forms. By focusing your attention on one verb form at a time, your chances of learning the verb forms and the context in which they are used are greatly increased!

Vistazos

Actividad C   ¿Son típicos o no?

Based on your general assumptions about professors and students, decide if each of the following statements relates more to a typical professor or a typical student. Which statements apply to both? (Note that all verbs in the following statements are stem-changers.)

P = El profesor típico (La profesora típica)...
E = El estudiante típico (La estudiante típica)...

1. _____ se acuesta temprano.
2. _____ se viste de manera (*manner*) informal.
3. _____ prefiere la música *rock* a (*to*) la música clásica.
4. _____ almuerza en la cafetería. eat lunch
5. _____ pide explicación cuando no entiende la lección.
6. _____ piensa en (*thinks about*) su futuro.
7. _____ no duerme lo suficiente (*enough*).*

COMUNICACIÓN

Actividad D   ¿Y los perros°?   *dogs*

See whether you can talk about the daily life of a dog by using correct verb forms in logical sentences. While you may use any of the daily activities and verbs you have learned so far, below are some new verbs and words that may be useful. Afterwards, decide if the same is true for a cat **(un gato).**

Vocabulario útil

beber	to drink	**al...**	to the . . . / at the . . .	**el agua**	water
correr	to run	**con**	with	**el cartero**	mail carrier
ladrar	to bark			**la pelota**	ball

Vistazos

Durante la semana

vocabulario esencial

¿Con qué frecuencia? (I)   Talking About How Often You Do Things

You have learned how to say whether an event takes place in the morning, afternoon, or evening. To talk about routine activities that occur every day (night, and so forth) you can use either **todos los** _____ or **todas las** _____.†

---

*Negative sentences are formed by placing **no** before the conjugated verb. If there is a reflexive verb like **se levanta** or **se acuesta,** the **no** precedes the **se.** Notice that Spanish does not have a support verb equivalent to *does* or *do.*

Ramón **no se acuesta** temprano. *Ramón doesn't go to bed early.*
Alicia **no trabaja** por la mañana. *Alicia doesn't work mornings.*

†**Todos** and **todas** are equivalent to *every* in English.

Ramón...

se levanta tarde **todas las mañanas.**
almuerza en un café **todas las tardes.**
se acuesta tarde **todas las noches.**
escucha música **todos los días.**

To refer to a frequent activity, you can use the words **frecuentemente,
generalmente, regularmente,** and **normalmente.**

Ramón come pizza **frecuentemente.**

Ramón lee el periódico **todas las mañanas.**

ASÍ SE DICE

Do you remember the irregular verb **ser** from **Lección preliminar (soy, eres, es, es, somos, sois, son, son)?** Another highly irregular verb is **ir** (*to go*).

(yo)	voy	(nosotros/as)	vamos
(tú)	vas	(vosotros/as)	vais
(Ud.)	va	(Uds.)	van
(él/ella)	va	(ellos/ellas)	van

Actividad A   ¿Cierto o falso?

Read the following statements about a typical week in the life of a student at your institution. Are they **cierto** or **falso?**

El estudiante norteamericano
(La estudiante norteamericana)...

	C	F
1. se levanta temprano todos los días.	❑	❑
2. no va a clases regularmente y está* ausente (*is absent*) frecuentemente.	❑	❑
3. duerme ocho horas todas las noches.	❑	❑
4. escribe sus composiciones a computadora normalmente.	❑	❑
5. mira (*watches*) la televisión todas las tardes.	❑	❑
6. lee el correo electrónico (*e-mail*) regularmente.	❑	❑
7. se acuesta muy tarde todas las noches.	❑	❑

---

*__Estar__ is another verb that translates as *to be* with uses and functions different from those of **ser.** You will learn about **estar** at various points in *Vistazos.*

Actividad B Mi profesor(a) de español

Paso 1 Interview a classmate to find out how often he or she thinks your Spanish instructor does the following activities. Use one of the following expressions in each question and answer.

> todos los días
> todas las mañanas/tardes/noches
> frecuentemente, regularmente, generalmente

> MODELO mira la televisión →
> E1: ¿Mira la televisión frecuentemente el profesor (la profesora)?
> E2: Sí, todos los días.
> (No, no mira la televisión frecuentemente.)

1. mira la televisión en español
2. come chocolate
3. hace ejercicio aeróbico
4. habla por teléfono
5. se acuesta temprano
6. va a la biblioteca

Paso 2 Be prepared to read aloud to the class your questions and answers from **Paso 1.** After your classmates share their opinions about the instructor's routine, he or she will say if you were right!

vocabulario esencial

A S Í S E D I C E

As you've noticed, speaking and understanding Spanish does not involve a word-for-word translation of English. Here's an example of this. When you want to express *on Monday* or *on Mondays,* you simply use a definite article (**el** or **los**) and not **en.**

Mi profesora tiene horas de oficina **los martes.**

Hay un examen **el miércoles.**

¿Qué día de la semana?

Days of the Week

LOS **DÍAS DE TRABAJO** (*WORKDAYS*)

lunes   martes   miércoles   jueves   viernes

LOS DÍAS DEL **FIN DE SEMANA** (*WEEKEND DAYS*)

sábado   domingo

To ask what day it is, you say

¿Qué día es hoy?

To respond, say

Hoy es domingo.
(**Mañana es** lunes.)

Actividad C Las clases de Alicia

Your instructor will make a series of statements about Alicia's class schedule. Indicate whether they are **cierto** or **falso,** according to the schedule on the next page.

1... 2... 3... 4... 5...

LUNES	MARTES	MIÉRCOLES	JUEVES	VIERNES
Biología II	Biología II	Biología II	Biología II	
	Cálculo avanzado		Cálculo avanzado	
Entomología		Entomología		Entomología
Introducción a la ingeniería civil		Introducción a la ingeniería civil	La destrucción del planeta	Introducción a la ingeniería civil

Actividad D   La semana del profesor (de la profesora)

As a class, see whether you can piece together your instructor's weekly schedule by asking only yes/no questions. Several examples are provided for you. As you get information, write it into a calendar like the one below. ¡OJO! You have only eight minutes. See how much you and the class can find out in that time.

MODELOS   ¿Tiene Ud. / Tienes una clase los lunes por la mañana?
¿Tiene Ud. / Tienes horas de oficina los lunes? ¿los martes?

	LUNES	MARTES	MIÉRCOLES	JUEVES	VIERNES
por la mañana *por la tarde* *por la noche*					

¿Y yo?

Talking About Your Own Activities

gramática esencial

(yo)	trabaj**o** me acuest**o** com**o** escrib**o**	(nosotros/as)	-amos,-emos, -imos
(tú)	-as, -es	(vosotros/as)	-áis, -éis, -ís
(Ud.)	-a, -e	(Uds.)	-an, -en
(él/ella)	-a, -e	(ellos/ellas)	-an, -en

—Los viernes por la noche **salgo** con mis amigos.

—**Estudio** por la noche. No **salgo** porque **me levanto** muy temprano por la mañana.

You have already learned to form verbs ending in **-a** and **-e** to talk about someone else's daily activities. To talk about what *you* do, most verbs will end in **-o,** as illustrated in the shaded box on the previous page. Note that stem vowel changes also appear in the **yo** form of the verb, also called *first-person singular.*

Normalmente, **estudio** por la noche.
Duermo una hora todas las tardes.
Me levanto temprano los sábados.

Did you catch that a verb that takes **se** in the third-person form will take **me** in the first-person singular form? Here is another example.

Normalmente, **me acuesto** a las 11.30.

Several of the verbs with which you are familiar have slightly altered stems. go out, leave

Hago ejercicio con frecuencia.
No **salgo** mucho con mis amigos.
Tengo mucho trabajo esta semana.

Remember the irregularity of **ir?**

Voy al laboratorio para practicar el español.

Another common verb, **decir** (*to say; to tell*) is also highly irregular. It has more than one kind of change!

—¿Qué **dices?**
—¿Yo? Yo no **digo** nada.

Actividad E   ¿En qué orden?

Paso 1   Number these activities in the order in which *you* would do them. If you don't do an activity, leave it blank.

___9___ Me acuesto. 9
___2___ Voy en carro para ir a la universidad. 3
___8___ Ceno. ☞ eat dinner
___7___ Regreso a casa (al apartamento, a la residencia [*dormitory*]). 7
___3___ Leo el periódico. 6
___6___ Estudio.
___5___ Almuerzo. 4
___1___ Desayuno. 1
___4___ Voy a la biblioteca. 5
_____ Hago ejercicio por quince minutos. 8

Paso 2   Tell the class the order you decided on. Did many of your classmates put the activities in a similar order? Is there a more logical order than the one you came up with?

Paso 3 (Optativo)   Given the information you received from your classmates, which statement applies to you?

❑ Mi horario es un horario típico.
❑ Mi horario no es un horario típico.

Actividad F   Tú y yo

Paso 1   Following is a list of typical daily activities. See if you can find someone in the class who matches you on at least three of the activities. Follow the model.

caminar (*to walk*) a la universidad
dormir en una clase
llegar (*to arrive*) tarde al trabajo (a una clase)
soñar (ue) despierto (*to daydream*)
tomar (*to drink*) café

MODELO   E1: Siempre tomo café por la mañana. ¿Y tú?
E2: Yo también. / Yo no.
E1: No duermo en la clase de español.
E3: Yo sí. / Yo tampoco. (*Neither do I.*)

Paso 2   When you have found someone with whom you share three activities, report to the class.

MODELO   Yo siempre tomo café. Roberto también.

Vistazos

Más sobre las rutinas

¿A qué hora... ?

Telling When Something Happens

To express what time of day you do something, use the expressions **a la** and **a las.**

—Como un sandwich **a la una.**

—Almuerzo con una amiga **a las dos.**

Use **cuarto** and **media** to express *quarter hour* and *half hour*.

y cuarto
y media
menos cuarto

—Voy a la biblioteca **a las ocho menos cuarto.**

—Toco la guitarra con Macanudo **a las nueve y media.**

To express other times, add the number of minutes to the hour or subtract the number of minutes from the next hour.

—Me acuesto **a las diez menos diez.**

—Regreso a casa **a las doce y veinte.**

Actividad A   ¿A qué hora?

Alicia mentions at what time she does certain activities. How does she logically complete each statement? Match the time to the appropriate activity. (See the drawings on page 26 for reference.)

1. __e__ Hago ejercicio
   aeróbico...
2. __d__ Trabajo en el
   laboratorio...
3. __c__ Prefiero levantarme...
4. __b__ Escribo la tarea...
5. __a__ Me acuesto...

a. a las once de la noche.
b. a las nueve de la noche.
c. a las cinco de la mañana.
d. a las dos de la tarde.
e. a las seis de la mañana.

Actividad B   El horario ideal

COMUNICACIÓN

Invent an ideal class schedule for Mondays and Fridays. When would the classes be? Present the schedule to the class. How does it compare with the schedules your classmates invented?

MODELOS   En mi horario ideal, la primera clase los lunes es a las
_____.
La última (*last*) clase es a las _____.
Los lunes (Los viernes) no hay clases por la _____.

Surf the Web for the hours of operation of one or two businesses in a Spanish-speaking country. Bring this information to class.

¿Y tú? ¿Y usted?

Addressing Others

(yo)	-o	(nosotros/as)	-amos, -emos, -imos
(tú)	estudi**as** te levant**as** le**es** asist**es**	(vosotros/as)	-áis, -éis, -ís
(Ud.)	estudi**a** se levant**a** le**e** asist**e**	(Uds.)	-an, -en
(él/ella)	-a, -e	(ellos/ellas)	-an, -en

—Clara, **tú vas** a la universidad a las dos, ¿no?
—Sí, ¿Por qué **preguntas?**

—Señora, ¿**es usted** del Perú?
—No, Paco. Soy de Venezuela. ¿Y **tú?**

You may have noticed that Spanish has several ways of expressing *you*. **Tú** implies less social distance between the speakers. **Usted** (generally abbreviated **Ud.**) indicates a more formal relationship and more social distance. The rules of usage vary from country to country and even within countries, but you can follow this rule of thumb: Use **tú** with your family, friends, anyone close to your own age—and with your pets. Use **Ud.** with everyone else.

For example, to ask a classmate about something, use **tú.** To get the **tú** verb form, add an **-s** to the final vowels **-a** or **-e** of the third person forms.

¿**Miras la** televisión todas la noches?
¿**Cenas** en restaurantes frecuentemente?

Certain verbs are used with **te.**

¿A qué hora **te levantas?**
¿**Te acuestas** tarde o temprano?

When speaking with someone whom you address as **Ud.,** use the same verb form as with **él** or **ella.**

¿**Trabaja** Ud. en la biblioteca?
Ud. **sale** con los amigos todos los días.

Note the use of **se** with some verbs in the **Ud.** form.

¿**Se levanta** Ud. tarde frecuentemente?
A qué hora **se acuesta** Ud.?

Actividad C ¿Y tú? ¿Y usted?

Look at the questions below. Check the box that indicates whether each question is appropriate to ask a friend (**Para un amigo [una amiga]**) or your instructor (**Para mi profesor[a]**)

	PARA UN AMIGO (UNA AMIGA)	PARA MI PROFESOR(A)
1. ¿Te levantas temprano los lunes?	❏	❏
2. ¿Habla varios idiomas?	❏	❏
3. ¿Va frecuentemente al cine (*movies*)?	❏	❏
4. ¿Miras la televisión todos los días?	❏	❏
5. ¿Haces ejercicio regularmente?	❏	❏
6. ¿Empiezas (*Do you begin*) todas las mañanas de buen humor (*in a good mood*)?	❏	❏
7. ¿Almuerza solo/a, generalmente?	❏	❏
8. ¿Lees el periódico todos los días?	❏	❏

COMUNICACIÓN

Actividad D ¿A qué hora?

Pair up with a classmate you haven't already interviewed to find out at what time (**a qué hora**) he or she does the following things. Write down the information. Then switch roles.

MODELO   E1: ¿A qué hora almuerzas?
           E2: A las doce.

¿A qué hora...

1. te levantas los lunes?
2. vas a tu clase favorita?
3. te acuestas los jueves?
4. vas a la universidad los miércoles?
5. regresas a casa los viernes?
6. miras la televisión, generalmente?

¿Qué sueles hacer?

Talking About What You Do Regularly

vocabulario esencial

You have already learned **todos los días, los** + *days of the week*, **frecuentemente, regularmente, generalmente,** and **normalmente** to express habitual or recurring actions. Another way to express actions you perform regularly is to use a form of the verb **soler** plus an infinitive. **Soler** has several English equivalents.

Suelo estudiar por la mañana.	*I generally study in the morning.*
Suelo dormir seis horas por la noche.	*I usually sleep six hours at night.*
¿Cuántas horas **sueles** dormir por la noche?	*How many hours do you normally sleep at night?*

El beisbolista dominicano Sammy Sosa **suele** jugar al béisbol todos los días. ¿Qué **sueles** hacer tú todos los días?

Actividad E ¿Quién?

For each statement below, decide for whom the statement might be true selecting from among the people listed. ¡**OJO**! In some cases, the statement could be true for more than one person.

1. _____ Suele leer mucho.
2. __*b*__ Suele dormir durante (*during*) el día.
3. __*b d*__ Suele salir a almorzar.
4. __*b d*__ Suele mirar la televisión durante el día.
5. __*c*__ Suele comer una vez (*once*), posiblemente dos veces (*twice*), al día.

a. un bebé de tres meses (*three months old*)
b. una estudiante de veinte años
c. un perro
d. una persona jubilada (*retired*)

Soler + *infinitive* is useful for talking about what you normally do, but how do you talk about things you *need to do, have to do, ought to do, prefer to do,* and so on? Here is a useful list with examples!

tener que (*to have to*)	Tengo que estudiar.
necesitar (*to need*)	Necesito dormir más.
deber (*should, ought to, must*)	Debo leer más.
preferir (ie) (*to prefer*) + *inf.*	Prefiero mirar la televisión.
querer (ie) (*to want*)	Quiero ser profesor.
poder (ue) (*to be able, can*)	¡No puedo levantarme temprano!

Actividad F ¿Qué sueles hacer?

COMUNICACIÓN

Paso 1 Write three sentences about things you generally do every day.

MODELOS   Suelo trabajar cinco horas por la tarde.
                 Suelo estudiar en la biblioteca.

Paso 2 Find people in the class who do the things you listed in **Paso 1.** Jot down their names.

MODELOS   ¿Sueles trabajar cinco horas por la tarde?
                 ¿Sueles estudiar en la biblioteca?

1 de cada 10 españoles ve todos los días TV3

Actividad G ¿Sabías que... ?

Paso 1 Listen to and read the following **¿Sabías que... ?** selection. Then answer the questions.

1. ¿Quién suele tener una vida «más activa» por la noche, el español o el norteamericano?
2. ¿Quién suele cenar temprano y quién suele cenar tarde?
3. ¿Quién suele pasar (*spends*) todo el día en el trabajo sin salir?

Paso 2 (Optativo) Using the question below, see whether you can find two people in class who prefer the Spanish schedule.

MODELO ¿Cuál de los dos horarios prefieres, el horario español o el norteamericano?

¿Sabías que...

el horario de actividades diarias de un individuo varía de cultura a cultura?

En España y otros países hispanos, por ejemplo, generalmente uno se levanta por la mañana, trabaja hasta[a] la 1.00 o las 2.00 y va a almorzar a casa. Después, descansa[b] hasta las 4.00 y regresa al trabajo. No termina de trabajar hasta las 8.00 ó 9.00 de la noche. Cena tarde, normalmente a las 10.00, y frecuentemente sale después con sus amigos.

En los Estados Unidos, en cambio,[c] una persona generalmente se levanta por la mañana, pasa ocho horas en el trabajo, regresa a casa a las 5.00, cena a las 6.00 ó 6.30, mira la televisión y se acuesta a las 11.00.

¿Cuál de los dos horarios prefieres?

_____

[a]*until*   [b]*Después... Afterward, he or she rests*   [c]*en... on the other hand*

Visit the *Vistazos* website at **www.mhhe.com/vistazos.**

En tu opinión

1. «El estudiante típico tiene un horario más flexible que el profesor típico.»
2. «Estudiar por la mañana es más difícil que estudiar por la noche.»

Be prepared to share your opinions, first with a partner or a small group, and then with the class.

Los hispanos hablan

¿Funcionas mejor de día o de noche?

Paso 1 Read the following **Los hispanos hablan** selection. The blank represents a deleted word. Based on what you read, what is the missing word?

¿Funcionas mejor de día o de noche?

NOMBRE: Néstor Quiroa
EDAD: 28 años
PAÍS: Guatemala

«Yo, por ser original de Guatemala, me gusta mucho el café, y tomo[a] café durante todo el día. Esto me da mucha energía[b] y entonces la energía no se termina[c] hasta en la noche.»

. . .

«En conclusión, pienso que funciono mejor de _____ porque el café me da mucha energía.»

---

[a]*I drink*   [b]*me... gives me a lot of energy*   [c]*no... does not end*

Paso 2 Now watch or listen to the rest of the segment. Is your answer to **Paso 1** correct?

Vocabulario útil

las hijas	the children (daughters)
el día siguiente	the next day

Now, do the following.

1. Fill in the following grid with information about Néstor. Be sure to include one activity he does in the morning, one he does in the afternoon, and three activities he does at night.

Néstor...

POR LA MAÑANA...	POR LA TARDE...	POR LA NOCHE...

2. Cierto o falso?

_____ Néstor toma café frecuentemente.

_____ Se acuesta a las 3.00 ó 4.00 de la mañana.

_____ Néstor es más activo por el día que por la noche.

Paso 3 Do you and your classmates function better during the day or at night? Quickly survey six of your classmates and jot down their answers.

¿Funcionas mejor de día o de noche?

PERSONA	1	2	3	4	5	6
de día						
de noche						

Vocabulario

La vida de todos los días Everyday Life

acostarse (ue)	to go to bed
almorzar (ue)	to have lunch
asistir (a)	to attend
cenar	to have dinner
comer	to eat
conducir (conduzco)	to drive
conocer (conozco)	to know (*someone*)
deber + *inf.*	ought to, should, must (*do something*)
desayunar	to have breakfast
despertarse (ie)	to wake up
dormir (ue)	to sleep
entender (ie)	to understand
escribir	to write
escuchar	to listen to
estudiar (R)*	to study
hablar	to speak
hablar por teléfono	to talk on the phone
hacer (*irreg.*)	to do; to make
hacer ejercicio	to exercise
hacer ejercicio aeróbico	to do aerobics
ir (*irreg.*)	to go

jugar (ue)	to play (*sports*)
leer	to read
levantarse	to get up
manejar	to drive
mirar (la televisión)	to look at, watch (TV)
necesitar	to need
pasar	to spend (*time*)
pedir (i)	to ask for, request
pensar (ie) (en)	to think (about)
poder (ue)	to be able, can
preferir (ie)	to prefer
preguntar	to ask (*a question*)
querer (ie)	to want
regresar	to return (*to a place*)
salir (*irreg.*)	to go out, leave
soler (ue) + *inf.*	to be in the habit of (*doing something*)
tener (*irreg.*)	to have
tener que + *inf.*	to have to (*do something*)
tocar (la guitarra)	to play (the guitar)
trabajar	to work
venir (*irreg.*)	to come
vestirse (i)	to get dressed
volver (ue)	to return (*to a place*)

---

*Words that appear with an (R) in a lesson vocabulary list are review **(Repaso)** words that were active in a previous lesson. They are included in these lists when they thematically fit the lesson.

¿Cuándo?	When?
durante	during
mañana	tomorrow
(muy) tarde	(very) late
(muy) temprano	(very) early
por la mañana	in the morning
por la tarde	in the afternoon
por la noche	in the evening, at night

¿Con qué frecuencia?	How Often?
frecuentemente	frequently
generalmente	generally
normalmente	normally
regularmente	usually
todas las mañanas /	every morning /
tardes / noches	afternoon / night
todos los días	every day

¿Qué día es hoy?	What Day Is It Today?
lunes	Monday
martes	Tuesday
miércoles	Wednesday
jueves	Thursday
viernes	Friday
sábado	Saturday
domingo	Sunday
el día de trabajo	workday
el fin de semana	weekend

Hoy es...	Today is . . .
Mañana es...	Tomorrow is . . .

¿Qué hora es?	What Time Is It?
Es la una.	It's one o'clock.
Son las (dos, tres).	It's (two, three) o'clock.
menos cuarto	quarter to
y cuarto	quarter past
y media	half past

¿A qué hora?	At What Time?
A la una.	At one o'clock.
A las (dos, tres).	At (two, three) o'clock.

Otras palabras y expresiones útiles

la biblioteca	library
el cuarto	room
el laboratorio	laboratory
el periódico	newspaper
la rutina	routine
la tarea	homework
bueno/a (buen) (R)	good
en casa	at home
solo/a	alone
con	with
en	in; at
más	more
menos	less
para	for
pero	but
porque	because

Otros vistazos

In the **Vistazos** CD-ROM, you will learn more about Hispanic cultures, including:

- a poem by Chicano poet Luis Maguregui
- a few facts about the poet's life
- something on the geography of Texas
- some information on the history of Texas
- interesting facts in **¿Sabías que... ?**

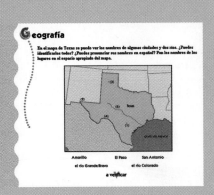

2

¿QUÉ HACES LOS FINES DE SEMANA?

The focus of this lesson is weekend activities. In exploring this topic, you will

■ describe your ideal weekend and make comparisons about how people spend their leisure time

■ learn words of negation and how to use them

■ learn more about the verb **gustar** and how to talk about likes/dislikes

■ talk about the weather and discuss how it affects your free time

■ learn more present-tense verb forms as well as the present progressive

■ talk about the seasons and months

■ listen to someone talk about the differences between going out in the U.S. and going out in her country

 You will also look at art by El Greco and Frida Kahlo and learn a little bit about Mexico.

TIEMPO QUE DEDICAN A SUS AFICIONES	
(Media de minutos diarios)	
Ver la televisión	**120**
Tomar copas	**60**
Pasear	**22**
Leer libros	**15**
Escuchar música	**15**
Oír la radio	**8**
Hacer deporte	**9**
Practicar *hobbies*	**8**
Leer la prensa	**6**
«Juegos»	**4**

Vistazos

Actividades para el fin de semana

¿Qué hace una persona los sábados?

Talking About Someone's
Weekend Routine

vocabulario
esencial

El sábado de Alicia

Por la mañana, Alicia **corre** dos millas.

Limpia su apartamento.

Por la tarde, **va** de compras.

Por la noche, **se queda** en casa. (No **sale.**)

El sábado de Ramón

Por la mañana, Ramón **lava** su ropa.

Luego **saca** vídeos.

Por la tarde, **da un paseo** con una amiga.

Por la noche, **baila** en una fiesta.

El domingo de Alicia

Alicia **charla** con su vecino.

Va a la iglesia.

Por la tarde, **nada** en el mar.

Toma café con su amiga.

El domingo de Ramón

Por la mañana, Ramón **no hace nada.**

Por la tarde, **juega** al fútbol americano con sus amigos.

Más tarde, **limpia** su carro.

Por la noche **va** al cine.

Actividad A   ¿Qué día es?

Listen as your instructor reads statements about the typical weekend activities of Alicia and Ramón. Then identify which day each statement refers to, according to the information in the drawings.

MODELO   PROFESOR(A): Alicia limpia su apartamento.
ESTUDIANTE: Es sábado.

1...   2...   3...   4...   5...   6...

Actividad B   ¿Quién es?

Look again at the drawings. Your instructor will read several statements. Give the name of the person doing the activities described in each statement.

1...   2...   3...   4...   5...   6...

Actividad C   ¿Alicia o Ramón?

Look again at the pictures of Alicia and Ramón. Indicate two or three activities you have in common with either Alicia or Ramón and two or three you don't have in common. Write your activities down, using the following models. Remember to put the verbs in the correct **yo** form. In class, compare your activities to those of your classmates.

MODELOS   Yo también corro los sábados.
              Normalmente no limpio mi carro los domingos.

¿Con qué frecuencia? (II)

More About Discussing
Frequency of Activities

vocabulario
esencial

—¿**Siempre** te quedas en casa los sábados por la noche?
—**Con frecuencia,** pero **a veces** voy al cine si estoy aburrida (*I am bored*).

To talk about how often you do an activity, you may use the following expressions.

siempre	*always*
con frecuencia	*frequently*
a veces	*sometimes*
de vez en cuando	*from time to time*
pocas (raras) veces	*rarely*
nunca	*never*

ASÍ SE DICE

As you know, the phrase **dar un paseo** means *to take a walk*. The simple verb **dar** is usually translated as *to give*, but in expressions like **dar un paseo,** you will not see the word *give* in the translation. Here are some other expressions that use **dar.**

dar igual
to be all the same, make no difference

dar la mano
to shake hands

darse cuenta de
to realize (make a mental note of)

COMUNICACIÓN

Actividad D   ¿Con qué frecuencia?

How often do you do certain weekend activities? Check off the items to indicate what is true for you.

	SIEMPRE	CON FRECUEN-CIA	DE VEZ EN CUANDO	RARAS VECES	NUNCA
1. Me quedo en casa. *Te quedas*	☑	☒	☐	☐	☐
2. Me acuesto a las 2.00 de la mañana. *Te acuestas*	☐	☒	☐	☐	☑
3. Duermo ocho horas. *Duermas*	☑	☐	☐	☐	☐
4. Bailo en una discoteca. *Bailas*	☐	☐	☐	☒	☑
5. Lavo la ropa. *Lavas*	☑	☑	☐	☐	☐
6. Limpio la casa. *Limpias*	☑	☐	☑	☐	☐
7. Estudio. *estudias*	☑	☑	☐	☐	☐
8. Voy al cine. *Vas*	☐	☐	☑	☑	☐

Actividad E   Entrevista

Paso 1 Using the items from **Actividad D,** interview a partner in class. Alternatively, the entire class can interview the instructor. Be sure to use appropriate forms (**tú** or **Ud.**) in your questions.

> MODELO   E1: ¿Estudias los fines de semana?
> E2: Sí, con frecuencia.

Paso 2 (Optativo) Is there something that everyone seems to do a lot on the weekends? hardly ever?

¿No haces nada?

Negation and Negative Words

You know that the word **nunca** means *never*. A synonym of **nunca** is **jamás.** Note that **nunca** or **jamás** can precede a verb or follow it. If they follow a verb, then a **no** is required before the verb.

> **Nunca** puedo dormir bien. / **No** puedo dormir bien **nunca.**
> **Jamás** me quedo en casa los sábados. / **No** me quedo en casa los sábados **jamás.**

Here are some other negative words that function like **nunca** and **jamás.** Note how in English some of these words have several translations.

nada	*nothing, not anything*
nadie	*no one, not anyone*
ninguno/a	*none, not any*
tampoco	*neither, not either*

—Esto **no me gusta nada. No quiero hacer nada** esta noche.
—Ay, eres imposible. **No hay nadie** como tú.

No quiero hacer **nada.**	*I don't want to do anything.*
¿Quién se levanta temprano? ¿**Nadie?** ¿**Nadie** se levanta temprano? / ¿**No** se levanta **nadie** temprano?	*Who gets up early? No one? Doesn't anyone get up early?*
No voy a **ningún*** lugar este fin de semana.	*I'm not going anywhere this weekend.*
Yo (**no** voy a **ningún** lugar) **tampoco.**	*I'm not* (*going anywhere*) *either.*

Actividad F ¿Qué hace los fines de semana?

Listen as your instructor reads statements about several types of students. Circle the letter of the person described.

1. **a.** el estudiante dedicado **b.** el estudiante no dedicado
2. **a.** el estudiante sociable **b.** el estudiante solitario (*solitary*)
3. **a.** el estudiante activo **b.** el estudiante sedentario (*sedentary*)

Actividad G Mis fines de semana

Indicate whether each statement is true or false according to your weekend routines.

	C	F
1. Nunca me acuesto antes de (*before*) la 1.00 de la mañana los sábados.	❑	❑
2. No limpio la casa los fines de semana.	❑	❑
3. Jamás me quedo en casa los viernes por la noche.	❑	❑
4. Tampoco me quedo en casa los sábados por la noche.	❑	❑
5. No saco vídeos con mucha frecuencia.	❑	❑
6. Tampoco veo la televisión mucho.	❑	❑
7. No hago ejercicio nunca los domingos.	❑	❑
8. Jamás voy a la biblioteca los sábados.	❑	❑

***Ninguno** is shortened to **ningún** before singular masculine nouns.

Actividad H Los fines de semana del profesor
(de la profesora)

Paso 1 What are your instructor's weekends like? With a classmate, make up three statements using some negative expressions (**nada, nadie, nunca,** and so forth) to describe your instructor's typical weekend. ¡**OJO!** You and your partner have only four minutes to come up with your statements.

Paso 2 Three pairs of students will be selected to present their statements to the rest of the class, who then decide if each statement is true or not. Your instructor will react. Who knows him or her the best?

Vistazos
Las otras personas

ASÍ SE DICE

Don't confuse **ellos/ellas** with **Uds.** just because they share the same verb form! **Ellos/Ellas** is used to talk *about* two or more people, whereas **Uds.** is equivalent to *you all* and is used to talk *to* two or more people.*

¿Qué hacen tus amigos?
What are your friends doing?

¿Qué hacen Uds.?
What are you all doing?

Se quedan en casa.
They're staying home.

Uds. se quedan en casa, ¿no?
You all are staying home, right?

¿Qué hacen?

Talking About the Activities of Two or More People

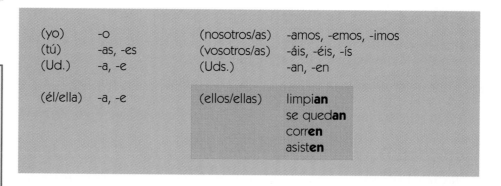

(yo)	-o	(nosotros/as)	-amos, -emos, -imos
(tú)	-as, -es	(vosotros/as)	-áis, -éis, -ís
(Ud.)	-a, -e	(Uds.)	-an, -en
(él/ella)	-a, -e	(ellos/ellas)	limpi**an**
			se qued**an**
			corr**en**
			asist**en**

When your instructor describes the actions of two or more people, you may have noticed that a particular verb form is used. That is, if more than one person is the subject of the sentence, an **-n** is added to the final vowel of the verb. For example, **estudia** → **estudian; come** → **comen.** This is known as the *third-person plural* or **ellos/ellas** form.

Los domingos por la tarde, Ramón y sus amigos siempre **juegan** al fútbol americano.
Alicia y sus amigos **nadan.**
Los domingos por la noche, Ramón y un amigo **van** al cine; Alicia y su amiga **toman** café y **charlan.**

---

*In Spanish America **Uds.** is used for *you all.* In Spain **vosotros/as** is used for two or more people singularly addressed as **tú; Uds.** is used for two or more people singularly addressed as **Ud.**

Note that **se** is used before the third-person plural form of verbs like **acostarse.**

> El sábado, Ramón y sus amigos **sacan** vídeos y **se quedan** en casa por la tarde.

Actividad A ¿Quiénes?

who

For each statement, decide whether the weekend activity is typical of students, of people who work full-time, or could easily refer to both groups.

1. Juegan a los videojuegos.
2. Limpian la casa.
3. Se quedan en casa y miran la televisión por la noche.
4. Lavan la ropa.
5. Visitan a parientes (*relatives*).
6. Trabajan en el jardín (*yard*).
7. Duermen más que (*more than*) durante la semana y se levantan más tarde.
8. Van de compras.

Actividad B ¿Qué actividades tienen en común°?

en... *in common*

COMUNICACIÓN

Paso 1 Here is a list of activities that some people do on weekends. Read the list and make sure you understand each item before going on to **Paso 2.**

1. Sacan muchos vídeos del videoclub y se quedan enfrente del televisor (*in front of the TV set*) todo el fin de semana.
2. Limpian la casa, lavan la ropa y van al supermercado (*supermarket*) porque no tienen tiempo durante la semana.
3. Se quedan en casa, escuchan la radio y leen sin parar (*without stopping*).
4. Practican un deporte (*sport*) o hacen algún tipo de ejercicio.
5. No hacen absolutamente nada. Son perezosos (*lazy*).
6. Van al cine.

Paso 2 Make a list of two questions to ask classmates about their weekend activities, based on the preceding statements.

> MODELOS ¿Practicas algún deporte los fines de semana?
> ¿Haces ejercicio?

Leave space for two people's names after each question.

Paso 3 The first person who finds two people who answer **Sí** for each of the eight questions shouts **"¡Ya lo tengo! ¡Ya lo tengo!"** and presents the findings to the class, following the model.

> MODELO _____ y _____ sacan vídeos del videoclub y se quedan enfrente del televisor todo el fin de semana.

¿Qué hacemos nosotros?

Talking About Activities
That You and Others Do

(yo)	-o	(nosotros/as)	limpi**amos**
			nos qued**amos**
			corr**emos**
			asist**imos**
(tú)	-as, -es	(vosotros/as)	-áis, -éis, -ís
(Ud.)	-a, -e	(Uds.)	-an, -en
(él/ella)	-a, -e	(ellos/ellas)	-an, -en

When talking about the actions of a group of people that includes yourself, use the following verb forms.

For **-ar** verbs, add **-amos** to the stem.
For **-er** verbs, add **-emos** to the stem.
For **-ir** verbs, add **-imos** to the stem.

For example:

to spend (money) → gastar → **gastamos**

leer → **leemos**

to go out; leave → salir → **salimos**

This is known as the first-person plural or **nosotros/nosotras** form of the verb.

> Todos los sábados, mi compañera de cuarto y yo **vamos*** de compras y **gastamos** mucho dinero.
> Luego **almorzamos** en un restaurante.
> Frecuentemente, por la tarde **asistimos** a una conferencia (*lecture*) en el museo de arte.
> Cuando **salimos** del museo, **regresamos** al apartamento.

go out

Verbs with a vowel change in the stem, such as **me acuesto** and **suelo,** don't have a vowel change in the **nosotros/as** form.

> **Nos acostamos** muy tarde todos los sábados porque **solemos** salir con los amigos.

Pg. 39
soler

---

*Note the **nosotros/as** forms for two irregular verbs you know: **vamos (ir)** and **somos (ser).**

Lección 2   ¿Qué haces los fines de semana?

Actividad C Dos estudiantes argentinos

In a recent interview, two brothers, both Argentine college students, described their typical weekend activities. But the activities they mentioned are not in logical order. Assign each of the following a number from 1 to 6, with 1 being the first activity and 6 being the last activity they do.

_4_ Dormimos hasta muy tarde el domingo. *[handwritten: until]*

[handwritten left margin: DAR= To give] _2_ Damos un paseo por las calles (*streets*) el viernes por la noche. Siempre hay muchas personas allí. *[handwritten: take a walk / there]*

_6_ Leemos y estudiamos el domingo por la noche.

_5_ Regresamos a la universidad el domingo por la tarde.

_1_ El viernes por la tarde salimos de la universidad y vamos a visitar a la familia.

_3_ Salimos a bailar el sábado. Volvemos a casa a las 4.00 ó 5.00 de la mañana. *[handwritten: Return]*

Actividad D ¿Qué hacemos los fines de semana?

COMUNICACIÓN

Paso 1 Write three statements that describe what you and your friends or family tend to do on weekends.

MODELO Practicamos un deporte los fines de semana.

Paso 2 Now, search for at least one classmate with whom you have in common two activities from **Paso 1.** Ask questions using **Uds.**

MODELO Tus amigos y tú, ¿practican un deporte los fines de semana?

Paso 3 Now share your information with the class. What activities do *most* people have in common?

¿A quién le gusta... ? More About Likes and Dislikes

gramática esencial

To talk about another person's likes or dislikes in Spanish is to talk about what pleases him or her. To do this, use **le gusta** or **le gustan.**

A Alicia **le gusta** hacer ejercicio temprano.
A mi compañero de cuarto **no le gustan** los lunes.

Note that in the first example, **gustar** is in the singular form (**gusta**) because **hacer ejercicio** is singular and is the subject of the sentence. Translated literally, the sentence means *Exercising early is pleasing to Alicia.*

To talk about what is pleasing to two or more people, you can use **les gusta** or **les gustan.**

A mis amigos **no les gusta** levantarse temprano los sábados.
A muchos argentinos **les gustan** las películas norteamericanas. *[handwritten: films]*

A Ramón y a sus amigos **les gusta** ir al cine.

ASÍ SE DICE

Did you notice the **a** before names or the mention of specific people in the sentences with **gustar**? Since **gustar** actually means *to please* or *be pleasing*, the **a** is used to mark *to* whom or *to* what something is pleasing.

A los profesores les gusta explicar la gramática.

¿A quiénes les gusta no hacer nada por la noche?

A nosotros nos gusta lavar la ropa los sábados.

¿A Uds. les gusta limpiar la casa?

To express what is pleasing to you and someone else (pleasing to us), you should use **nos gusta** or **nos gustan.**

> **Nos gusta** mucho pasar tiempo con la familia los fines de semana.
> **No nos gustan** los quehaceres domésticos (*household chores*).

Remember that **gustar** does not mean *to like*, although it is often translated that way. Remember that **le, les,** or **nos** is used depending on to whom something is pleasing, and **gusta** or **gustan** is used depending on who or what is doing the pleasing.

Actividad E   ¿Qué les gusta?

Like people, cats and dogs differ in their likes and dislikes. Decide which of the following statements refer to dogs (**los perros**), which to cats (**los gatos**), and which to both (**los dos**). The last item is for you to make up and see what your classmates think.

> MODELO   PROFESOR(A): Les gusta dormir mucho.
>   TÚ: Eso se refiere (se puede referir) a los dos.

1. Les gusta dormir con sus dueños (*owners*).
2. Les gusta mucho el pescado (*fish*).
3. No les gusta nadar mucho.
4. Les gusta salir en la noche.
5. Les gusta cazar (*to hunt*) animales pequeños.
6. Les gusta hacer trucos (*tricks*).
7. No les gusta ir en coche.
8. No les gusta _____.

COMUNICACIÓN

Actividad F   Estudiantes y profesores

The following are five statements that you might make as students. First decide in groups of three or as a class if they are true. Make any changes necessary. Then complete the second sentence in a logical manner and see how your instructor responds. (¡**OJO!** Be sure to pay attention to how **gustar** is used in each sentence and what the word order looks like!)

1. A nosotros los estudiantes no nos gusta tomar (*to take*) exámenes finales. No sabemos (*We don't know*) si a los profesores les gusta...
2. A nosotros los estudiantes no nos gusta levantarnos temprano para ir a clases. No sabemos si a los profesores les gusta...
3. A nosotros los estudiantes no nos gusta tener clases los viernes por la tarde. No sabemos si a los profesores les gusta...
4. A nosotros los estudiantes no nos gusta estudiar los sábados. Probablemente a los profesores no les gusta...
5. A nosotros los estudiantes nos gustan las actividades en *Vistazos.* Queremos saber si a los profesores les gustan...

Vistazos

El tiempo y las estaciones

¿Qué tiempo hace?

Talking About the Weather

To talk about the weather and how it affects what people do, the following expressions are used in Spanish.

Hace sol. Hace buen tiempo. Está despejado.

Llueve. (Está lloviendo.) Hace mal* tiempo. Está nublado.

Hace viento.

Nieva. (Está nevando.)

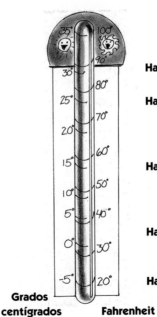

La temperatura	El tiempo
	Hace mucho calor.
	Hace calor.
	Hace fresco.
	Hace frío.
	Hace mucho frío.

Grados centígrados **Fahrenheit**

***Malo/a** (*Bad*) is shortened to **mal** before a masculine singular noun: **un mal día, una mala semana.**

Note that the verbs **hacer** and **estar** are both translated as *to be* in these expressions. You will learn more about **estar** later in this lesson.

ASÍ SE DICE

The Spanish word **tiempo** has at least two translations into English: *weather* and *time* (not a specific time, but time in general).

¿Qué **tiempo** hace en Buenos Aires ahora?

What's the weather like in Buenos Aires right now?

¿Cómo pasas el **tiempo** los fines de semana?

How do you spend your time on weekends?

Time in English has two translations into Spanish, **hora** and **tiempo.**

What time is it?

I don't have any free time these days.

¿Qué **hora** es?

No tengo **tiempo** libre estos días.

Actividad A   El tiempo

Listen as your instructor describes the weather conditions in the following pictures. Give the number of each picture being described.

1.

2.

3.

4.

5.

6.

7.

8.

Lección 2   ¿Qué haces los fines de semana?

Actividad B El pronóstico de tiempo

Look over the following weather information taken from a newspaper in San Juan, Puerto Rico. See whether you can guess the meaning of the words **soleado** and **lluvias.** Then answer each question that follows.

AS Í SE DICE

Did you notice that Spanish does not use an equivalent of *it* in phrases like *it's raining* or *it's sunny?* These are both examples of the indefinite *it* used as a subject of a verb in English. Although English requires the indefinite subject *it,* Spanish does not. The following are examples of sentences in which Spanish prohibits the subject *it.*

Hace calor.
Está lloviendo.
Va a nevar.
Es la una y cuarto.
Es necesario leer este libro.

1. ¿Dónde hace más calor en Puerto Rico?
2. ¿Va a llover...
   a. en San Juan? ❑ sí ❑ no ❑ posiblemente
   b. en Ponce? ❑ sí ❑ no ❑ posiblemente
3. ¿En qué ciudad del mundo hace más frío?
4. ¿Dónde hace sol?
5. ¿Está nevando en Boston ahora? ¿Dónde está lloviendo?

Surf the Web and find a current weather report in Spanish. Present the report **(el pronóstico del tiempo)** to the class.

Actividad C ¿Qué te gusta hacer los fines de semana?

Paso 1 Take the following survey yourself. Then interview someone else and note his or her responses.

> MODELO ¿Te gusta estudiar hasta muy tarde los sábados si hace buen tiempo? ¿y si hace mal tiempo?

	Si hace buen tiempo		Si hace mal tiempo	
	SÍ	NO	SÍ	NO
Los sábados				
1. Me gusta ir al cine.	❏	❏	❏	❏
2. Me gusta lavar la ropa.	❏	❏	❏	❏
3. Me gusta dormir mucho.	❏	❏	❏	❏
4. Me gusta ir de compras y gastar dinero.	❏	❏	❏	❏
Los domingos				
1. Me gusta charlar con mis amigos.	❏	❏	❏	❏
2. Me gusta sacar vídeos.	❏	❏	❏	❏
3. Me gusta no hacer nada.	❏	❏	❏	❏
4. Me gusta practicar un deporte.	❏	❏	❏	❏

Paso 2 Now decide where you fall on the following scale.

NUESTRA REACCIÓN AL TIEMPO Y LAS ACTIVIDADES QUE HACEMOS ES IGUAL.			NUESTRA REACCIÓN AL TIEMPO Y LAS ACTIVIDADES QUE HACEMOS ES MUY DIFERENTE.	
5	4	3	2	1

ASÍ SE DICE

You have learned that **está lloviendo** means *it's raining.* The **-ndo** forms of many verbs can be used with **estar** to express something that is occurring *right now.* Some **-ndo** forms have slight irregularities. See if you can determine the meaning of the sentences below.

¿Qué estás **haciendo?**
What are you doing?

Estoy **leyendo** el periódico.

Estoy **viendo** la televisión.

Are you worried that you won't learn all the verb forms? Are you concerned that the verbs **ser** and **estar** both mean *to be* and that it will be difficult to keep these and other verbs straight in your mind? Don't be. The acquisition of grammar is a slow and somewhat piecemeal process. Errors in speaking are natural and even expected. In fact, errors can be a sign of progress! The best thing you can do, as suggested earlier, is to work at linking meaning with form. Thus, don't memorize a verb paradigm, simply memorize that **dormimos** means *we sleep* or *we're sleeping* while **duerme** means *someone else sleeps*. And don't practice speaking by reciting verb forms. Instead, look at pictures and see whether you can say what someone is doing. As you go to sleep at night, say to yourself **Ahora me acuesto.** In this way you will be using grammar to express meaning.

¿Cuándo comienza el verano?

Talking About Seasons of the Year

To talk about the months and seasons of the year, you can use these terms.

Los meses y las estaciones del año

el otoño

septiembre, octubre, noviembre

el invierno

diciembre, enero, febrero

la primavera

marzo, abril, mayo

el verano

junio, julio, agosto

Actividad D   ¿Qué estación es?

Read over the following statements and decide which season is being described.

1. En los meses de junio, julio y agosto, suele hacer mucho calor. En esta estación, muchos estudiantes están de vacaciones.
2. Esta estación se asocia con la lluvia, las flores y el amor. Comprende los meses de marzo, abril y mayo.

3. En esta estación hay viento y las hojas (*leaves*) cambian (*change*) de color. Incluye los meses de septiembre, octubre y noviembre.

4. Los meses de esta estación son diciembre, enero y febrero, y hace mucho frío.

Actividad E   ¿Sabías que... ?

Listen to and read the following **¿Sabías que... ?** selection. Then listen to the statements your instructor reads. Say whether each statement refers to **España** or **la Argentina.**

> MODELO   PROFESOR(A): Es enero y hace calor.
> ESTUDIANTE: Estamos en la Argentina.

en lugares como la Argentina las estaciones están invertidas en relación con la época en que ocurren en países como España y México? El mundo está dividido en dos hemisferios: el hemisferio norte y el hemisferio sur. Cuando es verano en el hemisferio norte, es invierno en el hemisferio sur. Y cuando es invierno en el hemisferio norte, es verano en el hemisferio sur. Durante las Navidades (25 de diciembre), por ejemplo, en Buenos Aires hace mucho calor y los estudiantes tienen las vacaciones de verano. ¡No hay clases y todos van a la playa!

Visit the *Vistazos* website at **www.mhhe.com/vistazos.**

COMUNICACIÓN

Actividad F   Encuesta

Using the table on the following page as a guide, find out from two people about their favorite and least favorite seasons and weather. Then fill in the same information for yourself. How do the three of you compare? Write up a short paragraph with the results. The following are some questions to help you begin your interview.

> MODELOS   ¿Cuál es tu estación preferida?
> ¿Qué estación prefieres más?
> ¿Te gusta el invierno?
> ¿ ?

	E1	E2	YO
nombre	_____	_____	
estación preferida	_____	_____	_____
tiempo preferido	_____	_____	_____
estación menos preferida	_____	_____	_____
tiempo menos preferido	_____	_____	_____

Observaciones

¿Cuántos de tus amigos hacen las siguientes actividades en su tiempo libre?

- correr
- limpiar el apartamento (la casa)
- leer
- participar en una actividad espiritual o religiosa
- ser voluntario/a para una organización o un servicio
- navegar la red

Los hispanos hablan

¿Qué diferencias has notado°?

°has... *have you noticed*

Paso 1 Read the following **Los hispanos hablan** selection. Then answer these questions.

1. Según Begoña, ¿en qué actividades participan los españoles cuando salen?
2. Según Begoña, ¿por qué salen los norteamericanos?

En general, ¿qué diferencias has notado entre salir en los Estados Unidos y salir en España?

NOMBRE: Begoña Pedrosa
EDAD: 24 años
PAÍS: España

«Bueno, una de las diferencias que más me ha llamado la atención[a] es que en España la gente sale, va a los bares, charla con los amigos, baila, para aquí para allá,[b] y la gente por supuesto sale hasta muy tarde. Es más,[c] hasta por la mañana. Sin embargo, en los Estados Unidos, la gente sale solamente por el hecho[d] de beber y beber y beber... »

[a]más... *I've noticed most*   [b]para... *(go) here and there*   [c]Es... *What's more*   [d]reason

Paso 2 Now watch or listen to the rest of the segment, then answer the following.

Vocabulario útil

se cierran	close	**muy poco común**	**muy raro**
hacer fiestas	to have parties	**más destacables**	**más notables**

1. ¿Cierto o falso?

   _____ Los españoles salen hasta más tarde que los norteamericanos.

   _____ Los bares en España se cierran más temprano que en los Estados Unidos.

2. ¿Cuál es otra diferencia entre España y los Estados Unidos que nota Begoña?

Paso 3 Begoña dice: «En los Estados Unidos la gente sale solamente por el hecho de beber y beber y beber.» ¿Estás de acuerdo (*Do you agree*)? Complete la siguiente oración.

Cuando (mis amigos / mi familia) _____ y yo salimos por la noche, las actividades en las cuales participamos son: _____, _____ y _____.

Vocabulario

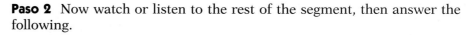

Actividades para el fin de semana	**Weekend Activities**
bailar	to dance
charlar	to chat
correr	to run
dar (*irreg.*) **un paseo**	to take a walk
gastar (dinero)	to spend (money)
ir (R)	to go
a la iglesia	to church
al cine	to the movies
de compras	shopping
jugar (R)	to play
al fútbol	soccer
al fútbol americano	football
lavar (la ropa)	to wash (clothes)
limpiar (el apartamento)	to clean (the apartment)
nadar	to swim
no hacer nada	to do nothing
practicar un deporte	to practice, play a sport
quedarse (en casa)	to stay (at home)
sacar vídeos	to rent videos
tomar (un café)	to drink (a cup of coffee)
ver (*irreg.*) **la televisión**	to watch television

¿Con qué frecuencia?	**How Often?**
siempre	always
con frecuencia	often
a veces	sometimes
de vez en cuando	from time to time
pocas (raras) veces	rarely
jamás ⎱	
nunca ⎰	never

Palabras de negación	**Words of Negation**
nada	nothing, not anything
nadie	no one, not anyone
ninguno/a	none, not any
tampoco	neither, not either

¿Qué tiempo hace?	**What's the Weather Like?**
Hace (mucho) calor.	It's (very) hot.
Hace fresco.	It's cool.
Hace (mucho) frío.	It's (very) cold.
Hace sol.	It's sunny.
Hace viento.	It's windy.
Hace buen tiempo.	The weather's good.
Hace mal tiempo.	The weather's bad.

Está despejado.	It's clear.		
Está nublado.	It's cloudy.		

Llueve. (Está lloviendo.)	It's raining.
Nieva. (Está nevando.)	It's snowing.

la temperatura	temperature

Los meses y las estaciones del año — Months and Seasons of the Year

enero, febrero, marzo, abril, mayo, junio, julio, agosto, septiembre, octubre, noviembre, diciembre

la primavera	spring
el verano	summer
el otoño	fall, autumn
el invierno	winter

Otras palabras y expresiones útiles

la discoteca	discotheque
la fiesta	party
el pasatiempo	pastime, hobby
el/la vecino/a	neighbor
cada	each
después	after
hasta (muy) tarde	until (very) late
luego	then; therefore
también	also

Otros vistazos

In the **Vistazos** CD-ROM, you will learn more about Hispanic cultures, including:

- paintings by El Greco and Frida Kahlo
- biographical information on Frida Kahlo
- several geographical facts about Mexico
- some information on the history of Mexico
- interesting facts in **¿Sabías que... ?**

 abías que...?

en la Ciudad de México hay un museo que se llama El Museo de las Intervenciones? Dentro del conjunto conventual[1] de San Diego de Churubusco en Coyoacán, México, se exhiben objetos relacionados con la defensa del territorio mexicano durante las invasiones por parte de Francia y España. Algunos de los objetos que se exhiben son uniformes de soldados, armas antiguas y mapas. Este museo demuestra lo importante que han sido[2] estas invasiones en la historia de México.

[1]conjunto... *gathering of convents*
[2]han... *have been*

3

¿QUÉ HICISTE AYER?

In this lesson you will look into what you and your classmates did in the recent past. As part of this lesson, you will

■ ask and answer questions about last night's activities

■ ask and answer questions about last weekend's activities

■ talk about some special events from the past

■ learn how to use a past tense called the preterite to ask questions and to talk about yourself and others

■ listen to someone talk about how she spent the money from her first paycheck

You will also learn about Simón Bolívar and José de San Martín, as well as some information about South America.

Vistazos

¿Qué hizo Alicia ayer?

Talking About Activities in the Past

Ayer Alicia...

...**se levantó** temprano.

...**hizo** ejercicio aeróbico.

...**fue** a la biblioteca.

...**se quedó** en la biblioteca por dos horas.

...**habló** con el profesor.

...**trabajó** en el laboratorio por la tarde.

...**volvió** a casa a las 7.30.

...**llamó** a una amiga.

...**pagó** unas cuentas.

...**preparó** la cena.

...**comió** tarde.

...**se acostó** temprano.

Ayer Ramón...

...se despertó tarde.

...leyó el periódico.

...fue en carro a la oficina.

...habló mucho por teléfono.

...almorzó con un cliente en un restaurante.

...salió de la oficina.

...asistió a una clase.

...se durmió en clase.

...sacó un vídeo.

...miró el vídeo por un rato.

...escuchó música y **estudió.**

...se acostó muy tarde.

VOCABULARIO ÚTIL

ayer	yesterday	**la semana pasada**	last week
anoche	last night	**el fin de semana pasado**	last weekend

Actividad A ¿Alicia o Ramón?

Here is a list of things that either Alicia or Ramón did yesterday. According to the drawings at the beginning of this section and what you know from previous lessons, was it Alicia or Ramón who did each activity?

	ALICIA	RAMÓN
1. Trabajó varias horas en el laboratorio.	☑	☐
2. Hizo ejercicio.	☑	☐
3. Se durmió en clase.	☐	☑
4. Sacó un vídeo.	☐	☑
5. Estudió unas horas en la biblioteca.	☑	☐
6. No salió con los amigos.	☐	☑
7. Se levantó temprano por la mañana.	☑	☐
8. Se acostó tarde por la noche.	☐	☑

CONSEJO PRÁCTICO

Alicia and Ramón's activities are presented in a past tense called the *preterite*. You will learn about the preterite in this lesson. For now, pay particular attention to the meanings of the verb forms.

Remember that, in general, it is a good idea to learn a grammar point by associating its form with its meaning in context. Memorization of verb endings may be useful for taking a test on verbs, but it is not the best way to learn grammar for communication.

ASÍ SE DICE

As you may have noticed, **fue** is the past tense of **va** (*he or she goes*).

Ayer Alicia **fue** a la biblioteca.
Ramón **fue** a la oficina ayer por la mañana.

You have also seen **hizo** in the expression **hizo ejercicio**. Because **hacer** often means *to do*, the form **hizo** can be used to ask what someone *did*.

¿Qué **hizo** Alicia ayer?
¿Qué **hizo** la profesora anoche?

Actividad B ¿En qué orden?

Read over the list of activities that Ramón did yesterday. Number each item from 1 to 8, with 1 being the first activity Ramón did in the day, and 8 as the last activity he did.

Ramón...

____2__ fue a la oficina.   ____3__ almorzó con un cliente.
____8__ se acostó.   ____1__ se levantó.
____4__ salió de la oficina.   ____5__ se durmió en clase.
____6__ miró un vídeo.   ____7__ estudió.

Actividad C   En tu clase

Your instructor will select a student to come to the front of the class. Last night, did he or she do anything similar to Alicia or Ramón in the drawings? ¡OJO! You have five minutes to find out as much as you can about your classmate.

MODELO
E1: Creo que Roberto miró la televisión anoche.
PROFESOR(A): Roberto, ¿es verdad?
ROBERTO: No, no es verdad.

¿Salió o se quedó en casa?

Talking About What Someone Else Did Recently

—¿**Salió** Alicia anoche?
—No, pero sí **estudió** hasta muy tarde.

(yo)	-é, -í	(nosotros/as)	-amos, -imos
(tú)	-aste, -iste	(vosotros/as)	-asteis, -isteis
(Ud.)	-ó, -ió	(Uds.)	-aron, -ieron
(él/ella)	habl**ó** se levant**ó** com**ió** sal**ió**	(ellos/ellas)	-aron, -ieron

Spanish has a past tense called the preterite (**el pretérito**), which has different forms from those of the present tense.

The preterite has several equivalents in English. For example, **se acostó** can either mean *he went to bed* or *he did go to bed.* Normally the preterite is used to report actions, events, and states that are viewed as having been completed in the past. You will learn other meanings of the preterite in subsequent lessons. For now, you only need to know how to talk about what another person did last night, last weekend, or last week; that is, to express actions completed at some point in the past.

As you have seen, most third-person preterite verbs end in a stressed or accented vowel, with **-ar** verbs ending in **-ó,** and **-er** and **-ir** verbs ending in **-ió.** (That's right, **-er** and **-ir** verbs share the same endings, making it easier for you to remember them!)

El estudiante **se levantó** tarde, **comió** en la cafetería y **salió.**

When talking about Ramón's activities, did you happen to notice that the verb **leyó** has a **y** in it? This is a spelling convention used to keep from having three consecutive vowels (**le-** + **-ió = leyó**).

Another aspect of the preterite is that no stem vowel changes are carried over from the present tense for **-ar** and **-er** verbs. However, **-ir** verbs with stem changes do have a vowel shift in the third-person preterite forms. Two examples are **durmió** (**u** instead of **o** in the stem), and **pidió** (**i** instead of **e** in the stem).

You have already learned two irregular preterite forms, **hizo** (**hacer**) and **fue** (**ir**). Note that **ser** has the same forms as **ir** in the preterite; context will help you understand the meaning (**Ana fue al cine** vs. **José fue estudiante**). Although regular third-person preterite forms have a stressed vowel at the end, most irregular verbs do not. You will learn other irregular preterite forms as you go along.

Here is a list of verbs you will find useful. They are organized by infinitive endings, **-ar, -er,** and **-ir.**

A S Í S E
D I C E

In this **Gramática esencial** section, you learned about third-person singular **-ir** preterite verbs that have a stem vowel change. Here are several verbs that experience this change.

durmió (dormir)
pidió (pedir)
sirvió (servir = *to serve*)
corrigió (corregir = *to correct*)
se vistió (vestirse)

	-ó (-ar)	**-ió (-er)**	**-ió (-ir)**
él/ella	almorzó	comió	asistió
	charló	leyó	salió
	escuchó	vio	
	estudió	volvió	
	manejó		
	sacó		
	se despertó		
	se quedó		

If you're wondering why **vio** doesn't have a written accent, it's because it's a one-syllable word and doesn't need one.

Actividad D ¿Cómo fue la noche del profesor (de la profesora)?

Paso 1 In groups of three, guess what your instructor did last night. Here are some possibilities. Your instructor may add to the list! (Make sure to pay close attention to the verb forms.)

❏ Corrigió (*He/She corrected*) unas composiciones.
❏ Salió con unos amigos (unas amigas).
❏ Charló con los vecinos.
❏ Preparó la cena.
❏ Leyó un periódico o una revista (*magazine*) de noticias internacionales.
❏ Practicó un deporte (*sport*).
❏ Habló con un(a) colega (*colleague*) por teléfono.
❏ Pagó unas cuentas.

Paso 2 A person from one group stands up and presents that group's list of possibilities to the class. Does everyone agree with that list?

ASÍ SE DICE

As you recall from the previous **Gramática esencial** section, most irregular preterite verbs do not have a stressed vowel ending. Here is a list of some common irregular third-person preterite verbs.

anduvo (andar =
  to walk)
condujo (conducir)
dio (dar = *to give*)
dijo (decir = *to say, tell*)

estuvo (estar)
fue (ir, ser)
hizo (hacer)
pudo (poder)

supo (saber =
  to know)
tuvo (tener)
vino (venir)

¡OJO! The preterite of **saber** means *found out* and not *knew*. The preterite of **poder** means *managed* or *was finally able to.*

Supo eso anoche.   *She found that out last night.*
Por fin **pudo** dormir bien.   *He finally managed to sleep
                          well.*

Actividad E   ¿Quién hizo qué?

Match the event in column A to the person in column B. (Be sure to pay special attention to the verb forms as you do the activity!)

A

1. _____ Fue el primer hombre que anduvo en la Luna.
2. _____ Dijo: «Yo tengo un sueño (*dream*)... »
3. _____ Pudo convencer a Fernando e Isabel de su plan.
4. _____ Fue actor. Trabajó en programas de televisión con Lucy.
5. _____ Tuvo mucha influencia en la política de la Argentina.
6. _____ Hizo mucho por defender los derechos (*rights*) de los obreros de la tierra (*farmworkers*).

B

a. Cristóbol Colón
b. Desi Arnaz
c. Eva Perón
d. Neil Armstrong
e. César Chávez
f. Martin Luther King, Jr.

Actividad F   ¿Qué hizo el fin de semana?

You have investigated what people did last night, but what about last weekend? In groups of four, create a list of six activities that a typical student from your university did last Saturday and Sunday. Divide your list as follows, putting one activity in each box.

	EL SÁBADO	EL DOMINGO
por la mañana		
por la tarde		
por la noche	*Salió con los amigos.*	

Afterward, compare your list with that of another group. Did you list similar activities?

¿Salí o me quedé en casa?

Talking About What You Did Recently

(yo)	habl**é**	(nosotros/as)	-amos, -imos
	me qued**é**		
	com**í**		
	sal**í**		
(tú)	-aste, -iste	(vosotros/as)	-asteis, -isteis
(Ud.)	-ó, -ió	(Uds.)	-aron, -ieron
(él/ella)	-ó, -ió	(ellos/ellas)	-aron, -ieron

To talk about things you did in the past, use the first-person singular (**yo**) preterite verb forms. The verb endings are **-é** for **-ar** verbs (**hablar → hablé**), and **-í** for **-er** and **-ir** verbs (**comer → comí** and **salir → salí**).

> Anoche no **hice** nada especial. **Me quedé** en casa sin tener nada que hacer. **Miré** la televisión un rato y **leí** el periódico. **Me acosté** temprano y **dormí** unas siete horas.

As you probably noticed, **hice** is the preterite **yo** form of **hacer.** To talk about where you went, use **fui,** a form of **ir.** Note that **ser** has the same forms as **ir** in the preterite, so **fui** can mean *I went* or *I was.* Context will determine the meaning.

> Anoche **fui** a un concierto de música andina.
> En el pasado (*past*) **fui** estudiante de francés.

Note that irregular verbs like **hice** and **fui** have no written accent. You will become familiar with other irregular preterite verbs in this lesson.

You will notice that some verb stems undergo spelling changes in the **yo** form. Among these are **saqué, jugué,** and **llegué.** You will soon learn the reasons for these spelling changes.

—Mire Ud., profesor, no **escribí** mi composición por muy buenas razones. Ayer **trabajé** cuatro horas en el Café San Francisco. Y anoche **toqué** mi guitarra en un club, pues me gustaría ser músico, ¿sabe? Cuando **llegué** a casa, mi mamá llamó con unas noticias muy importantes y...

You should be delighted to know that there are no stem vowel changes of any sort with preterite **yo** forms!

Here is a list of a few useful regular verbs.

	-é (-ar)	-í (-er)	-í (-ir)
yo	hablé	comí	asistí
	llamé	leí	dormí
	trabajé	corrí	salí
	estudié	volví	
	me desperté	vi	
	me quedé		

Vi, because it is a one-syllable verb, does not have a written accent.

Actividad G   Yo también...

Here is a list of things done yesterday by a student who attends the same university as Alicia. For each of his statements, write whether or not you did the same thing.

> MODELO   Asistí a una clase de lenguas extranjeras. →
> Yo también asistí a una clase de lenguas extranjeras.
> Asistí a la clase de español.

1. Estudié un poco en la biblioteca.
2. Durante el día, comí en un restaurante de comida rápida.
3. Fui a una conferencia pública en la universidad.
4. Jugué a los videojuegos y gasté mucho dinero.
5. Hice ejercicio.
6. Me acosté a las 12.00.
7. Vi un programa de noticias en la televisión.

Actividad H   ¿Sabías que... ?

Paso 1 Listen to and read the **¿Sabías que... ?** box found on the next page. After reading the brief selection, circle all the preterite **yo** forms that you can find. Do you know what each one means?

Paso 2 How would you begin a novel in the first person? Create a sentence based on this excerpt from *El túnel*. Then, as a class, vote on which sentence is most likely to grab a reader's attention.

> MODELO   Todos saben que...

Actividad I   Una vez...

With a partner, describe three activities from the following list that you have (supposedly) done in the past. Make sure at least one of the activities you describe is *not* true! It will be up to your partner to decide if each activity is true or not.

MODELO   Una vez yo...

1. conocer (*to meet*) a una persona famosa.
2. hacer un viaje (*to take a trip*) a un país de habla española.
3. escribir un poema de amor (*love*).
4. recibir un poema de amor.
5. levantarme tarde y llegar tarde a un examen.
6. mentirle* (*to lie*) a un profesor (una profesora).

¿Sabías que...

muchos escritores usan la primera persona al narrar una historia en vez de usar la tercera[a] persona? El uso de la primera persona ayuda[b] al escritor a «entrar» más en la personalidad de los personajes y a darle otra perspectiva del mundo.[c] En *El túnel,* una novela muy conocida,[d] el escritor argentino Ernesto Sábato usa esta técnica, como se puede ver en el ejemplo a continuación.

> Todos saben que maté[e] a María Iribarne Hunter. Pero nadie sabe cómo la conocí, qué relaciones hubo[f] exactamente entre nosotros y cómo fui haciéndome[g] a la idea de matarla. Trataré[h] de relatar todo imparcialmente porque, aunque sufrí mucho por su culpa,[i] no tengo la necia[j] pretensión de ser perfecto...

¿Te llamó la atención? ¿Crees que te gustaría leer esta novela?

---

[a]*third*   [b]*helps*   [c]*world*   [d]*muy... very well-known*   [e]*I killed*   [f]*pasado de* **hay**   [g]*creating*   [h]*I'll try*
[i]*fault*   [j]*foolish*

Visit the *Vistazos* website at **www.mhhe.com/vistazos**.

Surf the Web to find information in Spanish on movies, theater, or some other event that you would like to attend. Tell the class what you found.

***Le** is an indirect object pronoun that means *to, for,* or *from him (her).* In Spanish it is usually obligatory with **entregar** (*to turn in, hand over*), **dar,** and certain other verbs. **Le mentí** = *I lied to him (her).*

Vistazos

Ayer y anoche (II)

¿Qué hiciste anoche?

Talking to a Friend About What He or She Did Recently

—Sí, sí. Y la última vez que no **hiciste** la tarea fue porque **trabajaste** cinco horas la noche anterior...

(yo)	-é, -í		(nosotros/as)	-amos, -imos
(tú)	trabaj**aste** te qued**aste** com**iste** sal**iste**		(vosotros/as)	-asteis, -isteis
(Ud.) (él/ella)	-ó, -ió -ó, -ió		(Uds.) (ellos/ellas)	-aron, -ieron -aron, -ieron

To ask a classmate what he or she did in the past, use the **tú** form of the preterite. **Tú** forms end in **-aste** for **-ar** verbs and **-iste** for **-er** and **-ir** verbs. **Fuiste** and **hiciste** are useful irregular **tú** forms for you to know.

¿Qué **hiciste** anoche? ¿**Te quedaste** en casa o **saliste**? ¿**Fuiste** a alguna fiesta?

Actividad A ¿Y qué más?

Imagine that someone makes the following statements to you. What follow-up question would you logically ask after each statement?

1. _____ Fui al cine anoche.
2. _____ Tuve un examen esta mañana.
3. _____ Hice ejercicio esta mañana.
4. _____ Anoche comí en un restaurante elegante.
5. _____ Anoche llamé a mis padres por teléfono.
6. _____ La semana pasada no asistí a clases.

a. ¿Estuvo buena la comida?
b. ¿Hablaste mucho tiempo con ellos?
c. ¿Por qué? ¿Estuviste enfermo/a?
d. ¿Qué viste?
e. ¿Estudiaste mucho?
f. ¿Corriste o nadaste?

ASÍ SE DICE

Remember that when talking to someone with whom you have some social distance, you use **Ud.** The **Ud.** form in all tenses is the same as the **él/ella** verb form.

¿A qué hora **salió Ud.** de casa?
¿**Manejó** el carro o **caminó** al trabajo?

Actividad B   Tú y yo

Write three sentences about things you did yesterday. Then find different people in the class who did the things you listed.

ACTIVIDAD	OTRA PERSONA QUE TAMBIÉN HIZO LA ACTIVIDAD
1. _____	_____
2. _____	_____
3. _____	_____

¿Salieron ellos anoche?

Talking About What Two or More People Did Recently

gramática esencial

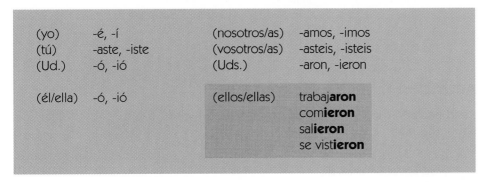

(yo)	-é, -í	(nosotros/as)	-amos, -imos
(tú)	-aste, -iste	(vosotros/as)	-asteis, -isteis
(Ud.)	-ó, -ió	(Uds.)	-aron, -ieron
(él/ella)	-ó, -ió	(ellos/ellas)	trabaj**aron**
			com**ieron**
			sal**ieron**
			se vist**ieron**

—¿**Salieron** ellos anoche?
—¡Sí! Y no **regresaron** a casa hasta las 3.00 de la mañana.

When you describe what two or more people did in the past, you use the **ellos/ellas** form of the preterite. All regular preterites end in **-aron** for **-ar** verbs, and **-ieron** for **-er** and **-ir** verbs.

> —¿**Salieron** Rodrigo y Sonia anoche?
> —No, **se quedaron** en casa y **estudiaron.**

The same stem vowel and spelling changes that occur in the third-person singular also occur in the third-person plural of the preterite.

> Anoche los estudiantes **leyeron** mucho y **durmieron** poco.

Most irregular preterites end in **-ieron,** but there are some exceptions. Two of these are **ir** and **decir.**

> Ayer mis compañeros hicieron todos los ejercicios y después **fueron** al cine.
> ¿**Dijeron** la verdad (*truth*) los estudiantes que estuvieron ausentes (*absent*)?

Actividad C   ¿Qué hicieron ayer?

Read each of the following statements and decide which group(s) probably did each activity yesterday.

	ESTUDIANTES	PROFESORES	SECRETARIOS
1. Se acostaron tarde.	❏	❏	❏
2. Miraron una telenovela (*soap opera*).	❏	❏	❏
3. Durmieron mucho.	❏	❏	❏
4. Fueron a la biblioteca.	❏	❏	❏
5. Leyeron el correo electrónico.	❏	❏	❏

COMUNICACIÓN

Actividad D   ¿Qué hicieron anoche?

Paso 1 Get into groups of three. Take out one sheet of paper to be shared in the group. Everyone in the group will take turns writing a sentence describing an activity he or she and some friends did last night. Each person will have 30 seconds to write a sentence. After writing a sentence, each person will fold the page so that others cannot read what has been written. After writing a sentence, that person will pass the folded paper to the person on his or her left (in a clockwise direction).

MODELO   Anoche mis amigos...

Paso 2 When your instructor indicates, one member of your group should open the sheet of paper and read the sentences. As a group, put the sentences in logical order, and delete or modify sentences that do not make sense. Be ready to read your list to the class.

¿Qué hicimos nosotros?

Talking About What You and Someone Else Did Recently

(yo)	-é, -í	(nosotros/as)	almorz**amos** volv**imos** asist**imos** nos vest**imos**
(tú)	-aste, -iste	(vosotros/as)	-asteis, -isteis
(Ud.)	-ó, -ió	(Uds.)	-aron, -ieron
(él/ella)	-ó, -ió	(ellos/ellas)	-aron, -ieron

—¿Recuerdas cuando **fuimos** a España? Ay, ¡qué recuerdos! **Comimos** bien, **conocimos** a tantas personas interesantes, ¡y los lugares que **vimos**! ¡Quiero volver!

When you talk about what you and another person did, you use the **nosotros/as** form of the preterite. All regular **-ar** preterites end in **-amos** (just like the present tense). All regular **-er** and **-ir nosotros/as** forms end in **-imos.** There are no stem vowel or other changes for these verb forms!

> Ayer Pepe y yo **almorzamos** en la cafetería.
> Mi compañera de cuarto y yo no **salimos** anoche.

Irregular preterite verbs end in **-imos.**

> **Fuimos** al cine el sábado pasado.
> **Tuvimos** un examen en la clase de química la semana pasada.

Actividad E Todos nosotros...

Paso 1 Decide which of the following activities you think every student in the class did yesterday and/or last night.

Todos nosotros...

- ❏ estudiamos.
- ❏ fuimos a un bar.
- ❏ miramos una telenovela.
- ❏ gastamos dinero en ropa.
- ❏ tuvimos un examen.
- ❏ comimos en un restaurante de comida rápida.
- ❏ fuimos a la biblioteca.
- ❏ hicimos ejercicio.
- ❏ leímos el periódico.
- ❏ asistimos a dos clases (por lo menos).

Paso 2 One of you should volunteer to read out loud the list of items you checked. After each statement, those who did the activities should raise their hands. Was the volunteer correct?

ASÍ SE DICE

Remember that irregular **nosotros** preterite verbs end in **-imos.** Here is a list of common irregulars.

dijimos (decir)
fuimos (ir, ser)
hicimos (hacer)
tuvimos (tener)
vinimos (venir)

See whether you can give the **nosotros** form of the preterite for these irregular verbs.

andar   poder
conducir saber

Actividad F   ¿Qué actividades hicimos?

Paso 1 Interview a classmate and find out what activities you both did during the week. Below is a list of sample activities. Feel free to come up with others!

asistir a una conferencia pública
bailar en una fiesta
correr cinco millas
ir a un restaurante
jugar a los videojuegos
navegar la red
practicar un deporte
tener un examen

MODELO   La semana pasada, ¿bailaste en una fiesta? ¿Corriste cinco millas?

Paso 2 Now you and your partner need to find two other people who did at least two of the same activities that the two of you did.

MODELO   E1: Nosotros estudiamos para un examen, practicamos un deporte, vimos una telenovela y fuimos a un restaurante.
E2: Nosotros también estudiamos para un examen y practicamos un deporte, pero no vimos ninguna telenovela ni fuimos a un restaurante.

Situación

Un estudiante, Juan Mengano, pasó toda la noche estudiando para su examen de química. Esta mañana faltó a[a] la clase de matemáticas a las 9.00 y fue a su clase de química a las 10.00 para tomar el examen. Después descubrió que la profesora de matemáticas dio una prueba de sorpresa.[b] ¿Crees que Juan tiene una buena excusa para preguntarle a la profesora si es posible tomar la prueba en su oficina?

---

[a]faltó... *he missed*   [b]prueba... *pop quiz*

Los hispanos hablan

¿En qué gastaste tu primer sueldo?

Paso 1 Read the following **Los hispanos hablan** selection. Then answer this question: **¿Qué compró Marita?**

¿En qué gastaste tu primer sueldo?

> **NOMBRE:** Marita Romine
> **EDAD:** 41 años
> **PAÍS:** el Perú

«Cuando comencé a asistir a la universidad quise mudarme a un apartamento y lo que hice con mi primer sueldo fue comprar cosas para la casa —sábanas, toallas y comestibles,[a] y... »

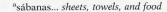

[a]sábanas... *sheets, towels, and food*

Paso 2 Now watch or listen to the rest of the segment. Then answer the following questions.

1. ¿Qué más (*What else*) hizo Marita con su primer sueldo?
2. Según lo que compró, se puede concluir que Marita es una persona...

❑ práctica.
❑ generosa con sus amigos.
❑ práctica y también generosa con sus amigos.

Paso 3 Ask five classmates the same question: **¿En qué gastaste tu primer sueldo?** Jot down what each person says. Then check the appropriate box.

En sus respuestas...
❑ mis compañeros son como Marita.
❑ mis compañeros son más o menos como Marita.
❑ mis compañeros son diferentes de Marita.

Vocabulario

Ayer y anoche	Yesterday and Last Night
andar (*irreg.*)	to walk
buscar	to look for
dar (*irreg.*)	to give
decir (*irreg.*)	to say; to tell
dormirse (ue, u)	to fall asleep
empezar (ie)	to begin
estar (*irreg.*)	to be
jugar (ue) a los videojuegos	to play video games
llamar (por teléfono)	to call (on the phone)
llegar	to arrive
pagar (la cuenta)	to pay (the bill)
practicar un deporte (R)	to practice, play a sport
preparar (la cena)	to prepare (dinner)
recibir	to receive
recordar (ue)	to remember
saber (*irreg.*)	to know (*facts, information*)

tener (*irreg.*) **un examen**	to take a test
ver (*irreg.*) **una telenovela**	to watch a soap opera

¿Cuándo?	When?
anoche	last night
ayer	yesterday
el fin de semana pasado	last weekend
un rato	little while, short time
la semana pasada	last week
la última vez	last time
una vez	once
hace + *time*	_____ ago

Otros vistazos

In the **Vistazos** CD-ROM, you will learn more about Hispanic cultures, including:

- two South American heroes, Simón Bolívar and José de San Martín
- several facts about Simón Bolívar's life
- the location of several countries in South America
- information on the history of independence in Latin America
- interesting facts in **¿Sabías que... ?**

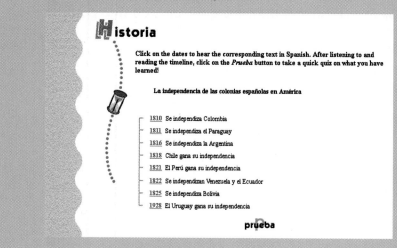

GRAMMAR SUMMARY FOR LECCIÓN PRELIMINAR– LECCIÓN 3

The Verb ser

(yo)	soy	(nosotros/as)	somos
(tú)	eres	(vosotros/as)	sois
(Ud.)	es	(Uds.)	son
(él/ella)	es	(ellos/as)	son

The verb **ser** is used to express the following:

1. origin with **de: ¿De dónde eres?**
2. describing a person's qualities: **Ramón es muy inteligente, ¿no?**
3. stating who or what a person is: **Es profesor. Soy estudiante.**
4. telling time: **Es la 1.00. / Son las 2.00.**

Remember that subject pronouns are not always required in Spanish. It is fine to say **soy estudiante.** If you say **yo soy estudiante,** you are adding emphasis or making a contrast.

The Verb gustar

me		nos	
te	gusta(n)	os	gusta(n)
le		les	
le		les	

1. **Gustar** does not mean *to like*. It is closest in meaning to the verb *to please*. Thus **me gusta** actually means (*something*) *pleases me*.
2. Since **gustar** means *to please*, the verb must agree in number with the thing doing the pleasing: **Me gusta esta clase. Me gustan todas las clases.**
3. A phrase with **a** can be used with this construction.

   A mí me gustan las matemáticas.
   ¿A ti te gustan también?
   A los profesores no les gusta corregir exámenes.

Present Tense of Regular Verbs

	-ar	-er	-ir
(yo)	me levanto	como	asisto
(tú)	te levantas	comes	asistes
(Ud.)	se levanta	come	asiste
(él/ella)	se levanta	come	asiste
(nosotros/as)	nos levantamos	comemos	asistimos
(vosotros/as)	os levantáis	coméis	asistís
(Uds.)	se levantan	comen	asisten
(ellos/ellas)	se levantan	comen	asisten

Remember that even though **Ud.** and **él/ella** share the same verb forms, **Ud.** means *you* singular (formal, socially distant) and **él/ella** refer to a third person (*he/she*). Likewise, **Uds.** means *you* plural (formal, socially distant) and **ellos/ellas** refer to some other persons (*they*). Verbs in the present tense can refer to daily or habitual actions

Todos los días **me levanto** a las 6.00.

but can also be used to refer to an action in progress.

—¿Qué **haces?**
—**Preparo** la cena. ¿Por qué **preguntas?**

Verbs with Stem Vowel Changes

Verbs with stem vowel changes are changed in those forms in which the pronounced accent falls on the stem: **yo, tú, Ud., él/ella, Uds., ellos/ellas.** They do not have the change in those forms where the pronounced accent falls on the ending: **nosotros/as, vosotros/as.**

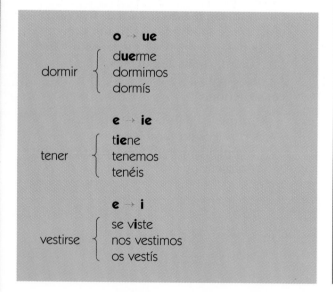

	o → ue
dormir	d**ue**rme
	dormimos
	dormís
	e → ie
tener	ti**e**ne
	tenemos
	tenéis
	e → i
vestirse	se v**i**ste
	nos vestimos
	os vestís

Verbs with Irregularities

Some verbs have irregularities in the **yo** form.

conduzco (conducir)	hago (hacer)
conozco (conocer)	sé (saber)
doy (dar)	tengo (tener)
estoy (estar)	vengo (venir)

Two verbs don't follow predicted patterns.

ir: voy, vas, va, va,
    vamos, vais, van, van
estar: estoy, estás, está, está,
    estamos, estáis, están, están

Negation

Certain negative words like **tampoco, nunca,** and **nadie** can be placed before a verb or after. In the latter case, a **no** is required.

Yo **no** me levanto temprano.
    Yo **tampoco** me levanto temprano.
    Yo **no** me levanto temprano **tampoco.**
¿Quién se levanta temprano?
    ¿**Nadie** se levanta temprano?
    ¿**No** se levanta **nadie** temprano?
¿Cuándo haces ejercicio?
    Nunca hago ejercicio.
    No hago ejercicio **nunca.**

The negative word **nada** normally follows a verb and will always be accompanied by **no.**

No hay **nada.**
No tengo **nada.**

Preterite Tense: Regular Forms

	-ar	**-er**	**-ir**
(yo)	me levanté	comí	salí
(tú)	te levantaste	comiste	saliste
(Ud.)	se levantó	comió	salió
(él/ella)	se levantó	comió	salió
(nosotros/as)	nos levantamos	comimos	salimos
(vosotros/as)	os levantasteis	comisteis	salisteis
(Uds.)	se levantaron	comieron	salieron
(ellos/ellas)	se levantaron	comieron	salieron

The preterite tense is used to talk about simple actions and events in the past that are viewed as completed. It is useful when talking about events that happened yesterday, last night, and so forth.

Preterite Tense: Irregular Verbs

Some common verbs do not have the characteristic stress on the verb ending in the preterite. These irregular verbs all share the same endings, regardless of whether they are **-ar, -er,** or **-ir** verbs.

andar:	anduv–		-e (yo)
estar:	estuv–		-iste (tú)
hacer:	hic-*		-o (Ud.)
poder:	pud–		-o (él/ella)
saber:	sup–	+	-imos (nosotros/as)
tener:	tuv–		-isteis (vosotros/as)
venir:	vin–		-ieron (Uds.)
			-ieron (ellos/ellas)

Two other irregular verbs share a common ending in the **Uds.** and **ellos/ellas** form.

conducir → condujeron
decir → dijeron

*Hic- becomes **hiz-** when used with **Ud.** and **él/ella: hizo.**

Saber in the preterite means *to find out* (lit. *at a point in time, to begin to know*).

Entonces **supe** la verdad.
Then I found out the truth.

Poder in the preterite means *to manage to, succeed in* (*doing something*).

Por fin **pude** manejar el carro de mi papá.
I was finally able to drive my dad's car. (I had tried before, but had always failed.)

The verbs **ser** and **ir** share the same forms in the preterite: **fui, fuiste, fue, fue, fuimos, fuisteis, fueron, fueron.** Context will determine meaning.

Lincoln **fue** presidente entre 1861 y 1865.
Lincoln **fue** al teatro.

The Verb **hay**

The verb **hay** can mean *there is* and *there are*.

¿**Hay** café?
No, no **hay** café. Pero sí **hay** refrescos.

Soler + *verb*

The verb **soler (o → ue)** is often used to express the concept of regularly doing something.

Suelo estudiar por la mañana.

"Do"

English requires the support verb *do* to make negatives, ask questions, and to emphasize. Spanish has no such verb, and you should not equate the English *do* with **hacer.**

No sabes la respuesta.
You don't know the answer.

¿Sueles levantarte tarde?
Do you normally get up late?

¿Dormiste bien?
Did you sleep well?

¡Tú sí saliste anoche!
You did go out last night!

"It"

Keep in mind that the subject *it* is not expressed in Spanish as it is in English. English is a language that requires sentences to have subjects, but Spanish does not. English requires "dummy" subjects such as *it,* where Spanish needs no expressed subject.

Llueve.
It's raining.

Hace frío.
It's cold.

Son las dos y media.
It's two-thirty.

Es imposible.
It's impossible.

La tortillera por Diana Bryer (estadounidense, 1942–)

LO QUE NOS FORMA

W hat shapes a person? In this unit you will examine certain aspects of life that help to shape and define human beings: family, "nature vs. nurture," social change, and other factors. As you look at the images on this page, ask yourself why family members often resemble each other. And what do the following photos and paintings suggest to you?

Muchos abuelos (*grandparents*) pasan mucho tiempo con sus nietos (*grandchildren*). ¿Ves a tus abuelos (o nietos, si los tienes) con frecuencia?

Una familia peruana en una reunión familiar. ¿Cuántas personas hay en tu familia «extendida»?

Las escenas familiares figuran mucho en el arte de Carmen Lomas Garza. ¿Ocurren escenas como ésta en tu familia? (*Sandía* [1986] por Carmen Lomas Garza [estadounidense])

¿Cómo son tus relaciones con tu padre? ¿con tu mamá? (¿con tus hijos?) ¿y con tus otros parientes (*relatives*)?

4

¿CÓMO ES TU FAMILIA?

In this lesson you will explore the topic of families. In the process, you will

■ describe your family (size, members, names)

■ ask your classmates about their families

■ find out why speakers of Spanish often use two last names

■ review interrogatives

■ learn to use direct object pronouns

■ hear a Spanish speaker talk about family relationships in her country

 You will also learn something about Spain and read a poem by Juan Ramón Jiménez.

Vistazos

La familia nuclear

¿Cómo es tu familia?

Talking About Your
Immediate Family

La familia de José Luis Gómez

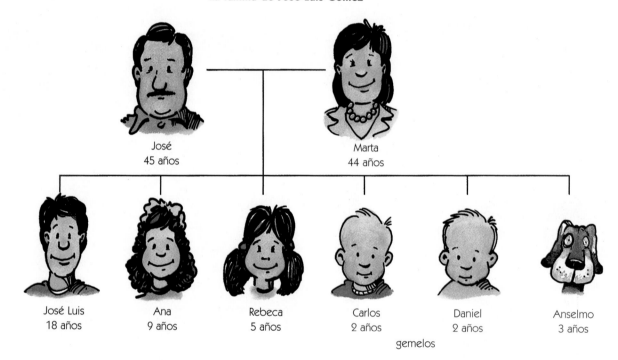

José
45 años

Marta
44 años

José Luis
18 años

Ana
9 años

Rebeca
5 años

Carlos
2 años

Daniel
2 años

Anselmo
3 años

gemelos

José es **el padre** de José Luis.
Marta es **la madre** de José Luis.
José y Marta son **los padres**.
Ana es **una hermana** de José Luis.
Carlos es **un hermano** de José Luis.
Anselmo es **el perro** de José Luis.

José Luis tiene cuatro **hermanos**.
No tiene **hermanastros**.

José Luis, Ana, Rebeca, Carlos y Daniel son **los hijos** de Marta y
José. (Ana es **una hija;** Carlos es **un hijo.**)

Las familias de Cheryl Fuller

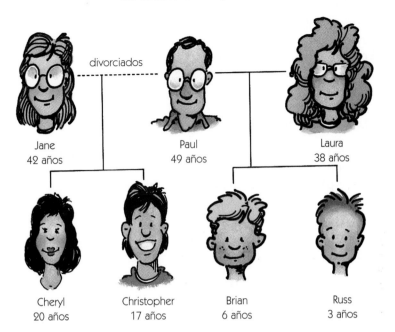

Jane
42 años

Paul
49 años

Laura
38 años

divorciados

Cheryl
20 años

Christopher
17 años

Brian
6 años

Russ
3 años

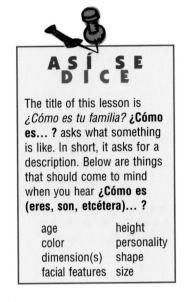

Paul es **el padre** de Cheryl.
Jane es **la madre** de Cheryl. Es una **madre soltera.**
Paul y Jane son **los padres.**
Cheryl no tiene **hermanas.**
Christopher es **el hermano** de Cheryl.

Cheryl tiene **un hermano** y dos **medio hermanos,** Russ y Brian.
También tiene **una madrastra,** Laura.

Cheryl y Christopher son **los hijos** de Paul y Jane.
Russ y Brian son **los hijos** de Paul y Laura.

VOCABULARIO ÚTIL

la esposa, la mujer	wife	**el padre soltero**	single father
el esposo, el marido	husband	**la pareja**	couple; partner
los esposos	husband and wife		
		mayor	older
los gemelos	twins	**menor**	younger
		el/la mayor	the oldest
		el/la menor	the youngest
la hermanastra	stepsister		
el hermanastro	stepbrother		
el padrastro	stepfather	**tiene... años**	he/she is . . . years old

ASÍ SE DICE

By now you may have noticed that there are two ways to express *to know* in Spanish: **conocer** and **saber**. **Conocer** is used to express *to know* (*be acquainted with*) *a person or a place*. **Saber** expresses *to know facts or information*. When followed by an infinitive, **saber** also means *to know how to do something*.

—¿**Conoces** a mi hermano Jaime?

—Sí, **conozco** muy bien a Jaime. **Sabe tocar** la guitarra, ¿verdad?

—Sí. También **sabe jugar** al béisbol, **bailar**, **hablar** el japonés...

COMUNICACIÓN

Actividad A   ¿Cierto o falso?

Your instructor will make a series of statements about the Gómez family in the previous drawings. According to their family tree, is each statement **cierto** or **falso**?

1...   2...   3...   4...   5...   6...   7...

Actividad B   ¿Quién es?

Listen as your instructor makes a statement or says a phrase. Relying only on the drawing of Cheryl Fuller's family tree, can you name the person(s) described by your instructor?

1...   2...   3...   4...   5...   6...   7...   8...

Actividad C   ¿Los Gómez o los Fuller?°

°Los... *The Gómez family or the Fullers?*

According to what you know about the Gómez and Fuller families, indicate which is being referred to in each statement you hear. See if you can do this activity from memory without looking at the family trees. (Note: **Se refiere a** means *it refers to.*)

MODELO   En esta familia hay cuatro hijos. → Se refiere a los Fuller.

1...   2...   3...   4...   5...   6...

Actividad D   ¿Conoces bien al profesor (a la profesora)?

Paso 1 Indica si conoces bien o no al profesor (a la profesora). Si quieres, puedes sustituir (*replace*) al profesor (a la profesora) por otra persona en la clase.

CONOZCO MUY BIEN AL PROFESOR (A LA PROFESORA).		NO CONOZCO NADA BIEN AL PROFESOR (A LA PROFESORA).		
5	4	3	2	1

Paso 2 Escribe tres cosas que sabes sobre el profesor (la profesora). Trata de (*Try to*) escribir tres cosas que tú crees que las demás personas de la clase no saben. ¿Sabes algo sobre su familia?

MODELO   Sé que...

Paso 3 Todos deben presentar sus oraciones del **Paso 2** al resto de la clase. ¿Quién conoce mejor (*best*) al profesor (a la profesora)? ¿Está bien la autoevaluación que hiciste en el **Paso 1?**

¿Cuántas hijas... ?

¿cuántos/as?
¿cómo?
¿dónde?
¿cuál(es)?
¿qué?
¿quién(es)?
¿cuándo?

—¿Y **cuántos** hermanos tienes, José Luis?
—Tengo cuatro: dos hermanas y dos hermanitos gemelos.

Interrogatives, or question words, are used to obtain information from others. You have already been introduced to the main question words in Spanish. Here is a summary of them.

¿Cuántos?	¿Cuántos hijos tienes?
¿Cuántas?	¿Cuántas hijas tienes?
¿Cómo?	¿Cómo se llama tu madre?
¿Dónde?	¿Dónde viven tus padres?
¿Cuál?	¿Cuál es tu apellido (*last name*)?
¿Cuáles?	¿Cuáles son los nombres de tus hijos?
¿Qué?	¿Qué familia es más grande, la de los Fuller o la de los Gómez?
¿Quién?	¿Quién es esa chica? ¿Es tu hermana?
¿Quiénes?	¿Quiénes son los padres de José Luis?
¿Cuándo?	¿Cuándo llamas a tu familia?

Note that both **¿qué?** and **¿cuál?** can mean *which?* For now, use **¿qué?** with a noun and **¿cuál(es)?** with **es / son** to mean *which*.

¿Qué apellido es más común, García o Gómez?
¿Cuál es el nombre más popular, Juan o José?

Actividad E   ¿Qué familia?

Silently choose one of the photos on page 88. Then team up with a partner, who will try to guess which one you chose by asking questions.

MODELOS   ¿Cuántas personas hay en la familia en total?
¿Cuántos hijos (Cuántas hijas) hay?
¿Cuántos años tiene el hijo (la hija) mayor?

Once your partner guesses, switch roles and try to guess which photo he or she has chosen.

ASÍ SE DICE

In Spanish, the word **su** can mean *his*, *her*, or *their*. Likewise, **sus** can mean *his*, *her*, or *their*. Context will help determine meaning.

su hermana
his/her/their sister

sus padres
his/her/their parents

su perro
his/her/their dog

sus perros
his/her/their dogs

Hay once personas en esta familia chilena. ¿Cuántos miembros hay en tu familia?

Actividad F Un breve ensayo°

Un... *A brief essay*

Pair up with someone whom you do not know well to find out about his or her family.

Paso 1 Read the following paragraphs. Make a note of the type of information that is missing in each blank.

La familia de _____

La familia de mi compañero/a es _____.* En total son _____ personas: _____ padres y _____ hijo(s) (hija[s]). Toda la familia vive en (Los padres viven en)† _____. Su padre tiene _____ años y su madre tiene _____.

Sus hermanos asisten a _____. Se llaman _____ y _____ y tienen _____ y _____ años, respectivamente. _____ es el (la) mayor de la familia y _____ es el (la) menor.

Paso 2 Make up a series of questions to obtain all the missing information needed to construct a composite of your partner's family. It may help to write out the questions first. As you interview, jot down all the information your partner gives.

Actividad G ¿Sabías que... ?

Listen to and read the **¿Sabías que... ?** selection on the following page. Report to the class what your name would be if you used the system found in Spanish-speaking countries. From now on, use this name on all your assignments in Spanish!

———————

*Choose the appropriate word: **pequeña** (*small*), **mediana** (*medium*), **grande.**
†The family may not all live together, so choose accordingly.

¿Sabías que...

muchos hispanos usan dos apellidos? En los países de habla inglesa, las personas generalmente tienen un apellido, por ejemplo, Judd Emerson o Lillian Hoffman.* Pero en los países de habla española, las personas pueden tener dos apellidos, el paterno y el materno: por ejemplo, Juanita Pérez Trujillo o Ramón Sáenz García. En el primer ejemplo, Pérez es el apellido paterno y Trujillo es el materno. En el otro ejemplo, Sáenz es el apellido paterno y García es el materno. En ocasiones formales u oficiales, las personas usan los dos apellidos. Sin embargo,[a] en algunos países, como la Argentina, el doble apellido generalmente no se usa, excepto si el apellido paterno es un nombre muy común (González, Ramírez, Gómez, Pérez, etcétera). En estos casos se incluye el apellido materno para evitar la confusión.

...ez Montalvo Ismael
175 Cieneguetas Bo Esperanza
Rodriguez Montano Esther
108 Calle 5 Victor Rojas 2 880-0135
Rodriguez Montijo Laura
Carr 651 Km 4.7 Bo Dominguito 878-0253

RODRIGUEZ MORA
LUIS M MD
52 Andres Oliver 880-2329
Rodriguez Mora Ruben
9-I 10 Urb Marques 878-4800
Rodriguez Morales Felix
Carr 664 Km 4.2 Sec Roman 878-2247
Rodriguez Muñiz Gloria E
Carr 656 Km 1.4 Bajadero 881-4236
Rodriguez Negron Benjamin
2-B Calle 881-3659

BREEN PUBLICIDAD

Félix Hugo Parada Mejía
DIRECTOR GENERAL

FELIX HUGO Y ASOCIADOS, S. A. DE C. V.
Acambay 201, Col. Pirules, C. P. 54040
Edo. de México. Tels: 379 86 01   399 97 07

SUMAX
SUMINISTRO MATERIAL AUXILIAR
CINE Y TELEVISION

VICENTE LOZANO JODRA

P.° DE LA DIRECCION, 60
28039-MADRID

TEL. 442 51 67

[a]Sin... *However*

Visit the *Vistazos* website at **www.mhhe.com/vistazos**.

---

*También es frecuente en los Estados Unidos ver apellidos «compuestos» (Robert Bley-Vroman, Mary Smith-González). ¿Es este sistema similar o diferente al sistema hispano?

Vistazos

La familia «extendida»

¿Y los otros parientes?

Talking About Your Extended Family

You have already learned vocabulary related to immediate or nuclear families. Here is a summary of some of the expressions related to extended families.

La familia «extendida» de los Gómez

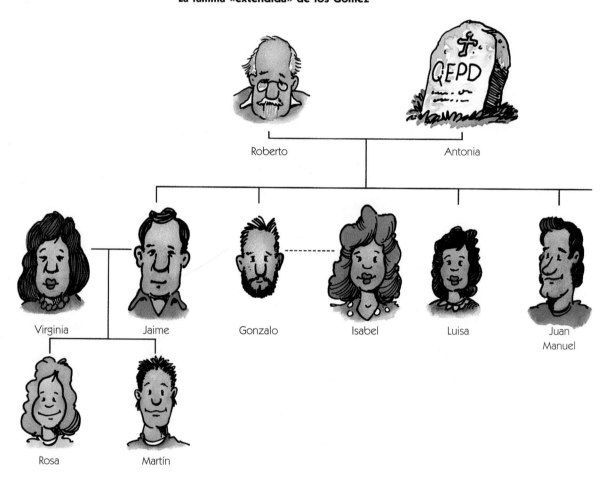

Roberto — Antonia

Virginia — Jaime — Gonzalo ---- Isabel — Luisa — Juan Manuel

Rosa — Martín

Enrique y Teresa y Roberto y Antonia son **los abuelos** de
   José Luis.
Roberto y Antonia son sus **abuelos paternos.**
Enrique y Teresa son sus **abuelos maternos.**
Antonia es su **abuela paterna** y Teresa su **abuela materna.**
Antonia, su abuela paterna, **ya murió.**
Enrique, su **abuelo materno, ya murió.**
José Luis tiene varios **tíos:** Gonzalo, Luisa, Jaime, Juan Manuel
   y Virginia.
Su **tía** favorita es Luisa. No tiene un **tío** favorito.
Su tío Jaime y su tía Virginia tienen dos hijos, Rosa y Martín.
   Ellos son **los primos** de José Luis.

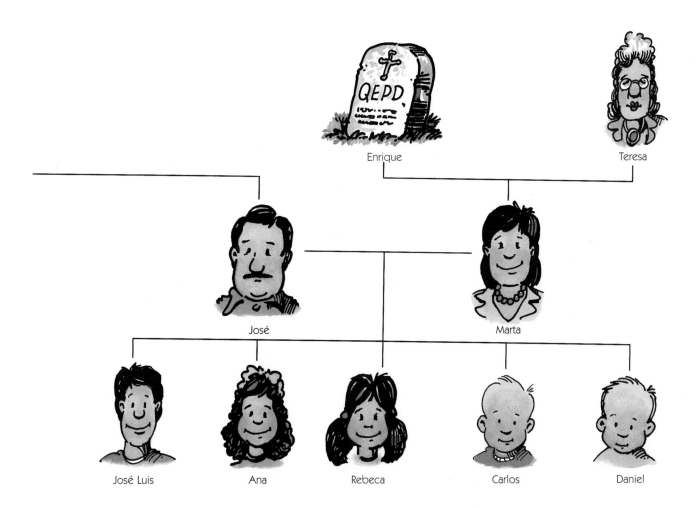

Actividad A   La familia «extendida»

Lee las oraciones en el **Vocabulario esencial.** Después, en el dibujo (*drawing*) de la familia Gómez, busca a las personas mencionadas en las oraciones. ¿Puedes deducir el significado de todas las palabras nuevas?

Actividad B   Los parientes de José Luis

Estudia el dibujo de la familia Gómez y las palabras nuevas. Luego, identifica a los miembros de la familia que están en la columna A. Contesta en oraciones completas, según (*according to*) el modelo.

MODELO   Rosa y Martín son los primos de José Luis.

A		B	
1. _____ Rosa		**a.** una tía	
2. _____ Roberto		**b.** una prima	
3. _____ Enrique		**c.** un tío	
4. _____ Teresa	es / son	**d.** la abuela materna	de José Luis.
5. _____ Juan Manuel		**e.** el abuelo paterno	
6. _____ Rosa y Martín		**f.** el abuelo materno	
7. _____ Virginia		**g.** los tíos	
		h. los primos	

Actividad C   El profesor (La profesora)

Usando el nuevo vocabulario y el vocabulario que ya sabes, hazle preguntas (*ask questions*) al profesor (a la profesora). ¿Cuántos datos (*information*) pueden Uds. obtener en sólo cuatro minutos?

MODELOS   ¿Tiene Ud. abuelos?
¿Cómo se llaman?

¿Tienes sobrinos?

Additional Vocabulary Related to Family Members

Here are some other words related to families. Read each Spanish definition and example. Using the family tree on pages 96–97, can you determine what each new word means?

sobrino/a: hijo o hija de tu hermano/a

José Luis es **el sobrino** de Luisa (la hermana de su padre José).

nieto/a: hijo o hija de tu hijo/a

José Luis es **el nieto** de Enrique y Teresa.

cuñado/a: esposo o esposa de tu hermano/a

Virginia es **la cuñada** de Gonzalo.

suegro/a: padre o madre de tu esposo/a

Roberto es **el suegro** de Marta.

casado/a: cuando una persona tiene esposo/a

Marta está **casada.**

divorciado/a: cuando un esposo y una esposa se separan legalmente

Gonzalo está **divorciado.**

soltero/a: una persona que no tiene esposo/a

Juan Manuel es **soltero.**

ya murió (pasado de **morir**): sin vida

El abuelo materno de José Luis **ya murió.**

viudo/a: cuando el esposo (la esposa) ya murió

Roberto es **viudo.**

vivo/a: que tiene vida

El abuelo paterno de José Luis está **vivo.**

Actividad D   Más sobre los Gómez

Tu profesor(a) va a leer una serie de preguntas sobre la familia Gómez. Para contestar, puedes consultar el dibujo de las páginas 96–97.

1... 2... 3... 4... 5... 6... 7...

Actividad E   ¿Cierto o falso?

Estudia otra vez el dibujo de la familia «extendida» de José Luis. Luego escucha las afirmaciones del profesor (de la profesora). ¿Son ciertas o falsas?

1... 2... 3... 4... 5... 6... 7... 8... 9... 10...

Actividad F   Firma aquí, por favor

COMUNICACIÓN

¿Cómo es tu familia «extendida»? Pregúntaselo a tus compañeros de clase. Cuando alguien contesta afirmativamente, pídele que firme (*ask him/her to sign*) su nombre en tu hoja de papel.

1. ¿Tienes un cuñado?
2. ¿Están vivos todos tus abuelos?
3. ¿Tienes un tío soltero?
4. ¿Tienes un sobrino (una sobrina)?
5. ¿Hay más de treinta personas en tu familia «extendida»?
6. ¿Hay una persona divorciada en tu familia?
7. ¿Tienes primos que no conoces?
8. ¿Tienes un suegro?

Surf the Web in Spanish to find one of the following services: family counseling, reproductive services, childcare possibilities, adoption services, or genealogical services. Report to the class the following: name, location, type of service, phone number or URL, and anything interesting you learned about the service.

NAVEGANDO POR LA RED

Vistazos

Mis relaciones con la familia

¿Te conocen bien?

First- and Second-Person
Direct Object Pronouns

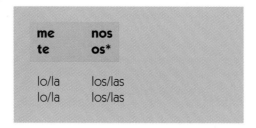

me	nos
te	os*
lo/la	los/las
lo/la	los/las

In addition to having a subject, a verb in a sentence will also often have an object. An object is generally defined as a thing or person on which an action or process is performed. Thus, in the sentence *John writes letters,* *John* is the subject and *letters* is the object (the action of writing is performed on the letters). In the sentence *She has an idea,* *She* is the subject (pronoun) and *an idea* is the object (the thing on which the process of having is performed). What is the subject and what is the object of the verb **miran** in the following sentence?

Los padres miran a los hijos.

If you said **padres** is the subject (parents are the ones doing the watching) and **hijos** is the object (the things being watched), you were correct. Did you notice that **los hijos** is preceded by **a?** This **a** is called the *personal* **a** and must be used in Spanish before human objects of a verb. You will learn more about it later.

What is the subject *pronoun* that corresponds to **padres: ellos, él,** or **nosotros?**

_____ miran a los hijos.

If you said **ellos,** you were correct again. **Los padres** is the subject *noun* and **ellos** is the subject *pronoun.* Subject pronouns are already familiar to you.

yo	nosotros/as
tú	vosotros/as
usted (Ud.)	ustedes (Uds.)
él/ella	ellos/ellas

---

*Vosotros forms are not actively used in *Vistazos*. They are provided for recognition only. It will be for your instructor to decide whether he or she wishes for you to learn these forms.

In Spanish (and English), not only are there subject pronouns, but there are also object pronouns.

Los padres **los** miran (es decir, a los hijos).

*The parents watch **them** (that is, the kids).*

Here is the first set of subject and object pronouns in Spanish with which you will become familiar.

PRONOUNS		
	SUBJECT	OBJECT
1st person singular	yo	**me**
	Yo comprendo (*understand*) a mi hermano.	Mi hermano **me** comprende.
2nd person singular	tú	**te**
	Tú comprendes a los abuelos.	Los abuelos **te** comprenden.
1st person plural	nosotros/as	**nos**
	Nosotros comprendemos a los parientes.	Los parientes **nos** comprenden.

Me, te, and **nos** are objects of the verb. Can you figure out who is being understood in the first example in the righthand column? *Me.* In the second, who is being understood? *You.* And in the third, who is being understood? *Us.* Keep in mind the following two facts about object pronouns.

1. They are placed in front of conjugated verbs.
2. They indicate on whom or what the action or process is performed, not who or what is performing the action or process.

It's also important to keep in mind Spanish word order. In Spanish, subjects can come before or after the verb.

Juan no viene. No viene **Juan.**

Objects marked with **a** generally follow the verb.

María visita **a su hermano.**

Object pronouns must always precede a conjugated verb.

Mis tíos **me fascinan.**

However, they can be attached to the end of an infinitive or a present participle. Note that when a pronoun is attached to a participle, a written accent mark is added to maintain the original pronunciation of the participle.

Mis primos van a **visitarme** en junio.	*or*	Mis primos **me** van a visitar en junio.
Mi abuela está **escuchándome.**		Mi abuela **me** está escuchando.

Spanish also uses the pronouns **me, te,** and **nos** as indirect objects: *to whom, from whom,* and *for whom.*

Mis hermanos **me** escriben cartas muy largas.

To whom are the letters being written? To me.

¿Y **te** dan dinero tus padres?

To whom is money given? To you—or at least that's what is being asked.

You already know how to use indirect objects with the verb **gustar.**

Me gusta recibir cartas de mi familia.	*Receiving letters from my family is pleasing to me.*
¿**Te** gusta escribir cartas?	*Is writing letters pleasing to you?*

What can get tricky in correctly interpreting a sentence is that often you will see or hear a sentence in which the order is object pronoun-verb-subject, just the opposite of English!

Nos invitan a cenar las chicas.	*The girls are inviting us to eat dinner.*
No te comprende el profesor.	*The professor doesn't understand you.*

Actividad A Pronombres

Select the correct interpretation of each sentence. Keep in mind that Spanish has flexible word order and doesn't necessarily follow subject-verb-object order as English does.

1. Mi hermana me llama frecuentemente.
  a. I call my sister frequently.
  b. My sister calls me frequently.
2. ¿Te escriben tus padres?
  a. Do you write to your parents?
  b. Do your parents write to you?
3. No nos escuchan los padres.
  a. Parents don't listen to us.
  b. We don't listen to parents.
4. Me conocen bien mis hermanos.
  a. My siblings know me well.
  b. I know my siblings well.

NOTA COMUNICATIVA

Here are some ways of saying what you do without using complete sentences. Note: Remember that Spanish does not have a "support verb" equivalent to English *do.*

SOMEONE SAYS	YOU CAN SAY	
No comprendo a mis padres.	Yo sí.	*I do.*
	Yo tampoco.	*Neither do I. (Me neither.)*
Veo a mi familia con frecuencia.	Yo también.	*I do, too.*
	Yo no.	*I don't.*

Actividad B   ¿Objeto o sujeto?

Your instructor will say a series of sentences. Match each sentence you hear with one of the statements below. Remember that Spanish does not always follow subject-verb-object word order!

1. **a.** ❑ A man is calling me.
   b. ❑ I am calling a man.
2. **a.** ❑ My parents visit me.
   b. ❑ I visit my parents.
3. **a.** ❑ We are greeting a friend.
   b. ❑ A friend is greeting us.
4. **a.** ❑ A friend is inviting you to dinner.
   b. ❑ You are inviting a friend to dinner.

5. **a.** ❑ The professor is watching us.
   b. ❑ We are watching the professor.
6. **a.** ❑ María is looking for you.
   b. ❑ You are looking for María.
7. **a.** ❑ Juan believes us.
   b. ❑ We believe Juan.

Actividad C   Los parientes

COMUNICACIÓN

What are things that relatives do to us? They can bother us, visit us, criticize us, love us, and so forth.

Paso 1 Read each statement and select the ones that you think are typical.

Los parientes...

❑ nos molestan (*bother*).
❑ nos critican.
❑ nos ayudan (*help*).

❑ nos visitan.
❑ nos quieren (*love*).
❑ nos _____.

Paso 2 Now select the alternatives that you think make sense.

Los parientes...

❏ pueden molestarnos aunque (*although*) no deben.
❏ pueden criticarnos aunque no deben.
❏ pueden ayudarnos aunque no deben.
❏ pueden visitarnos aunque no deben.
❏ pueden querernos aunque no deben.
❏ pueden _____nos aunque no deben.

Compare your answers with a classmate's.

¿La quieres?

Third-Person Direct
Object Pronouns

me	nos
te	os
lo/la	**los/las**
lo/la	**los/las**

The most difficult object-pronoun system for students of Spanish is the set of third-person object pronouns. The third-person direct object pronouns are presented in the second column below.

SUBJECT	OBJECT*
Ella besa a Juan.	Juan **la** besa.
(*She kisses Juan.*)	(*Juan kisses her.*)
Él besa a María.	María **lo** besa.
(*He kisses María.*)	(*María kisses him.*)
Ellos observan a Marcos.	Marcos **los** observa.
(*They observe Marcos.*)	(*Marcos observes them.*)
Ellas observan a Carlitos.	Carlitos **las** observa.
(*They observe Carlitos.*)	(*Carlitos observes them.*)

Keeping in mind that Spanish has flexible word order, what do you think the following sentence means?

Lo escucha Roberto.

If you said *Roberto listens to him,* you were correct!

――――――――

*Third-person object pronouns can also refer to animals, things, and ideas.

¿Mi libro? No **lo** tengo.
¿Mis clases? **Las** detesto.
¿Mis dos perros? Ay, **los** quiero muchísimo.
¿Mi personalidad? **La** heredé (*inherited*) de mi madre.

Lección 4   ¿Cómo es tu familia?

Unlike **me, te,** and **nos,** the direct object pronouns **lo, la, los,** and **las** cannot function as indirect object pronouns. This means that they do not normally express *to him, to her, to them, for him, for her, for them,* and so forth, with verbs like **dar, gustar, escribir,** and others. You will learn about third-person indirect object pronouns in a later lesson.

Actividad D   La familia de Cheryl

Paso 1 Imagine you overheard the following statements about Cheryl Fuller, whose family tree you studied earlier in this lesson. Indicate who each sentence could refer to from the choices given.

1. No la quiere para nada.
   a. su madrastra   **b.** su padre
2. Lo ve todos los días.
   a. su hermano Christopher   **b.** su madre
3. Los obedece (*obeys*).
   a. su madre   **b.** sus padres

Paso 2 Now indicate the subject and object of each verb in the sentences in **Paso 1.**

Actividad E   Mi familia

How do you interact with your parents, children, or siblings? Identify whom you are talking about and indicate whether or not each statement applies to you. Note that **yo** is not used in any of the sentences. This is because the verb form tells who the subject is.

_____ mis padres   _____ mis hijos   _____ mis hermanos

	SÍ, SE ME APLICA.	NO, NO SE ME APLICA.
1. Los llamo con frecuencia por teléfono.	❏	❏
2. Los abrazo (*hug*) cuando los veo.	❏	❏
3. Los comprendo muy bien.	❏	❏
4. Los aprecio (*appreciate*) mucho.	❏	❏
5. Los admiro.	❏	❏

Actividad F   Mis parientes

Select a female relative of yours (**madre, hermana, tía, abuela, esposa,** and so forth) and write her name below. Which of the statements describes how you feel about her?

Nombre del pariente: _____ Relación: _____

❏ La admiro.
❏ La respeto.
❏ La quiero mucho.

❏ Trato de (*I try to*) imitarla.
❏ La detesto.
❏ La...

Now select a male relative and do the same!

Nombre del pariente: _____ Relación: _____

- ❑ Lo admiro.
- ❑ Lo respeto.
- ❑ Lo quiero mucho.

- ❑ Trato de imitarlo.
- ❑ Lo detesto.
- ❑ Lo...

Compare your responses with those of two other people. Did you select the same relatives? Did you mark the same feelings?

Do not mistakenly use **lo** as subject pronoun *it* as in English *It is raining*. **Lo** can only be a direct object. Remember that the subject pronoun *it* is not expressed in Spanish.

Está lloviendo.
It's raining.

Son las doce.
It's twelve o'clock.

but

¿**Lo** tienes?
Do you have it?

Llamo a mis padres

The Personal **a**

Recall that Spanish uses the object marker **a**.

> Los padres miran **a** los hijos.
> Llamo **a** mis padres.

This object marker has no equivalent in English, but it's important in Spanish because it provides an extra clue about who did what to whom in the sentence. Because Spanish has flexible word order, the **a** reminds you that even if a noun appears before the verb it may not be the subject!

> Juan llama **a** María.
> **A** María la llama Juan. } *Juan calls María.*

Note that when an object appears before the verb, the corresponding object pronoun must also be used. If you think that this is redundant, it is! But redundancy is a natural feature of languages. For example, we put past-tense endings on verbs even if we also say *yesterday* or *last night*. What does the following sentence mean? Who is doing what to whom?

> **A** la chica la busca el chico.

You were correct if you said *The boy is looking for the girl.*

Actividad G   ¿Quién?

Select the correct English version of each sentence.

1. A mi mamá la besa mucho mi papá.
   a. My mom kisses my dad a lot.
   b. My dad kisses my mom a lot.
2. A mi papá no lo comprendo yo.
   a. I don't understand my father.
   b. My father doesn't understand me.
3. A la señora la saluda el señor.
   a. The woman greets the man.
   b. The man greets the woman.
4. A los chicos los sorprende la profesora.
   a. The professor surprises the boys.
   b. The boys surprise the professor.

Actividad H ¿A quién?

Paso 1 Contesta las siguientes preguntas. Si no quieres hablar de tu familia, puedes hablar de amigos y otras personas que no son de tu familia.

MODELO E1: ¿A quién de tu familia admiras?
E2: A mi madre.
o Admiro a mi madre.
Admiro a varias personas: a mi padre, a mi madre...

1. ¿A quién de tu familia admiras?
2. ¿A quién de tu familia comprendes mejor?
3. ¿A quién de tu familia no comprendes para nada?

Paso 2 Habla con otra persona en la clase para ver si contesta igual que tú. ¿Hay ciertos sentimientos comunes a la clase, por ejemplo, admiran todos a su abuela? ¿a un tío en particular?

En tu opinión

«Es beneficioso tener (muchos) hermanos.»
«Al casarse (*Upon marrying*), las personas deben combinar sus apellidos.»

ª*baby*   ᵇ«quieres» en el dialecto argentino   ᶜ*I feel*

Los hispanos hablan

¿Cómo son las relaciones familiares en tu país?

Paso 1 Lee la siguiente selección **Los hispanos hablan** y contesta las preguntas a continuación.

1. ¿Cuántos años tiene Leslie Merced?
2. ¿Es española, mexicana o puertorriqueña?
3. Según lo que entiendes de la palabra «unida», escoge la opción que mejor termine la siguiente oración. Es posible escoger más de una sola opción.

   En una familia unida...

   a. todos cenan (*have dinner*) juntos.
   b. los hijos se van de (*leave*) la casa entre los 18 y los 21 años.
   c. hay mucho apoyo (*support*) entre los varios miembros.
   d. los hermanos no se llevan bien.

¿Cómo son las relaciones familiares en tu país?

NOMBRE: Leslie Merced
EDAD: 38 años
PAÍS: Puerto Rico

«En mi opinión la familia en Puerto Rico es muy unida. No tenemos una restricción en cuanto a la cantidad de tiempo que los hijos se quedan en casa... »

Paso 2 Mira o escucha el resto del segmento. Luego contesta las siguientes preguntas.

1. Leslie da un ejemplo de sus...
   a. hermanos.   **b.** primos.   **c.** abuelos.
2. Dice que ellos viven en casa con sus padres hasta...
   a. los 20 años.   **b.** los 30 años.   **c.** los 40 años.

Paso 3 En clase, comenta lo que dice Leslie. ¿Es esto típico en tu familia? ¿A qué edad se van los hijos de la casa? En la televisión norteamericana, ¿hay ejemplos de familias unidas? Describe estas familias.

Vocabulario

La familia nuclear — The Nuclear Family

la esposa/mujer — wife
el esposo/marido — husband
los esposos — married couple
el/la hermanastro/a — stepbrother, stepsister
el/la hermano/a — brother, sister
los hermanos — brothers and sisters; siblings

el/la hijo/a — son, daughter
los hijos — children
la madrastra — stepmother
la madre — mother
la madre soltera — single mother
el/la medio/a hermano/a — half brother, half sister
el padrastro — stepfather
el padre — father
el padre soltero — single father
los padres — parents

la pareja — couple; partner

La familia «extendida» — The "Extended" Family

el/la abuelo/a — grandfather, grandmother
los abuelos — grandparents
el/la cuñado/a — brother-in-law, sister-in-law
el/la nieto/a — grandson, granddaughter
los nietos — grandchildren
el/la primo/a — cousin
el/la sobrino/a — nephew, niece
el/la suegro/a — father-in-law, mother-in-law
los suegros — in-laws
el/la tío/a — uncle, aunt
los tíos — aunts and uncles

Para describir a los parientes — Describing Relatives

es... — he/she is . . .
  soltero/a — single
  viudo/a — a widower, widow
está... — he/she is . . .
  casado/a — married
  divorciado/a — divorced
  vivo/a — alive
ya murió — he/she already died

mayor — older
el/la mayor — oldest
menor — younger
el/la menor — youngest

Para hacer preguntas — Asking Questions

¿cómo? — how?
¿cuál?, ¿cuáles? — which?, what?
¿cuándo? (R) — when?
¿cuántos/as? (R) — how many?
¿dónde? — where?
¿qué? (R) — what?, which?
¿quién?, ¿quiénes? (R) — who?

Otras palabras y expresiones útiles

el apellido — last name
los gemelos — twins
el pariente — relative
el perro — dog

nuevo/a — new
pequeño/a — small
simpático/a — nice, pleasant

tener... años — to be . . . years old

Otros vistazos

In the **Vistazos** CD-ROM, you will learn more about Hispanic cultures, including:

- un fragmento de «La muerte» por Juan Ramón Jiménez
- algunos datos biográficos sobre Juan Ramón Jiménez
- algo sobre la geografía de España
- un poco sobre la historia de España
- datos interesantes en **¿Sabías que... ?**

G̶eografía

En el mapa de España puedes ver el nombre de algunas provincias del norte. Usando la información a continuación, ¿puedes identificar las ciudades más importantes? ¿Puedes pronunciar sus nombres en español?

- Santiago está en Galicia.
- Bilbao es una ciudad vasca.
- La Coruña está en la costa[1] gallega.
- Oviedo es una ciudad asturiana.
- San Sebastián es una ciudad en el País Vasco, y está en la costa.

¿A QUIÉN TE PARECES?

In this lesson you will explore the topic of family resemblances. As you do so, you will

■ learn to describe people's physical appearance and to understand descriptions given by others

■ talk about family resemblances

■ learn to talk about some personality traits and to relate these to family characteristics

■ learn about true reflexives and reciprocal reflexive constructions and to use these to talk about relationships among family members and friends

■ continue to use adjectives

■ hear a Spanish speaker talk about who she looks like and acts like in her family

You will also learn more about Spain and read some *coplas* of unknown authorship.

Las Cuatas Diego (1980) por Cecilia Concepción Álvarez
(estadounidense, 1950–   )

Vistazos
Características físicas

¿Cómo es?

Describing People's
Physical Features

Es alto.

el pelo
rizado

el pelo
negro

el pelo
lacio

el pelo
rubio

los ojos
azules

Es de estatura mediana.

los ojos
castaños

las mejillas

pelirrojo

los ojos
verdes

el mentón

las orejas

las pecas

Es baja.

el pelo
canoso

la nariz
grande

Rosario Maira   Heriberto Rodríguez   Evelyn Roman   Bobby Feldman   Marisela González

VOCABULARIO ÚTIL

la cara	face	**¿Cómo es?**	What does he/she look like?
la característica física	physical characteristic, trait		
los rasgos	traits (*usually facial features*)	**más alto/a (que)**	taller (than)
		menos grande (que)	smaller (than)
		el/la más alto/a (de)	the tallest
calvo/a	bald	**el/la menos grande (de)**	the smallest
moreno/a	dark-haired; dark-skinned		
describir	to describe		

Actividad A   ¿Quién es?

Da el nombre de la persona que ves en los dibujos en el **Vocabulario esencial.**

1. ¿Quién tiene los ojos castaños?
2. ¿Quién es pelirrojo?
3. ¿Quién tiene el pelo rubio?
4. ¿Quién es moreno?
5. ¿Quién tiene las orejas grandes?
6. ¿Quién es baja?
7. ¿Quién tiene el pelo rizado?
8. ¿Quién tiene el pelo lacio?

Actividad B   Otras personas

Escucha lo que dice el profesor (la profesora). Para cada característica física, da el nombre de una persona famosa que la tiene o que es así (*that way*) o que la tenía (*had it*) o era (*was*) así si ya murió.

1...   2...   3...   4...   5...   6...   7...   8...

Actividad C   Los compañeros de clase

Paso 1   Mira a las personas de la clase y observa algunas de sus características físicas. Luego cierra (*close*) los ojos y escucha la descripción que da el profesor (la profesora).

Paso 2   Escribe los nombres de todas las personas en la clase que tienen los rasgos físicos que el profesor (la profesora) describe.

Paso 3   Compara tu lista con las listas de tus compañeros de clase. La clase debe eliminar los nombres que no deben estar en la lista y preparar una lista de finalistas.

Paso 4   Escucha mientras (*while*) el profesor (la profesora) da más información sobre la persona. De las personas que están en la lista de finalistas, ¿a quién describe?

ASÍ SE DICE

When asking about someone's hair color or eye color, use **¿de qué color... ?** This differs from English in which we commonly say, *What color . . . ?*

> **¿De qué color** es el pelo?
> **¿De qué color** son los ojos?

When inquiring about height, one uses **¿de qué estatura... ?**

> **¿De qué estatura** es?

COMUNICACIÓN

Actividad D ¿Sabías que... ?

Paso 1 Escucha y lee la selección **¿Sabías que... ?** Luego indica cuál de las siguientes oraciones capta mejor (*best captures*) la idea principal.

1. Los hispanos son morenos y tienen los ojos castaños.
2. En cuanto a las características físicas, hay bastante variación regional en el mundo hispánico.

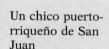

en realidad las características físicas de los hispanos varían mucho de país en país y de región en región? Es una generalización decir que todos los españoles y los latinoamericanos son morenos. Por ejemplo, en ciertas regiones de España, como Asturias y el País Vasco, se encuentran muchas personas rubias de ojos azules. En Andalucía, en el sur de España, la gente tiende a ser[a] morena.

La población de Latinoamérica también presenta una variedad de rasgos físicos. La gente del Caribe (Cuba, Puerto Rico, la República Dominicana) tiene mucha influencia africana. En la Argentina, por otra parte, es posible encontrar rubios de ojos azules como en Europa. Y en muchos países latinoamericanos, especialmente en México, Centroamérica y la región andina, se ve la influencia indígena.

---

[a]tiende... *tends to be*

Una joven mujer española

Una joven indígena de Guatemala

Un chico puertorriqueño de San Juan

Un estudiante mexicano de la capital

Visit the *Vistazos* website at **www.mhhe.com/vistazos**.

Navega la red en español buscando sitios sobre la familia real (*royal*) de España. Trae a clase fotos que encuentres de la familia real y comenta sus rasgos físicos.

Paso 2 (Optativo) En varias partes del mundo, se cree que todos los norteamericanos son rubios y de ojos claros. Claro que esto no es verdad. Escribe uno o dos párrafos con el título «¿Sabías que... ?» sobre los norteamericanos semejante al (*similar to the one*) que aparece en la página anterior. Incluye fotos o imágenes de revistas para ilustrar lo que escribes.

¿Nos parecemos?

Talking About Family Resemblances

Twins and triplets may be identical, but most of the time brothers and sisters have only some similar physical characteristics. To talk about whether two people resemble each other, the verb **parecerse** is used.

Juan y Roberto **se parecen.**	*Juan and Roberto look like each other.*
Mi hermana y yo **nos parecemos.**	*My sister and I look like each other.*
Me parezco a mi padre.	*I look like my father.*

You can also use the adjective **parecido/a** with the verb **ser** to describe resemblances and similarities.

Mi hermana y mi madre **son** muy **parecidas.**	*My sister and my mother are very similar (much alike).*
Soy muy **parecido** a mi padre.	*I'm very much like my father.*

Actividad E   ¿Es verdad?

¿Cuál de las siguientes oraciones describe tu situación?

Sobre tus hermanos
1. ❑ Mi(s) hermano(s) (hermana[s]) y yo nos parecemos.
2. ❑ Me parezco sólo a uno de mis hermanos (una de mis hermanas).
3. ❑ Soy idéntico/a a uno de mis hermanos (una de mis hermanas).
4. ❑ No me parezco a ninguno de mis hermanos (ninguna de mis hermanas).
5. ❑ Mis hermanos se parecen.
6. ❑ Soy hijo adoptivo (hija adoptiva) y no me parezco a mis hermanos/as.
7. ❑ No tengo hermanos.

Sobre tus padres
8. ❑ Me parezco a mi padre.
9. ❑ Me parezco a mi madre.
10. ❑ Tengo algunas características de mi padre y otras de mi madre.
11. ❑ No me parezco ni a mi madre ni a mi padre.
12. ❑ Soy hijo adoptivo (hija adoptiva) y no me parezco a mi familia.

Sobre tus otros parientes (hijos, abuelos, etcétera)
13. Mi _____ y yo nos parecemos.
14. Mi _____ se parece más a _____.

ASÍ SE DICE

Remember, don't mistake the pronouns **me, te, se,** and **nos** as subject pronouns! For example, the **nos** of **nos parecemos** does not mean *we;* rather, **nosotros** means *we* as does the ending **-mos** on the verb. Likewise, **me** does not mean *I,* **se** does not mean *he/she,* and so on. Compare:

(Nosotros) Nos parecemos.
We look alike.

(Él) Se parece a su madre.
He looks like his mother.

Julio Iglesias (hijo) y su hermano Enrique. Los dos son cantantes (*singers*). ¿En qué más se parecen?

Las hermanas (1969) por Fernando Botero (colombiano, 1932–)

Actividad F Mi familia y yo

Trae (*Bring*) a la clase una fotografía de un miembro de tu familia. No la muestres (*Don't show it*) a tus compañeros de clase; el profesor (la profesora) lo hará (*will do it*). ¿Pueden identificar a la persona de tu fotografía tus compañeros de clase?

MODELO ESTUDIANTE: La persona de la foto es el padre (el hermano, la madre, etcétera) de Jane porque se parecen.
PROFESOR(A): ¿En qué se parecen?
ESTUDIANTE: Tienen los ojos del mismo color (Los dos tienen los ojos azules) y...

Las hermanas Scull

Imagen doble

Son originales. Son idénticas. Son Haydée y Sahara. Desde que terminaron sus estudios de arte en La Habana en 1952, las hermanas Scull han gozado de[a] un gran éxito[b] con sus «cuadros en tercera dimensión», una mezcla de pintura y escultura que trata temas folklóricos con humor.

[a]han... *have enjoyed*   [b]*success*

Vistazos

Más sobre las relaciones familiares

¿Te conoces bien?

True Reflexive Constructions

gramática esencial

me	despierto	nos	despertamos
te	despiertas	os	despertáis
se	despierta	se	despiertan
se	despierta	se	despiertan

In **Lección 4,** you learned about objects and object pronouns. These are relatively easy concepts to understand, and objects and object pronouns aren't difficult to distinguish from subjects. But what if subjects and objects refer to the same person or persons? For example, with the verb *to see,* a person can either *see someone else* or can go to a mirror and *see himself/herself* in the reflection. The second type of construction is called a true reflexive.

Cuando un perro **se mira** en el espejo (*mirror*), ¿comprende que no es otro perro?

Any verb that can have an object can be reflexive. To make a verb reflexive, English often uses a pronoun with *-self* or *-selves* (*myself, yourselves,* and so forth). Spanish simply uses the regular object pronouns for first and second person (singular and plural), and the special pronoun **se** for third person.

Comprendo a mi hermanito.	*I understand my little brother.*
Me comprendo.	*I understand myself.*
Juan mira a María.	*Juan looks at María.*
Juan **se** mira.	*Juan looks at himself.*

In **Unidad 1,** you learned some reflexive verbs, including **levantarse** and **despertarse.**

(Yo) **Me levanto** muy temprano.
(Tú) **Te despiertas** a las seis todos los días.
(Ud.) **Se levanta** temprano los fines de semana.
(Él/Ella) **Se acuesta** tarde.
(Nosotros/as) **Nos despertamos** a las siete y media.
(Uds.) **Se acuestan** bastante temprano.
(Ellos/Ellas) **Se levantan** rápidamente.

Levantar literally means *to raise,* so when you say **Me levanto temprano** you are literally saying *I raise me* (i.e., *myself*) *early.* **Acostar** actually means *to put to bed.* When you say **María se acuesta** you are in fact saying *María puts herself to bed.* Knowing that **despertar** means *to awaken* or *to wake up,* how does **Nos despertamos a las 7.30** literally translate in English? You're right if you said *We wake ourselves up at 7:30.*

The reflexive verbs you learned in **Unidad 1** can also be used non-reflexively when the subject and object are not the same. For example, María can wake (herself) up or she can wake up her mother.

María **se despierta.**
María **despierta a su mamá.**

María can also wake (herself) up or someone else can wake her up.

María **se despierta.**
El papá **despierta a María.**

In the activities that follow, pay attention to how the **se** (**me,** etc.) indicates a reflexive action or event.

ASÍ SE DICE

Many typical daily actions, such as **acostar, afeitar** (*to shave*), **levantar,** and **despertar,** are reflexive constructions in Spanish. In English they are usually expressed without the *-self* or *-selves.* Note the contrastive situations below.

bañar (*to bathe*)

Me baño todos los días.
I bathe (take a bath) every day.

Baño a mi perro una vez al mes.
I bathe my dog (give my dog a bath) once a month.

Actividad A   ¿Acciones reflexivas?

Indica cuál de las opciones capta mejor la idea principal, en cada caso.

1. Marcos tiene muy buena opinión de su primo Roberto. Considera que Roberto es un joven modelo.
    Marcos...
    a. ❑ admira a otra persona.
    b. ❑ se admira.
2. Dolores es una persona interesante. Sabe muy bien cuáles son sus puntos fuertes y cuáles son sus puntos vulnerables. Sabe lo que quiere de la vida y cómo lograrlo (*to achieve it*).

118   ciento dieciocho

Dolores...
- **a.** ❑ conoce bien a otra persona.
- **b.** ❑ se conoce bien.

3. A Federico no le gusta su compañero de cuarto Rodolfo. Según Federico, Rodolfo no tiene ninguna cualidad buena.
Federico...
- **a.** ❑ detesta a otra persona.
- **b.** ❑ se detesta.

4. A Elena le gusta leer los libros de Carl Sagan. Cree que era un hombre muy inteligente y que sus ideas son muy interesantes.
Elena...
- **a.** ❑ respeta a otra persona.
- **b.** ❑ se respeta.

5. Mi tío Gregorio siempre habla solo. Y lo más interesante es que contesta sus propias preguntas.
Mi tío...
- **a.** ❑ habla con otra persona.
- **b.** ❑ se habla.

Actividad B   Correspondencias

Paso 1   Indica si las siguientes oraciones son ciertas o falsas para ti.

	C	F
1. Me miro mucho en el espejo.	❑	❑
2. Me escribo notas para recordar cosas.	❑	❑
3. Me hablo constantemente.	❑	❑
4. Me adapto fácilmente a situaciones nuevas.	❑	❑
5. Me ofrezco (*offer*) como voluntario para todo.	❑	❑
6. Me expreso bien.	❑	❑
7. Me impongo (*impose*) límites en cuanto a (*regarding*) lo que gasto cada mes.	❑	❑

Paso 2   Con un compañero (una compañera), haz la correspondencia de cada acción reflexiva de la columna A con una conclusión de la columna B.

A
Si alguien...
- **1.** se habla constantemente
- **2.** se mira mucho en el espejo
- **3.** se escribe notas todo el tiempo
- **4.** se ofrece como voluntario para todo
- **5.** se adapta fácilmente a situaciones nuevas
- **6.** se expresa bien
- **7.** se impone límites en cuanto a lo que gasta cada mes

B
...podemos concluir que...
- **a.** está loco (*crazy*).
- **b.** tiene mucho tiempo libre (*free*).
- **c.** es flexible.
- **d.** es responsable.
- **e.** maneja muy bien el lenguaje.
- **f.** es narcisista.
- **g.** tiene mala memoria.

Paso 3   Compara lo que indicaste en el **Paso 1** con las acciones y las conclusiones del **Paso 2**. ¿Crees que las conclusiones reflejan bien algo de tu personalidad?

Mis abuelos, mis padres y yo (árbol genealógico) (1936) por Frida Kahlo (mexicana, 1907–1954)

¿Se abrazan Uds.?

Reciprocal Reflexives

(nosotros/as)	**nos comprendemos**
(Uds.)	**se comprenden**
(ellos/ellas)	**se comprenden**

In addition to Spanish reflexive constructions that have English equivalents with *-self* or *-selves,* reflexive constructions in Spanish can express a reciprocal action; that is, when two or more people do something *to each other.*

Los niños **se miran.**	*The children look at each other.*
Los hombres no **se escuchan.**	*The men don't listen to each other.*
¿Nos conocemos?	*Do we know each other?*

What do you think the underlined portion of the following sentence means?

Mi hija y mi esposa <u>no se comprenden</u>. ¿Qué voy a hacer?

The underlined part of the sentence expresses that the speaker's daughter and wife do not understand each other.

Context will usually help you determine whether a third-person plural reflexive construction is reciprocal or means *-selves.*

Actividad C   ¿En qué orden?

Indica el orden (1 a 6) en que pasan las acciones en cada situación. Compara lo que escribiste con lo que escribió otro compañero (otra compañera).

Lección 5   ¿A quién te pareces?

María y Silvia son dos amigas. Hace varias semanas que no tienen contacto la una con la otra. Pero un día...

_____ se abrazan (*they hug*).
_____ se despiden (*they say good-bye*).
_____ se hablan un rato.
_____ se llaman al día siguiente.
_____ se saludan.
_____ se ven.

ASÍ SE DICE

Although the verb **llevar** usually means *to carry*, the reflexive form of **llevar** is used to express the concept of getting along with someone.

Me llevo bien con toda mi familia.
I get along well with everyone in my family.

Mi padre **no se lleva bien** con su padre, mi abuelo.
My father doesn't get along well with his father, my grandfather.

Llevarse bien/mal can also be used to express a reciprocal action.

Mis padres y yo **nos llevamos** muy bien.
My parents and I get along well (with each other).

Al saludarse, dos estudiantes se besan en Madrid, España. En general, el contacto corporal entre los hispanos es mayor que entre los de ascendencia anglosajona.

Actividad D   Una comparación

Paso 1 Indica si cada acción es típica o no en tu familia. Puedes añadir (*add*) otra acción si quieres.

En mi familia...

	SÍ	NO
1. nos abrazamos cuando nos vemos.	☐	☐
2. nos besamos cuando nos vemos.	☐	☐
3. nos saludamos por la mañana.	☐	☐
4. nos llamamos mucho por teléfono.	☐	☐
5. nos apoyamos (*support*).	☐	☐
6. nos comprendemos bien.	☐	☐
7. ¿ ?	☐	☐

Paso 2 Utilizando las ideas del **Paso 1,** formula preguntas para hacerle una entrevista a un compañero (una compañera). Luego entrevista a esa persona.

MODELO   En tu familia, ¿se abrazan Uds. cuando se ven?

Paso 3 Escribe un breve párrafo en el que comparas a tu familia y la de tu compañero/a.

Vistazos

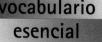

¿Cómo eres?

Describing Personalities*

Cualidades

el afán de realización	eagerness to get things done
el don de mando	talent for leadership
la tendencia a evitar riesgos	tendency to avoid risks

Adjetivos

capaz de dirigir (a otros)	able to direct (others)
perezoso/a	lazy
retraído/a	solitary, reclusive

Cognados

agresivo/a
aventurero/a
extrovertido/a
gregario/a
imaginativo/a
impulsivo/a

introvertido/a
reservado/a
serio/a
tímido/a
vulnerable al estrés (a la tensión)

Todos saben que Carlitos es muy **imaginativo.**

Griselda, una mujer **aventurera,** hace una de sus actividades favoritas.

¿Te gusta quedarte en casa en vez de salir? ¿Prefieres estar solo/a más que con otras personas? Entonces eres **retraído/a** como Wanda.

---

*You will learn many more expressions and words for describing people's personalities more fully in a later lesson.

el medio ambiente	environment, surroundings
la herencia genética	genetic inheritance
poseer	to possess

Actividad A   ¿Semejante u opuesto?

Escucha mientras el profesor (la profesora) dice una de las palabras o expresiones nuevas. Di si las palabras o expresiones a continuación representan un concepto semejante u opuesto.

1. retraído
2. la tendencia a evitar riesgos
3. el don de mando
4. cómico
5. introvertido
6. gregario

ASÍ SE DICE

Many adjectives in Spanish, as in other languages, have corresponding nouns. Here are nouns that go with some of the adjectives you are learning in this lesson.

la agresividad
la aventura
la capacidad para
la extroversión
la imaginación
el retraimiento
la timidez

Actividad B   ¿Lógica o no?

Indica si cada oración es lógica o no (¡en tu opinión!). Si dices que no, ¿puedes explicar por qué?

	ES LÓGICA.	NO ES LÓGICA.
1. Una persona gregaria no habla mucho.	☐	☑
2. Para ser presidente, es bueno tener el don de mando.	☑	☐
3. Las personas retraídas tienden a evitar los riesgos.	☑	☐
4. Una persona agresiva no es tímida.	☑	☐
5. Si alguien es vulnerable al estrés, es muy capaz de dirigir a otros.	☐	☑
6. Una persona imaginativa tiene mucha creatividad.	☑	☐
7. Las personas perezosas y las que tienen el afán de realización pueden llevarse muy bien en el trabajo.	☐	☑

Actividad C   ¿Qué es?

COMUNICACIÓN

El profesor (La profesora) va a darle a una persona de la clase uno de los atributos presentados en este **Vocabulario esencial.** Todos de la clase deben hacerle preguntas a esa persona para averiguar (*find out*) el nombre de ese atributo.

E1: ¿Te gusta estar solo?

E2: No. Me gusta estar con otras personas.

E3: Si tienes un conflicto con alguien, ¿hablas con esa persona?

E2: Sí.

E4: ¿Eres capaz de dirigir a otros?

E2: ¡Sí!

SÓLO PARA TÍMIDOS

Los sicólogos y siquiatras distinguen dos tipos de timidez, aunque por lo general, ninguna se encuentra en estado puro. Una de ellas es la timidez innata: una disposición de carácter que en muchos casos es hereditaria. La otra timidez es la adquirida, normalmente a causa de una educación protectora en exceso o, por el contrario, sin ninguna protección.

Parece que...

Making Assertions and Expressing Your Opinions; Use of **que**

When we assert something, we say that something is true. Assertions are often introduced by verbs of belief, knowing, and so forth. Note that in English, the word *that* can often be omitted. In Spanish, **que** is always required.

Sé **que** eres reservado.	*I know (that) you are reserved.*
Creo **que** es capaz de dirigir a otros.	*I think (that) she is able to direct others.*

Here are some verbs and phrases useful for indicating degree of assertion.

<table>
<tr><td colspan="3" align="center">VERBS AND PHRASES OF ASSERTION</td></tr>
<tr><td>STRONG</td><td>←→</td><td>NOT SO STRONG</td></tr>
<tr><td>es cierto
está claro (it's clear)</td><td>creer (to think,
believe)</td><td>parecer / me parece
(to seem/it seems
to me)</td></tr>
<tr><td>es evidente
es obvio</td><td>pensar (ie)
opinar (to think,
have the opinion)</td><td></td></tr>
<tr><td>es indudable (it's
without a doubt)
asegurar / te aseguro
(to assure/
I assure you)
saber
es cosa sabida (it's
a known fact)</td><td></td><td></td></tr>
</table>

The opposite of an assertion is a denial or a negation of the truth, for example, **No creo que...** or **No me parece que....** Denials and nonasser-

ASÍ SE DICE

With expressions that use **está** or **es (está claro, es obvio)** you can indicate for whom the strong assertion applies by using **para mí, para ti,** and so forth. (Note that **mí** carries a written accent.)

Para mí está claro que...
¡Para ti está claro, pero para mí no!

To talk about others, use subject pronouns (**para él, para ellos**). **Yo** and **tú** normally don't follow prepositions in Spanish (an exception is **entre tú y yo**).

124   ciento veinticuatro

Lección 5   ¿A quién te pareces?

tions require a special verb form called the subjunctive in the second part of the sentence. For now, limit yourself to making assertions. Remember: you can always disagree or show a lack of belief by saying **No (lo) creo. / No es cierto. / No me parece así.**

Actividad D ¿Estás de acuerdo?

Escucha las oraciones que dice tu profesor(a). Indica si la oración representa una aseveración fuerte (*strong assertion*), débil (*weak*) o ninguno de los dos. Luego, di si estás de acuerdo o no con lo que dice.

	FUERTE	DÉBIL	NINGUNO DE LOS DOS	ESTOY DE ACUERDO.	NO ESTOY DE ACUERDO.
1.	❑	❑	❑	❑	❑
2.	❑	❑	❑	❑	❑
3.	❑	❑	❑	❑	❑
4.	❑	❑	❑	❑	❑
5.	❑	❑	❑	❑	❑

Actividad E Para completar

Completa cada oración y léela a la clase. ¿Han terminado (*Have you ended*) tú y tus compañeros cada oración con las mismas ideas o con ideas distintas?

1. Creo que las personas extrovertidas...
2. Me parece que la tendencia a evitar riesgos...
3. Para mí, está claro que si uno es impulsivo...
4. Yo digo que las personas agresivas...
5. Es cosa sabida que la imaginación...

¿Cómo son las personas que se ven en las fotos? ¿Qué cualidades poseen?

Evita Perón (argentina)

Emiliano Zapata (mexicano)

Rigoberta Menchú (guatemalteca)

Actividad F ¿La herencia o el medio ambiente?

Paso 1 Con un compañero (una compañera), indica si las características a continuación son hereditarias o productos del medio ambiente.

> MODELO E1: Creo que la imaginación es algo hereditario.
> E2: Yo también. (No estoy de acuerdo. Yo creo que es producto del medio ambiente.)

la imaginación	la agresividad
el retraimiento	la vulnerabilidad al estrés
el don de mando	la impulsividad
la tendencia a evitar riesgos	la pereza
	la timidez

Paso 2 Ahora los (las) dos deben comparar sus ideas con las ideas de la clase. ¿Están todos de acuerdo?

Paso 3 Todos deben leer la breve selección titulada «La herencia frente al medio ambiente». En general, ¿eran correctas sus ideas de los **Pasos 1 y 2**?

La herencia frente al medio ambiente

En la Universidad de Minnesota hicieron un estudio sobre unos gemelos idénticos separados después del nacimiento.[a] (**Separados** quiere decir que fueron a vivir con familias distintas y no se conocieron hasta ser adultos.) Los resultados del estudio revelan semejanzas en casi todas las características de la personalidad de los gemelos, lo cual indica que la herencia genética puede ser un factor importante en el desarrollo de la personalidad del individuo. El estudio específica que las siguientes características pueden ser hereditarias: el don de mando, la imaginación, la vulnerabilidad al estrés, el retraimiento y la tendencia a evitar riesgos. En cambio, la conclusión de los investigadores es que la agresividad, el afán de realización, la impulsividad y el espíritu gregario están más relacionados con el medio ambiente. Curiosamente, la timidez es una característica que puede ser o hereditaria o adquirida.

---

[a]*birth*

Observaciones

Hay un refrán (*saying*) en español que dice: «De tal palo, tal astilla». Es más o menos como el refrán en inglés «*A chip off the old block*» o «*The apple doesn't fall far from the tree*». ¿A cuántas personas conoces tú que son muy parecidas a uno de sus padres con respecto a la personalidad?

Los hispanos hablan

¿A quién de tu familia te pareces más?

Paso 1 Lee la siguiente selección **Los hispanos hablan.** Luego contesta estas preguntas.

1. Según otras personas, ¿con quién comparte Inma más rasgos físicos?
2. Según Inma, ¿a quién se parece en cuanto a su carácter?

¿A quién de tu familia te pareces más?

NOMBRE:	Inma Muñoa
EDAD:	30 años
PAÍS:	España

«Mis padres y yo nos parecemos bastante. Físicamente dicen que me parezco más a mi madre pero no lo sé. Tal vez sí, tal vez no. De manera de ser, de personalidad, creo que me parezco más a mi padre. Veo cosas más comunes con él. Por ejemplo... »

Paso 2 Mira o escucha el resto del segmento. Luego contesta las siguientes preguntas. (Nota: **tiene mal genio** = *has a bad temper*)

1. Inma menciona dos características de la personalidad de su padre. Apúntalos aquí: Él es _____ y también _____.
2. ¿Qué hace la madre de Inma que ella también hace a veces?
3. Según lo que dice Inma de su hermana, completa la siguiente oración: Inma y su hermana _____ pero no _____.

Paso 3 De las cosas que Inma menciona, ¿cuántas se te aplican a ti?

Yo suelo ser...

- ❏ callado/a.
- ❏ serio/a.
- ❏ hablador(a).
- ❏ gregario/a.

Yo suelo...

- ❏ protestar mucho.
- ❏ tener mal genio.
- ❏ protestar poco.
- ❏ tener mucha paciencia.

——Vocabulario——

físicas	Physical Characteristics
la cara	face
las mejillas	cheeks
el mentón	chin
la nariz	nose
las orejas	ears
las pecas	freckles
la estatura	height
alto/a	tall
bajo/a	short
de estatura mediana	of medium height
los ojos	eyes
azules	blue
castaños	brown
verdes	green
el pelo	hair
calvo	bald
canoso	gray
lacio	straight
moreno	dark
negro	black
pelirrojo	red headed
rizado	curly
rubio	blond
los rasgos	traits (*usually facial features*)
moreno/a	dark-skinned
¿De qué color es/son... ?	What color is/are . . . ?
¿De qué estatura es?	What height is he/she?

Características de la personalidad	Personality Traits
el afán de realización	eagerness to get things done
capaz de dirigir (a otros)	able to direct (others)
el don de mando	talent for leadership
perezoso/a	lazy
retraído/a	solitary, reclusive
la tendencia a evitar riesgos	tendency to avoid risks

Cognados: agresivo/a, aventurero/a, extrovertido/a, gregario/a, imaginativo/a, impulsivo/a, introvertido/a, reservado/a, serio/a (R), tímido/a, vulnerable al estrés (a la tensión)

Para dar opiniones	Giving Opinions
asegurar	to assure
creer	to believe
opinar	to think, have the opinion
parecer (parezco)	to seem
pensar (ie) (R)	to think
saber (*irreg.*) (R)	to know
es...	it is . . .
cierto	certain
cosa sabida	a known fact
evidente	evident
indudable	without a doubt
obvio	obvious
está claro	it's clear

Otras palabras y expresiones útiles	
la agresividad	aggressiveness
la capacidad para...	the ability to . . .
la extroversión	extroversion
la herencia genética	genetic inheritance
la imaginación	imagination
el medio ambiente	environment, surroundings
la pereza	laziness
el retraimiento	reclusiveness
la timidez	timidity
la vulnerabilidad	vulnerability
grande	big
hereditario/a	hereditary
parecido/a	similar
abrazar	to hug
adaptar	to adapt, adjust
afeitar	to shave (*someone*)
apoyar	to support (*emotionally*)
bañar	to bathe (*someone or something*)
besar	to kiss
comprender	to understand
describir (R)	to describe
despedir (i, i)	to say goodbye
imponer (*irreg.*)	to impose
llevar	to carry
llevarse bien/mal	to get along well/poorly
mantener (*irreg.*)	to support (*financially*)
parecerse (me parezco)	to resemble, look like
poseer	to possess
saludar	to greet

¿Cómo es?	What Does He/She Look Like?
más alto/a (que)	taller (than)
menos grande (que)	smaller (than)
el/la más alto/a (de)	the tallest
el/la menos grande (de)	the smallest

Otros vistazos

In the **Vistazos** CD-ROM, you will learn more about Hispanic cultures, including:

- una lectura de «Coplas» (autor anónimo)
- algunas ideas sobre la voz popular
- algo sobre la geografía de España
- un poco sobre la historia de España
- datos interesantes en **¿Sabías que... ?**

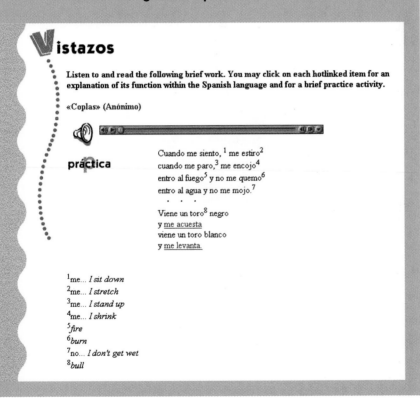

Vistazos

Listen to and read the following brief work. You may click on each hotlinked item for an explanation of its function within the Spanish language and for a brief practice activity.

«Coplas» (Anónimo)

práctica

Cuando me siento,[1] me estiro[2]
cuando me paro,[3] me encojo[4]
entro al fuego[5] y no me quemo[6]
entro al agua y no me mojo.[7]
. . . . .
Viene un toro[8] negro
y me acuesta
viene un toro blanco
y me levanta.

[1]me... *I sit down*
[2]me... *I stretch*
[3]me... *I stand up*
[4]me... *I shrink*
[5]*fire*
[6]*burn*
[7]no... *I don't get wet*
[8]*bull*

Vocabulario

6

¿Y EL TAMAÑO DE LA FAMILIA?

In this lesson, you'll explore how families used to be and how they are now. You will

■ read about the changing size of families

■ consider how things used to be compared to how they are now

■ learn numbers 30–99 in order to talk about ages and decades

■ learn numbers 200 and higher in order to talk about dates and centuries

■ begin to use the imperfect tense

■ learn to make comparisons of equality

■ hear Spanish speakers talk about the size of their families

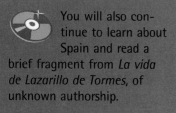 You will also continue to learn about Spain and read a brief fragment from *La vida de Lazarillo de Tormes*, of unknown authorship.

NIÑOS NACIDOS EN ESPAÑA 1977-95 POR MIL HABITANTES

18,05
16,22
14,12
12,71
11,85
11,92
10,50
10,15
9,87
9,08

1977 1979 1981 1983 1985 1987 1989 1991 1993 1995

Fuente: INE.

España se hace anciana

Con el paso de los años, los españoles nos hemos vuelto más reticentes a tener hijos, a juzgar por el descenso de la natalidad de más de un 50% en las dos últimas décadas.

Vistazos

Años y épocas

¿Qué edad?

Numbers 30–199 and Talking About People's Age

30	**treinta**
40	**cuarenta**
50	**cincuenta**
60	**sesenta**
70	**setenta**
80	**ochenta**
90	**noventa**
100	**cien**
31	**treinta y uno**
32	**treinta y dos**
101	**ciento uno**
102	**ciento dos**
120	**ciento veinte**

¿Quién **tiene** más o menos **cuarenta años** en la fotografía? ¿Quién **tiene sesenta años** o más?

tener... años   to be . . . years old

Actividad A   ¿Qué número?

Escucha los números que dice el profesor (la profesora). Escribe las cifras (*numbers*) apropiadas.

MODELO   PROFESOR(A): Treinta y cinco
ESTUDIANTE: 35

1...   2...   3...   etcétera

Actividad B   Más números

Sin mirar los números de arriba, lee cada número abajo y escribe las cifras correctas. Compáralas con las de otra persona en la clase.

1. _____ cincuenta y cinco
2. _____ noventa y ocho
3. _____ setenta y seis
4. _____ cuarenta y nueve
5. _____ ciento cincuenta y cuatro

Actividad C   Edades

Paso 1 Entrevista a otra persona de la clase para saber la edad de sus padres. Si la persona indicada ya murió, escribe **ya murió.**

Paso 2 Comparen los resultados obtenidos por todos los estudiantes de la clase.

1. ¿Quién tiene el padre más viejo de la clase?
2. ¿Quién tiene la madre más vieja de la clase?
3. ¿Quién tiene la madre más joven?
4. ¿Quién tiene el padre más joven?

Actividad D   ¿Sabías que... ?

Paso 1 Escucha y lee la selección **¿Sabías que... ?** Después, el profesor (la profesora) va a decir el nombre de un país o de un área geográfica. Indica la esperanza de vida que tienen las personas en ese país. ¿Recuerdas todos los datos (*information*)?

Paso 2 ¿Quiénes viven más, los hombres o las mujeres? Escucha cuál es la esperanza de vida en algunos países que menciona el profesor (la profesora) y anota la información.

	HOMBRES	MUJERES
España	_____	_____
México	_____	_____
Bolivia	_____	_____

Paso 3 ¿Sabes cuál es la esperanza de vida en los Estados Unidos en comparación con los países de arriba? Por ejemplo, ¿crees que los españoles viven más que los norteamericanos o menos? Escribe unas tres oraciones que dan tu opinión y compártelas con la clase. Luego, escucha los datos que da el profesor (la profesora).

¿Sabías que...

en España se vive más? Según las últimas publicaciones de la Organización Mundial de la Salud,[a] la esperanza de vida[b] en España es de 77 años,* lo mismo que en Australia y el Canadá. En Alemania, Bélgica, Dinamarca, Finlandia e Israel, 75 años. En Latinoamérica y las Filipinas es de 63 años y en la India, 51 años. Muchos países de África cuentan con medias inferiores a los 50 años. Ya muy por debajo están Sierra Leona y Guinea-Conakry, con 38 años y Afganistán con sólo 36 años. Aunque la esperanza de vida en el Ecuador es de unos 65 años, ¡hay un pueblo remoto donde la gente suele vivir hasta los 110 años! Nadie sabe exactamente qué factores contribuyen a esta longevidad excepcional.

[a]Organización... *World Health Organization*   [b]esperanza... *life expectancy*

Visit the *Vistazos* website at **www.mhhe.com/vistazos**.

Guadalupe, España

*Datos obtenidos de *La Hispánica: Datapedia* (1992–1993)

¿En qué año... ?

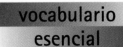

200	**doscientos**
300	**trescientos**
400	**cuatrocientos**
500	**quinientos**
600	**seiscientos**
700	**setecientos**
800	**ochocientos**
900	**novecientos**
1000	**mil**
1850	**mil ochocientos cincuenta**
1999	**mil novecientos noventa y nueve**
2000	**dos mil**
2002	**dos mil dos**

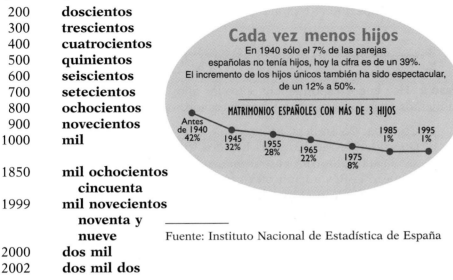

Cada vez menos hijos

En 1940 sólo el 7% de las parejas españolas no tenía hijos, hoy la cifra es de un 39%. El incremento de los hijos únicos también ha sido espectacular, de un 12% a 50%.

MATRIMONIOS ESPAÑOLES CON MÁS DE 3 HIJOS

Antes de 1940 42%
1945 32%
1955 28%
1965 22%
1975 8%
1985 1%
1995 1%

Fuente: Instituto Nacional de Estadística de España

VOCABULARIO ÚTIL

la época	**el siglo** *century*
una época anterior	el siglo pasado
la década	el siglo XX
la década de los 90	

Actividad E ¿Qué siglo?

Escribe el año que oyes. Luego, indica a qué siglo le corresponde.

1. _____ **a.** el siglo XV **b.** el siglo XVI
2. _____ **a.** el siglo XVIII **b.** el siglo XVII
3. _____ **a.** el siglo XIII **b.** el siglo XIV
4. _____ **a.** el siglo XIX **b.** el siglo XX
5. _____ **a.** el siglo XVII **b.** el siglo XVI

Busca en la red información sobre el tamaño de familias en dos países de habla española que *no* aparecen en la selección **¿Sabías que... ?**

Actividad F   Fechas° históricas

Dates

Paso 1 ¿Qué sabes o recuerdas de la historia del mundo hispánico? Escribe los años que te recita el profesor (la profesora).

1. _____   4. _____
2. _____   5. _____
3. _____   6. _____

Paso 2 Haz la correspondencia entre los años del **Paso 1** y los acontecimientos (*events*) históricos a continuación.

a. Cristóbal Colón llegó a América.
b. Guerra entre México y los Estados Unidos. El territorio desde Texas hasta California pasó a manos (*hands*) norteamericanas.
c. Empezó la Revolución mexicana.
d. Los moros (*Moors*) invadieron España donde permanecieron (*they remained*) hasta el siglo XV.
e. Guerra entre España y los Estados Unidos. Cuba, Puerto Rico, las Islas Filipinas y otros territorios pasaron a manos norteamericanas.
f. Se publicó la primera parte de la novela de Miguel de Cervantes *El ingenioso hidalgo don Quijote de la Mancha.*

CONSEJO PRÁCTICO

Numbers are often difficult to learn in another language. For added practice, you might consider the following ideas.

- Write out in Spanish telephone numbers you frequently call (**tres, cincuenta y cinco, sesenta y uno, noventa y cuatro** for 355-6194) and keep these by your phone.
- Every time you dial a number on the phone, try to say it in Spanish as you dial.
- Before doing homework, write out or say out loud in Spanish the number of pages you have to read, what pages you have read, and so forth.
- If you are a sports fan, keep track of players' numbers, final scores of a game, and so forth, in Spanish.

Doing this will greatly improve your ability to learn numbers in Spanish!

COMUNICACIÓN

Actividad G   Datos biográficos

Algunas personas (voluntarias) les dicen a los miembros de la clase cuántos años tienen. La clase debe decir en qué año nació (*was born*) cada persona. ¿Pueden Uds. adivinar en qué año nació el profesor (la profesora)?

Vistazos
Épocas anteriores

¿Era diferente la vida? (I)
Introduction to the Imperfect Tense: Singular Forms

(yo)	me acost**aba**	(nosotros/as)	-**ábamos**
	com**ía**		-**íamos**
	escrib**ía**		
(tú)	te acost**abas**	(vosotros/as)	-**abais**
	com**ías**		-**íais**
	escrib**ías**		
(Ud.)	se acost**aba**	(Uds.)	-**aban**
	com**ía**		-**ían**
	escrib**ía**		
(él/ella)	se acost**aba**	(ellos/as)	-**aban**
	com**ía**		-**ían**
	escrib**ía**		

Sí, cuando yo **tenía** su edad, las cosas **eran** bien diferentes. Yo no **asistía** a la escuela como Uds. **Trabajaba** en el campo con mis padres.

When we discuss events, actions, and states of being, we can refer to *when* they occur: this is called *tense*. You already know how to express basic present, past, and future events.

> **Hablé** con mi tío soltero por teléfono. (*past*)
> **Hablo** con mi abuelo materno ahora. (*present*)
> **Voy a hablar** con mi prima favorita pronto. (*future*)

But we can also include information on the status of the event, action, or state. Was it, is it, or will it be *in progress* at the time we refer to it? When we include information about the *progress* of the event, we refer to *aspect*. Can you tell which of these encodes tense and which encodes aspect in an English verb?

> *will* as in "He *will do* it."
> *-ed* as in "He *finished*."
> *-ing* as in "She *was talking*."

If you said the first two encode tense and only the third encodes aspect, you were correct. *Will* encodes future and *-ed* encodes past, but *-ing* encodes that an action was, is, or will be in progress. For example, *He was talking*, *He is talking*, and *He will be talking*. The tense changes, but the aspect does not: the use of the verb form *talking* encodes the meaning "in progress at the time referred to."

ASÍ SE DICE

Although the imperfect in Spanish often translates as *used to* or *would*, it can also be rendered by a simple English verb form, depending on the context.

Iba y **venía** a cualquier hora.
I came and went at any hour.
(*I used to come and go at any hour.*)

Estudiaba por la tarde y **trabajaba** por la noche.
I studied in the afternoons and worked at night.
(*I would study in the afternoons and work at night.*)

An important feature of Spanish *past-tense* verbs is that they encode aspect. The use of **-aba-** and **-ía-**, for example, indicates *in progress at the time*, while the preterite forms (**-é, -aste, -ó, -í, -iste, -ió,** etc.) do not.

> **Hablaba** con mis abuelos ayer. (*past, but in progress*)
> *I was talking with my grandparents yesterday.*

> **Salía** con mis tíos cuando... (*past, but in progress*)
> *I was leaving with my aunt and uncle when . . .*

This is called the *past imperfect indicative* or simply the *imperfect*.

Spanish also uses the imperfect to refer to actions and events that *occurred repeatedly* in the past, without reference to exactly how often. This corresponds roughly to English *used to* or *would* as in *They used to (would) make fun of me as a child.*

> **Comíamos** en muchos restaurantes diferentes.
> *We used to (We would) eat in many different restaurants.*

> Mis hermanos y yo **nos llevábamos** bien.
> *My siblings and I used to get along well.*

Imperfect verb forms are signaled by **-aba-** (for **-ar** verbs) and **-ía-** (for both **-er** and **-ir** verbs). Examples are given in the shaded box on the previous page.

Ir and **ser** have irregular imperfect stems and unexpected forms but are easy to memorize.

ir	**ser**
iba	era
ibas	eras
iba	era

In the activities that follow, you will concentrate on using the imperfect when speaking about the way things *used to be* and about actions that *have taken place repeatedly* in the past.

Actividad A ¿Sí o no?

Escucha lo que dice tu profesor(a) y apúntalo. Después indica lo que crees. Todas las oraciones tienen que ver con (*deal with*) la vida de tu profesor(a) durante la década anterior.

Yo...

		C	F			C	F
1.	_____	☐	☐	4.	_____	☐	☐
2.	_____	☐	☐	5.	_____	☐	☐
3.	_____	☐	☐	6.	_____	☐	☐

COMUNICACIÓN

Actividad B Entrevista

Paso 1 Hazle las siguientes preguntas a un compañero (una compañera) de clase. Anota sus respuestas. Todas las preguntas tienen que ver con la década anterior.

1. ¿Leías menos o más?
2. ¿Mirabas la televisión menos o más?
3. ¿Te acostabas más temprano que ahora?
4. ¿Te levantabas más temprano que ahora?
5. ¿Salías mucho con tus amigos? ¿más que ahora o menos?

Paso 2 Usando la información del **Paso 1** junto con (*as well as*) la información de la **Actividad A,** haz comparaciones entre el profesor (la profesora) y tu compañero/a.

MODELOS   El profesor (La profesora) leía más y Jorge leía más
también.
El profesor (La profesora) comía menos pero Jorge no.

¿Era diferente la vida? (II)

More on the Imperfect
Tense: Plural Forms

(yo)	-aba -ía	(nosotros/as)	nos acost**ábamos** com**íamos** escrib**íamos**
(tú)	-abas -ías	(vosotros/as)	os acost**abais** com**íais** escrib**íais**
(Ud.)	-aba -ía	(Uds.)	se acost**aban** com**ían** escrib**ían**
(él/ella)	-aba -ía	(ellos/ellas)	se acost**aban** com**ían** escrib**ían**

—Abuelita, ¿**te llevabas bien**
con tus padres?
—¡Hijo, claro! **Hacíamos** todo
lo que nos **decían** nuestros
padres porque si no, ¡qué palizas (*beatings*) **recibíamos!**

The **-aba-** and **-ía-** markers of the imperfect tense carry over into all forms of the verbs, as you can see in the shaded box above. Remember that with **-ar** verbs, a written accent needs to be placed on the ending for the first-person plural **(nosotros)** form (e.g., **-ábamos**) to indicate that the stress falls on the accented vowel and not the one that follows.

The plural forms for **ir** and **ser** follow the same patterns as for the singular forms.

ir	**ser**
íbamos	éramos
ibais	erais
iban	eran

Remember that the imperfect, as we are using it here, refers to events, actions, and other "processes" in the past that were habitual and repetitive in nature, things that people would usually do, used to do, generally did, and so on.

Actividad C En las épocas primitivas

Paso 1 Escoge la mejor manera para completar cada oración.

Cuando éramos seres primitivos...

1. No _____ dentistas ni médicos.
   a. teníamos   **b.** practicábamos   **c.** salíamos
2. _____ carne cruda (*raw meat*).
   a. Vivíamos   **b.** Comíamos   **c.** Jugábamos
3. _____ semierectos.
   a. Mirábamos   **b.** Tomábamos   **c.** Caminábamos
4. _____ con gestos y con las manos (*hands*) porque no teníamos un idioma oral.
   a. Nos comunicábamos   **b.** Nos acostábamos   **c.** Dormíamos
5. _____ mucho de los animales para comer, vestirnos y para muchas otras cosas importantes.
   a. Comíamos   **b.** Comprábamos   **c.** Dependíamos
6. No _____ con mucha frecuencia.
   a. podíamos   **b.** mirábamos   **c.** nos bañábamos

Paso 2 Ahora escucha al profesor (a la profesora) leer las oraciones completas. ¿Las tienes todas correctas?

Actividad D Las mujeres en el siglo XIX

Haz la correspondencia entre cada frase de la columna a la izquierda con la más apropiada de la columna a la derecha para formar oraciones completas.

Las mujeres en el siglo XIX...

1. enseñaban (*taught*)
2. no entraban
3. no llevaban*
4. no tenían

Si estas mujeres...

5. se casaban (*got married*), tomaban
6. trabajaban fuera (*outside*) de casa, ganaban
7. trabajaban fuera de casa, no hacían

a. a las fuerzas armadas (*armed services*).
b. el derecho al voto en las elecciones.
c. el apellido de su esposo.
d. en las escuelas, pero no en las universidades.
e. los mismos trabajos que los hombres.
f. menos que los hombres.
g. pantalones.

COMUNICACIÓN

Actividad E ¿Cómo era la vida?

Paso 1 Con un compañero (una compañera), escojan una de las épocas a continuación.

la década de los 30 (del siglo XX)
la década de los 50 (del siglo XX)
otro período de tiempo si quieren

*****Llevar** is often used in Spanish as *to wear*.

Luego, piensen en cómo era la vida en esa época. ¿Cómo vivían las personas? ¿Qué hacían para pasarlo bien? ¿Cómo eran las familias? ¿Cuál era el papel del hombre? ¿y el papel de la mujer? Luego escriban tres oraciones para presentar a la clase.

Paso 2 Cada pareja debe presentar sus ideas del **Paso 1** a la clase. ¿En qué coinciden las ideas? ¿En qué aspectos son diferentes? Todos deben prestar atención y anotar las ideas.

Paso 3 (Optativo) Cada pareja del **Paso 2** debe volver a sus ideas para compararlos con las de otra época. Deben escribir por lo menos cinco oraciones para entregar al profesor (a la profesora).

MODELO   En la década de los 50 las personas vivían más o menos bien, pero en los 30 muchos eran pobres.

¿Tienes tantos hermanos como yo?

Comparisons of Equality

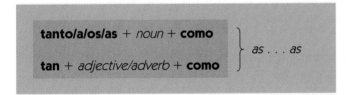

tanto/a/os/as + *noun* + **como**

tan + *adjective/adverb* + **como**   } *as . . . as*

In readings and in activities you may have noticed the use of **tan... como** and **tanto... como** to express similarities and differences.

Las familias de hoy no son **tan** grandes **como** las de épocas anteriores.

Use a form of **tanto** when the comparison involves nouns. The form of **tanto** must agree in number and gender with the noun.

tanto dinero como   **tantos hijos** como
tanta imaginación como   **tantas familias** como

Use **tan** when the comparison involves adjectives (words that modify or describe nouns) or adverbs (words that modify or describe verbs).

ADJETIVOS   ADVERBIOS
tan grande como   **tan rápido** como
tan altas como   **tan frecuentemente** como

Tanto como is used when no noun, adjective, or adverb is explicitly mentioned. It means *as much as*.

Los hombres se ocupan de (*look after*) los niños **tanto como** las mujeres.

Un matrimonio español de hoy día no tiene una familia tan grande como la que tenían sus abuelos.

Actividad F   Familias de ayer, familias de hoy

Para cada oración, indica si se requiere **tan** o una forma de **tanto** según la estructura de la oración. Compara tus respuestas con las de otra persona. (Claro, las décadas mencionadas se refieren a las del siglo XX.)

1. Las madres modernas no pasan _tanto_ tiempo con sus hijos como las madres de los años 50.
2. Los hijos de hoy no se adaptan _tan_ bien como los de los años 50.
3. Las madres que trabajan fuera de casa no son _tantas_ respetadas como las madres de los años 50.
4. En la década de los años 50, las madres no trabajaban fuera de casa _tanto_ como las madres de hoy.
5. En la década de los años 50, no había _tantos_ divorcios como ahora.
6. En la década de los años 50, los padres no eran _tan_ permisivos con sus hijos como los padres de hoy.
7. En la década de los años 50, los hijos no tenían _tantos_ problemas sociales y psicológicos que resolver como los hijos de hoy.

COMUNICACIÓN ## Actividad G   Más sobre las familias de ayer y de hoy

Paso 1 Con otra persona, indiquen cuáles de las oraciones de la **Actividad F** son ciertas, cuáles son falsas y de cuáles no están seguros.

Paso 2 Todos deben compartir sus ideas del **Paso 1.** Luego, la clase debe decidir cuál de las siguientes oraciones les parece más apropiada.

❏ La calidad de vida de los años 50 no era tan buena como la de hoy.
❏ La calidad de vida de hoy no es tan buena como la de los años 50.
❏ No podemos decidir a base de la información. Necesitamos saber más sobre _____.

Lección 6   ¿Y el tamaño de la familia?

Situación

Luz María y Juan Pablo, un matrimonio, tienen 22 y 23 años respectivamente. Juan Pablo es estudiante de medicina. Luz María también es estudiante, pero de derecho (*law*). Quieren tener una familia. ¿Deben comenzar su familia ahora cuando son jóvenes? ¿O deben esperar?

Los hispanos hablan

¿Te gusta el tamaño de tu familia?

Paso 1 Lee lo que dice Zoe Robles, una joven puertorriqueña, sobre el tamaño de su familia. Luego compara lo que dice con la información a continuación. ¿Es típica la familia de Zoe?

> Según el último censo, el tamaño promedio de la familia en Puerto Rico es 4,1 personas por hogar.

Paso 2 Ahora mira o escucha el resto de lo que dice Zoe. ¿Cuál es la razón que ofrece ella para la opinión que tiene? (Nota: cada cual se mete en lo suyo = *each one does his/her own thing.*)

> Es bueno tener una familia pequeña porque pueden compartir, pero _____.

Paso 3 Ahora lee lo que dice Enrique Álvarez sobre el mismo tema. Toma en cuenta (*Keep in mind*) que en cierto sentido Enrique te está tomando el pelo (*kidding you*). ¿Estás de acuerdo con él?

Paso 4 Ahora mira o escucha el resto del segmento. Luego contesta estas preguntas. (Nota: pedir consejo = *ask advice.*)

1. ¿Crees que Enrique y Zoe tienen el mismo temperamento?
2. ¿Quién parece ser «el hermano mayor responsable»?
3. ¿Con quién estás de acuerdo, con Zoe o con Enrique?

¿Te gusta el tamaño de tu familia?

NOMBRE: Zoe Robles
EDAD: 25 años
PAÍS: Puerto Rico

«Mi familia —mi familia es pequeña. Somos cuatro personas solamente: una mamá, mi papá, un hermano mayor que yo por cuatro años y yo, que soy la hija menor. Mi familia es bastante pequeña. Solamente cuatro personas. Es muy pequeña y me gusta tener una familia pequeña porque... »

NOMBRE: Enrique Álvarez
EDAD: 38 años
PAÍS: España

«Me gusta ser de una familia grande. Pero a veces es complicado, sobre todo a la hora de sentarnos a la mesa para comer si no hay suficiente espacio y todo el mundo quiere comer las mismas cosas. Pero tener una familia grande es divertido. Si tienes algún problema... »

Vocabulario

Las edades	Ages
veinte (R)	twenty
treinta (R)	thirty
cuarenta	forty
cincuenta	fifty
sesenta	sixty
setenta	seventy
ochenta	eighty
noventa	ninety

tener... años (R)	to be . . . years old

Los años y las épocas	Years and Time Periods
cien(to)	one hundred
doscientos	two hundred
trescientos	three hundred
cuatrocientos	four hundred
quinientos	five hundred
seiscientos	six hundred
setecientos	seven hundred
ochocientos	eight hundred

novecientos	nine hundred
mil	one thousand
dos mil	two thousand

los años 20	the twenties
la década	decade
el siglo (pasado)	(last) century

Comparaciones	Comparisons
tan... como	as . . . as
tanto/a... como	as much . . . as
tantos/as... como	as many . . . as

Otras palabras y expresiones útiles	
la cifra	number
la gente	people
el promedio	average
el tamaño	size

joven	young
viejo/a	old

Otros vistazos

In the **Vistazos** CD-ROM, you will learn more about Hispanic cultures, including:

- un fragmento de *La vida del Lazarillo de Tormes* (autor anónimo)
- algunas ideas sobre el posible autor del *Lazarillo*
- algo sobre la geografía de España
- un poco sobre la historia de España
- datos interesantes en **¿Sabías que... ?**

Lección 6   ¿Y el tamaño de la familia?

GRAMMAR SUMMARY FOR LECCIONES 4–6

Question Words

¿cuándo?	¿qué?
¿dónde?	¿quién(es)?
¿cómo?	¿cuánto/a?
¿cuál(es)?	¿cuántos/as?

Remember that prepositions (**a, de, en, con,** and so forth) appear in front of the question word when used. This is unlike English, in which the preposition can "dangle" at the end of a phrase or utterance, far away from the question word.

¿**De** dónde es tu amigo?
*Where is your friend **from**?*

¿**Con** quiénes hablas si tienes un problema?
*Whom do you speak **to** if you have a problem?*

Pronouns

Subject	Direct Object	True Reflexive	Reciprocal
yo	me	me	
tú	te	te	
Ud.	lo/la	se	
él/ella	lo/la	se	
nosotros/as	nos	nos	nos
vosotros/as	os	os	os
Uds.	los/las	se	se
ellos/ellas	los/las	se	se

1. Remember that object and reflexive pronouns precede conjugated verbs. Don't mistake them for subject pronouns.

   Me llaman los padres.
   My parents call me.

   Se afeita regularmente.
   He shaves regularly.

2. Remember that not all true reflexives in Spanish translate into English with -*self*/-*selves*.

   María **se levanta** temprano.
   *María gets up early. (We don't say **gets herself up**, even though this would be a literal translation.)*

3. Remember that not all reciprocals in Spanish translate into English as *each other*.

   Nos abrazamos cuando **nos vemos.**
   *We hug when we see each other. (Although both are reciprocal actions, only the second verb in English would normally take **each other**.)*

Object Marker a

Spanish uses **a** to mark objects of a verb when the object could be confused as a subject (i.e., when the object is theoretically capable of performing the action). It helps to indicate who did what to whom in Spanish, especially since Spanish has flexible word order.

> Manuel conoce bien **a** María. (*María is perfectly capable of knowing someone, but she is not the subject in this sentence.*)

> El señor mata **al** león. (*The lion is perfectly capable of killing something else, but he is not the subject in this sentence.*)

Que

Although English can often omit *that,* Spanish can never omit **que.**

> Creo **que** es verdad.
> *I think (that) it's true.*

> Me parece **que** son gemelos.
> *It seems to me (that) they're twins.*

Imperfect Tense

	-ar	-er/-ir	ser	ir
yo	me acostaba	comía/asistía	era	iba
tú	te acostabas	comías/asistías	eras	ibas
Ud.	se acostaba	comía/asistía	era	iba
él/ella	se acostaba	comía/asistía	era	iba
nosotros/as	nos acostábamos	comíamos/asistíamos	éramos	íbamos
vosotros/as	os acostabais	comíais/asistíais	erais	ibais
Uds.	se acostaban	comían/asistían	eran	iban
ellos/ellas	se acostaban	comían/asistían	eran	iban

The imperfect is a past tense that signals that an action, event, or activity occurred habitually in the past. It is frequently, though not always, rendered in English by *used to* and *would.*

> Las familias **eran** más grandes en épocas anteriores.
> *Families were/used to be larger in previous times.*

> Las mujeres en otras épocas sólo **trabajaban** en casa.
> *Women in earlier time periods worked (would work) only at home.*

Comparisons of Equality (Similar to English *as . . . as*)

WITH NOUNS	WITH ADJECTIVES AND ADVERBS
tanto dinero **como**	**tan** grande **como**
tantos hijos **como**	**tan** frecuentemente **como**
tantas mujeres **como**	
tanta educación **como**	

Tanto como is used when no noun, adjective, or adverb is explicitly mentioned (similar to English *as much as*).

> Ahora las mujeres trabajan fuera de casa **tanto como** los hombres.

Bodegón (1928) por Rufino Tamayo (mexicano, 1899–1991)

EN LA MESA

145

mira las siguientes fotografías. ¿Qué imágenes se te ocurren? ¿Qué comidas te gustan y no te gustan? ¿Cuánto sabes de los hábitos de comer en los países hispanos? Éstas son algunas de las ideas que vas a explorar en esta unidad.

Una bodega de vinos en la Argentina. ¿Tomas vino tú? ¿cerveza? ¿O evitas las bebidas alcohólicas completamente?

En vez de comer el plátano con la mano, en muchos países de habla española se usan cubiertos (*silverware*). ¿Qué comidas sueles comer tú con las manos? ¿Te parece raro comer un plátano con cuchillo (*knife*) y tenedor (*fork*)? (*Plátanos amarillos* [detalle, c. 1892–1893] por Francisco Oller [puertorriqueño, 1833–1917])

Cuando sales con los amigos, ¿adónde vas? ¿Qué comes?

7

¿QUÉ SUELES COMER?

This lesson focuses on food and eating habits. You will have an opportunity to

■ describe some basic foods and snacks

■ describe what you generally eat for breakfast, lunch, and dinner

■ examine how eating habits in Spanish-speaking countries differ from those in the United States

■ learn about other verbs like **gustar**

■ learn about indirect object pronouns

■ listen to Spanish speakers talk about customs related to eating

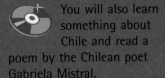 You will also learn something about Chile and read a poem by the Chilean poet Gabriela Mistral.

Vistazos

Los hábitos de comer

¿Cuáles son algunos alimentos básicos?

Talking About Basic Foods in Spanish

Calcio
Productos lácteos

Cognado: el yogur

el helado

la leche

el queso

Proteínas
Carnes

Aves

Cognado: la hamburguesa

el bistec

la carne de res

los huevos

el pollo

la chuleta de cerdo
(*pork chop*)

el jamón

Otros alimentos

Pescados y mariscos

el atún

los frijoles

las nueces

los camarones

la mantequilla de cacahuete
(*peanut butter*)

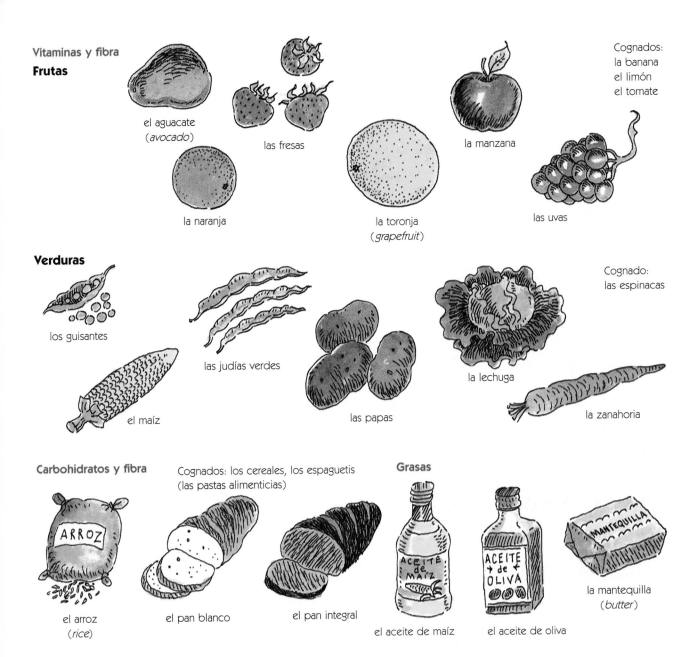

Vitaminas y fibra
Frutas

el aguacate
(*avocado*)

las fresas

la naranja

la toronja
(*grapefruit*)

la manzana

las uvas

Cognados:
la banana
el limón
el tomate

Verduras

los guisantes

las judías verdes

el maíz

las papas

la lechuga

la zanahoria

Cognado:
las espinacas

Carbohidratos y fibra

Cognados: los cereales, los espaguetis
(las pastas alimenticias)

Grasas

el arroz
(*rice*)

el pan blanco

el pan integral

el aceite de maíz

el aceite de oliva

la mantequilla
(*butter*)

VOCABULARIO ÚTIL

la comida	meal; food	**agrio/a**	sour	**amarillo/a**	yellow
		amargo/a	bitter	**blanco/a**	white
al horno	baked	**dulce**	sweet	**marrón**	brown
al vapor	steamed	**salado/a**	salty	**negro/a**	black
asado/a	roast(ed)			**rojo/a**	red
cocinado/a	cooked			**rosado/a**	pink
crudo/a	raw			**verde**	green

Actividad A ¿Cómo es?

El profesor (La profesora) va a mencionar un alimento y luego va a hacer una pregunta sobre el mismo. Contesta la pregunta.

1... 2... 3... 4... 5... 6...

Actividad B Asociaciones

Tu profesor(a) va a nombrar algunos alimentos. ¿Qué color(es) asocias con cada uno?

1... 2... 3... 4... 5... 6... 7...

Actividad C Otras asociaciones

El profesor (La profesora) va a nombrar una categoría de alimentos. Di el alimento que se te ocurre (*comes to mind*) primero.

1... 2... 3... 4... 5... 6...

Actividad D ¿Qué alimento es bueno para... ?

Inventa oraciones basándote en el modelo. No olvides (*Don't forget*) usar el artículo definido. (Ver **Así se dice,** a la izquierda.)

MODELO para el cerebro (*brain*) → El pescado es bueno para el cerebro.

1. para la vista (*vision*)
2. para los resfriados (*colds*)
3. para el pelo
4. para los músculos
5. para la tez (*complexion*)

Actividad E Preferencias personales

Paso 1 Describe tus hábitos de comer. Termina cada oración con dos comidas o alimentos apropiados, según tus preferencias.

MODELO Como *yogur* y *pan* a cualquier hora del día.

1. Como _____ y _____ a cualquier hora del día.
2. Nunca o casi nunca como _____ y _____.
3. Suelo comer _____ y _____ con pan.
4. Suelo comer _____ y _____ solos/as, sin otra cosa.
5. Me gusta comer _____ y _____ crudos/as.
6. Prefiero comer _____ y _____ cocinados/as.

Paso 2 Ahora, entrevista a un compañero (una compañera) de clase sobre sus hábitos de comer. Hazle preguntas para saber cómo ha completado (*he/she has completed*) las oraciones del **Paso 1.** Luego tu compañero/a debe hacerte las mismas preguntas a ti para ver cómo has contestado (*you answered*).

ASÍ SE DICE

Often when talking about food, we refer to it in abstract or general terms, such as in the expression *I hate spinach*. In this example, *spinach* does not refer to any specific spinach, but rather to spinach in general. To express the same concept in Spanish, the definite article (**el, la, los, las**) must be used: **Odio las espinacas.**

How would you say the following in Spanish?

Milk is a dairy product. Shellfish have (contain) a lot of protein.

COMUNICACIÓN

MODELOS   ¿Qué comidas o alimentos sueles comer con pan?
¿Hay alimentos que te gusta comer crudos?

Paso 3 En conclusión, mi compañero/a y yo...

❑ tenemos hábitos de comer muy parecidos.
❑ tenemos algunos hábitos en común, pero no muchos.
❑ tenemos hábitos de comer muy distintos.

¿Qué meriendas?

Talking About Snacks
and Snacking

el chicle	gum	**las papas/patatas fritas**	potato chips
los dulces	candies	**los pasteles**	pastries
las galletas	cookies		
las palomitas	popcorn		

VOCABULARIO ÚTIL

la máquina vendedora	vending machine	**merendar (ie)**	to snack (on)
masticar	to chew	**tener hambre**	to be hungry
la merienda	snack		

Actividad F   ¿Qué meriendas?

El profesor (La profesora) va a mencionar un alimento. Indica si comes
este alimento como merienda o no.

1...   2...   3...   4...   5...   6...

En el mundo hispano, la
merienda de la tarde es
muy típica.

Actividad G   Cuando tienes hambre...

Paso 1   Indica con qué frecuencia comes de merienda lo siguiente (**3** = muy frecuentemente, **2** = de vez en cuando, **1** = nunca).

Cuando tengo hambre, meriendo...

_____ palomitas.
_____ papas fritas.
_____ dulces.
_____ galletas.
_____ una manzana.

_____ una banana.
_____ una naranja.
_____ chicle.
_____ yogur.

Paso 2   Entrevista a otras tres personas en la clase para averiguar qué comen con más frecuencia para merendar y qué comen con menos frecuencia.

MODELOS   De los alimentos del **Paso 1,** ¿cuál nunca comes como merienda?
¿Cuál comes con mayor frecuencia para merendar?

Paso 3 (Optativo)   Compara tus resultados con los de otra persona (alguien a quien no entrevistaste en el **Paso 2**). Según los resultados, ¿qué suelen merendar las personas y qué no suelen merendar? ¿Pertenecen las meriendas favoritas a alguna de las categorías de alimentos básicos, como, por ejemplo, a las proteínas?

Actividad H   ¿Sabías que... ?

Paso 1   Escucha y lee la selección **¿Sabías que... ?** en la siguiente página. Luego, indica si cada afirmación es cierta (C) o falsa (F).

		C	F
1.	Las tapas son un tipo de postre.	❏	❏
2.	Las tapas explican cómo los españoles pueden cenar muy tarde.	❏	❏
3.	En los Estados Unidos no existe una costumbre semejante.	❏	❏

Paso 2   Entrevista a un compañero (una compañera) de clase. ¿Tiene él (ella) alguna costumbre de merendar cierta comida o a cierta hora?

Paso 3   Ahora piensa en cuando Uds. eran niños. ¿Qué comidas merendaban? ¿Cuál era la actitud de sus madres hacia merendar antes de cenar?

A S Í   S E   D I C E

To say you are hungry or thirsty, Spanish does not use **estar** but rather **tener** with the feminine nouns **hambre** (*hunger*) and **sed** (*thirst*). The literal translations in English are *to have hunger* and *to have thirst*.

Tengo (mucha) hambre.
I'm (very) hungry.
Tengo (mucha) sed.
I'm (very) thirsty.

¿Sabías que...

los españoles tienen la costumbre de merendar a las cinco o seis de la tarde? Dada la hora de la cena española, la merienda consiste en comer tapas, porciones pequeñas de no más de cuatro onzas, perfectas para picar.[a] Entre las tapas más conocidas están las gambas[b] y los champiñones al ajillo,[c] la famosa tortilla española, las croquetas y el jamón serrano. Comiendo unas cuantas tapas, el español se puede sostener hasta la típica hora tarde de comer.

Las tapas se originan en la Edad Media.[d] Alfonso X (el Sabio)[e] notó que sus guerreros[f] mostraban poca disposición para la lucha. El Rey descubrió que entre batallas sus soldados aprovechaban el vino que se producía en la región. Entonces, obligó a los taberneros que servían a las tropas a colocarles sobre la copa de vino una rebanada[g] de pan con queso, jamón o chorizo, en porciones que las tropas debían ingerir antes de consumir la bebida alcohólica. Además de empezar la costumbre de las tapas, tal vez Alfonso el Sabio fue el primero en combatir los malos efectos del alcohol.

Las tapas consisten de porciones pequeñas de varias comidas.

[a]para... *for nibbling* [b]camarones (*Sp.*) [c]champiñones... *mushrooms in garlic* [d]Edad... *Middle Ages* [e]Alfonso... *Alfonso the Tenth* (*the Wise*), *an important Spanish king* [f]*warriors, soldiers* [g]*slice*

Visit the *Vistazos* website at **www.mhhe.com/vistazos**.

Vistazos

A la hora de comer

¿Qué desayunas?

Talking About What You Eat for Breakfast

vocabulario esencial

Desayuno español
(8.00–10.00 A.M.)

1

2

3

4

Bollería variada (*Assorted rolls*) (1), o **churros** (*type of fried dough*) (2), o **tostada** (3) con mantequilla y **mermelada** (4), **café con leche**

Desayuno norteamericano
(6.00–8.00 A.M.)

Dos **huevos fritos** (*fried*) (5) o **revueltos** (*scrambled*) (6),
cereal con leche o tres **panqueques** (7), **tocino** (*bacon*) (8) o
salchichas (9), **jugo de naranja** (10), café, **té** o leche

VOCABULARIO
Ú T I L

el bollo	roll
el pan tostado	toast
desayunar	to have breakfast

ASÍ SE DICE

Confused about the use of
¿qué? and **¿cuál?** Here's a
handy rule that works in
most cases: Use **¿qué?** before a noun or to ask for a
definition, and use **¿cuál?**
everywhere else.

¿Qué alimentos prefieres
para la merienda?
¿Cuál es mejor, el jugo de
naranja o el jugo de
toronja?

Actividad A   Dos desayunos muy diferentes

Paso 1 Lee los menús de los dos tipos de desayuno en el **Vocabulario esencial.**

Paso 2 Contesta las siguientes preguntas con una X en la columna apropiada.

	LOS ESPAÑOLES	LOS NORTEAMERICANOS
1. ¿Quiénes comen más para el desayuno?	☐	☑
2. ¿Quiénes requieren menos tiempo para desayunar?	☑	☐
3. ¿Quiénes no comen huevos por la mañana?	☑	☐
4. ¿Quiénes no comen carne para el desayuno?	☑	☐

Actividad B   ¿Quién habla?

Escucha las descripciones que va a leer el profesor (la profesora) e indica si son de una persona española o norteamericana.

1...   2...   3...   4...

Actividad C   Firma aquí, por favor

¿Qué desayunaron los estudiantes de esta clase esta mañana?

1. ¿Comiste sólo un bollo?
2. ¿Comiste pan tostado con café?
3. ¿Comiste cereal con leche?
4. ¿Fuiste a McDonald's a desayunar?
5. ¿Comiste pizza?
6. ¿Tomaste sólo una taza (*cup*) de café o té?
7. ¿No tomaste nada esta mañana?

NOTA
COMUNICATIVA

Sometimes you may want to verify what you heard or you may want someone to repeat part of what he or she said. To ask for a verification, you can say ¿**Dice(s) que** + *what you want to verify.* To get a partial repetition, use the question words you know to zero in on what you partially heard. Here are some examples.

¿Dices que comiste panqueques?
¿Dice (Ud.) que no tiene azúcar (*sugar*)?
¿Comió qué?
¿Fue adónde?

If you need someone to repeat an entire statement, don't say ¿**Qué?** In Spanish, ¿**Cómo?** is used.

¿Cómo?   *What?*
¿Cómo dice(s)?   *What did you say/are you saying?*

¿Qué comes para el almuerzo y para la cena?

Talking About What You Eat for Lunch and Dinner

Almuerzo español (2.00–4.00 P.M.)

Menú del día

PRIMER PLATO
lentejas (1) estofadas (*lentil stew*)
tortilla (*omelette*) (2) de chorizo
ensalada mixta

SEGUNDO PLATO
filete de **ternera** (*veal*) (3) con **patatas** (*potatoes, Sp.*)
emperador (*swordfish*) (4) a la plancha
medio pollo asado

POSTRE
helado
tarta (*pie*) (5)
fruta
flan (6) con nata (*whipped cream*) o café
barrita de pan y **vino** (7)

Cena española (9.00–11.00 P.M.)

huevos fritos, patatas fritas, salchichas, pan y vino

Almuerzo norteamericano (12.00–1.00 P.M.)

sandwich de carne (por ejemplo, jamón, pavo [*turkey*], rosbif) / sandwich de atún y fruta

o hamburguesa con queso, papas fritas

un **refresco** (*soft drink*) / café / leche

Cena norteamericana (5.00–7.00 P.M.)

pollo asado / bistec / **langosta** (*lobster*) / pescado frito / espaguetis
ensalada mixta
verduras al vapor
arroz / papas al horno (*baked*) /
puré (8) **de papas** (*mashed potatoes*)
cerveza (*beer*) (9) / vino y/o **agua**
tarta / helado / gelatina

o pizza

almorzar (ue)	to have lunch
cenar	to have dinner

Actividad D ¿Español o norteamericano?

Paso 1 Analiza los dos tipos de almuerzos en el **Vocabulario esencial.**

Paso 2 Escucha al profesor (a la profesora). ¿Habla de una persona norteamericana o española?

   1... 2... 3... 4... 5... 6...

Paso 3 Mira otra vez los menús para las comidas norteamericanas y españolas en el **Vocabulario esencial.** Luego contesta las preguntas que hace el profesor (la profesora).

   1... 2... 3... 4... 5...

Actividad E ¿Quién habla?

Escucha al profesor (a la profesora). ¿Expresa las opiniones de una persona española o norteamericana?

   1... 2... 3... 4...

Actividad F ¿A quién describe?

Paso 1 Revisa los menús típicos para el almuerzo y la cena norteamericanos. ¿Son estos menús típicos del almuerzo y de la cena de un(a) estudiante? Si no, haz los cambios necesarios para mostrar (*show*) lo que come habitualmente un(a) estudiante de tu universidad. Comparte con la clase tu revisión.

Paso 2 Después de que todos presenten el menú que revisaron, indica tu conclusión.

❑ Hay un almuerzo típico de los estudiantes.
❑ No hay un almuerzo típico de los estudiantes.
❑ Hay una cena típica de los estudiantes.
❑ No hay una cena típica de los estudiantes.

ASÍ SE DICE

To describe how something tastes, Spanish uses the verb **saber** + **a** or the noun **el sabor.**

  Tiene muy buen **sabor.**
  No me gusta **el sabor.**
  ¿A qué **sabe?**
  Sabe a pollo.

How would you tell someone from a Spanish-speaking country what Mountain Dew and frozen yogurt taste like?

COMUNICACIÓN

NOTA COMUNICATIVA

Another way to verify information is to use a "tag question." A tag question in English can take a variety of forms: You said sardines, *right?* She eats shellfish, *doesn't she?* Spanish has two tag questions: **¿no?** and **¿verdad?** (*right?*). Use **¿no?** with affirmative statements and **¿verdad?** with negative ones.

  Le gusta la comida rápida, **¿no?**
  No comió esta mañana, **¿verdad?**

Vistazos

Los gustos

¿Que si me importan los aditivos?

Other Verbs Like **gustar** and the Indirect Object Pronoun **me**

me + agrada(n)
apetece(n)
cae(n) bien/mal
encanta(n)
importa(n)
interesa(n)

—¿Que si **me importan** los aditivos? Todos vamos a morir algún día...
—Pues a mí **me importan** muchísimo.

ASÍ SE DICE

In the way that **gustar** (*to please*) is often translated as *to like*, **agradar, encantar,** and **importar** are often translated by verbs other than *to please, to delight,* and *to matter.*

No **me agrada** el pescado.
I don't like fish.

Me encanta México.
I love Mexico.

No **me importa** eso.
I don't care about that.

In Spanish, many verbs require the use of indirect object pronouns to express how a person feels about something or the reaction that something causes in a person. This is true of **gustar,** which you already know means *to please.* (Remember that Spanish does not have a verb that literally means *to like.*)

Here are some others.

agradar *to please*
No **me agrada** la avena. *Oatmeal does not please me. (I hate oatmeal.)*

apetecer *to be appetizing; to appeal/be appealing (food)*
No **me apetece** el caviar. *Caviar doesn't appeal to me.*

caer bien *to make a good impression; to agree with (food)*
No **me caen bien** las cebollas. *Onions don't agree with me.*

encantar *to delight, be extremely pleasing*
¡**Me encantan** las ostras crudas! *Raw oysters delight me! (I love raw oysters!)*

importar *to be important; to matter*
No **me importan** los aditivos. *Additives don't matter to me.*

interesar *to be interesting*
Me interesa la cocina española. *Spanish cuisine interests me.*

Remember that, like **gustar,** these verbs normally appear in the third-person singular or plural since someone is affected by something (or things). Do not mistake **me** as a subject pronoun. When used with these verbs, **me** is equivalent to the phrase *to me* and is called an indirect object pronoun. (You will learn about and work with other indirect object pronouns and these verbs later in this lesson.)

Actividad A   Me importa...

Paso 1 Indica cuánto te importa cada cosa.

	MUCHO	UN POCO	NADA
1. Me importa el color de los alimentos.	☐	☐	☑
2. Me importa el sabor de los alimentos.	☑	☐	☐
3. Me importa el valor (*value*) nutritivo de los alimentos.	☐	☐	☐
4. Me importa la apariencia de la comida.	☐	☑	☐
5. Me importan los aditivos.	☐	☐	☑
6. Me importan las grasas que contienen los alimentos.	☐	☑	☐

Paso 2 Comparte tus respuestas con la clase.

MODELO   Me importan mucho el sabor de los alimentos y las grasas que contienen.

Busca en la red información en español sobre uno de los siguientes alimentos o productos: el chicle, el café, la banana, el azúcar, el aceite de oliva, la papa. ¿Puedes encontrar países de habla española que los exportan?

Actividad B   Mis platos preferidos

Paso 1 En la revista *Noticias* de Buenos Aires, hay una sección en la que personas célebres hablan de las comidas y restaurantes que prefieren. Lee lo que dicen Juan Carlos Harriot y Elsa Serrano en la siguiente página.

VOCABULARIO
ÚTIL

alejarse	to go far (away)	**las remolachas**	sugar beets
		el pulpo	octopus
la parrillada	mixed grill		
el lenguado	sole	**relleno/a**	stuffed; filled

Mis platos preferidos

Salgo poco a comer, ya que la mayor parte del tiempo estoy en mi campo de
Coronel Suárez. También soy cómodo, así que no me alejo demasiado de mi
casa. Frecuento "La Rueda," "Schiaffino," "San Michele." En esas oportu-
nidades pido lo mismo que comería en mi casa: carne asada, preferentemente

un bife de lomo o de "chorizo," y si hay parrillada,
bien completa. Algunas veces pescado, como el
lenguado frito. Siempre acompaño a la carne con
ensaladas, tomates, zanahorias, remolachas. Soy muy
simple en mi elección y generalmente como un solo
plato.

Juan Carlos Harriott

La Rueda, Av. Quintana 456
Schiaffino, Schiaffino 2183
San Michele, Av. Quintana 257

Soy habitué de "Lola": una copa de champán primero, luego ensalada
Mikada y cerdo con aromas, que son mis preferidos. Postres casi nunca,
porque engordan y, además, no soy amante de los
dulces. También me encantan las cantinas italianas.
Si voy a "Luigi" pido *bocconcino* de pollo con cebollas
de verdeo o pulpo al ajo negro. Si como pastas elijo
las simples, fideos, ñoquis, nunca las rellenas. Raras
veces tomo vino, pero cuando lo hago prefiero el
tinto 'Selección López.' De "Fechoría" me encanta la
pizza de pan alto, pero nunca dejo de comer langosti-
nos, que siempre los tienen fresquísimos.

Elsa Serrano

Fechoría, Córdoba 3921
Luigi, Pringles 1210
Lola, Roberto M. Ortiz 1801

Paso 2 Con un compañero (una compañera) de clase, indica quién diría (*would say*) las siguientes oraciones.

	JUAN CARLOS	ELSA
1. Me encanta la variedad gastronómica.	❑	❑
2. No me agrada salir a comer.	❑	❑
3. Me importa comer bien.	❑	❑
4. Me agrada una copa de vino.	❑	❑
5. Me importan las calorías.	❑	❑
6. Me caen bien las carnes rojas.	❑	❑

Paso 3 ¿Quién tiene los gustos más parecidos a los tuyos (*yours*)?

Actividad C   Más sobre los gustos

COMUNICACIÓN

Completa cada par de oraciones de acuerdo con tus gustos. Esta lección se enfoca en la comida y los gustos de comer, pero puedes completar las oraciones como quieras (*as you wish*). Luego, comparte tus oraciones con la clase. ¿Cuántas de las siguientes cosas mencionaron tú y tus compañeros de clase?

1. a. No me cae bien...
   b. No me caen bien...
2. a. Me encanta...
   b. Me encantan...
3. a. No me apetece para nada...
   b. No me apetecen para nada...

¿Te importan los aditivos?

Te and **nos** as Indirect Object Pronouns

gramática esencial

me	**nos** importan
te importan	os
le	les
le	les

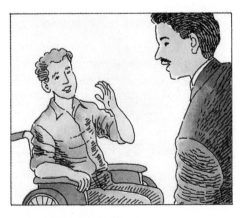

—¿**Te importan** los aditivos?
—Sí.
—A mí, también. **Nos importan** las mismas cosas, ¿no?

Although indirect object pronouns can express a variety of meanings in Spanish, their most frequent English equivalents are *to* or *for* someone. For example, **te** and **nos** are used with many verbs to express *to* or *for you* and *to* or *for us*.

> ¿**Te** dan dinero tus padres?
> La profesora **nos** da mucha tarea.
> ¿**Te** apetece la comida francesa esta noche?

As you may have noticed with verbs like **gustar,** indirect object pronouns are placed before conjugated verbs. (Remember that Spanish has flexible word order, so do not mistake indirect object pronouns for subjects.) In the following sentence, who is saying something to whom?

> Nos dice Manuel que no hay clase mañana.

If you said Manuel was doing the telling and we were the ones being told, you were correct.

Indirect object pronouns can also be attached to the end of an infinitive.

> Marta debe **decirnos** a qué hora llegar.
> Tienen que **darte** su número de teléfono.

Remember that **le** is used instead of **te** when speaking to someone whom you would address as **Ud.**

> ¿**Le** importa a Ud. si llego tarde?

Actividad D   Entrevista al profesor (a la profesora)

La clase va a entrevistar al profesor (a la profesora). Primero, lee las preguntas a continuación y agrega (*add*) una más para completar el número 5.

Todas las preguntas tienen que ver con el trabajo. Quieres averiguar si al profesor (a la profesora) le gusta trabajar aquí. Luego, la clase debe hacerle las preguntas al profesor (a la profesora) y anotar sus respuestas. ¿Cuál es la conclusión de la clase?

1. ¿Te (Le) agrada esta universidad?
2. ¿Te (Le) caen bien tus (sus) colegas?
3. ¿Te (Le) caen bien los estudiantes?
4. ¿Te (Le) agradan las clases que das (da)?
5. ¿ ?

Actividad E   Reacciones

Paso 1 Entrevista a un compañero (una compañera) para averiguar sus gustos. Usa los verbos **encantar, agradar, caer bien, apetecer,** etcétera.

> MODELO   los mariscos → E1: ¿Te agradan los mariscos?
> E2: No me agradan para nada. (Ah, sí. Me encantan.)

1. el ajo
2. los refrescos sin azúcar (*sugar*)
3. las espinacas
4. el yogur natural (sin sabor de fruta)
5. el café espresso
6. los meseros (*waiters*) que hablan mucho
7. el restaurante _____ (nombre)
8. ¿ ?

Paso 2 Prepara un resumen de la entrevista para compartir con la clase los gustos que tienen en común.

MODELO   A ninguno/a de los (las) dos nos apetecen las espinacas. Nos caen bien los meseros (las meseras) que hablan mucho porque normalmente son interesantes.

ASÍ SE DICE

Indirect object pronouns are used with a variety of verbs to express *to* or *for* someone (or something). Be careful, though! English can move the indirect object around with certain common verbs. The result is that the indirect object in English may look like a direct object!

dar	**Me dieron** el premio.	*They gave me the prize.* *They gave the prize to me.*
decir	**Te dije** la verdad.	*I told you the truth.* *I told the truth to you.*
servir	**Nos sirvieron** un vino excelente.	*They served us a great wine.* *They served a great wine to us.*
traer	**¿Te trajeron** algo?	*Did they bring you something?* *Did they bring something to you?*

¿Le pones sal a la comida?

Le and les as Third-Person Indirect Object Pronouns

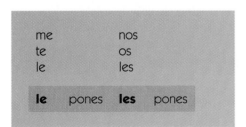

me	nos
te	os
le	les

| **le** | pones | **les** | pones |

—¿Te gusta?
—Sí, está riquísima. ¿Qué **le** pusiste?

Le and **les** are indirect object pronouns like **me, te,** and **nos.** They frequently mean *to* or *for him/her/it* and *to* or *for them.* (**Les** can also be used to mean *to* or *for you* [*pl.*]).

Tus amigos quieren saber cuáles son los ingredientes especiales. ¿**Les** vas a decir cuáles son? (**les** = a tus amigos)
A Juan no **le** gustan las verduras crudas. (**le** = a Juan)

When **le** and **les** are used with verbs like **poner** (*to put*) and **quitar** (*to remove, take away*), the English equivalent is *to put in* or *on* (*him, her, it,* and so forth) or *to take off of* (*him, her, it,* and so forth).

—¿Qué **le** pones a la comida, mucha sal (*salt*) o poca?
—No **le** pongo nada. (**le** = a la comida)

Cuando preparo el pollo, siempre **le** quito la piel. (**le** = al pollo)

Have you noticed that these pronouns are often redundant? That is, **le** and **les** are used even when the person to or for whom something happens is explicitly mentioned in the sentence.

Gloria Estefan **le** entregó **a su mamá** su primer sueldo.
A los perros les encanta comer huesos.

Indirect object pronouns can be used by themselves once the person or thing referred to has been established in context.

—¿Qué **le** vas a decir **a tu compañera de cuarto?**
—No sé. Creo que no **le** voy a decir nada.

In the second part of this exchange, the speaker did not repeat **a mi compañera** because that person was already referred to in the conversation.

Actividad F   ¿Qué le pones a la comida?

Marca la(s) respuesta(s) que mejor indica(n) lo que sueles hacer. Luego, comparte tus respuestas con el resto de la clase.

1. ¿Qué les pones a las hamburguesas?
   ❑ Les pongo mayonesa.
   ❑ Les pongo salsa de tomate (*ketchup*).
   ❑ Les pongo mostaza (*mustard*).
   ❑ No les pongo nada.
   ❑ Soy vegetariano/a.

2. ¿Qué les pones a las papas fritas?
   ❑ Les pongo salsa de tomate.
   ❑ Les pongo mayonesa.
   ❑ Les pongo un poco de vinagre.
   ❑ Les pongo sal.
   ❑ Les pongo pimienta.
   ❑ No les pongo nada.

3. ¿Qué les pones a las palomitas?
   ❑ Les pongo sal.
   ❑ Les pongo margarina.
   ❑ Les pongo mantequilla.
   ❑ Les pongo queso parmesano.
   ❑ No les pongo nada.

4. Además de leche, ¿qué le pones al cereal preparado?
   ❑ Le pongo azúcar.
   ❑ Le pongo miel (*honey*).
   ❑ Le pongo pasas (*raisins*).
   ❑ Le pongo fruta fresca.
   ❑ No le pongo nada.

Actividad G ¿Le pides... ?

El verbo **pedir** (*to request, ask for*) también toma un objeto indirecto aunque el significado no es *to* o *for someone*. Indica lo que haces en cada situación. Luego, comparte tus respuestas con el resto de la clase.

1. Mañana tienes que entregarle al profesor un trabajo, pero sabes muy bien que no lo vas a terminar para mañana. ¿Qué haces?
   a. Le pides una prórroga (*extension*) al profesor.
   b. Le pides una prórroga sólo si es un profesor que conoces bien.
   c. No le pides una prórroga. Le entregas tarde el trabajo y esperas a ver lo que pasa.
2. Es hora de volver a casa. Está lloviendo y no tienes paraguas (*umbrella*). Ves a una persona que conoces subir a (*get in*) su auto. ¿Qué haces?
   a. Le pides que te lleve (*takes you*) a tu casa.
   b. Le pides que te lleve a tu casa sólo si es una persona que conoces muy bien.
   c. No le pides que te lleve a tu casa. Tomas el autobús o un taxi.
3. En un restaurante, dejas caer (*you drop*) un tenedor (*fork*). ¿Qué haces?
   a. Le pides otro al mesero.
   b. No le pides otro al mesero. Tomas el tenedor de otra mesa donde no hay otros clientes.
   c. No le pides otro al mesero. Recoges (*You pick up*) el tenedor del suelo y lo limpias con la servilleta (*napkin*).

Actividad H Situaciones

COMUNICACIÓN

Paso 1 En grupos de tres o cuatro, deben escribir por lo menos tres opciones que tienen para cada situación. ¡**OJO**! Deben utilizar objetos indirectos.

MODELO   SITUACIÓN: Estás en un restaurante elegante y el servicio es muy malo.
POSIBLES OPCIONES: a. No le doy propina (*tip*) al mesero.
                    b. Le digo al gerente (*manager*) que no voy a volver.
                    c. Les digo a mis amigos que es un restaurante horrible.

1. Estás en un café con unos amigos. Llega la cuenta y descubres (*you discover*) que no tienes dinero.
2. Estás en un café con unos amigos. Llega la cuenta y uno de tus compañeros te dice que no tiene dinero. Es la tercera vez que te pide dinero.
3. Estás en la casa de un amigo (una amiga) y sus padres preparan una cena que no te gusta para nada.

Paso 2 Escojan una situación y escriban las opciones en la pizarra. Presenten las opciones a la clase indicando la opción que prefieren y por qué. ¿Es ésta la opción que prefiere la mayoría de la clase?

ASÍ SE DICE

Have you wondered how you might say in Spanish *I gave it to him* or *I asked him for it?* In Spanish, both direct object and indirect object pronouns precede conjugated verbs with the indirect always preceding the direct.

—¿Te dio el dinero?
—Sí, **me lo** dio ayer.

Spanish does not allow **le** and **les** to appear with **lo, la, los,** and **las.** In such cases, **se** is used instead of **le** and **les.** Here, this **se** is not used as a reflexive pronoun; it simply takes the place of **le** and **les.**

—¿Le entregaste la composición a la profesora?
—Sí, **se la** entregué esta mañana.

En tu opinión

«El estudiante típico tiene malos hábitos de comer.»
«El desayuno debe ser la comida más importante del día.»

Los hispanos hablan

¿Qué habitos de comer te llamaron la atención?

Paso 1 Lee lo que dice Elizabeth Narváez-Luna y luego contesta las siguientes preguntas.

1. Cuando Elizabeth dice «me llamó mucho la atención» quiere decir que...
   a. algo era notable. **b.** algo era poco interesante.
2. Las horas de almorzar y cenar en México son semejantes a las de...
   a. los Estados Unidos. **b.** España.

Paso 2 Ahora escucha o mira el resto del segmento y luego contesta las preguntas a continuación.

Vocabulario útil

las enfermeras	the nurses	**se me hacía**	seemed to me
una bolsa	a bag, sack	**sanas**	healthy

1. ¿Se acostumbró Elizabeth al horario del hospital?
2. ¿Qué dice ella en cuanto al sabor de la comida en los Estados Unidos?

Paso 3 Imagina que necesitas explicarle a un hispano algo del horario de comer en los Estados Unidos. ¿Qué le dirías (*would you say*)?

Al llegar a los Estados Unidos, ¿qué hábitos de comer de los norteamericanos te llamaron la atención?

NOMBRE: Elizabeth Narváez-Luna
EDAD: 29 años
PAÍS: México

«Primero me llamó mucho la atención la cena, que cenaron a las cinco de la tarde. Y ya después ya no comían nada. Porque en México estaba acostumbrada a comer tarde, como a las dos o tres de la tarde, y volver a cenar a las ocho o nueve de la noche. Incluso ahora que tuve mi bebé y estaba en el hospital... »

Vocabulario

The **Vocabulario** list in this lesson is long, since it presents much of the thematic vocabulary that you will have an opportunity to use throughout **Unidad tres.** You will find that the **Vocabulario** lists in **Lecciones 8** and **9** are shorter.

Los alimentos básicos	Basic Foods
Calcio	Calcium
los productos lácteos	dairy products
el helado	ice cream
la leche	milk
el queso	cheese
el yogur	yogurt

Proteínas	Proteins
las carnes	meats
el bistec	steak
la carne de res	beef
la chuleta de cerdo	pork chop
la hamburguesa	hamburger
el jamón	ham
las aves	poultry
el huevo	egg
el pollo	chicken
los pescados y mariscos	fish and shellfish
el atún	tuna
los camarones	shrimp
los frijoles	beans

la mantequilla de cacahuete	peanut butter	¿Qué desayunas?	What Do You Have for Breakfast?
las nueces	nuts	la bollería	assorted breads and rolls
Vitaminas y fibra	Vitamins and Fiber	el bollo	roll
las frutas	fruits	el churro	type of fried dough
el aguacate	avocado	el huevo frito (revuelto)	fried (scrambled) egg
la banana	banana	el jugo (de naranja)	(orange) juice
la fresa	strawberry	la mermelada	jam, marmalade
el limón	lemon	el pan tostado	toast
la manzana	apple	el panqueque	pancake
la naranja	orange	la salchicha	sausage
el tomate	tomato	el tocino	bacon
la toronja	grapefruit	la tostada	toast
la uva	grape		
las verduras	vegetables	desayunar (R)	to have breakfast
las espinacas	spinach		
los guisantes	peas	¿Qué comes para el almuerzo y para la cena?	What Do You Have for Lunch and Dinner?
las judías verdes	green beans	el emperador	swordfish
la lechuga	lettuce	la ensalada	salad
el maíz	corn	el flan	baked custard
la papa	potato (*Lat. Am.*)	las lentejas	lentils
la patata	potato (*Sp.*)	(medio) pollo asado	(half a) roast chicken
la zanahoria	carrot	el postre	dessert
Carbohidratos y fibra	Carbohydrates and Fiber	el puré de papas	mashed potatoes
el arroz	rice	el sandwich	sandwich
los cereales	cereals; grains	la tarta	pie
los espaguetis	spaghetti	la ternera	veal
el pan blanco	white bread	la tortilla	omelette (*Sp.*)
el pan integral	whole wheat bread		
las pastas alimenticias	pasta	almorzar (ue) (R)	to have lunch
		cenar (R)	to have dinner
Grasas	Fats		
el aceite de maíz	corn oil	el menú del día	daily menu
el aceite de oliva	olive oil	el primer (segundo) plato	first (second) course
la mantequilla	butter		
Para describir los alimentos	Describing Foods	**Las comidas**	Meals
		el almuerzo	lunch
agrio/a	sour	la cena (R)	dinner
amargo/a	bitter	el desayuno	breakfast
asado/a	roast(ed)		
cocinado/a	cooked	¿Qué meriendas?	What Do You Snack On?
crudo/a	raw	el chicle	gum
dulce	sweet	los dulces	candy
		la galleta	cookie
al horno	baked	las palomitas	popcorn
al vapor	steamed	las papas fritas	potato chips; french fries (*Lat. Am.*)
el gusto	taste (*preference*)	los pasteles	pastries
el hábito de comer	eating habit	las patatas fritas	potato chips; french fries (*Sp.*)
el sabor	taste (*flavor*)		
Sabe a...	It tastes like . . .		

la máquina vendedora	vending machine	marrón	dark brown
la merienda	snack	negro/a (R)	black
		rojo/a	red
merendar (ie)	to snack (on)	rosado/a	pink
		verde (R)	green
Y para tomar...	And to Drink . . .		
el agua (f.)	water	**Verbos**	Verbs
el café (R) (con leche)	coffee (with milk)	agradar	to please
la cerveza	beer	apetecer	to be appetizing; to
el refresco	soft drink		appeal, be appealing
el té	tea		(food)
el vino	wine	caer (irreg.) bien/mal	to make a good/bad
			impression; to
Los condimentos	Condiments		(dis)agree with (food)
el azúcar	sugar	encantar	to delight, be extremely
la mayonesa	mayonnaise		pleasing
la mostaza	mustard	importar	to be important; to
la pimienta	pepper		matter
la sal	salt	interesar	to be interesting
la salsa de tomate	ketchup	masticar (chicle)	to chew (gum)
		poner (irreg.)	to put, place
Los colores	Colors	quitar	to remove, take away
amarillo/a	yellow	tener hambre	to be hungry
blanco/a	white		

Otros vistazos

In the **Vistazos** CD-ROM, you will learn more about Hispanic cultures, including:

- el poema «La piña» por Gabriela Mistral
- datos biográficos sobre Gabriela Mistral
- algo sobre la geografía de Chile
- un poco sobre la historia de Chile
- datos interesantes en **¿Sabías que... ?**

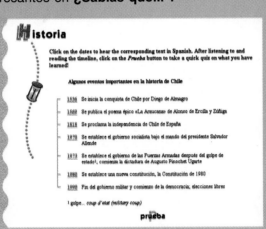

8

¿QUÉ SE HACE CON LOS BRAZOS?

In this lesson you will

■ learn vocabulary related to eating at the table

■ learn some vocabulary related to eating in restaurants

■ note some more differences between eating habits in Spanish-speaking countries and the United States

■ learn about the impersonal and passive se constructions in Spanish

■ listen to someone talk about table manners in her native country

You will also learn something about Puerto Rico and read a poem by the Puerto Rican poet Luz María Umpierre-Herrera.

Vistazos

Los buenos modales

¿Qué hay en la mesa?   Talking About Eating at the Table

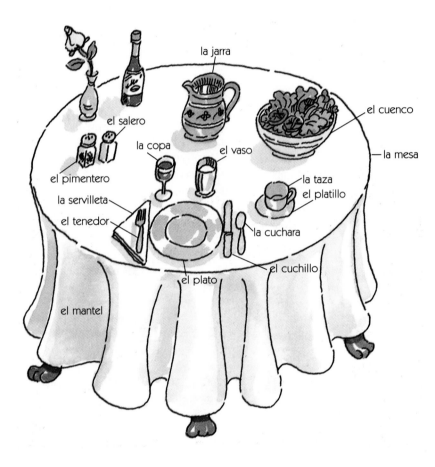

la jarra

el salero

la copa

el vaso

el cuenco

la mesa

el pimentero

la taza

el platillo

la servilleta

el tenedor

la cuchara

el cuchillo

el plato

el mantel

VOCABULARIO ÚTIL

la boca	mouth	**cortar**	to cut
los brazos	arms	**derramar**	to spill
los buenos modales	good manners	**levantar la mesa**	to clear the table
los codos	elbows	**poner la mesa**	to set the table
los cubiertos	silverware		
las manos	hands		

A S Í   S E   D I C E

As you know, cognates may not always mean the same thing from one language to another. As you can see in the **Vocabulario esencial,** *table manners* is rendered in Spanish by the word **modales** and not by the cognate word **maneras** (*ways*). Similarly, you might hear someone described as **muy educado/a,** but this description does not refer to any kind of academic preparation. Note how **educado/a** may be used in Spanish.

Es muy **educada**.
She is very well-mannered.

Actividad A   ¿Cómo los utilizamos?

Escucha el nombre del objeto que menciona el profesor (la profesora). Indica para qué lo utilizamos, según el modelo.

MODELO   Lo (La) utilizamos para...

1. cubrir (*to cover*) la mesa.
2. tomar café.
3. servir la comida principal.
4. tomar la sopa.
5. limpiarnos la boca.
6. comer la comida principal.
7. servir agua o vino.

Actividad B   Asociaciones

Empareja un nombre o una frase de la columna A con uno/a de la columna B.

A	B
1. _____ la carne	**a.** la copa
2. _____ ayudar antes de comer	**b.** cortar
3. _____ ayudar después de comer	**c.** derramar el vino en la mesa
4. _____ ser torpe (*clumsy*)	**d.** levantar la mesa
5. _____ el agua	**e.** poner la mesa
6. _____ el vino	**f.** la sopa
7. _____ la cuchara	**g.** el vaso

COMUNICACIÓN

Actividad C   Con las manos

A continuación hay una lista de comidas típicas. Indica si comes cada uno/a con cubiertos o no. ¿Hay costumbres comunes a la mayoría de la clase?

MODELO   las papas fritas → Las como con las manos.

1. las papas fritas
2. los sándwiches de queso
3. las hamburguesas
4. el pollo a la barbacoa
5. las rosquillas (*donuts*)
6. la fruta fresca (manzana, naranja)
7. el pastel (*pie*) de manzana

gramática esencial

¿Se debe... ?

Impersonal **se**

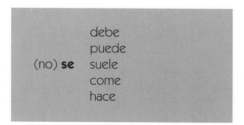

(no) **se**	debe puede suele come hace

You have already seen the pronoun **se** used in reflexive sentences. It is also used in Spanish to make impersonal sentences, ones in which the verb is singular and the subject is not specified. In this usage, there is no reflexive meaning similar to *-self* or *-selves*. The rough equivalent in English would be sentences that use the nonspecific subject pronouns *one*, *you*, or *they*.

No **se debe** comer mucha carne.	*One (You) shouldn't eat a lot of meat.*
Si **se come** bien, **se vive** bien.	*If one eats well, one lives well. (If you eat well, you live well.)*
En Carmon's **se sirve** una pizza magnífica.	*At Carmon's they serve a great pizza.*

What do you think the following sentences mean?

No se debe poner los codos en la mesa.
Se suele almorzar a las 12.00.

If you said *One (You) shouldn't put one's (your) elbows on the table* and *One usually eats lunch at noon (You/They usually eat lunch at noon)*, then you were right.

— Mira. El tenedor **se pone** al lado izquierdo del plato y el cuchillo **se pone** al lado derecho, ¿ves?

Actividad D   Los buenos modales

Indica en qué situación se observa cada regla. Luego, compara tus respuestas con las del resto de la clase.

a. En toda circunstancia.
b. Sólo en ocasiones formales.
c. Sólo con la familia o con amigos muy íntimos.

1. _____ No se debe poner los brazos en la mesa mientras se come.
2. _____ No se debe comer el pollo frito o el pollo asado con las manos.
3. _____ Para comer las papas fritas, se debe utilizar tenedor.
4. _____ No se debe alcanzar con el brazo (*reach*) algo en la mesa si está lejos (*far away*).
5. _____ No se debe comenzar a comer si los demás (*the others*) no tienen su comida.
6. _____ Al terminar de comer, uno se debe ofrecer a ayudar al anfitrión (*host*) a levantar la mesa.

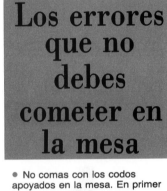

Los errores que no debes cometer en la mesa

● No comas con los codos apoyados en la mesa. En primer lugar, porque limitas tus movimientos. Y en segundo, porque los alimentos pueden caerse de los cubiertos. Tus brazos tienen que moverse libremente. Sin embargo, cuando no estés comiendo puedes apoyarlos sobre la mesa.
● No dejes las cucharas dentro de la taza del café, del té o de la sopa.
● No pongas alimentos en cantidades exageradas en tu boca. ¡Es de muy mal gusto!
● No mastiques con la boca abierta y no hagas ruido con los labios y la lengua, porque es muy antiestético.
● No hables con la boca llena, porque se saldrá la comida. Si quieres hablar mientras comes, hazlo cuando tengas una mínima cantidad de comida en la boca. De otra manera, habla después de haber tragado los alimentos.

En los países hispanos, es costumbre apoyar los dos brazos en la mesa.

Actividad E   ¿Cuándo se puede hacer eso?

¿Cuándo se puede hacer las cosas a continuación? Inventa algo para terminar cada oración y compara tus ideas con las de un compañero (una compañera). ¿Qué ideas tienen en común?

1. Se puede interrumpir a otra persona mientras habla cuando/si...
2. No se tiene que dejar propina (*tip*) cuando/si...
3. Se le puede pedir a un invitado que traiga* algo de comer cuando/si...
4. Se puede tutear (*address as* **tú**) a un profesor (una profesora) cuando/si...

Vistazos

Las dietas nacionales

¿Hay que... ?

Expressing Impersonal Obligation

es (muy) buena idea	it's a (very) good idea
es imprescindible	it's essential
es necesario	it's necessary
es preciso	
hay que	one must, it's necessary
no se puede... sin...	you (one) can't . . . without . . .
se debe	you (one) should, must
se tiene que	you have to (one must)

ASÍ SE DICE

What if you want to use an impersonal **se** with a reflexive verb? With reflexive verbs and verbs like **quedarse** that always take a **se**, Spanish uses **uno** instead of the impersonal **se**.

Uno se levanta temprano aquí.

— Mira. Aquí dice que **no se puede** visitar Buenos Aires **sin** probar la parrillada.

---

*pedir... *ask a guest to bring;* **traiga** is the subjunctive form of **traer** (*to bring*). You will learn about the subjunctive in a future lesson.

Actividad A   Nueva York: Lo positivo y lo negativo°

Lo... *The positive and the negative*

Paso 1 Empareja una frase de la columna A con una de la columna B para hablar de lo positivo de Nueva York.

A

1. En Nueva York hay que asistir a...
2. Al visitar Nueva York se tiene que dar un paseo por...
3. Si el dinero no es problema, es preciso quedarse en...
4. Y claro, es necesario probar (*to try*)...
5. No se puede visitar Nueva York sin ver...

B

a. los perritos calientes (*hot dogs*) que se venden (*are sold*) en cada esquina (*corner*).
b. una obra teatral en Broadway.
c. el Hotel Plaza.
d. el Parque Central.
e. la Estatua de la Libertad.

Paso 2 Esta vez, empareja una frase de la columna A con una de la columna B para hablar de lo negativo de Nueva York.

A

1. No se debe caminar...
2. No es buena idea llevar...
3. Hay que evitar (*avoid*)...

B

a. mucho dinero en el bolsillo (*pocket*) o bolsa (*purse*).
b. el metro entre las 5.00 y las 6.30 de la tarde.
c. solo/a por la noche.

Actividad B   Hay que...

Paso 1 Elige una ciudad que conoces muy bien. Luego contesta las preguntas a continuación.

Si uno visita _____ (nombre de la ciudad),...

1. ¿hay que comer en algún restaurante en particular porque la comida es muy buena? ¿Cuál es? ¿Se debe probar algún plato en particular?
2. ¿se debe ver algún monumento o edificio (*building*) porque es histórico o interesante? ¿Cuál es?
3. ¿es preciso hacer alguna actividad especial? ¿Cuál es?

Paso 2 Ahora con las respuestas que diste en el **Paso 1,** forma un pequeño párrafo sobre la ciudad en cuestión. Trata de utilizar diferentes expresiones. Añade (*Add*) otros detalles si quieres. Luego, si hay tiempo, comparte tu párrafo con la clase.

Navega la red para buscar una escuela dedicada a los buenos modales y/o a cómo mejorar tu comportamiento social. (Trata de encontrar un sitio en español, si es posible.) Reporta a la clase lo que encuentras y si te parece bien la escuela.

¿Se consumen muchas verduras?

Passive **se**

Although you will be working with the passive **se** in a limited context in this lesson, its use in written Spanish is frequent, especially when referring to past events. Here are some typical examples of the passive **se** that you will encounter in readings. The first one's meaning is given to you. Can you figure out the others?

En 1605 **se publicó** la novela *Don Quijote de la Mancha.*
Don Quixote *was published in 1605.*

Se firmó la Declaración de la Independencia de los Estados Unidos en 1776.

Se hicieron varios experimentos.

¿Cuántas calorías **se consumen** al hacer cada actividad?

se +	toma(n)	
	come(n)	
	consume(n)	

EL VALOR CALÓRICO DE LAS ACTIVIDADES

ACTIVIDAD	CALORÍAS CONSUMIDAS POR HORA	
	MUJER	HOMBRE
Caminar (2–3 km/h.)	200	240
Trabajos caseros[a] (limpiar el piso,[b] barrer,[c] etc.)	300	360
Correr	800	1.000
Escribir a máquina	200	220
Nadar	600	800
Tenis	440	560
Esquiar	600	700
Leer	40	50
Manejar	120	150
Andar en bicicleta (rápidamente)	460	640
Andar en bicicleta (lentamente)	240	280

[a]Trabajos... *Housework*   [b]*floor*   [c]*sweeping*

Earlier you saw **se** used with singular verbs to express impersonal sentences. **Se** can also be used with both singular and plural verbs to form what is called a passive construction. Like an impersonal sentence, a passive sentence with **se** does not contain a stated subject. However, unlike the impersonal **se,** the passive **se** does not translate as *one* or *you* but rather as *is/are + -ed* and sometimes as *they.*

Se consumen muchas calorías cuando **se hacen** ejercicios aeróbicos.

Many calories are consumed when doing aerobics.

Se sirve la cena a las 6.00.
En Gallo's **se sirven** unos mejillones riquísimos.

Dinner is served at 6:00.
At Gallo's they serve some very tasty mussels.

It is not as important to keep the exact meaning clear as it is to remember that when the object of the verb is plural, verbs in passive **se** constructions are also plural.

En IHOP **se preparan** cantidades enormes de panqueques.

Enormous quantities of pancakes are prepared at IHOP.

Actividad C   Al ritmo de las bananas

Paso 1 Mira el siguiente dibujo titulado «Al ritmo de las bananas». Después de estudiarlo, ¿a qué conclusión llegas?

1. Se comen más frutas y verduras ahora que antes.
2. Se comen menos frutas y verduras ahora que antes.
3. La cantidad de frutas y verduras que se comen ahora es igual que antes.

Paso 2 ¿Qué dirías tú (*would you say*) como conclusión de los hábitos de comer en los Estados Unidos ahora?

1. Se come más carne roja que antes.
2. Se come menos carne roja que antes.
3. La cantidad de carne roja que se come es igual que antes.
4. No se puede decirlo; no hay suficiente información.

Paso 3 (Optativo) El dibujo indica algo de la preocupación por la salud (*health*) que muchos tienen en los Estados Unidos. Usando el pasivo con **se** y **comer** o **tomar,** haz unas oraciones que muestren (*show*) esta preocupación por la salud.

Vocabulario útil

alimentos «naturales»	grasas
bebidas alcohólicas	pan integral
bebidas con cafeína	pescado y mariscos
comidas fritas	refrescos con azúcar

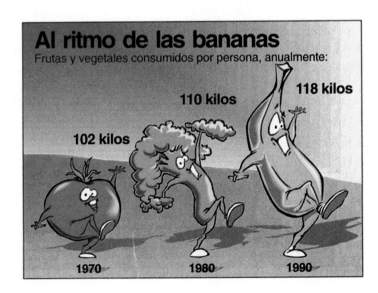

Actividad D   La dieta estadounidense

Paso 1 Con otra persona, haz una lista de cuatro alimentos típicos que se consumen en los Estados Unidos.

MODELO   En los Estados Unidos se consume(n) mucho...

1...   2...   3...   4...

Paso 2 Escriban la lista en la pizarra y compárenla con las de otros grupos. ¿Cuáles alimentos se mencionan más?

Paso 3 Ahora, determinen si la dieta estadounidense es tan saludable como la dieta mediterránea en la cual predominan los siguientes alimentos:

- las legumbres (*vegetables*)
- las pastas alimenticias
- el arroz
- las verduras
- las frutas frescas
- el pescado

- los mariscos
- el aceite de oliva
- el pan
- el ajo (*garlic*)
- la pimienta

NOTA COMUNICATIVA

Now that you know the impersonal **se** and the passive **se,** you can expand your repertoire of strategies for communication. When you forget how to say a word or don't know it, you can ask for help by using an impersonal **se.** For example, to ask for help in finding out the Spanish word for *bottle opener*, you can say

¿Cómo se llama esa cosa con que se abre una botella?

Note that the phrase **con que** can be changed to **donde, en que, con quien,** or a number of other phrases depending on what you are saying (e.g., **¿Cómo se llama el lugar donde... ? ¿Cómo se llama la persona a quien... ?**). How would you ask for help during a conversation if you forgot or didn't know the following words? (Note: You can accompany your questions with gestures and anything else that helps!)

china hutch/cabinet	garage	Post-it notes
dishwasher	knife	vending machine

La paella española contiene lo típico de la dieta mediterránea: arroz, mariscos, pescado, verduras, aceite de oliva y otros alimentos saludables.

Vistazos

En un restaurante

¿Para dos?

Talking About Eating in Restaurants

el/la camarero/a } el/la mesero/a }	waiter, waitress
el/la cliente	customer
el/la cocinero/a	chef, cook
la comida para llevar	food to go
la cuenta	bill, check
el primer (segundo, tercer) plato	first (second, third) course
la propina	tip
atender (ie)	to wait on (a customer)
dejar (propina)	to leave (a tip)
ordenar	to order
pedir (i, i)	to request, order
traer (irreg.)	to bring
¿Está todo bien?	Is everything OK?
¿Me podría traer... ?	Could you bring me . . . ?
¿Qué trae... ?	What does . . . come with?

ASÍ SE DICE

Remember that **pedir** is an e → i stem-vowel change verb in the present tense. **Traer** is also a verb that has an irregular **yo** form.

pido	pedimos
pides	pedís
pide	piden
pide	piden
tra**igo**	traemos
traes	traéis
trae	traen
trae	traen

Si el servicio es bueno, los clientes le dejan propina al camarero.

Actividad A Definiciones

Escucha la definición que da el profesor (la profesora). Luego, empareja la definición con una palabra o expresión en el **Vocabulario esencial.**

1... 2... 3... 4... 5... 6...

Actividad B ¿En qué orden?

Pon en orden cronológico las siguientes actividades. Luego, escucha mientras el profesor (la profesora) las lee cronológicamente. ¿Ordenaste bien las actividades?

_____ Se pide la cuenta.
_____ El camarero trae el segundo plato.
_____ El cocinero prepara la orden.
_____ Se deja la propina en la mesa.
_____ Se pide la comida.
_____ Se toma un aperitivo.
_____ El camarero trae el primer plato.

Actividad C ¿Sabías que... ?

Paso 1 Indica la frecuencia con que haces las siguientes actividades.

	CON FRECUENCIA	POCO	CASI NUNCA
1. Llamo por teléfono y pido comida para llevar.	❏	❏	❏
2. Llamo por teléfono y pido servicio a domicilio (*home delivery*).	❏	❏	❏

3. Si me queda algo de comida en el plato, pido una bolsita para llevar (*doggie bag*). ❑ ❑ ❑

4. Si voy a McDonald's, no me quedo a comer allí. Pido la comida para llevar. ❑ ❑ ❑

Paso 2 Ahora escucha y lee la siguiente selección **¿Sabías que... ?** Luego, indica si cada afirmación a continuación se refiere al mundo hispano, a los Estados Unidos o a los dos.

1. En un restaurante, uno se sienta y come allí.

2. Se puede pedir comida para llevar.

3. Se puede llevar las sobras a casa.

4. Se puede llamar por teléfono y pedir servicio a domicilio.

Paso 3 Comparte sus respuestas del **Paso 1** con la clase. ¿Cuál parece ser la actividad más común entre todos? ¿y la menos común?

¿Sabías que...

los restaurantes en los países hispanos no funcionan igual que en los Estados Unidos? Hay varios aspectos en que se distinguen pero hay dos diferencias que realmente se destacan.[a] Primero, la idea de comida para llevar es algo extraño para la vasta mayoría de personas de habla española fuera de los Estados Unidos. En el mundo hispano, el restaurante es un lugar adonde uno va para comer allí. La idea de pedir algo para llevar o llamar por teléfono para pedir y luego ir al restaurante para recogerlo es ajena[b] en muchos países hispanos, pero en otros es cada vez más frecuente. Esto también se le aplica al relativamente nuevo fenómeno de la comida rápida. Lugares como McDonald's, Wendy's y otros aparecen con más y más frecuencia en el mundo hispano. Pero a diferencia de lo que pasa en los Estados Unidos, no se va a un McDonald's en Madrid para pedir una hamburguesa para llevar. Tampoco se conoce mucho el servicio a domicilio, ese servicio en que traen la comida a la casa del cliente. Sin embargo, se ve una excepción hoy día con respecto a algunas pizzerías que ahora proveen[c] ese servicio.

La otra manera en que se distinguen los restaurantes hispanos de los estadounidenses tiene que ver con lo que se hace con la comida dejada en el plato. En los Estados Unidos es costumbre pedir una bolsita para llevar las sobras[d] a casa, incluso en muchos restaurantes de primera categoría. En los países hispanos, no se hace esto. Lo que no se come se queda en el plato.

Hasta en los restaurantes de comida rápida en los países de habla española, se sienta uno y come allí.

[a]se... *stand out* [b]*foreign; strange* [c]*provide* [d]*leftovers*

Visit the *Vistazos* website at **www.mhhe.com/vistazos.**

Actividad D   ¿Y la propina?

En los Estados Unidos, es costumbre dejar entre el 15% y el 20% del total de la cuenta como propina. En esta actividad, vamos a examinar esta costumbre.

Paso 1 Entrevista a tres personas sobre lo que hacen en la siguiente situación. ¡OJO! Hay que responder a las preguntas honestamente.

La cuenta es de $10.00, impuestos (*taxes*) incluidos. Tienes un billete de $10.00 y dos de $1.00. El restaurante no acepta ni cheques personales ni tarjetas de crédito. El servicio fue regular, ni malo ni excelente. ¿Cuánto dejas de propina?

	E1	E2	E3
1. Dejo $1.00 y nada más.	❏	❏	❏
2. Dejo los dos dólares.	❏	❏	❏
3. Pido cambio (*change*) y dejo $1.50.	❏	❏	❏
4. No dejo nada.	❏	❏	❏

Paso 2 Comparte los resultados con el resto de la clase. ¿Son muy similares las respuetas?

NOTA COMUNICATIVA

Ordering a meal in a second language for the first time can be scary. Therefore, it is important to keep the routine of ordering a meal in mind. If you order a steak and the waiter says **¿A qué término?** he probably isn't asking you where the bus terminal is! (If you guessed that the expression means *How would you like it done?* you were right!)

Keeping the context of communication in mind and thinking ahead of what people might say to you will increase your chances of successful communication in routine situations. You might also consider looking up important words and phrases before entering a particular situation. For example, before going out to eat, how would you say *well-done, medium,* or *rare?* How would you say you are allergic to something?

Observaciones

Se dice que las mujeres tienen mejores modales que los hombres. ¿Es esto la verdad para las personas que tú conoces?

Los hispanos hablan

¿Qué diferencias notas?

Paso 1 Lee lo que dice Giuli Dussias en la selección **Los hispanos hablan.**

Paso 2 Ahora escucha o mira el resto del segmento. Luego, contesta las siguientes preguntas.

¿Qué diferencias notas entre las costumbres de los Estados Unidos y las de tu país en cuanto a los modales en la mesa?

NOMBRE: Giuli Dussias
EDAD: 35 años
PAÍS: Venezuela

«En mi opinión, hay algunas diferencias entre la manera que nos comportamos en la mesa cuando hablamos de la familia americana y la familia venezolana... »

Vocabulario útil

buen provecho	enjoy your meal
acostumbrar	to be accustomed to
apoyar	to support
esconder	to hide

1. Según Giuli, en Venezuela las dos manos tienen que estar sobre la mesa. ¿Sí o no?
2. Aunque hay diferencias, la opinión de Giuli es que las semejanzas son más numerosas que las diferencias. ¿Sí o no?

Paso 3 «Buen provecho» es una expresión que se dice antes de comenzar a comer. A continuación hay unas expresiones que se dicen en inglés antes de comer. ¿Cuándo y con quiénes se usan las siguientes expresiones?

1. Enjoy!
2. Dig in!
3. Let's eat!
4. Food's on!

Paso 4 Indica lo que (no) se suele hacer en tu familia o grupo familiar.

1. esconder una mano debajo de la mesa
2. rezar (*to pray*) antes de comer
3. apoyar los codos en la mesa
4. decir algo como «buen provecho» antes de comer
5. ¿ ?

Vocabulario

¿Qué hay en la mesa?	What's on the Table?
la copa	(wine) glass
los cubiertos	silverware
la cuchara	spoon
el cuchillo	knife
el cuenco	(earthenware) bowl
la jarra	pitcher
el mantel	tablecloth
la mesa	table
el pimentero	pepper shaker
el platillo	saucer
el plato	plate
el plato de sopa	soup bowl
el salero	salt shaker
la servilleta	napkin
la taza	cup
el tenedor	fork
el vaso	(water) glass
los buenos modales	good manners
cortar	to cut
derramar	to spill
lavar los platos	to wash the dishes
levantar la mesa	to clear the table
poner (*irreg.*) la mesa	to set the table
En un restaurante	In a Restaurant
el/la camarero/a	waiter, waitress
el/la cliente	customer
el/la cocinero/a	chef, cook
la comida para llevar	food to go
la cuenta	bill, check
el/la mesero/a	waiter, waitress
el plato del día	daily special
el plato principal	main dish
el primer (segundo, tercer) plato (R)	first (second, third) course
la propina	tip
atender (ie)	to wait on (a customer)
dejar (propina)	to leave (a tip)

ordenar	to order
pedir (i, i)	to request, order
traer (*irreg.*)	to bring
¿Está todo bien?	Is Everything OK?
¿Me podría traer... ?	Could you bring me . . . ?
¿Qué trae... ?	What does . . . come with?
La obligación impersonal	Impersonal Obligation
es...	it's . . .
imprescindible	essential
(muy) buena idea	a (very) good idea
necesario	necessary
preciso	
hay que	one must, it's necessary
no se puede... sin...	you (one) can't . . . without . . .
se debe	you (one) should, must
se tiene que	you have to (one must)
Otras palabras y expresiones útiles	
la boca	mouth
la bolsita para llevar	doggie bag
el brazo	arm
el codo	elbow
la costumbre	custom, habit
la mano	hand
el servicio a domicilio	home delivery
derecho/a	right
educado/a	well-mannered, polite
izquierdo/a	left
ayudar	to help
consumir	to consume
invitar	to treat (pay)
probar (ue)	to try, taste
tener buena educación	to be well-mannered
vender	to sell

Otros vistazos

In the **Vistazos** CD-ROM, you will learn more about Hispanic cultures, including:

- el poema «La receta» por Luz María Umpierre-Herrera
- datos biográficos sobre Luz María Umpierre-Herrera
- algo sobre la geografía del Caribe
- un poco sobre la historia de Puerto Rico
- datos interesantes en **¿Sabías que... ?**

Geografía

En el mapa se puede ver el área del Caribe y el Océano Atlántico donde se ubican[1] Puerto Rico, Cuba y otros países. También se ve el norte de Sudamérica. ¿Puedes identificar los países y las extensiones de agua que están marcados con números? ¿Puedes pronunciar sus nombres en español? Pon los nombres de esos lugares en el espacio apropiado del mapa.

| el Mar Caribe | Puerto Rico | Venezuela |
| la República Dominicana | Cuba | el Océano Atlántico |

a verificar

9

¿Y PARA BEBER?

In this lesson you will

▨ learn and review vocabulary related to beverages

▨ examine cultural aspects related to drinking

▨ review regular preterite tense verb forms

▨ discuss responsibilities related to drinking and other matters

▨ review impersonal and passive **se**

▨ listen to a Spanish speaker talk about drinking alcoholic beverages in his country

 You will also learn a little more about Chile and the Andean region of South America and read another poem by Gabriela Mistral.

Vistazos

Las bebidas

¿Qué bebes?

Talking About Favorite Beverages

Las bebidas con cafeína

el café
los refrescos
el té (helado)

Las bebidas sin cafeína

algunos refrescos
el café descafeinado
el jugo de manzana
   (naranja, tomate)
la leche
el té de hierbas

Las bebidas alcohólicas

la cerveza
el licor fuerte
el vino (blanco, tinto)

VOCABULARIO ÚTIL

(bien) frío	(very) cold
(bien) caliente	(very) hot
con hielo	with ice
sin hielo	without ice
tener sed	to be thirsty

Actividad A   ¿Cuál es?

El profesor (La profesora) va a nombrar una bebida. Di qué tipo de bebida es según el **Vocabulario esencial.** ¡OJO! A veces hay dos posibilidades.

MODELO PROFESOR(A): la leche
      ESTUDIANTE: Es una bebida sin cafeína. (Es una bebida sin
                    alcohol.)

1... 2... 3... 4... 5... 6...

COMUNICACIÓN

Actividad B   ¿Qué prefieres?

Paso 1   Entrevista a tres personas para saber qué bebidas prefieren o les gusta tomar en cada ocasión a continuación. Anota sus respuestas.

	E1	E2	E3
1. para el desayuno (por la mañana)	____	____	____
2. con una hamburguesa	____	____	____
3. para la merienda	____	____	____
4. cuando sale con unos amigos por la noche	____	____	____
5. mientras estudia (trabaja, lee)	____	____	____

Paso 2 (Optativo)   La clase debe entrevistar al profesor (a la profesora). ¿Son diferentes las preferencias de él (ella) de las de tus compañeros o son iguales?

gramática esencial

¿Qué bebiste?

Review of Regular Preterite Tense Verb Forms and Use

	-ar	-er	-ir
(yo)	tom**é**	beb**í**	sal**í**
(tú)	tom**aste**	beb**iste**	sal**iste**
(Ud.)	tom**ó**	beb**ió**	sal**ió**
(él/ella)	tom**ó**	beb**ió**	sal**ió**
(nosotros/as)	tom**amos**	beb**imos**	sal**imos**
(vosotros/as)	tom**asteis**	beb**isteis**	sal**isteis**
(Uds.)	tom**aron**	beb**ieron**	sal**ieron**
(ellos/ellas)	tom**aron**	beb**ieron**	sal**ieron**

—¿Ya **tomaste** la leche que te **preparé**?
—Sí, abuelita.
—Bueno. Anoche no **dormiste** bien y no queremos repetir eso, ¿eh?

As you review the forms of the preterite tense in the shaded box, remember that regular **-er** and **-ir** verbs have the same endings. Also remember that the written accent indicates acoustic stress. In the present tense (with the exception of **nosotros** and **vosotros**) all forms carry stress on the stem (TOmo). All forms of the regular preterite carry stress somewhere on the ending (toME, tomASte, toMO). This is especially important when distinguishing between present tense **(tomo)** and preterite tense **(tomó).**

The preterite tense is used to talk about single events in the past or a sequence of events, ones that are viewed as having been completed at a particular point in the past.

> **Escribí** la composición.
> **Leí** unos capítulos y luego **miré** la televisión.
> ¿**Lavaste** la ropa ayer? No. La **lavé** esta mañana.
> **Probaron** vinos de todo tipo en su viaje por Chile.

Actividad C ¿Qué hiciste?

Paso 1 Mira el dibujo de la abuelita con su nieto en la **Gramática esencial.** ¿Qué hiciste tú la última vez que no dormiste bien?

- ❏ Tomé una pastilla (*pill*).
- ❏ Tomé una bebida.
- ❏ Leí algo hasta que me dormí.
- ❏ Miré la televisión.
- ❏ Conté ovejas (*sheep*).
- ❏ No hice nada. Me quedé en la cama hasta que me dormí.
- ❏ Me levanté y empecé a estudiar (leer, trabajar).

Paso 2 Escribe una pregunta con el pretérito y busca entre tus compañeros de clase a dos que respondieron como tú.

MODELO La última vez que no dormiste bien, ¿leíste algo?

Paso 3 ¿Cuántos en la clase tomaron una bebida (leche caliente, té de hierbas, etcétera)? ¿Les ayudó este remedio casero (*home remedy*)?

ASÍ SE DICE

Remember that **-ir** verbs with **e → i** stem-vowel changes in the present tense keep the same stem-vowel change in the preterite in the following forms only: **Ud., él/ella, Uds., ellos/ellas.**

The more you see and hear verbs like these, the greater your chances are of internalizing this pattern. For now, you should simply be aware of this detail.

	Ud.	él/ella	Uds.	ellos/ellas
pedir	pidió	pidió	pidieron	pidieron
servir	sirvió	sirvió	sirvieron	sirvieron

The verb **dormir** has an **o → u** stem-vowel change in the preterite in these same forms.

	Ud.	él/ella	Uds.	ellos/ellas
dormir	durmió	durmió	durmieron	durmieron

Actividad D Experiencias comunes

Paso 1 Completa las siguientes oraciones usando el pretérito. Las oraciones pueden referirse a algo que tomaste, comiste, probaste o hiciste; no importa lo que sea (*it may be*).

MODELO Una vez bebí mucho licor fuerte y me enfermé
(*I got sick*).

1. Una vez _____ y me gustó mucho.
2. Una vez _____ y no me cayó* bien / no me gustó.
3. Una vez _____ y me enfermé.

Paso 2 En grupos de cuatro, compartan las oraciones. Al final deben escribir tres oraciones para describir experiencias verdaderas que han tenido (*have had*) todos los miembros del grupo. Si alguien dice algo que también tú hiciste, debes decirlo. Hay que reescribir cada oración en la primera persona plural.

ASÍ SE DICE

Do you remember that the verb **conocer** when used in the preterite translates as *met*? With events that theoretically have no real ending (when you know someone, you always know that person), the preterite signals the beginning of the event rather than its completion. What's the beginning of knowing someone? When you meet that person!

Conocí al profesor en agosto.   *I met the professor in August.*
(I began to know the professor in August.)

Other verbs that work like this are listed below. Using what you know about **conocer**, see if you can restate the translated meaning given for each using the concept of *to begin to.*

VERB	PRESENT TENSE	PRETERITE TENSE
saber	*to know (something)*	*to find out (something)*
poder	*to be able to*	*to manage (to do something)*
comprender	*to understand*	*to grasp (a fact)*

ASÍ SE DICE

As you know, the irregular verb **hacer** is useful to talk about past events.

—¿Qué **hiciste**?
—No **hice** nada.

To refresh your memory, here are the forms of **hacer** in the preterite tense.

hice	hicimos
hiciste	hicisteis
hizo	hicieron
hizo	hicieron

---

*Remember that **-er** verbs whose stems end in a vowel replace the **i** of the **-ió** preterite endings with a **y** to avoid three written vowels (**ca-** + **-ió** → **cayó**).

Actividad E ¿Sabías que... ?

Paso 1 Escucha y lee la selección **¿Sabías que... ?** que aparece a continuación. Luego, contesta las siguientes preguntas.

1. Entre los países que importan mayor cantidad de vino chileno, tres son de habla inglesa (*English-speaking*). ¿Sí o no?
2. ¿Exporta Chile mucho o poco vino a Italia en comparación con los demás países?
3. ¿Por qué es importante para el vino chileno ser reconocido en Italia?

Paso 2 Ve (*Go*) a una licorería en tu ciudad e investiga cuáles son los vinos que se venden allí. ¿Hay vinos chilenos? ¿Cuántas marcas (*brands*) diferentes se venden? Pregúntale al dueño (a la dueña) (*owner*) cómo es la venta de vinos chilenos.

¿Sabías que...

Chile vende vino a los italianos? Los mercados más importantes y tradicionales para el vino chileno son los Estados Unidos, el Canadá, Inglaterra y Suecia, que en conjunto han elevado sus compras anuales desde 23 millones de dólares en 1990 a más de 60 millones en 1993. Si bien las ventas a Italia son todavía pequeñas, lo importante es estar allá, en la tierra que inventó el vino. Eso significa que el vino chileno es apreciado en Italia, lo que le da al vino chileno un nivel de prestigio.

La venta de vino chileno a Italia es comparada como si otro país latinoamericano llegara a vender (*started to sell*) kimonos a los japoneses.

Los buenos vinos

Chile está en tercer lugar en ventas a EE.UU., detrás de Francia e Italia. 4) Alemania. 5) Australia.

9.7

7

Millones de cajas

3

1.4

0.9

Chile

Visit the *Vistazos* website at **www.mhhe.com/vistazos**.

Busca en la red información sobre la exportación actual (*current*) de los vinos chilenos. Comparte tu información con la clase.

NAVEGANDO LA RED

Vistazos
Prohibiciones y responsabilidades

gramática esencial

¿Qué se prohíbe?

Review of Impersonal and Passive **se**

(no) **se**	permite prohíbe puede

Nueva York

In **Lección 8** you learned two more uses of **se:** the impersonal and passive. In impersonal sentences, the verb is singular and the subject is not specified. The English counterpart is *you, one,* or *they.*

> **Se vive** más si **se come** bien.
>
> *One lives longer if one eats well. (You live longer if you eat well.)*

> No **se puede** entrar.
>
> *One can't enter. (You can't enter.)*

In passive sentences, the verb is either singular or plural, depending on the subject. Singular passives are often indistinguishable from impersonal sentences.

> **Se comen** más verduras ahora que antes.
>
> *More vegetables are eaten now than before.*

> **Se habla** español aquí.
>
> *Spanish is spoken here. (One speaks Spanish here.)*

Actividad A   ¿Qué se prohíbe?

Paso 1 Pon una marca al lado de las oraciones que son ciertas.

1. ❑ Se prohíbe el consumo de bebidas alcohólicas en las calles y en los coches.
2. ❑ Se prohíbe el consumo de bebidas alcohólicas en las funciones universitarias.
3. ❑ No se permite el castigo (*punishment*) físico en las escuelas públicas.
4. ❑ No se permite fumar (*to smoke*) en edificios públicos.
5. ❑ Se prohíbe fumar en los vuelos (*flights*) domésticos.
6. ❑ Se prohíbe declarar que uno es homosexual mientras se presta servicio militar.

Paso 2 Ahora, indica con qué oraciones está de acuerdo o no la clase. ¿Piensa de la misma manera la mayoría de Uds.?

1. _____   _____
2. _____   _____
3. _____   _____
4. _____   _____
5. _____   _____
6. _____   _____

ASÍ SE DICE

So far you have learned or read about four different uses of **se** in Spanish and it may seem difficult to keep them apart! Here is a quick reference list to refresh your memory.

- True reflexive **se** (often equivalent to English *-self/-selves*)

Alicia **se baña** por la mañana.   *Alicia takes a bath (bathes herself) in the morning.*

- Reciprocal (equivalent to English *each other*)

Pedro y sus padres no **se hablan**.   *Pedro and his parents don't speak to each other.*

- Substitute for **le(s)** when followed by **lo(s)** or **la(s)**

—¿Qué hiciste con tu sueldo?   *What did you do with your salary (paycheck)?*

—**Se lo** di a mi mamá.   *I gave it to my mother.*

- Impersonal and passive **se**

No **se permite** eso.   *That is not permitted.*
Se come el pollo con cuchillo y tenedor.   *One eats chicken with a knife and fork.*

Actividad B   Si se siguen estas recomendaciones...

Paso 1 Escoge las afirmaciones que mejor completen la oración.

Se puede gozar de (*enjoy*) buena salud si...

❑ se hace ejercicio regularmente.
❑ no se ve mucha televisión.
❑ se comen más carnes rojas y menos carbohidratos complejos.
❑ se toma leche descremada (*skimmed*) en vez de leche completa.
❑ no se toman bebidas alcohólicas.
❑ se toman refrescos dietéticos en vez de refrescos regulares.
❑ se comen verduras crudas en vez de cocidas.

Paso 2 Inventa tres frases lógicas más y compártelas con la clase escribiéndolas en la pizarra.

Actividad C ¿Qué se debe hacer?

Paso 1 Divídanse en grupos de cuatro o cinco. A cada grupo, el profesor (la profesora) le va a asignar una de las siguientes preguntas. El grupo debe contestar la pregunta y preparar una lista de razones que apoyan su opinión.

1. ¿A qué edad se debe legalizar el consumo de bebidas alcohólicas?
   - ❑ A los 16 años, la edad de obtener la licencia de manejar.
   - ❑ A los 18 años, la edad de ejercer el derecho (*right*) a votar.
   - ❑ A los 21 años, la mayoría de edad.
   - ❑ A los 25 años de edad.
   - ❑ El alcohol no debe ser legal.
2. ¿Se debe distinguir entre el consumo de cerveza y vino por un lado y de licores fuertes por otro en cuanto a la legalización del consumo de bebidas alcohólicas?
3. ¿Se debe educar a los alumnos de secundaria (*high school*) en cuanto al consumo de bebidas alcohólicas?

Paso 2 Compartan con la clase sus opiniones y las razones que las apoyan. ¿Cuántos de la clase están de acuerdo con Uds.? ¿Están de acuerdo Uds. con las opiniones de los otros grupos?

ASÍ SE DICE

You may have noticed in **Actividad C** that the personal **a** is used with impersonal and passive **se** to mark objects of the verb.

Se debe educar **a** los alumnos.

The personal **a** is used in these sentences because the objects of the verb (the people mentioned) are capable of performing the activity represented by the verb. It is important to mark them clearly as objects and thereby distinguish them from the subject of the verb. Note that if the **a** is mistakenly omitted in some instances, the impersonal or passive **se** would be interpreted as a true reflexive.

Se debe educar el alumno.   *The student should educate himself.*

Try to give English equivalents for each of the following. Do you see why the personal **a** is useful in Spanish?

Se conoce bien a Juan.	Se conoce bien Juan.
Se ayuda a la gente pobre.	Se ayuda la gente pobre.
Se mató al león.	Se mató el león.

Situación

Tienes 21 años. Tu hermano o hermana menor se gradúa de la escuela secundaria. Mientras los padres están fuera, va a dar una fiesta, y te pide que le compres cerveza para la fiesta. ¿Qué haces?

Los hispanos hablan

¿Qué diferencias notaste?

Paso 1 Lee la siguiente selección **Los hispanos hablan.**

¿Qué diferencias notaste entre los norteamericanos y los hispanos en cuanto a los hábitos de beber?

NOMBRE: Néstor Quiroa
EDAD: 28 años
PAÍS: Guatemala

«Las bebidas. En cuanto a las bebidas alcohólicas, hay una gran diferencia. Los hispanos toman por causas sociales para convivir con los amigos en la mayoría de veces... »

Paso 2 Escucha o mira el resto del segmento. Luego, contesta las siguientes preguntas. ¿A quiénes se les aplican las siguientes situaciones? ¿A los hispanos o a los norteamericanos?

1. tomar bebidas alcohólicas con el propósito de emborracharse (*getting drunk*)
2. tomar bebidas alcohólicas cuando uno está solo en casa
3. tomar un vaso de leche con la cena
4. aliviar la sed con agua de fruta

Paso 3 ¿Estás de acuerdo con las observaciones de Néstor? ¿O notas que las actitudes norteamericanas han cambiado (*have changed*) hacia las bebidas alcohólicas?

Paso 4 Lee ahora la siguiente selección. Es la opinión de María Rodríguez, una peruana de 39 años de edad. ¿Tiene las mismas ideas e impresiones como Néstor?

«En el Perú la persona que no toma, como yo, es un pavo. Alguna vez he oído a los padres decir: —Pero tómate un trago,ª hija, es bueno que aprendas a tomar socialmente. Tengo muchos familiares

---

ª*drink*

y amigos que en el Perú son muy vacilones,[b] divertidos, pero aquí los llamarían alcohólicos. Lo que no recuerdo en el Perú es gente que tome sola. A mi mamá también le llamaba la atención que mi esposo o mi cuñado llegaran a casa y sacaran una cerveza del refrigerador para tomar solos.»

---

[b]*funny*

Vocabulario

Las bebidas	Beverages
la bebida alcohólica	alcoholic beverage
el café (R)	coffee
descafeinado	decaffeinated coffee
la cerveza (R)	beer
el jugo (R)	juice
de manzana	apple juice
de naranja (R)	orange juice
de tomate	tomato juice
la leche (R)	milk
el licor fuerte	hard alcohol
el refresco (R)	soft drink
el té (R)	tea
de hierbas	herbal tea
helado	iced tea
el vino (R)	wine
blanco	white wine
tinto	red wine

Vocabulario relacionado con el tema

la cafeína	caffeine
(bien) frío	(very) cold
(bien) caliente	(very) hot
con hielo	with ice
sin hielo	without ice
beber	to drink
tener sed	to be thirsty

Otras palabras útiles

castigar	to punish
fumar	to smoke
permitir	to permit, allow
prohibir	to prohibit

Otros vistazos

In the **Vistazos** CD-ROM, you will learn more about Hispanic cultures, including:

- un fragmento del poema «Beber» por Gabriela Mistral
- más datos biográficos sobre Gabriela Mistral
- algo sobre la geografía de la región andina
- un poco más sobre la historia de Chile
- datos interesantes en **¿Sabías que... ?**

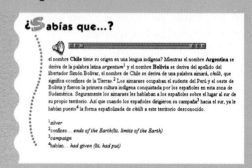

¿**S**abías que...?

el nombre **Chile** tiene su origen en una lengua indígena? Mientras el nombre **Argentina** se deriva de la palabra latina *argentum*[1] y el nombre **Bolivia** se deriva del apellido del libertador Simón Bolívar, el nombre de Chile se deriva de una palabra aimará, *chilli*, que significa «confines de la Tierra».[2] Los aimaraes ocupaban el sudeste del Perú y el oeste de Bolivia y fueron la primera cultura indígena conquistada por los españoles en esta zona de Sudamérica. Seguramente los aimaraes les hablaban a los españoles sobre el lugar al sur de su propio territorio. Así que cuando los españoles dirigieron su campaña[3] hacia el sur, ya le habían puesto[4] la forma españolizada de *chilli* a este territorio desconocido.

[1]*silver*
[2]*confines... ends of the Earth (lit. limits of the Earth)*
[3]*campaign*
[4]*habían... had given (lit. had put)*

GRAMMAR SUMMARY FOR LECCIONES 7–9

Indirect Object Pronouns

SUBJECT PRONOUN	INDIRECT OBJECT PRONOUN
yo	**me**
tú	**te**
Ud.	**le**
él/ella	**le**
nosotros/as	**nos**
vosotros/as	**os**
Uds.	**les**
ellos/ellas	**les**

1. Indirect object pronouns have many uses in Spanish that differ from English. In this unit, you have learned to use indirect object pronouns mainly to mean *to* or *for* someone or something.

> No **me** importan los aditivos.
> *Additives don't matter to me.*

You have also seen that with **poner,** the meaning in English is *on* and sometimes *in.*

> ¿Qué **les pones** a las papas fritas?
> *What do you put on french fries?*

> ¿Qué **le pusiste** a la sopa?
> *What did you put in the soup?*

2. With third-person forms as well as with **Ud.** and **Uds., le** and **les** are used even if the person or thing represented by the pronoun is mentioned.

> **Al profesor** no **le agradan** los vinos franceses.
> *French wines aren't pleasing to the instructor.*

> **Les** pongo sal **a las papas fritas.**
> *I put salt on french fries.*

3. You have also learned a number of verbs that require indirect object pronouns. These verbs are often translated into English with verbs that do not require indirect object pronouns.

> **agradar** *to please*

> No **me agrada** eso.
> *That doesn't please me. (I don't like that.)*

> **apetecer** *to appeal, be appealing*

> No **me apetece.**
> *It doesn't appeal to me.*

> **caer** (*irreg.*) **bien/mal** *to make a good/bad impression; to (dis)agree with (food)*

> No **me cae** bien el ajo.
> *Garlic doesn't agree with me.*

> **encantar** *to delight, be extremely pleasing*

> **Me encantan** los vinos chilenos.
> *Chilean wines really please me. (I love Chilean wines.)*

> **importar** *to be important; to matter*

> ¿**Te importa** si le pongo sal?
> *Does it matter to you if I put salt on it? (Do you mind if I put salt on it?)*

> **interesar** *to be interesting*

> ¿**Te interesa** la música clásica?
> *Does classical music interest you?*

Impersonal **se** and Passive **se**

1. Impersonal **se** translates into English as *one, they,* and *you,* meaning that there is no particular subject of the verb. The verb is always in the singular form.

No **se debe** beber tanto café.
One (You) shouldn't drink so much coffee.

No **se debe** hacer eso.
One (You) shouldn't do that. (That shouldn't be done.)

2. Passive **se** translates into English as *is (are)* + *-ed/-en*. The object of the verb takes on the role of determining whether the verb is singular or plural.

Se habla español aquí.
Spanish is spoken here.

Se hablan varias lenguas aquí.
Various languages are spoken here.

3. In many instances, the impersonal **se** and a singular passive **se** construction are indistinguishable.

4. With reflexive verbs, impersonal **se** cannot be used. **Uno** is used instead to avoid a "double **se**" construction.

Uno se levanta tarde por aquí, ¿no?
Uno no debe **dormirse** en clase.

Uno can also be used with just about any verb as a substitute for the impersonal **se.**

Aquí **uno** toma café con los amigos para ser sociable.
One drinks coffee here with friends to be sociable.

Preterite Review (Regular Forms)

	-ar	-er	-ir
(yo)	tom**é**	beb**í**	sal**í**
(tú)	tom**aste**	beb**iste**	sal**iste**
(Ud.)	tom**ó**	beb**ió**	sal**ió**
(él/ella)	tom**ó**	beb**ió**	sal**ió**
(nosotros/as)	tom**amos**	beb**imos**	sal**imos**
(vosotros/as)	tom**asteis**	beb**isteis**	sal**isteis**
(Uds.)	tom**aron**	beb**ieron**	sal**ieron**
(ellos/ellas)	tom**aron**	beb**ieron**	sal**ieron**

1. Remember that in all regular preterite forms, the acoustic stress falls on the verb ending and not on the stem.
2. **-er** and **-ir** verbs share the same endings. Also note that for **-ar** and **-ir** verbs, the regular preterite form for **nosotros** is the same as the present tense form.

3. **-ir** verbs that have an **e → i** stem-vowel change in the present tense keep this change in the **Ud., él/ella, Uds.,** and **ellos/ellas** forms in the preterite. **Dormir** also has a stem-vowel change (**o → u**) in the **Ud., él/ella, Uds.,** and **ellos/ellas** forms.

pedir		**servir**		**dormir**	
pedí	pedimos	serví	servimos	dormí	dormimos
pediste	pedisteis	serviste	servisteis	dormiste	dormisteis
pidió	**pidieron**	**sirvió**	**sirvieron**	**durmió**	**durmieron**
pidió	**pidieron**	**sirvió**	**sirvieron**	**durmió**	**durmieron**

cuatro

Saturno devorando a su hijo (1820–1824) por
Francisco de Goya (español, 1746–1828)

EL BIENESTAR

O bserva las siguientes fotografías. ¿Qué imágenes se te ocurren? Ahora mira la obra de la página anterior. Cuando el artista la pintó (*painted*), ¿en qué pensaba? ¿En qué condición física y emocional se encontraba? En esta unidad vas a explorar algunos temas relacionados con el bienestar y el malestar.

¿Qué emoción sientes al ver este cuadro? ¿Crees que la mujer está triste (*sad*)? (*La tormenta* [1985] por Glugio Gronk Nicandro [estadounidense, 1954–   ])

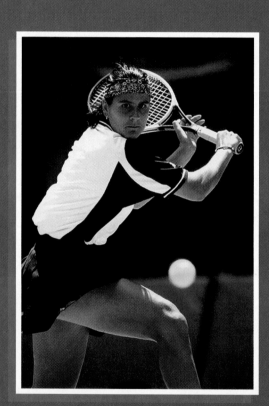

Una joven mexicana se ríe de algo. ¿Qué beneficios físicos y mentales hay en la risa (*laughter*)?

Para Conchita Martínez los deportes son una profesión. Para muchos, los deportes son solamente una diversión. ¿Practicas tú algún deporte? ¿Te ayuda a sentirte bien normalmente?

10

¿CÓMO TE SIENTES?

En esta lección, vas a examinar el tema de los estados de ánimo (states of mind). También vas a

▦ describir cómo te sientes

▦ identificar tus disposiciones de ánimo y las circunstancias que las afectan

▦ analizar las maneras en que tú y otros reaccionan frente a varios estados de ánimo

▦ describir nuevos pasatiempos que te hacen sentirte mejor

▦ aprender nuevos verbos «reflexivos»

▦ utilizar los verbos **faltar** y **quedar**

▦ repasar el uso del imperfecto para describir los eventos habituales en el pasado

▦ escuchar a una persona hablar sobre los deportes

También vas a leer un poema por Federico García Lorca y aprender algo más sobre España.

Domingo, medianoche (1998) por Ramón Lombarte (español, 1956–   )

Vistazos

Los estados de ánimo

¿Cómo se siente?

Talking About How
Someone Feels

Las experiencias de Claudia

1. Son las 9.00 de la mañana. Claudia se prepara para un examen de física. **Está nerviosa** porque el examen va a ser difícil.

2. Su compañera de cuarto hace mucho ruido. Claudia no puede concentrarse y **se pone enfadada.**

3. A la 1.00 toma el examen. No tiene idea de cómo va a salir. **Está muy tensa** durante el examen.

4. Después del examen, va al gimnasio a hacer ejercicio. Después, **se siente más relajada.**

5. Por la tarde, va al trabajo. Trabaja hasta muy tarde y, naturalmente, **está cansada.**

6. Al día siguiente, va a la clase de historia. La voz de la profesora es monótona, y Claudia **está aburrida** (*bored*).

7. En la clase de física, el profesor le devuelve el examen. Su nota es el 55%. Claudia **se siente avergonzada** (*ashamed*).

8. Claudia **se siente deprimida** (*depressed*).

9. Al otro día Claudia habla de su nota con el profesor. Descubren que el profesor se equivocó (*made a mistake*). La nota debe ser el 95%, no el 55%. Claudia **se pone muy contenta.** El profesor le dice, «Perdona, todos nos equivocamos, ¿no?»

10. ¡Ahora Claudia **se siente muy orgullosa!**

ASÍ SE DICE

Por is often used to mean *because of* or *on account of.*

Me siento mal **por** lo que dijo Rafael.

Claudia está nerviosa **por** el examen.

In most cases such as these, you can also use **a causa de.**

Claudia está nerviosa **a causa del** examen.

Actividad A   ¿Cómo se siente Claudia?

A continuación aparece una lista de los pensamientos (*thoughts*) que tuvo Claudia durante los tres días que se describen en el **Vocabulario esencial.** Relaciona los estados de ánimo que va a leer tu profesor(a) con los pensamientos de la lista.

MODELO   **PROFESOR(A):** Está nerviosa.
         CLASE: Es el número 2.

1. Me gustaría dormir diez horas esta noche.
2. ¡Dios mío! ¡Sólo me quedan cuatro horas (*I only have four hours left*) para estudiar!
3. Van a pensar que soy muy tonta (*dumb*).
4. Si esa profesora dice «¡muy bien!» una vez más, me va a dar un ataque cardíaco.
5. ¡Fantástico! ¡Fue un error! Entonces sí saqué (*I got*) una buena nota.
6. No quiero ver a nadie. Quiero estar completamente sola.

Actividad B   ¿Por qué?

El profesor (La profesora) va a leer algunos estados de ánimo comunes a los estudiantes de hoy. Selecciona la actividad que puede provocar ese sentimiento en los estudiantes.

1. **a.** Estudia en la biblioteca.
   b. Tiene tres exámenes hoy.
   c. Durmió bien anoche.

ASÍ SE DICE

When talking about someone else's state of being, you may use **está** or **se siente** with an adjective.

Claudia **está contenta.**
Claudia is happy.

Hoy **se siente** un poco **nerviosa.**
Today she feels a bit nervous.

To express the idea of a change in mood, you often can use **se pone** with an adjective.

Su compañera de cuarto hace mucho ruido y Claudia **se pone enfadada** (*gets mad*).

You will learn more about these verbs as the lesson progresses.

2. **a.** Tiene que estudiar, pero su compañero/a de cuarto tiene el radio a todo volumen.
   b. Recibió una carta de una amiga esta mañana.
   c. Va de compras después de clase.
3. **a.** Asiste a clases.
   b. Va a la cafetería a almorzar.
   c. Ganó un millón de dólares en la lotería.
4. **a.** Va a una fiesta con los amigos.
   b. Comió en un buen restaurante anoche.
   c. Sacó una F en un examen.

Actividad C ¿Cómo estoy? ¡Adivina!° *Guess!*

Paso 1 Trabaja con un compañero (una compañera) de clase. Escucha bien las instrucciones del profesor (de la profesora) y haz la primera parte de esta actividad.

ASÍ SE DICE

Remember that with conditions and states of being, Spanish uses **estar**, not **ser**, with adjectives.

Estoy aburrido. ¡No tengo nada que hacer!

¿Qué te pasa? **¿Estás triste?**

E1	E2
1.	2.
3.	4.

Paso 2 Ahora, dale a tu compañero/a una situación que describe una de las frases que escribiste. Pero antes, lee el modelo.

MODELO E1: Mañana tengo dos exámenes difíciles. ¿Cómo estoy?
         E2: Estás nervioso.

El Estudiante 1 debe comenzar la actividad.

gramática esencial

¿Te sientes bien?

More on "Reflexive" Verbs

me	siento aburro	**nos**	sentimos aburrimos
te	sientes aburres	**os**	sentís aburrís
se	siente aburre	**se**	sienten aburren
se	siente aburre	**se**	sienten aburren

Lección 10   ¿Cómo te sientes?

—¿Qué te pasa, Luis? Te ves muy mal. **¿Te sientes** bien?

—Ay, Paco... Llegué tarde a mi primera clase y se me olvidó escribir la composición para la clase de inglés. Y al llegar a la clase de matemáticas, supe que íbamos a tener un examen hoy. **¡Me siento** fatal!

—Ah. Sí comprendo. ¡Amigo, te invito a otro café!

You learned in **Lección 5** that verbs like **sentirse** are not "true reflexives" because no one is doing anything to himself or herself. Nonetheless, these verbs require a reflexive pronoun. Here are some other common verbs that are useful for expressing how a person feels and that require reflexive pronouns.

aburrirse	*to get bored*
alegrarse	*to get happy*
cansarse	*to get tired*
enojarse	*to get angry*
irritarse	*to be (get) irritated*
ofenderse	*to be (get) offended*
preocuparse	*to worry, get worried*

Actividad D ¿Cómo te sientes en estas circunstancias?

Marca cada frase que describe tu propia experiencia. Luego inventa una frase de acuerdo con tu personalidad.

1. Me pongo enojado/a cuando...
- ❏ recibo una mala nota.
- ❏ alguien habla mal de un amigo mío (una amiga mía).
- ❏ alguien me promete (*promises*) hacer algo pero no lo hace.
- ❏ alguien me llama por teléfono mientras duermo.
- ❏ ¿ ?

2. Me siento muy contento/a cuando...
- ❏ compro algo nuevo.
- ❏ me miro en el espejo.
- ❏ manejo mi automóvil.
- ❏ veo a mi familia.
- ❏ ¿ ?

A S Í   S E   D I C E

You have seen that there are two ways to express *to get* + condition/state: **ponerse** + *adjective* or a verb that requires a reflexive pronoun. One way of expressing the idea of getting very angry, very upset, very tired, and so on, is with **ponerse** + **muy** + *adjective*.

> **Me pongo muy enojado.**
> **Se pone muy cansada.**

Another way is to use **mucho** with the verbs that require a reflexive pronoun.

> **Me enojo mucho** cuando...
> **Se cansa mucho** si...

Actividad E   ¿Te aburres fácilmente?

Paso 1 Determina si cada comentario es típico de tu persona o no.

	ES TÍPICO	ES RARO
1. Me aburro fácilmente.	❑	❑
2. Me enojo por cosas pequeñas.	❑	❑
3. Me irrito cuando no duermo lo suficiente.	❑	❑
4. Me preocupo por mi situación económica.	❑	❑
5. Me alegro cuando mis amigos me invitan a una fiesta.	❑	❑
6. Me ofendo cuando la gente fuma.	❑	❑
7. Me canso fácilmente.	❑	❑

Paso 2 Ahora compara tus respuestas con las de un compañero (una compañera). Escribe dos oraciones en las que mencionas una cosa que Uds. tienen en común y una cosa que no tienen en común.

MODELO   Los (Las) dos nos irritamos cuando no dormimos lo suficiente. En cambio, Rick se ofende cuando la gente fuma, pero yo no.

ASÍ SE DICE

Remember that most adjectives reflect both gender and number of what or whom they modify.

Ana y Raquel están aburrid**as** en la clase de álgebra.

Los padres se ponen enfadad**os** cuando sus hijos no escuchan bien.

ASÍ SE DICE

Remember that **tener** + *noun* may be used to express conditions and states of being. Here are two more examples.

tener celos
to be jealous

tener envidia
to be envious

NOTA COMUNICATIVA

Just as in English, Spanish uses a variety of expressions to say how one is feeling. Many of the ones used by Spanish-speaking youth are slang expressions.

To express that you're feeling well, great, and so forth, you can use the following sayings.

¡Me va súper bien!	¡No puedo estar mejor!
¡Estoy súper contento!	¡Me siento como un campeón!
¡Estoy, pero, muy bien!	¡Estoy como un rey!

To express negative emotions or states of mind, you can use these expressions.

¡Me siento fatal!	¡Estoy que me tiro del último
¡Estoy que me muero!	piso!
¡No aguanto más!	¡Estoy que mato a cualquiera!
¡No puedo más!	¡Ni me preguntes cómo estoy!

Vistazos

Reacciones

¿Cómo se revelan las emociones?

Talking About How People Show Their Feelings

Luis mira una película en la televisión. La película tiene escenas muy variadas.

Un día en la vida de Luis

Durante las escenas cómicas

Luis **se ríe**.

Durante las escenas románticas

Luis se siente avergonzado y **se sonroja (se pone rojo).**

Durante una escena de suspenso

Luis **se come las uñas** porque **está asustado.**

Luego, al llegar el final trágico

Luis **llora** porque **está triste.**

Mientras Claudia está en su apartamento, ocurre una escena dramática entre su compañera de cuarto y el novio (ver la siguiente página).

Un día en la vida de Claudia

Claudia está limpiando el apartamento. Se siente muy contenta y por eso **está silbando.**

Llega su compañera de cuarto con el novio. **Están muy enojados.**

Su compañera va directamente al cuarto y **se encierra.**

«Silvia, háblame.» Silvia **permanece callada** (es decir, no habla, no contesta).

Finalmente cuando se va su novio, Silvia sale de su dormitorio y comienza a **quejarse de** él. «No lo puedo creer. Sólo quiere hacer lo que él quiere. ¡Es tan egoísta!»

Claudia piensa, «¡Qué cómicos! No cambian. Siempre la misma historia.»

VOCABULARIO ÚTIL

asustar	to frighten	**tener dolor de cabeza**	to have a headache
contar (ue) un chiste	to tell a joke	**tener miedo**	to be afraid (*lit.* to have fear)
gritar	to shout		
pasarlo (muy) mal	to have a (very) bad time	**tener vergüenza**	to be ashamed, embarrassed (*lit.* to have shame)

Actividad A ¿Por qué?

Tu profesor(a) va a leer las reacciones de algunos estudiantes. Escoge la letra de la actividad que mejor explica por qué esta persona reaccionó de esta manera.

1. **a.** Tiene dolor de cabeza.
   b. Ve a un buen amigo.
   c. Recibió malas noticias.
2. **a.** Recibió un cheque de sus padres.
   b. Descubre que se ganó la lotería.
   c. El dependiente del supermercado no lo trató (*treated*) con respeto.
3. **a.** Se preparó un desayuno saludable.
   b. Ofendió a alguien sin quererlo.
   c. Sabe jugar bien al tenis.
4. **a.** Alguien le contó un chiste.
   b. Ve una escena de horror en la televisión.
   c. Se acostó temprano.

ASÍ SE DICE

In this section you are working with three more verbs that require a reflexive pronoun. Remember that the use of this pronoun does not mean that these verbs are true reflexives! Below is a quick comparison of reflexive **se** (*him/herself*) and non-reflexive **se.** The latter has no exact English equivalent.

REFLEXIVE **SE**

Juan **se admira.**
Juan admires himself.

Luis **se baña.**
Luis takes a bath/bathes himself.

María **se ve** en el espejo.
María sees herself in the mirror.

NON-REFLEXIVE **SE**

Juan **se queja** mucho.
Juan complains a lot.

Luis **se sonroja** fácilmente.
Luis blushes easily.

María **se ríe** sin motivo.
María laughs for no reason.

Actividad B ¿Con qué frecuencia?

Entrevista a un compañero (una compañera) de clase para averiguar con qué frecuencia reaccionan a las siguientes situaciones.

1 = a menudo (*often*)   **2** = raras veces   **3** = nunca

	1	2	3
1. Cuando estás enojado/a, ¿con qué frecuencia gritas?	☐	☐	☐
2. Cuando te sientes triste, ¿con qué frecuencia lloras?	☐	☐	☐

3. Cuando tienes miedo, ¿con qué frecuencia te comes las uñas? ❑ ❑ ❑

4. Cuando te sientes avergonzado/a, ¿con qué frecuencia te pones rojo/a? ❑ ❑ ❑

5. Cuando no estás contento/a, ¿con qué frecuencia te quejas? ❑ ❑ ❑

6. Cuando te sientes muy enfadado/a, ¿con qué frecuencia te encierras en tu cuarto? ❑ ❑ ❑

Actividad C   ¿Estás de acuerdo?

Paso 1 Di si estás de acuerdo o no con las siguientes opiniones.

	ESTOY DE ACUERDO.	NO ESTOY DE ACUERDO.	DEPENDE.
1. Es bueno gritar si uno está muy enojado.	❑	❑	☑
2. Si uno se siente deprimido, es importante llorar.	❑	☑	❑
3. Ponerse rojo es vergonzoso (*embarrassing*).	☑	❑	❑
4. No es malo reírse cuando otra persona se cae (*falls down*).	☑	❑	❑
5. Si alguien lo insulta a uno, es mejor permanecer callado en vez de gritar.	☑	❑	❑
6. Es aceptable silbar en un lugar público, como en un supermercado.	❑	❑	☑

Paso 2 Entrevista a otra persona en la clase para ver si está de acuerdo con tus opiniones. Puedes usar los siguientes modelos.

MODELOS   En tu opinión, ¿es bueno gritar... ?
                     ¿Crees que es bueno gritar... ?

¿Tiene la clase más o menos las mismas opiniones?

gramática esencial

¿Te falta energía?

The Verbs **faltar** and **quedar**

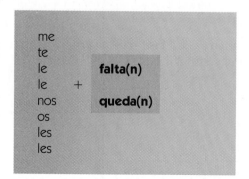

me
te
le
le   +   **falta(n)**
nos   **queda(n)**
os
les
les

Lección 10   ¿Cómo te sientes?

The verbs **faltar** and **quedar** are similar to **gustar** in that they require indirect object pronouns. Remember that **gustar** actually means *to please* or *to be pleasing.*

Me gusta ayudar a otras personas.   Lit. *Helping other people pleases me.*

Faltar actually means *to be absent* or *not to be present.* Like **gustar,** it can be literally rendered in English, but other preferred ways express the same concept.

Me **faltan** cinco dólares.   *I'm missing five dollars.*
(Lit. *Five dollars are absent to me.*)

Me **falta** energía.   *I lack energy.*
(Lit. *Energy is absent to me.*)

Note how you can say that someone is absent from class using **faltar** and that the English equivalent is very close in structure.

Ángela **falta** hoy.   *Ángela is absent today.*

The verb **quedar** means *to be remaining.* Like **gustar** and **faltar,** it has literal and preferred English equivalents. Compare the following.

Me **quedan** diez centavos.   *I have ten cents left.*
(Lit. *Ten cents are remaining to me.*)

¿Te **quedan** muchas clases para terminar tu carrera?   *Do you have a lot of classes left to finish your degree?*
(Lit. *Are there many classes remaining to you to finish your degree?*)

A esta chica chilena **le falta energía.** No tiene ganas de hacer nada.

From the examples above, you may have noticed that **faltar** and **quedar** often appear in third-person forms.

Actividad D   Al llegar a la universidad

Paso 1 Piensa en las cosas que les faltan a muchos cuando llegan a la universidad por primera vez. (Si quieres, puedes hablar de las cosas que les faltan a muchos cuando trabajan por primera vez después de graduarse.) Indica lo que piensas.

A muchos estudiantes cuando recién llegan a la universidad...

❑ les falta confianza (*confidence*).
❑ les falta la habilidad de organizar el tiempo.
❑ les falta independencia económica.
❑ les falta(n) _____

Paso 2 Ahora piensa en las primeras semanas de tus estudios universitarios (o en las primeras semanas en tu trabajo). ¿Cuál(es) de las oraciones en la siguiente página refleja(n) tu situación?

Cuando recién llegué a la universidad...

❑ me faltaba confianza.
❑ me faltaba la habilidad de organizar el tiempo.
❑ me faltaba independencia económica.
❑ me faltaba(n) _____.

COMUNICACIÓN

Actividad E ¿Te queda algo?

Paso 1 Indica lo que es verdad para ti.

1. Al final del mes generalmente...
   ❑ me queda dinero.
   ❑ no me queda dinero.
2. Después de estudiar por cuatro horas...
   ❑ me queda energía.
   ❑ no me queda energía.
3. Para terminar la carrera universitaria...
   ❑ me quedan más de 30 créditos.
   ❑ me quedan menos de 30 créditos.

Paso 2 (Optativo) Ahora busca a una persona en la clase que tenga tres de las mismas respuestas que tienes tú. ¿Puedes encontrar a alguien en menos de cuatro minutos hablando sólo en español? Nota: No te olvides de hacer las preguntas correctamente.

MODELO Al final del mes, ¿generalmente te queda dinero?

Actividad F ¿Sabías que... ?

Paso 1 Escucha y lee la selección **¿Sabías que... ?** que aparece en la siguiente página. Luego, contesta las preguntas a continuación.

1. ¿Por qué se llama el malestar «el síndrome *invernal*»?
2. ¿Cuáles son los tres síntomas mayores de este síndrome?
   a. A muchos les falta...
   b. También les falta...
   c. Se consumen más...

3. ¿Cuál parece ser la causa del síndrome?
4. Según la selección, ¿en cuál de los siguientes países esperas encontrar más casos de este síndrome? Explica tu respuesta.
   a. México
   b. Chile
   c. Costa Rica

Paso 2 Busca los usos de **faltar** en el artículo. ¿Puedes indicar cuál es el sujeto del verbo en cada caso? ¿Puedes dar una equivalencia literal en inglés y también una equivalencia más estándar?

Paso 3 (Optativo) Indica si sufres del síndrome invernal o no. Completa lo siguiente con dos o tres oraciones. Luego, compara lo que escribiste con lo que escribieron otros miembros de la clase.

MODELO   Durante el invierno me siento...

¿Sabías que...

existe algo llamado «el síndrome invernal»? El síndrome invernal se refiere al estado general de depresión en que se encuentran muchas personas durante el invierno. Según estudios psicológicos, los síntomas comienzan a aparecer a finales de otoño. ¿Cuáles son los síntomas? Primero, a muchos les falta energía. Les entra cierto letargo difícil de quitar. Segundo, les falta la habilidad de concentrarse en el trabajo y en los estudios. También se reporta que durante esta época, se consumen más drogas y bebidas alcohólicas que durante los demás meses del año. En fin, el síndrome produce cierto tipo de depresión en sus víctimas. Este síndrome es bastante conocido en Europa, y los países nórdicos son especialmente afectados. También se reporta su existencia en España, aunque no en grado tan alto como en los otros países mencionados.

¿Cuál es la causa del síndrome? Según los científicos, es la falta de luz. Como todos sabemos, el invierno no es solamente una época más fría sino también más oscura.[a] Hay menos luz solar y parece que es esta falta de luz lo que estimula la ocurrencia del síndrome en muchas personas.

_____

[a]_dark_

Visit the _Vistazos_ website at **www.mhhe.com/vistazos.**

Se dice que el país de habla española con más psiquiatras y psicólogos es la Argentina. Trata de encontrar un sitio argentino para una oficina de psiquiatría o psicología en la red. ¿Qué servicios se ofrecen? ¿Qué dicen que pueden hacer por ti? Si no puedes encontrar información de la Argentina, busca un sitio en otro país de habla hispana.

Vistazos

Para sentirte bien

¿Qué haces para sentirte bien?

Talking About Leisure Activities

Para sentirse bien Claudia participa en actividades físicas.

Hace ejercicios aeróbicos.

Levanta pesas.

Nada.

Juega al basquetbol.

Camina.

Juega al tenis.

También le gusta hacer otras cosas que la relajan.

Sale con los amigos.

Va al cine.

Va de compras.

Cuando se siente tenso, Luis, al igual que Claudia, hace actividades físicas como practicar deportes.

Corre.

Juega al fútbol.

Juega al béisbol.

Juega al boliche.

A veces se dedica a actividades artísticas en su casa.

Pinta.

Toca la guitarra.

Canta.

Actividad A   Categorías

Paso 1   Tu profesor(a) va a leer una lista de actividades. Escribe cada actividad en la categoría apropiada.

SE PUEDE PRACTICAR A SOLAS (*ALONE*).	SE REQUIEREN DOS O MÁS PERSONAS.

Paso 2   Haz lo que hiciste en el **Paso 1,** pero con otras categorías.

SE REQUIERE UNA HABILIDAD ESPECIAL.	NO SE REQUIERE NINGUNA HABILIDAD.

Paso 3   Compara las respuestas que diste en los **Pasos 1** y **2** con las de un compañero (una compañera) de clase. ¿Están totalmente de acuerdo? ¿En qué actividades no están Uds. de acuerdo?

Actividad B   Asociaciones

Tu profesor(a) va a leer varias actividades. Empareja los elementos de la siguiente lista con cada actividad.

1. _____ las raquetas
2. _____ los músculos
3. _____ las tarjetas de crédito
4. _____ el agua
5. _____ Pablo Picasso
6. _____ la Serie Mundial
7. _____ la Copa Mundial
8. _____ el violín

Actividad C   ¿Qué haces para sentirte bien?

Paso 1   Busca a dos compañeros/as de clase que hacen una actividad física para sentirse bien y dos compañeros que hacen una actividad *no* física para sentirse bien. Escribe las actividades aquí.

Actividades físicas: _____ _____

Actividades no físicas: _____ _____

La clase debe estar preparada para presentar sus respuestas a la clase.

Paso 2   De las actividades mencionadas en clase, ¿cuál es la más popular? ¿Es una actividad individual o se practica con dos o más personas?

¿Qué hacías de niño/a para sentirte bien?

Using the Imperfect for Habitual Events: A Review

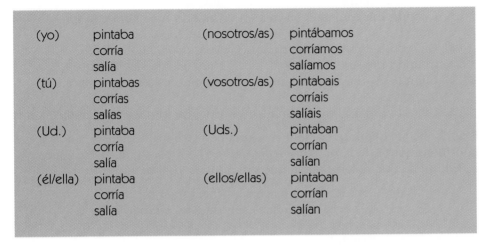

(yo)	pintaba	(nosotros/as)	pintábamos
	corría		corríamos
	salía		salíamos
(tú)	pintabas	(vosotros/as)	pintabais
	corrías		corríais
	salías		salíais
(Ud.)	pintaba	(Uds.)	pintaban
	corría		corrían
	salía		salían
(él/ella)	pintaba	(ellos/ellas)	pintaban
	corría		corrían
	salía		salían

Para sentirse bien, Claudia **jugaba** con los muñecos. Ahora le encanta jugar al tenis.

In **Lección 6** you learned that the imperfect can be used to talk about events that occurred repeatedly in the past. Such habitual events in the past, often translated into English as *used to + verb* or *would + verb,* are rendered in Spanish with a single verb.

Luis **se aburría** en la escuela secundaria.	*Luis would get bored (used to get bored) in high school.*
¿Qué **hacías** de niño para sentirte bien?	*What did you do (used to do) as a child to feel well?*

Remember that imperfect verb forms do not have stem-vowel changes or repeat any irregularities from either the present or the preterite tense. However, the following verbs are irregular in the imperfect.

ir	iba, ibas, iba, iba, íbamos, íbais, iban, iban
ser	era, eras, era, era, éramos, erais, eran, eran

Actividad D   Luis: Antes y ahora

Empareja las frases de la columna A con las de la columna B para expresar lo que Luis hacía antes y lo que hace ahora.

A
1. _C_ Cuando se ponía triste...
2. _D_ Cuando quiere relajarse...
3. _A_ Cuando estaba con sus amigos y hacía buen tiempo...
4. _B_ Cuando quiere estar solo...
5. _E_ Cuando se ponía nervioso...

B
a. nadaba.
b. se encierra en su cuarto.
c. hablaba con su mamá.
d. pinta o hace otra actividad artística.
e. se comía las uñas (¡todavía lo hace!).

Actividad E ¿Qué hacías y qué haces para sentirte mejor?

Paso 1 Completa las siguientes oraciones con detalles de tu vida.

DE ADOLESCENTE	AHORA
1. Cuando me enojaba con mis amigos...	Cuando me enojo con mis amigos...
2. Cuando me faltaba dinero...	Cuando me falta dinero...
3. Cuando me sentía tenso/a...	Cuando me siento tenso/a...
4. Cuando estaba muy alegre (*happy*)...	Cuando estoy muy alegre...
5. Cuando lo pasaba muy mal...	Cuando lo paso muy mal...

Paso 2 Trabaja con un compañero (una compañera) de clase. Sin leerle la primera parte de la oración, léele una de las frases que tú escribiste. Él/Ella tiene que determinar a qué pregunta te refieres.

MODELO   E1: ...escuchaba música sentimental en mi cuarto.
           E2: ¿Escuchabas música sentimental cuando lo pasabas mal?
           E1: ¡Exacto!

En tu opinión

«Si a una persona le falta energía, es porque come mal.»
«Si un profesor (una profesora) está de mal humor, los estudiantes no deben poder notarlo durante la clase.»

Los hispanos hablan

¿Practicas algún deporte?

Paso 1 Lee la siguiente selección **Los hispanos hablan.** Luego, contesta las preguntas a continuación.

1. ¿Cuáles son los tres deportes que Nuria practicaba de niña?
2. ¿Cuál de las siguientes declaraciones es verídica (*true*) para Nuria?
   a. De niña practicaba más deporte que ahora.
   b. De niña practicaba menos deporte que ahora.
   c. En cuanto al deporte era tan activa de niña como ahora.

¿Practicas algún deporte? Explica por qué lo practicas.

NOMBRE: Nuria Sagarra
EDAD: 26 años
PAÍS: España

«Pues, cuando era pequeña practicaba el baloncesto[a] y también corría bastante, la natación... Creo que hacía bastante más deporte que ahora de más mayor[b]... »

---

[a]basquetbol (*Sp.*) [b]más... *older*

Paso 2 Ahora escucha o mira el resto del segmento. Después, contesta las siguientes preguntas.

1. ¿Qué deportes practica Nuria ahora?
2. Nuria menciona dos razones por hacer deporte. ¿Cuáles son?
3. Respecto al deporte, ¿menciona Nuria sus planes para el futuro?

Paso 3 A base de lo que dice Nuria y tus experiencias personales, contesta las siguientes preguntas.

1. En cuanto a los deportes, compara tu niñez con la de Nuria. ¿Hay semejanzas o diferencias? Da ejemplos.
2. Compara tu niñez con tu vida de ahora. ¿Hacías más deporte de niño/a o haces más deporte ahora? Explica.

Vocabulario

Los estados de ánimo*	States of Mind
aburrirse	to get bored
alegrarse	to get happy
cansarse	to get tired
enojarse	to get angry
estar	to be
aburrido/a (R)	bored
asustado/a	afraid
cansado/a	tired
enojado/a	angry
nervioso/a	nervous
tenso/a	tense
irritarse	to be (get) irritated
ofenderse	to be (get) offended

ponerse (*irreg.*)	to be (get)
contento/a	happy
enfadado/a	angry
triste	sad
relajarse	to relax
sentirse (ie, i)	to feel
alegre	happy
avergonzado/a	ashamed, embarrassed
deprimido/a	depressed
orgulloso/a	proud
relajado/a	relaxed
¿Cómo te sientes?	How do you feel?
¿Qué te pasa?	What's the matter?

---

*Many of the adjectives referring to states of mind can be used with more than one verb. For example, **estar nervioso/a** and **sentirse nervioso/a** are both possible.

Reacciones	Reactions
asustar	to frighten
comerse las uñas	to bite one's nails
encerrarse (ie) (en su cuarto)	to shut oneself up (in one's room)
gritar	to shout
llorar	to cry
pasarlo (muy) mal	to have a (very) bad time
permanecer (permanezco) callado/a	to keep quiet
ponerse rojo/a	to blush
preocuparse	to worry, get worried
quejarse (de)	to complain (about)
reír(se) (i, i)	to laugh
silbar	to whistle
sonreír (i, i)	to smile
sonrojarse	to blush
tener dolor de cabeza	to have a headache
tener ganas de + *inf.*	to feel like (*doing something*)
tener miedo	to be afraid
tener vergüenza	to be ashamed, embarrassed

Para sentirse bien	To Feel Well
caminar	to walk
cantar	to sing

jugar (R) **al**	to play
basquetbol	basketball
béisbol	baseball
jugar al boliche	to bowl
levantar pesas	to lift weights
pintar	to paint

Repaso: correr, hacer ejercicio, ir al cine, ir de compras, jugar al fútbol, nadar, practicar un deporte, salir con los amigos, tocar la guitarra

Palabras y expresiones útiles	
acabar de + *inf.*	to have just (*done something*)
contar (ue) un chiste	to tell a joke
encantar (R)	to be very pleasing
estar de buen (mal) humor	to be in a good (bad) mood
faltar	to be missing, lacking
hacer ruido	to make noise
quedar	to be remaining
sacar una buena (mala) nota	to get a good (bad) grade

Otros vistazos

In the **Vistazos** CD-ROM, you will learn more about Hispanic cultures, including:

- el poema «Sorpresa» por Federico García Lorca
- varios datos sobre la vida de Federico García Lorca
- algo sobre la geografía de España
- información histórica de España
- datos interesantes en **¿Sabías que... ?**

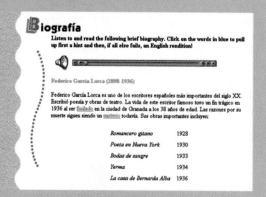

11

¿CÓMO TE RELAJAS?

¿Qué actividades te hacen sentirte bien? En esta lección vas a examinar este tema un poco más y también vas a

■ hablar de actividades y lugares que se asocian con relajarse

■ repasar el pretérito y aprender nuevas formas

■ aprender a narrar una historia en el pasado, usando el pretérito y el imperfecto

■ escuchar a dos personas hablar sobre los chistes en su país

 También vas a leer un poema de Rosario Castellanos y aprender algo más sobre México.

Vistazos
El tiempo libre

¿Qué haces para relajarte?

More Activities for Talking About Relaxation

Para relajarse las siguientes personas practican deportes.

ASÍ SE DICE

In previous lessons you learned about true reflexives. The verb **relajarse** is an example of a true reflexive. If someone asks you **¿Cómo te relajas?,** that person is literally asking *How do you relax yourself?* or in more typical phrasing, *How do you relax?* **Relajar** is used in a non-reflexive way when someone or something relaxes someone else. Compare these two examples.

Me relajo cuando hago ejercicio.
I relax when I exercise.

Siempre **me relaja** mirar la televisión.
Watching TV always relaxes me.

Juegan al golf,

al voleibol y...

también **saltan a la cuerda.**

Para relajarse las siguientes personas...

esquían en las montañas o...

esquían en el agua.

A esta persona le gusta...

andar en bicicleta y...

patinar.

A esta persona le gusta...   A este chico le gusta...

dibujar y también...   **trabajar en el jardín.**   **meditar** o...   **bañarse en un jacuzzi.**

Actividad A   ¿Qué actividad es?

Escoge la actividad que describe tu profesor(a).

1. **a.** esquiar en el agua   **b.** esquiar en las montañas
   c. jugar al golf
2. **a.** jugar al tenis   **b.** dibujar   **c.** jugar al voleibol
3. **a.** trabajar en el jardín   **b.** jugar al tenis   **c.** saltar a la cuerda
4. **a.** esquiar en el agua   **b.** dibujar   **c.** patinar
5. **a.** saltar a la cuerda   **b.** trabajar en el jardín   **c.** jugar al golf
6. **a.** meditar   **b.** bañarse en un jacuzzi   **c.** andar en bicicleta

Actividad B   Actividades apropiadas

Usando la lista de actividades que se da en el **Vocabulario esencial,**
¿qué actividad *no* le recomiendas a cada una de las siguientes
personas?

1. a alguien que sufre (*suffers*) de artritis
2. a alguien que tiene problemas cardíacos
3. a alguien a quien le gusta vivir una vida solitaria
4. a alguien que no sabe nadar
5. a alguien que pierde (*loses*) el equilibrio fácilmente
6. a alguien a quien no le gusta sudar (*sweat*)

Actividad C   Firma aquí, por favor

COMUNICACIÓN

Busca a personas en la clase que den (*give*) respuestas afirmativas a tus
preguntas.

1. ¿Patinas con frecuencia?
2. ¿Andas mucho en bicicleta?
3. ¿Dibujas bien?
4. ¿Juega al golf tu madre (padre, abuelo)?
5. ¿Medita alguien en tu familia?
6. ¿Te molesta sudar?

¿Adónde vas para relajarte?

Talking About Places and Related Leisure Activities

A estas personas les gusta hacer algo en el agua para relajarse. Por ejemplo...

pescan en el **río,**

navegan en un barco en el **lago** y...

bucean en el **mar (océano).**

Estas personas prefieren...

escalar montañas o...

hacer camping (acampar) en el **bosque.**

Estas personas se relajan cuando...

dan un paseo por el **desierto** o...

tienen un picnic en el **parque.**

Y estas personas se sienten más relajadas si hacen algo en la ciudad, por ejemplo, cuando...

visitan una exposición en el **museo** o...

conversan con los amigos en un café.

Actividad D   ¿Dónde se hace?

Escoge el lugar que se asocia con la actividad que describe tu profesor(a).

1. **a.** el lago
2. **a.** el bosque
3. **a.** el museo
4. **a.** el desierto
5. **a.** el museo

   b. el café
   b. el río
   b. el mar
   b. el bosque
   b. el lago

   c. las montañas
   c. el museo
   c. el parque
   c. el café
   c. el gimnasio

Actividad E   ¿Cierto o falso?

En grupos de dos, una persona va a leerle las siguientes oraciones a un compañero (una compañera). La persona que escucha las oraciones debe determinar si cada oración es cierta o falsa. Esta persona también debe cerrar (*close*) su libro.

1. Bucear es una actividad con que se asocia el desierto.
2. Se considera el acto de visitar un museo como una actividad cultural.
3. Es importante saber nadar si vas a navegar en un barco.
4. Escalar montañas es una actividad apropiada para la persona aventurera.

¿Las contestaste bien?

Actividad F   ¿Sabías que... ?

Escucha y lee la selección **¿Sabías que... ?** que aparece en la siguiente página. Luego, haz lo siguiente.

1. Indica si esperas encontrar lo siguiente en una universidad hispana.
   a. un gimnasio grande y bien equipado
   b. un equipo de fútbol
   c. estadios grandes donde se celebran competencias por campeonatos
2. Explica con tus propias palabras por qué muchos atletas vienen de otros países a los Estados Unidos para entrenarse.

El festival anual de bicicleta en Madrid, España

¿Sabías que...

por lo general hay mucho más interés por los deportes en las universidades norteamericanas que en las universidades de los países hispanos? Aunque en Hispanoamérica y en España los centros universitarios tienen instalaciones deportivas, éstas no son tan grandes ni tan bien equipadas como las instalaciones deportivas en los Estados Unidos. Las universidades hispanas, por lo general, mantienen equipos sólo cuando se trata de los deportes más populares, como el fútbol, el basquetbol, el béisbol y el voleibol. Los campeonatos[a] entre las ligas universitarias no reciben tanta atención como en los Estados Unidos. Por eso, muchos atletas extranjeros vienen a los Estados Unidos para entrenarse[b] porque en este país encuentran mejores instalaciones deportivas para el entrenamiento de cualquier deporte.

El fútbol es uno de los deportes más populares en México y en otros países hispanos.

[a]*championships*   [b]*practice, train*

Visit the *Vistazos* website at **www.mhhe.com/vistazos.**

COMUNICACIÓN

Actividad G   ¿Qué actividades practicas?

Paso 1 Divídanse en grupos de dos personas. Sin hablar con tu compañero/a de clase, indica qué actividades probablemente practica, y en qué situación (solo/a, con otra persona, etcétera). Si crees que la persona no practica alguna actividad, déjala en blanco (*leave it blank*).

	SOLO/A	CON UNA PERSONA	CON DOS PERSONAS O MÁS
1. pescar en el río	☐	☐	☐
2. visitar un museo	☐	☐	☑
3. dar un paseo	☐	☑	☐
4. bucear en el mar	☐	☐	☑
5. escalar montañas	☐	☐	☑
6. patinar	☑	☐	☐

Paso 2 Entrevista a tu compañero/a para determinar si acertaste bien en el **Paso 1.**

Paso 3 ¿Cuales son las actividades más populares de la clase? ¿Son individuales o se hacen en compañía?

Busca el sitio de un atleta conocido (una atleta conocida) por uno de los siguientes deportes: el tenis, el fútbol, el béisbol, el ciclismo, el golf, la natación o el boxeo. Reporta si encuentras la siguiente información sobre él/ella: la fecha de su nacimiento, cuándo comenzó a practicar ese deporte, cuánto dinero gana anualmente, cuántos campeonatos ha ganado (*he/she has won*).

Vistazos

¿Qué hicieron el fin de semana pasado para relajarse?

More Leisure Activities in the Past (Preterite) Tense

	DOS CHICOS...	UNA FAMILIA...	DOS CHICAS...
el sábado pasado	corrieron en el parque y	meditó,	patinaron por la mañana,
	fueron al supermercado porque más tarde	jugó al voleibol por la tarde y	**fueron de compras** por la tarde y
	dieron una fiesta en su apartamento.	se bañó en el jacuzzi.	tocaron la guitarra y cantaron hasta muy tarde.

	LOS CHICOS...	LA FAMILIA...	LAS CHICAS...
el domingo pasado	fueron a la iglesia,	trabajó en el jardín,	pescaron en el río,
	levantaron pesas en el gimnasio y	anduvo en bicicleta y	jugaron al tenis y
	después **jugaron a los naipes.**	leyó.	**fueron al teatro.**

Los chicos **jugaron a los naipes** el domingo pasado.

VOCABULARIO ÚTIL

Repaso		**hace** + (*time*)	(*time*) ago
anoche	last night	**hace unos años**	a few years ago
ayer	yesterday	**hace varios meses**	several months ago
ayer por la mañana (tarde, noche)	yesterday morning (afternoon, evening)	**el sábado (domingo) pasado**	last Saturday (Sunday)
el fin de semana pasado	last weekend		

Actividad A   ¿Quién lo hizo?

Mira las descripciones en la página anterior. Luego escucha la descripción que da tu profesor(a) e indica quién hizo cada actividad.

a = los chicos
b = la familia
c = las chicas

1. _____   **2.** _____   **3.** _____   **4.** _____   **5.** _____

Actividad B   ¿Qué hicieron?

A continuación hay una lista completa de todas las actividades que hicieron los chicos el sábado pasado (**Vocabulario esencial**). ¿En qué orden hicieron las siguientes cosas probablemente? (**1** = la primera cosa que hicieron y **6** = la última cosa que hicieron)

_____ Se acostaron a las dos de la mañana.
_____ Compraron muchas comidas y bebidas.
_____ Sirvieron cosas de beber y comer.
_____ Se levantaron relativamente temprano.
_____ Prepararon varias meriendas para los invitados.
_____ Manejaron al supermercado.

COMUNICACIÓN

Actividad C   ¿Quiénes hicieron estas actividades?

Paso 1   Piensa en dos personas famosas (por ejemplo, el presidente y la primera dama; una pareja o un matrimonio de algún programa de televisión). Piensa en lo que estas personas probablemente hicieron el fin de semana pasado.

Vocabulario útil

bebieron...	**recibieron una llamada de...**
cenaron...	**se acostaron...**
durmieron (bien, mal)	**se relajaron...**
fueron a...	**tuvieron una visita de...**
leyeron...	

Paso 2   Usando las frases de abajo u otras, si prefieres, describe por lo menos cuatro cosas que estas personas posiblemente hicieron el fin de semana pasado. ¡Pero no menciones los nombres de las personas en tu descripción!

Paso 3   Ahora divídanse en grupos de tres o cuatro. Una persona va a leer lo que escribió en el **Paso 2,** y el resto del grupo tiene que identificar a las personas famosas.

¿Y qué hiciste tú para relajarte?

Preterite Tenses: Review of Forms and Uses

(yo)	**me relajé** **comí** **dormí** **fui** **hice**	(nosotros/as)	-amos, -imos (*reg.*)
(tú)	**te relajaste** **comiste** **dormiste** **fuiste** **hiciste**	(vosotros/as)	-asteis, -isteis (*reg.*)
(Ud.) (él/ella)	-ó, -ió (*reg.*) -ó, -ió (*reg.*)	(Uds.) (ellos/ellas)	-aron, -ieron (*reg.*) -aron, -ieron (*reg.*)

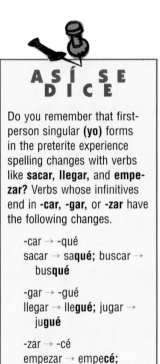

ASÍ SE DICE

Do you remember that first-person singular **(yo)** forms in the preterite experience spelling changes with verbs like **sacar, llegar,** and **empezar?** Verbs whose infinitives end in **-car, -gar,** or **-zar** have the following changes.

-car → -qué
sacar → sa**qué;** buscar → bus**qué**

-gar → -gué
llegar → lle**gué;** jugar → ju**gué**

-zar → -cé
empezar → empe**cé;** almorzar → almor**cé**

— ¿Qué **hiciste** para relajarte el fin de semana pasado?
— Pues, **pasé** casi todo el fin de semana en casa: **lavé** la ropa, **leí** mucho y **dormí** como un ángel.

In the next set of activities you will use mostly **yo** and **tú** forms. Your goal should be to be able to talk about what you did in the past as well as to ask someone else about his or her past activities.

Remember that regular preterite **yo** forms have an accented **-é** or **-í** in the ending and that **tú** forms end in **-aste** or **-iste.** Verbs that have one syllable in the **yo** form do not take written accents.

me acosté tarde   **te acostaste** tarde
me quedé en casa   **te quedaste** en casa
dormí mucho   **dormiste** mucho
escribí la tarea   **escribiste** la tarea
vi la televisión   **viste** la televisión

ASÍ SE DICE

Remember that **dar** is a unique **-ar** verb in Spanish: it takes **-er/-ir** endings in the preterite!

di	dimos
diste	disteis
dio	dieron
dio	dieron

A number of common verbs have irregular stems in the preterite and do not have a stressed ending.

anda	**Anduve** en bici. ¿**Anduviste** en bici?
estar	**Estuve** todo el día en casa. ¿Dónde **estuviste** tú?
hacer	**No hice** nada. ¿Qué **hiciste** tú?
ir	**Fui** al cine. ¿Adónde **fuiste** tú?
poder	**No pude** relajarme. ¿**Pudiste** relajarte?
tener	**Tuve** un sueño. ¿**Tuviste** un sueño?
venir	**Vine** temprano. ¿A qué hora **viniste**?

Actividad D   ¿Qué hice yo?

Lee cada descripción y determina cuál es la respuesta más lógica.

1. El viernes por la tarde fui al gimnasio y allí...
   a. vi la televisión.
   b. levanté pesas.
   c. fui al museo.
2. El sábado por la tarde compré algo nuevo cuando...
   a. fui de compras.
   b. hice ejercicio aeróbico.
   c. acampé en las montañas.
3. El sábado por la noche salí con mis amigos y me sorprendí cuando...
   a. vi a mi ex novio/a.
   b. volví tarde a mi casa.
   c. saqué una buena nota en el examen de física.
4. Como soy fanático/a de las actividades acuáticas, fui al mar donde...
   a. escalé una montaña.
   b. corrí dos millas.
   c. nadé.
5. Me puse triste cuando supe que...
   a. la hija de una amiga sufrió (*suffered*) un accidente automovilístico.
   b. mis amigos se rieron mucho en el cine.
   c. un niño gritó en el supermercado.

COMUNICACIÓN

Actividad E   ¿Dices la verdad o mientes?

Paso 1 Haz dos descripciones de tus actividades, reales o inventadas, del fin de semana pasado. Puedes usar las expresiones de la siguiente lista en tu narración.

primero	por fin
luego/entonces	finalmente
más tarde	

MODELO   El sábado pasado me levanté temprano, fui al gimnasio y allí corrí y nadé. Después fui de compras con un amigo. Finalmente fui al cine y vi una película fabulosa.

Paso 2 Divídanse en grupos de tres o cuatro. Una persona del grupo va a leer su descripción, y los otros del grupo tienen que determinar si las actividades descritas (*described*) son reales o inventadas. La persona que más les toma el pelo (*pulls their leg*) a sus compañeros, ¡gana!

Vistazos

La buena risa

¿Qué hacía que causó tanta risa?

Narrating in the Past: Using Both Preterite and Imperfect

— Una vez un hombre **entró** a un bar. No **conocía** a nadie y **no tenía** dinero para...
— Ya lo **oí,** Luis. Ese chiste es película vista...

PRETÉRITO
Cuando mi mamá
   llamó,...

IMPERFECTO
...yo **meditaba.** No **hacía** buen tiempo. **Llovía** y no **quería** salir de mi casa.

Ayer **fui** al gimnasio.
   Levanté pesas y luego
   corrí dos millas.

Mientras yo **hacía** ejercicio, mi compañera de cuarto **trabajaba** en el jardín.

As you know, there are two past tenses in Spanish: the preterite and the imperfect. Both tenses are needed and are used in combination when narrating events in the past because Spanish encodes what is called *aspect*. Aspect refers not to when an event happened, but to whether or not the event was in progress at the time referred to. As such, the use of the preterite and imperfect depends on how a narration unfolds and what relationship each event has to a time reference in the past.

Of the two, the imperfect signals that an event is being reported in progress at a specific point in time in the past. The point in time can be given as clock time (At 2:00 . . .) or it can be another event (When Daniel arrived . . .).

TIME REFERENCE
A las 2.00 de la tarde...
At 2:00 in the afternooon . . .

EVENT IN PROGRESS
todavía **dormía.**
I was still sleeping.

Cuando Daniel **llegó,...**
When Daniel arrived, . . .

yo **estudiaba.**
I was studying.

Because the imperfect means "in progress" it can be used to contrast two events occurring simultaneously. Typically, the word **mientras** (*while*) is used to connect these events.

IN PROGRESS	IN PROGRESS
Mientras yo **dormía,...** *While I was sleeping, . . .*	mi compañero de cuarto **leía.** *my roommate was reading.*
Mientras mi mamá **hablaba,...** *While my mom was speaking, . . .*	yo la **escuchaba** con atención. *I was listening to her carefully.*
¿Qué **hacías...** *What were you doing . . .*	mientras él **trabajaba?** *while he was working?*

The preterite does not signal events in progress but is used instead to refer to isolated events in the past, sequences of events, or to pinpoint a time in the past to which other events relate.

ISOLATED EVENT IN THE PAST
Anoche **me quedé** en casa.   *Last night I stayed home.*

SEQUENCE OF EVENTS
Ayer **jugué** al tenis y luego **me bañé** en el jacuzzi.   *Yesterday I played tennis and then I sat in the jacuzzi.*

PINPOINTING A TIME REFERENCE IN THE PAST
Cuando **salí** del cine...   *When I left the movie theater . . .*

Notice how in the following short narrative, the preterite and imperfect work together to show how the events relate to one another and to the time references included in the narrative. First, underline the preterite forms and circle the imperfect forms you see. Then, for each use of the imperfect, see if you can tell at what point in time the event was in progress. The answers follow, but cover them up before you read.

Ayer hacía mal tiempo, llovía y no tenía ganas de hacer nada. Decidí quedarme en casa. Miraba la televisión cuando sonó el teléfono. No quería hablar con nadie pero lo contesté. Oí la voz de un amigo que parecía estar muy triste...

EVENT IN PROGRESS	POINT IN TIME
hacía mal tiempo llovía no tenía ganas	decidí quedarme en casa
miraba la televisión	sonó el teléfono
no quería hablar	lo contesté
parecía estar triste	oí la voz

Actividad A ¿Qué hizo Claudia ayer para relajarse?

Empareja cada frase en la columna A con una frase lógica en la columna B.

A

1. **C** Eran las siete de la mañana cuando Claudia...
2. **F** Se bañó, se vistió y...
3. **D** Hacía sol cuando...
4. **A** Manejó por una hora y después...
5. **B** Claudia pescaba cuando de repente (*suddenly*) vio una serpiente de cascabel (*rattlesnake*) y...
6. **E** Cuando se repuso (*she recovered*)...
7. **G** Eran las seis de la tarde cuando por fin volvió a casa. Estaba contenta y...

B

a. llegó a las montañas y encontró un lugar ideal para pescar.
b. gritó y se asustó.
c. se despertó.
d. salió de su casa a las ocho.
e. se sentía relajada después del bonito día en las montañas.
f. desayunó rápidamente.
g. pescó un rato más y después decidió regresar a casa.

Actividad B La última vez...

Paso 1 Piensa en la última vez que te reíste a carcajadas (*laughed loudly*). ¿Qué hacías? ¿Dónde estabas?

La última vez que me reí a carcajadas...

1. ❑ estaba en mi casa.   ❑ no estaba en mi casa.
2. ❑ estaba solo/a.   ❑ estaba con otra(s) persona(s).
3. ❑ leía algo.   ❑ escuchaba algo.
4. ❑ veía algo.   ❑ recordaba algo.

Después de reírme tanto...

5. ❑ me sentí muy bien.
6. ❑ me sentí avergonzado/a.
7. ❑ tenía dolor de estómago (*stomachache*).

Paso 2 Usando tus respuestas del **Paso 1,** escribe un párrafo breve.

MODELO   La última vez que me reí a carcajadas estaba solo. Veía...

Paso 3 Presenta una versión oral de tu narración a la clase. ¿Cuántos estaban en una situación similar cuando se rieron a carcajadas? ¿Cuántos se sintieron igual después?

La risa es muy beneficiosa para la salud física y mental.

Actividad C Un chiste

COMUNICACIÓN

Piensa en la última vez que oíste un buen chiste que te hizo reír mucho.

1. ¿Quiénes estaban presentes?
2. ¿Qué hacían Uds.? ¿Dónde estaban?
3. ¿Se rieron todos tanto como tú? ¿Se ofendió alguien?

———————
^aflu

ASÍ SE DICE

Gracia is a common word in Spanish that means a variety of things. It is used with **hacer** to talk about things that strike one as funny and **tener** to talk about someone who is funny. Here are some ways to talk about funny events.

hacerle gracia a uno	Me hizo mucha gracia.
tener gracia	Tu padre tiene mucha gracia.
causar risa	Me causó mucha risa.
hacer reír (*a una persona*)	Nos hizo reír.
gracioso/a	Vi algo muy gracioso
chistoso/a	(chistoso, cómico)
cómico/a	el otro día.

Observaciones

Se dice que la mejor medicina es la risa. ¿Conoces a personas que usan la risa para aliviar situaciones difíciles?

Los hispanos hablan

¿Crees que hay diferencias?

Paso 1 Lee la siguiente selección **Los hispanos hablan.** Luego, contesta las preguntas a continuación.

¿Crees que hay diferencias entre el humor de tu país y el de los Estados Unidos?

NOMBRE: Nuria Sagarra
EDAD: 26 años
PAÍS: España

«Estoy pensando en la religión. En España —eso es un factor muy diferente a Estados Unidos— en España el 98% de los españoles son católicos. Entonces hay muchos, muchos chistes sobre la religión y el catolicismo, la iglesia, misa y todo esto... »

NOMBRE: Mónica Prieto
EDAD: 24 años
PAÍS: España

«También hay chistes de política. Muchos chistes de política. Y creo que no hay tantos en Estados Unidos. Creo que... a los españoles les gustan los chistes sobre la política, metiéndose con los políticos... »

Vocabulario útil

la misa   una ceremonia religiosa

1. Nuria dice que hay muchos chistes políticos en España. ¿Qué razón da para esto?
2. Según Mónica, ¿qué otro tipo de chistes hay en su país?

Paso 2 Ahora escucha o mira el resto del segmento. Luego, contesta las preguntas que siguen.

Vocabulario útil

verde   además de ser un color, también se usa como adjetivo para referirse a algo sexual

1. Mónica menciona que, además de los chistes políticos, hay otro tipo de chiste común. ¿Qué es?
2. Cuando Nuria habla la segunda vez, menciona una clase de chistes, los chistes _____.
3. Nuria opina que los españoles son un poquito más _____ que los americanos. (¿Está de acuerdo con esto su profesor de español?)

Paso 3 A base de lo que has oído, ¿dónde sería más probable lo siguiente, en España o en los Estados Unidos?

1. contar un chiste político
2. no contar un chiste sobre el sexo
3. contar un chiste sobre el fútbol americano
4. contar un chiste sobre la Iglesia Católica

Vocabulario

¿Cómo te relajas?	How Do You Relax?
acampar	to go camping
andar en bicicleta	to ride a bicycle
bañarse (en el jacuzzi)	to bathe (in a jacuzzi)
bucear	to (scuba) dive
dar una fiesta	to throw (have) a party
dibujar	to draw
escalar montañas	to mountain climb
esquiar	to ski
en el agua	to water ski
en las montañas	to snow ski
hacer camping	to go camping
ir al teatro	to go to the theater
jugar (R)	to play
a los naipes	cards
al golf	golf
al voleibol	volleyball
meditar	to meditate
navegar en un barco	to sail

patinar	to skate
pescar	to fish
saltar a la cuerda	to jump rope
tener un picnic	to have a picnic
trabajar en el jardín	to garden

Repaso: dar un paseo, ir a la iglesia, leer, levantar pesas

Lugares	Places
el bosque	forest
el desierto	desert
el lago	lake
el mar	sea
las montañas	mountains
el museo	museum
el océano	ocean
el parque	park
el río	river

Otras palabras y expresiones útiles

chistoso/a	funny	**causar risa**	to cause laughter, make laugh
cómico/a (R)	comic(al), funny	**hacer reír**	to make laugh
gracioso/a	funny, amusing	**hacerle gracia a uno**	to strike someone as funny
el chiste (R)	joke	**reír(se) (i, i) a carcajadas**	to laugh loudly
la risa	laugh; laughter		
el tiempo libre	free (spare) time	**tener gracia**	to be funny, charming

Otros vistazos

In the **Vistazos** CD-ROM, you will learn more about Hispanic cultures, including:

- el poema «Válium 10» por Rosario Castellanos
- varios datos sobre la vida de Rosario Castellanos
- información geográfica de México
- información sobre la historia de México
- datos interesantes en **¿Sabías que... ?**

istazos

Listen to and read the following brief work. You may click on each hotlinked item for an explanation of its function within the Spanish language and for a brief practice activity.

«Válium 10», por Rosario Castellanos.

práctica

A veces (y no trates
de restarle importancia[1]
diciendo que no ocurre con frecuencia)
se te quiebra la vara con que mides,[2]
se te extravía la brújula[3]
y ya no entiendes nada.
El día se convierte en una sucesión
de hechos incoherentes, de funciones
que vas desempeñando[4] por inercia y por hábito.

Y lo vives. Y dictas el oficio[5]
a quienes corresponde. Y das la clase
lo mismo a los alumnos inscritos que al oyente.[6]
Y en la noche redactas[7] el texto que la imprenta
devorará[8] mañana.
Y vigilas[9] (oh, sólo por encima[10])
la marcha de la casa, la perfecta coordinación
de múltiples programas
—porque el hijo mayor ya viste de etiqueta
para ir de chambelán[11] a un baile de quince años.

[1] restarle... to minimize its importance
[2] se... your measuring stick breaks
[3] se... your compass goes off kilter
[4] vas... you go on carrying out
[5] job
[6] auditor (one who is not enrolled)
[7] you draft
[8] la... the press will devour
[9] you watch over [10] por... cursorily
[11] escort

¿EN QUÉ CONSISTE EL ABUSO?

¿Has pensado en lo que pasa si una persona no aprende a hacer las cosas con moderación? ¿Cuáles son las consecuencias de hacer algo en exceso? En esta lección vas a explorar esta cuestión y vas a

▨ continuar usando el imperfecto y el pretérito para hablar del pasado

▨ comenzar a comprender los mandatos (*commands*) orales y escritos

▨ escuchar a una persona hablar sobre el ejercicio y la buena forma en los Estados Unidos

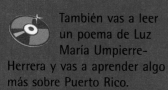 También vas a leer un poema de Luz María Umpierre-Herrera y vas a aprender algo más sobre Puerto Rico.

Vistazos

¿Qué es una lesión?

More Vocabulary Related
to Activities

DAÑINO *adj.* Se aplica a lo que causa un daño: *Algunos mariscos son dañinos si se comen crudos.*

DAÑO *m.* Efecto negativo. Detrimento: *Este problema puede causar mucho daño.* Dolor: *Estos zapatos me hacen mucho daño.*

HERIDA *f.* El resultado físico de la acción de herir: *Muchos atletas sufren heridas mientras practican.*

HERIR *v. tr.* Causar en un organismo un daño en que hay destrucción de los tejidos, como un golpe con un arma, etcétera: *El soldado hirió al enemigo con un disparo de pistola.*

LESIÓN *f.* Sinónimo de herida: *El corredor sufrió una lesión del tobillo.*[a]

[a] *ankle*

**VOCABULARIO
ÚTIL**

el peligro	danger
peligroso/a	dangerous

Actividad A   Consecuencias

¿Cuáles pueden ser las consecuencias de practicar estas actividades si uno no tiene cuidado? Indica tus respuestas y luego compáralas con las de un compañero (una compañera).

	ADICCIÓN FÍSICA	DAÑOS FÍSICOS	ADICCIÓN PSICOLÓGICA	OTROS PELIGROS PSICOLÓGICOS
1. hacer ejercicios aeróbicos	❏	❏	❏	❏
2. ir de compras	❏	❏	❏	❏
3. esquiar	❏	❏	❏	❏
4. comer	❏	❏	❏	❏
5. jugar a los videojuegos	❏	❏	❏	❏
6. ingerir bebidas alcohólicas	❏	❏	❏	❏

Actividad B ¿Peligroso o dañino?

Muchos opinan que las palabras **dañino** y **peligroso** no significan lo mismo. Según ellos, no son sinónimos. En esta actividad vas a ver si para ti significan lo mismo o no.

Paso 1 Indica si cada una de las actividades a continuación puede ser o dañina o peligrosa.

MODELO Ver la televisión puede ser dañino.
Escalar montañas puede ser peligroso.

1. practicar el paracaidismo (*skydiving*)
2. escuchar música a todo volumen con frecuencia
3. salir solo/a de noche en una ciudad grande
4. montar en motocicleta sin casco (*helmet*)
5. tomar el sol (*sunbathing*)
6. tomar más de tres tazas de café diariamente

Paso 2 Piensa en las clasificaciones que hiciste en el **Paso 1.** ¿Cuál es la diferencia entre una actividad dañina y una peligrosa?

❑ Para mí, una actividad dañina puede tener consecuencias mucho más graves que una actividad peligrosa. Por ejemplo, una actividad dañina puede conducir a (*lead to*) la muerte.

❑ Para mí, una actividad peligrosa puede tener consecuencias mucho más graves que una actividad dañina. Por ejemplo, una actividad peligrosa puede conducir a la muerte.

COMUNICACIÓN

Actividad C ¡Cuidado!

¡Ciertas actividades, si se hacen en exceso, son más peligrosas que otras!

Paso 1 Haz una clasificación de las actividades a continuación usando la escala. Escribe el número de cada categoría en el espacio indicado.

1 = No ofrece mucho peligro.
2 = Puede ser peligrosa.
3 = Es muy peligrosa.

a. _____ escalar montañas
b. _____ navegar en un barco
c. _____ jugar al tenis
d. _____ andar en bicicleta
e. _____ esquiar en las montañas
f. _____ hacer camping

Paso 2 Con dos compañeros/as de clase, piensen en dos otras actividades que podrían agregarse (*could be added*) a las categorías del **Paso 1** y escríbanlas.

	NO OFRECE MUCHO PELIGRO.	PUEDE SER PELIGROSA.	ES MUY PELIGROSA.
g. _____	❑	❑	❑
h. _____	❑	❑	❑

Paso 3 Con tus compañeros/as del **Paso 2,** sigan el modelo y expliquen cuál es la más peligrosa de las actividades indicadas en el **Paso 2** y cuál es la que ofrece menos o ningún peligro.

MODELO Jugar al fútbol americano es la actividad más peligrosa porque puede causar daños físicos graves.

¿Están listos/as tus compañeros/as y tú para defender sus respuestas?

¿Veías la televisión de niño/a?

Imperfect Forms of the Verb **ver**

veía	veíamos
veías	veíais
veía	veían
veía	veían

Like **ir** and **ser, ver** is a verb that has an irregular stem in the imperfect tense. For regular **-er** verbs the **-er** ending is dropped and the appropriate **-ía-** ending is added. For **ver,** however, the **e** is retained and **ve-** becomes the stem.

—De niño, yo siempre **veía** mucha televisión. ¿Y tú?
—En mi familia, no la **veíamos** tanto.

These three verbs are the only irregular Spanish verbs you will encounter in the imperfect tense. Here is a review of the imperfect forms of **ir** and **ser.**

ir	iba, ibas, iba, iba, íbamos, ibais, iban, iban	**ser**	era, eras, era, era, éramos, erais, eran, eran

Actividad D ¿Qué programas de televisión veías?

Paso 1 Piensa en los programas de televisión que veías de niño o de niña. Marca con X los que veías, y deja en blanco los que no veías.

❑ los dibujos animados ¿otros?
❑ los programas educativos ❑ _____
❑ «La Plaza Sésamo» ❑ _____

Paso 2 Compara tus respuestas con las de un compañero (una compañera). ¿Veían programas similares?

Actividad E ¿Sabías que... ?

Paso 1 Escucha y lee la siguiente selección **¿Sabías que... ?** Luego, contesta las preguntas a continuación.

1. En cuanto a los españoles y su tiempo libre, ¿cuáles son las dos actividades más populares?
2. ¿Cómo se comparan los Estados Unidos y España con respecto al acto de ver la televisión?

Paso 2 Escoge la oración que mejor capte la idea principal de la selección.

❑ Parece que la televisión es muy importante en los Estados Unidos, pero no tanto en otros países del mundo.
❑ Ver la televisión es popular en los Estados Unidos y lo es también en otros países del mundo hispano, como España.

¿Sabías que...

al igual que en los Estados Unidos, en el mundo hispano la televisión también tiene un papel muy importante? Todos saben que la televisión es un elemento bien integrado en la cultura estadounidense, pero no tantos saben que es así para mucha gente de habla española. En una encuesta realizada hace poco en España, por ejemplo, el 85% de los solicitantes dijeron que veían la televisión todos o casi todos los días. A este mismo grupo se le hizo la siguiente pregunta: «¿En qué suele emplear, en general, su tiempo libre?» Respondieron así los participantes:

estar con la familia: 76%
ver la televisión: 69%
estar con amigos: 54%
leer libros o revistas: 45%

Además de los que declararon ver la televisión todos o casi todos los días, el 26% admite verla entre dos o tres horas al día. Estas cifras no difieren mucho de las de los Estados Unidos.

A los miembros de esta familia española les gusta ver la televisión juntos.

Source: Boletín del Centro de Investigaciones Sociológicas

Visit the *Vistazos* website at **www.mhhe.com/vistazos**.

Actividad F   Entrevistas

Según estadísticas recientes, los niños y los estudiantes universitarios pasan mucho tiempo mirando la televisión. ¿Es verdad?

Paso 1   Entrevista a un compañero (una compañera) de clase. Hazle las siguientes preguntas.

1. ¿Cuál de estas descripciones se te puede aplicar a ti?
   - ❑ De niño/a veía más televisión que ahora.
   - ❑ De niño/a veía menos televisión que ahora.
2. ¿Cuántas horas diarias de televisión veías cuando eras niño/a?
3. ¿Cuántas horas diarias de televisión ves ahora? ¿Crees que en este sentido eres una persona como las demás?

Paso 2   Comparte los resultados obtenidos en el **Paso 1** con los de tus compañeros de clase. ¿Es verdad que los estudiantes ven muchas horas de televisión? ¿y los niños?

Paso 3 (Optativo)   ¿Hay adictos a la televisión en tu clase? ¿Cómo llegaste a esta conclusión?

Vistazos

Saliendo de la adicción

¿Qué debo hacer? —Escucha esto.

Telling Others What to Do: Affirmative **tú** Commands

toma
acuéstate
come
escribe
haz
di

Jorge, si de veras quieres dejar ese vicio, primero **admite** que tienes un problema y luego **infórmate** sobre una manera de dejarlo.

Command forms (*Eat! Drink this! Do that!*) come in several forms: **tú, Ud., vosotros/as** (*Sp.*), and **Uds.** The affirmative **tú** forms are relatively easy to learn, since they are in most cases identical to third-person

singular verb forms. You are already familiar with some of these commands because they have been used in the instructions of many activities in this book.

> **Come** más ensalada si quieres ser más delgado.
> **Mira** más televisión si quieres comprender la cultura de este país.

Many commonly used verbs have irregular affirmative **tú** command forms.

decir	**Di** la verdad.	*Tell the truth.*
hacer	**Haz** dos más.	*Make two more.*
ir	**Ve*** a la tienda.	*Go to the store.*
poner	**Pon** tus libros aquí.	*Put your books here.*
salir	**Sal** si puedes.	*Get out if you can.*
tener	**¡Ten** cuidado!	*Be careful!*
venir	**Ven** conmigo.	*Come with me.*

Both direct and indirect object pronouns, as well as reflexive pronouns, are attached to the end of affirmative **tú** commands. Indirect objects always precede direct objects.

Cómelo, si quieres.	*Eat it if you want. (it =* **el sandwich***)*
Dámelas, por favor.	*Give them to me, please. (them =* **las páginas***)*
Cálmate.	*Calm down.*

Actividad A   Minilectura

Paso 1   Lee el artículo rápidamente. ¿Puedes deducir a qué tipo de adicción se aplican los consejos?

CÓMO SALIR DE LA ADICCIÓN

1. Admite que eres una adicta. Según los médicos, nadie puede salir de una adicción si no admite que realmente la tiene. Hazte la siguiente pregunta: ¿El tiempo que empleas para hacer ejercicios, NO está balanceado con el resto de tus actividades? Si la respuesta es sí, eres una adicta.

2. Empieza a «cortar» tu entrenamiento gradualmente. Si te sientes dependiente de tu rutina, empieza a eliminar actividades lentamente. Si practicas una hora y media diaria, empieza a cortar 30 minutos. Si te entrenas 5 días a la semana, corta un día.

3. Cambia tus actividades. Sustituye los ejercicios de relajación, toma clases de yoga o ensaya con un ejercicio que te permita socializar, como el tenis, el raquetbol o el baile.

---

*The regular **tú** command form of the verb **ver** is also **ve.** Context will determine meaning.

Ve a la casa de tus abuelos.	*Go to your grandparents' house.*
¡Ve esto!	*Look at this!*

Paso 2 Repasa el artículo y apunta todos los mandatos que encuentras. (Nota: Sólo debes escribir los verbos; no tienes que escribir toda la frase u oración entera.)

Paso 3 ¿Cuáles de las siguientes recomendaciones parecen lógicas según el contenido del artículo? Marca sólo las que te parezcan apropiadas.

- ❏ *Mírate* en un espejo y *di*, «Tengo un problema».
- ❏ *Habla* con un amigo para conseguir el nombre de un doctor (una doctora).
- ❏ *Limita* tu contacto con otros adictos y *busca* la amistad (*friendship*) de personas que tengan otros intereses.
- ❏ *Busca* otro tipo de ejercicio. Si corres, *toma* una clase de ejercicios aeróbicos. Si pedaleas, *empieza* a correr.
- ❏ *Come* más y *bebe* menos.
- ❏ *Elimina* los ejercicios que más te gustan. No vas a triunfar si no te sacrificas.

COMUNICACIÓN

Actividad B   Más consejos

Paso 1 Escoge una de las adicciones de la lista a continuación. Escribe por lo menos tres consejos en forma de mandatos afirmativos para dárselos a un amigo (una amiga) que sufre de esa adicción.

adicción al tabaco (fumar)
adicción al alcohol
adicción a la televisión
adicción al teléfono
adicción a la navegación de la red

Paso 2 Reúnete con otras dos personas para presentar tus consejos. Al final, el grupo debe hacer una sola lista de los consejos de los tres y compartirlos con la clase. ¿Hay variedad de consejos para cada adicción, o se repiten los mismos consejos para algunas de ellas?

Busca un sitio de un grupo u organización que ayuda a los que sufren de una adicción a algo, como el tabaco, el alcohol, la cocaína, el trabajo, el chocolate, etcétera. Reporta la información que encuentras: qué tipo de organización es, cuándo se reúne, etcétera.

Alternativa: Busca en la red un artículo en un periódico o una revista en español que habla sobre alguna adicción. Reporta información como la siguiente: el número de personas que son adictas, las causas, la tasa (*rate*) de curación, etcétera.

¿Qué no debo hacer?
—¡No hagas eso!

Telling Others What *Not* to Do:
Negative **tú** Commands

AS Í SE D I C E

Negative **Uds.** commands are the same as affirmative **Uds.** commands, with the addition of **no.**

No hablen durante el examen. **No salgan** sin terminarlo todo.

Negative **vosotros** commands are formed using the same stems as all other commands (**mir-, dig-, salg-,** and so on) and adding **-eis** if the verb is **-ar** and **-ais** if the verb is **-er/-ir:**

No hableis durante el examen. **No salgais** sin terminarlo todo.

Which does your instructor use when speaking to you and your classmates as a group: **Uds.** or **vosostros** commands?

no	tomes
	te acuestes
	comas
	escribas
	hagas
	digas

No **pienses** más en los cigarrillos, Jorge, y no **te dejes caer** en la tentación.

Negative **tú** commands are formed by taking the **yo** form of the present tense indicative, dropping the **-o** or **-oy,** and adding what is called *the opposite vowel* + **s.** The opposite vowel is **e** if the verb is an **-ar** verb. The opposite vowel is **a** if the verb is an **-er** or **-ir** verb. Any stem changes or irregularities of the **yo** form in the present tense indicative are retained. And of course, reflexive verbs have the pronoun **te.**

vengo → veng- + -as → **no vengas**
me acuesto → acuest- + -es → **no te acuestes**
doy → d- + -es → **no des**

Among the handful of verbs whose negative **tú** commands are not formed in this way are **ir** and **ser.**

| ir | **no vayas** |
| ser | **no seas** |

Unlike affirmative **tú** commands, negative **tú** commands require all pronouns to precede the verb.

No me digas eso.   *Don't tell me that.*
No te levantes tarde.   *Don't get up late.*
No me lo pidas.   *Don't request it of me.*

Actividad C   Lo que no debes hacer

Según el artículo «Cómo salir de la adicción», ¿cuáles de las siguientes recomendaciones te parecen inapropiadas?

❑ No pases mucho tiempo con los amigos si quieres salir de la adicción, pues ellos pueden distraerte de tu propósito (*distract you from your purpose*).

- ❏ No elimines por completo los ejercicios de tu rutina.
- ❏ No hables de tu problema con nadie. Es un asunto personal que a nadie le interesa.
- ❏ No hagas nada radical. Salir de la adicción requiere tiempo y cambios graduales.
- ❏ No leas información sobre tu problema, ni tampoco pienses demasiado en ello. Es mejor no «intelectualizar» mucho respecto a una adicción.

Actividad D   La adicción al trabajo

Paso 1 Lee rápidamente el siguiente artículo, «El trabajo como adicción».

Paso 2 Ahora completa las siguientes oraciones de una manera lógica.

1. No te mientas; _____
2. No seas esclavo a tu trabajo; _____
3. No te olvides de los amigos; _____
4. No te preocupes por las horas extras; _____

Paso 3 Inventa tres o cuatro consejos más para dar a un adicto (una adicta) al trabajo.

MODELO   No almuerces en tu oficina.

Paso 4 Con un compañero (una compañera) reúnan las ideas de los **Pasos 2** y **3** y formulen una serie de cinco a seis consejos más apropiados al adicto (a la adicta) al trabajo.

A S Í   S E   D I C E

Some verbs have spelling changes either to keep a certain pronunciation or because Spanish simply does not allow certain letter combinations. (You may wish to review this from **Lección 3** or **Lección 11** on the formation of **yo** forms in the preterite.)

buscar	No me bus**ques**.
llegar	No lle**gues** tarde.
comenzar	No comien**ces**, por favor.

El trabajo como adicción

El adicto al trabajo se miente a sí mismo y les miente, por tanto, a los demás. En realidad, hace todo lo posible por no tener un instante libre. ‹‹No puede›› tomar un café con el amigo porque hace horas extras; ‹‹no puede›› escuchar a sus hijos porque no dispone de tiempo; ‹‹no puede›› hacer el amor de manera relajada y libre porque está cansado. Así se convierte en fuente de insatisfacción para los otros.

Situación

Trabajas en una empresa de informática (un negocio de computadoras). Has notado (*You have noticed*) en varias ocasiones que un compañero de trabajo huele a (*smells like*) alcohol. Este compañero parece trabajar bien y pocas veces falta al trabajo. Durante las próximas cuatro semanas tú y él tienen que trabajar juntos en un proyecto. Hoy viene a hablarte en la oficina y otra vez huele a alcohol. ¿Qué haces?

Los hispanos hablan

¿Qué has notado?

Paso 1 Lee la siguiente selección **Los hispanos hablan.** ¿Cómo completa Idélber su oración? ¡Adivina!

1. ...el dinero.
2. ...la popularidad.
3. ...la salud.

¿Qué has notado en cuanto a la actitud norteamericana con respecto a la salud?

NOMBRE: Idélber Avelar
EDAD: 29 años
PAÍS: Brasil

«La mayoría de la gente que llega a Estados Unidos de otros países nota una preocupación tremenda —para algunas personas, quizás una preocupación superflua, demasiado grande— respecto a _____... »

Paso 2 Ahora escucha o mira el resto del segmento. Después, contesta las siguientes preguntas.

1. Idélber menciona dos cosas específicas que les preocupan a los norteamericanos. ¿Cuáles son?
2. ¿Qué oración capta mejor la tesis de Idélber?
   a. En los Estados Unidos la gente piensa demasiado en el día de hoy; nunca piensa en el futuro.
   b. En los Estados Unidos es bueno que la gente piense tanto en su bienestar físico.
   c. En los Estados Unidos la gente se preocupa de la perfección física y así la inmortalidad, y que no goza (*enjoys*) de la vida que sí tiene.

Paso 3 Con uno o dos compañeros, comenten la tesis de Idélber. ¿Están de acuerdo o no?

Vocabulario

Los daños físicos	Physical Injuries
la herida } la lesión }	wound, injury
el peligro	danger
dañino/a	harmful
grave	serious
peligroso/a	dangerous
consistir en	to consist of
herir (ie, i)	to wound
tener cuidado	to be careful

¿Eres una fanática?	Are You a Fanatic?
el abuso (de las drogas)	(drug) abuse
la adicción	addiction
el alcoholismo	alcoholism

la consecuencia	consequence
la estimación propia	self-esteem
abusar de	to abuse
convertirse (ie, i) en adicto/a	to become addicted
mantener (*irreg.*) un equilibrio sano	to maintain a healthy balance
salir de una adicción	to overcome an addiction
ser adicto/a	to be addicted
sufrir	to suffer; to experience

Otras palabras y expresiones útiles	
el/la corredor(a)	runner, jogger
admitir	to admit

Otros vistazos

In the **Vistazos** CD-ROM, you will learn more about Hispanic cultures, including:

- el poema «La jogocracia» por Luz María Umpierre-Herrera
- una breve biografía de la poeta
- algo sobre la geografía de Puerto Rico
- información sobre la historia puertorriqueña
- datos interesantes en **¿Sabías que... ?**

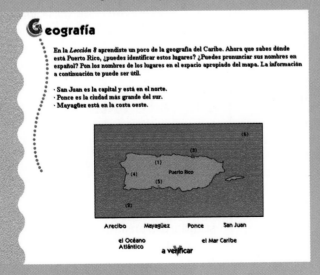

Geografía

En la *Lección 8* aprendiste un poco de la geografía del Caribe. Ahora que sabes dónde está Puerto Rico, ¿puedes identificar estos lugares? ¿Puedes pronunciar sus nombres en español? Pon los nombres de los lugares en el espacio apropiado del mapa. La información a continuación te puede ser útil.

- San Juan es la capital y está en el norte.
- Ponce es la ciudad más grande del sur.
- Mayagüez está en la costa oeste.

GRAMMAR SUMMARY FOR LECCIONES 10–12

Verbs That Require a Reflexive Pronoun

1. Remember that with true reflexive verbs, the subject and the object refer to the same person or thing (**me miro** = *I look at* *myself*, **se mira** = *she looks at herself*). But you have learned a number of verbs in this unit that require a reflexive pronoun (**me, te, se,** and so forth) even though they are not reflexive in meaning. Here is a list of such verbs.

aburrirse	*to get bored*	**¿Te aburres** fácilmente?	*Do you get bored easily?*
alegrarse	*to get happy*	**Me alegro** de oír eso.	*I'm happy to hear that.*
cansarse	*to get tired*	Jaime **se cansa** si hace calor.	*Jaime gets tired if it's hot.*
enojarse	*to get angry*	No quiero **enojarme.**	*I don't want to get angry.*
irritarse	*to be (get) irritated*	¡No **te irrites!**	*Don't get irritated!*
ofenderse	*to be (get) offended*	**¿Se ofendió** Ud.?	*Did you get offended?*
preocuparse	*to worry, get worried*	**Me preocupo** por eso.	*I worry about that.*
sentirse (ie, i)	*to feel*	**Me siento** bien.	*I feel good.*

2. **Ponerse** can be used with a number of adjectives to talk about changes of emotional states.

> **Me puse irritado** con ella.
> *I got irritated with her.*

> **¿Te pusiste contento?**
> *Did you become happy?*

3. Although the verbs in (1) above and the use of **ponerse** in (2) above are not true reflexives, most of them can be used without a reflexive pronoun to talk about how something affects someone else. Compare the following sentences.

> **Me ofendí.**
> *I got offended.*

> Ese comentario **me ofendió.**
> *That comment offended me.*

> **¿Te aburriste** en la clase?
> *Did you get bored in class?*

> **¿Te aburrió** la clase?
> *Did the class bore you?*

The Verbs faltar and quedar

The verbs **faltar** (*to be missing, lacking*) and **quedar** (*to be remaining*) are generally used with indirect object pronouns to express concepts equivalent to the English *to have something missing* or *to have something remaining*. Note both the literal and the more standard translations in English, which will help you remember how these verbs work in Spanish.

Me falta dinero.
I'm missing money. (Lit. Money is missing to me.)

¿Le falta algo a Ud.?
Are you missing something? (Lit. Is something missing to you?)

No **nos queda** nada.
We have nothing left. (Lit. Nothing is left to us.)

¿Cuánto dinero te queda?
How much money do you have left? (Lit. How much money is left to you?)

Both **faltar** and **quedar** can be used without indirect object pronouns. Compare the following sentences to those above.

¿Queda pan?
Is there any bread left?

Algo **falta**...
Something is missing . . .

¿Quién **falta**?
Who is absent? (Who is missing?)

Estar + Adjective

Remember that to express a condition or state of being, whether emotional or physical, Spanish uses the verb **estar** and not **ser.**

Estoy muy **cansado.**
I am very tired.

Siempre **estoy contento.**
I am always happy.

¿Nunca **estás aburrida?**
Are you ever bored?

Tener + Nouns

In this, as well as other units, you have seen **tener** used with nouns to express concepts that would require the verb *to be* in English.

Don't make the mistake of using **estar** in these situations.

tener cuidado	*to be careful (lit. to have care)*
tener gracia	*to be funny, charming (lit. to have charm, wit)*
tener miedo	*to be afraid (lit. to have fear)*
tener vergüenza	*to be ashamed, embarrassed (lit. to have shame)*

Since the above expressions use nouns, **mucho/a** and **poco/a** are used as modifiers, as well as the phrases **un poco de** and **nada de.** Don't make the mistake of using **muy.**

Ten **mucho** cuidado.
Be very careful.

Tengo **un poco de** miedo.
I'm a little bit afraid.

No tiene **nada de** gracia.
He's not at all funny.

The Imperfect and the Preterite

Most students of Spanish have more difficulty with the functions of the imperfect as compared to the preterite. However, they also tend to have more problems with the forms of the preterite. For this reason, the functions of the imperfect and the forms of the preterite are emphasized in this summary.

1. The imperfect has two main functions in Spanish. The first is to talk about events that happened habitually in the past.

De niño **jugaba** mucho.
As a child I played a lot.

¿**Dormías** con la luz prendida?
Did you used to sleep with the light on?

Antes Juan **se ofendía** fácilmente.
Juan used to (would) get offended easily.

Although *used to* and *would* are often English translations of the Spanish imperfect, note in the first example that this is not always the case.

2. The second basic function of the imperfect is to convey that a past event was in progress at a particular point in time. That point in time can be clock time (at 2:00) or at the time another event occurred. (When the door opened . . .).

> ¿Qué **hacías** anoche a las 9.00?
> *What were you doing last night at 9:00?*

> ¿A las 9.00? **Estudiaba.**
> *At 9:00? I was studying.*

> ¿Y qué **hacías** cuando yo llamé?
> *And what were you doing when I called?*

> **Veía** la televisión.
> *I was watching TV.*

3. The preterite is used in most other cases, such as when a habitual event is limited by a time frame or by a specific number of times, when an event is not recalled as in progress at a particular point in time, and so on.

> **Jugué** todo el verano.
> *I played all summer long.*

> A las 9.00 **empecé** a estudiar.
> *I started studying at 9:00.*

> Cuando **volví** a casa, **encontré** una carta en la puerta.
> *When I got home, I found a letter on the door.*

4. A handful of verbs undergo a slight change of meaning depending on whether the preterite or imperfect is used. But remember that since Spanish can inflect the verb to show whether an event was in progress or not, these "meaning changes" are actually due to the fact that English does not inflect verbs this way and thus uses different words to express the same concepts.

> No **sabía** eso.
> *I didn't know that.*

> (*My knowing something was in progress at the time inferred.*)

> Lo **supe** anoche.
> *I found out last night.*

> (*My knowing was not in progress last night. I literally began to know last night.*)

> Ya la **conocía.**
> *I knew her already.*

> (*My knowing her was in progress at the time inferred.*)

> **Conocí** a Roberto anoche.
> *I met Roberto last night.*

> (*My knowing Roberto was not in progress last night. I literally began to know him last night.*)

5. Clock time is always expressed in the imperfect in the past. This is because the hour "was in progress" when something else happened.

> **Eran** las 10.00 cuando oí un sonido raro.
> *It was 10:00 when I heard a strange noise.*

Regular Preterite Stems and Endings

cansarse	beber	salir
me cansé	bebí	salí
te cansaste	bebiste	saliste
se cansó	bebió	salió
se cansó	bebió	salió
nos cansamos	bebimos	salimos
os cansasteis	bebisteis	salisteis
se cansaron	bebieron	salieron
se cansaron	bebieron	salieron

Regular Preterite Verbs with Spelling Changes in the **yo** Form

buscar → **bus**qué
criticar → **criti**qué
pagar → **pa**gué
jugar → **ju**gué
almorzar → **almor**cé

Certain Preterite Stem-Vowel Changes with Regular Endings

dormir (o → ue in present)
d**u**rmió
d**u**rmieron

sentirse (e → ie in present)
se s**i**ntió
se s**i**ntieron

pedir (e → i in present)
p**i**dió
p**i**dieron

Irregular Preterite Stems and Irregular Endings

andar:	anduv-	-e
estar:	estuv-	-iste
hacer:	hiz-*	-o
poder:	pud-	-o
poner:	pus-	-imos
querer:	quis-	-isteis
saber:	sup-	-ieron
tener:	tuv-	-ieron
venir:	vin-	

Note that irregular preterite verbs whose stems end in **j** drop the **i** of **-ieron.**

conducir	conduj-	condu**jeron**
decir	dij-	di**jeron**
traer	traj-	tra**jeron**

---

*Remember that Spanish does not allow the combination of **ze** or **zi.** The **yo** form of **hacer** in the preterite therefore becomes **hice (hiz- + -e → hice).**

Dar is completely irregular in the preterite and doesn't follow any of the preceding patterns.

di	dimos
diste	disteis
dio	dieron
dio	dieron

Commands

1. Affirmative **tú** command forms are the same as the present tense **él/ella** form.

   Toma.
   Here. (Take this.)

   Bebe.
   Drink up.

   Escribe tu nombre aquí.
   Write your name here.

   Some common verbs have irregular affirmative **tú** command forms.

decir:	**Di** algo.
hacer:	**Haz** algo.
ir:	**Ve** a clase.
poner:	**Pon** esto allí.
salir:	**Sal** si puedes.
tener:	¡**Ten** cuidado!
venir:	**Ven** conmigo.

2. All negative **tú** commands are regular. They are formed by taking the **yo** form of the present tense and adding **-es** if the verb is **-ar, -as** if the verb is **-er** or **-ir.**

INFINITIVE	**YO** FORM	NEGATIVE COMMAND STEM	COMMAND FORM
tomar	tomo	tom-	no **tomes**
venir	vengo	veng-	no **vengas**
hacer	hago	hag-	no **hagas**

Note that the **c → qu, g → gu,** and **z → c** spelling changes apply here as in the case of the preterite verb forms.

almorzar	almuerzo	almuerc-	no **almuerces**
pagar	pago	pagu-	no **pagues**
criticar	critico	critiqu-	no **critiques**

3. If an object pronoun or a reflexive pronoun is used with the verb, then

   a. it is attached to the end if the command is affirmative.

   b. it goes in front of the verb if the command is negative.

   Dime algo. **Cálmate.**
   Tell me something. *Calm down.*

   Levántate temprano. **Pruébalo.**
   Get up early. *Try it.*

No me digas eso. **No te ofendas.**
Don't tell me that. *Don't get offended.*

No te levantes tarde. **No lo pruebes.**
Don't get up late. *Don't try it.*

Note that accent marks are added to preserve the stress where it normally falls on the command form.

Grammar Summary for **Lecciones 10–12**

México a través de los siglos (detalle, 1929–1935)
por Diego Rivera (mexicano, 1886–1957)

SOMOS LO
QUE SOMOS

para muchas personas los animales son seres muy distintos del ser humano. Pero, ¿es esto cierto? ¿Hay casos en que los seres humanos y los animales se comportan de forma igual o parecida? ¿En qué se distingue el comportamiento de ambos? ¿En qué manera han utilizado los seres humanos a los animales como símbolos importantes de la personalidad humana? Éstas y otras preguntas forman el enfoque de la **Unidad cinco**.

Para muchos, las mascotas (*pets*) son como amigos o miembros de la familia. ¿Sabes de mascotas que tienen un psiquiatra como el perro de esta foto?

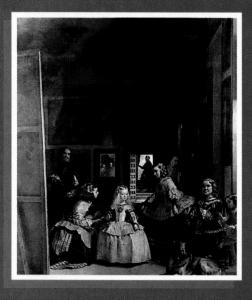

¿Es típico incluir a los animales en las fotos de familia? ¿en el arte? (*Las meninas*, o *Familia de Felipe IV* [1656] por Diego Velázquez [español, 1599–1660])

Los animales siempre han servido de símbolos para nosotros. Para ti, ¿qué representa una serpiente? ¿un jaguar? ¿una rata?

Dos elefantes se saludan. ¿En qué aspecto es este comportamiento típico de los animales? ¿Cómo se saludan los seres humanos?

¿CON QUÉ ANIMAL TE IDENTIFICAS?

¿Has pensado alguna vez en que los animales tienen personalidad? Por ejemplo, ¿en qué se diferencia la personalidad de una rata de la de un tigre? ¿Pueden las descripciones de la personalidad de los animales aplicarse a los seres humanos? En esta lección vas a examinar estos temas y también vas a

■ aprender a describir la personalidad de una persona

■ leer un poco sobre el uso de los animales como símbolos

■ aprender un tiempo verbal nuevo, el pretérito perfecto (*present perfect*)

■ aprender otros verbos «reflexivos»

■ escuchar a un hispano hablar sobre su personalidad

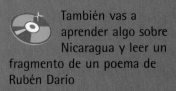 También vas a aprender algo sobre Nicaragua y leer un fragmento de un poema de Rubén Darío

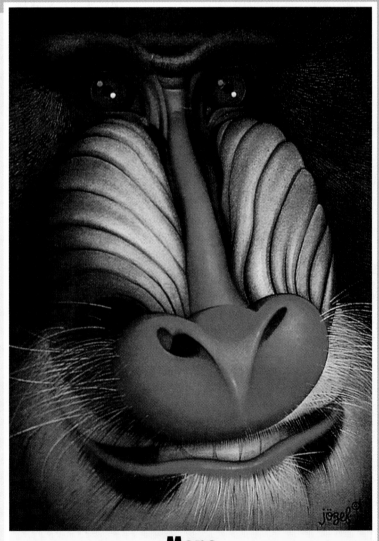

Mono

Vistazos

El horóscopo chino (I)

¿Cómo eres?

Describing Personalities (I)

RATA

Son rata los nacidos en

1900
1912
1924
1936
1948
1960
1972
1984
1996

- calmada en el exterior
- **inquieta** en el interior
- **optimista** y vital
- **imaginativa** y **creadora**
- más intelectual que sensual
- muy sentimental
- **maligna**
- gusta de **aconsejar**
- a veces crítica

La rata

Prefiere vivir de su ingenio (*ingenuity*) que de su trabajo.

BUEY

Son buey los nacidos en

1901
1913
1925
1937
1949
1961
1973
1985
1997

- tranquilo y **paciente**
- **desconfiado**
- **metódico** y preciso
- **equilibrado**
- introvertido
- sencillo pero inteligente
- jefe autoritario
- inspira **confianza**

El buey

No tolera *rock* duro ni moda *punk* en su familia.

VOCABULARIO ÚTIL*

aconsejar	to advise, give counsel	**inquieto/a**	restless
amar	to love	**maligno/a**	corrupt
desconfiado/a	distrustful	**la confianza**	trust
		el mando	control; order

---

*The words given in **Vocabulario útil** here and in the next two **Vocabulario esencial** sections will help you understand the Chinese horoscopes.

TIGRE

Son tigre los nacidos en

1902
1914
1926
1938
1950
1962
1974
1986
1998

- **rebelde**
- **autoritario**
- **violento** y colérico
- sensitivo
- emocional
- ama el riesgo
- tiene gran magnetismo

El tigre

El dinero no le importa; lo suyo (lo que le interesa) es la acción.

CONEJO

Son conejo los nacidos en

1903
1915
1927
1939
1951
1963
1975
1987
1999

- agradable
- simpático
- **discreto** y reservado
- refinado
- no muy **ambicioso**
- un poco **superficial**
- sociable y gregario
- egoísta
- **calmado**
- es compañía ideal

El conejo

Los problemas del mundo le dejan impasible (indiferente).

Actividad A   ¿A quién se refiere?

Lee rápidamente los horóscopos simbolizados por los cuatro animales. Luego escucha las palabras descriptivas del profesor (de la profesora). ¿A quién se refiere en cada caso?

1...   2...   3...   4...   5...

Actividad B   Dos animales distintos

Escucha a tu profesor(a). ¿Cuáles son los dos animales que está comparando?

MODELO   **PROFESOR(A):** Este animal es _____ mientras que este otro es _____.
ESTUDIANTE: Se refiere al (a la) _____ y al (a la) _____.

1...   2...   3...   4...   5...

Actividad C   ¿Serían° compatibles?   *Would they be*   COMUNICACIÓN

En grupos de dos, determinen si las siguientes parejas de animales serían buenos amigos. Expliquen por qué.

Parejas

a. conejo y tigre

b. tigre y buey

c. rata y buey

d. rata y conejo

e. rata y tigre

f. buey y conejo

Respuestas sugeridas

1. Claro que sí. Los dos son _____. También _____.

2. Es posible, porque los dos son _____, pero también hay que notar que _____.

3. En absoluto (*Not at all*). Uno es _____ y _____. En cambio (*On the other hand*) el otro _____.

¿Cómo es la serpiente?

Describing Personalities (II)

DRAGÓN

Son dragón los nacidos en

1904
1916
1928
1940
1952
1964
1976
1988
2000

- incapaz de hipocresías
- **idealista**
- **perfeccionista**
- irritable
- **cabezón**
- impetuoso
- inteligente
- puede **realizar** cualquier actividad

El dragón

Pide mucho, pero da mucho.

SERPIENTE

Son serpiente los nacidos en

1905
1917
1929
1941
1953
1965
1977
1989
2001

- **sabia**
- bella
- peligrosa
- filosófica
- **celosa** y **posesiva**
- **tacaña**
- **confía** en su sexto sentido

La serpiente

Confía en su sexto sentido por lo que toma rápidamente decisiones. No malgasta su tiempo.

Busca varios sitios que contienen tu horóscopo en español para hoy. ¿Concuerdan en lo que dicen de ti y lo que predicen sobre tu vida?

CABALLO

Son caballo los nacidos en

1906
1918
1930
1942
1954
1966
1978
1990
2002

- simpático y **popular**
- **divertido**
- **chismoso**
- astuto
- independiente
- **impaciente**
- tiene **la sangre** caliente
- sufre cambios de humor

El caballo

Tiene la sangre caliente y sus cambios de humor son inevitables.

CABRA

Son cabra los nacidos en

1907
1919
1931
1943
1955
1967
1979
1991
2003

- **encantadora**
- artista
- amante de la naturaleza
- pesimista
- vaciladora e **indecisa**
- poco sentido del tiempo
- **adaptable**
- tímida e **insegura**
- adora ser guiada

La cabra

Su responsabilidad es nula; nada de lo que le sale mal es culpa suya.

VOCABULARIO ÚTIL

confiar (confío)	to trust	**divertido/a**	fun-loving
realizar	to achieve	**encantador(a)**	charming
		sabio/a	wise
cabezón (cabezona)	stubborn	**tacaño/a**	stingy
celoso/a	jealous		
chismoso/a	gossipy	**la sangre**	blood

Actividad D   ¿Qué animal es?

Lee rápidamente los horóscopos simbolizados por los cuatro animales. Luego escucha las palabras descriptivas del profesor (de la profesora). ¿A qué animal se refiere en cada caso?

1... 2... 3... 4... 5... 6...

Actividad E   Más descripciones

Escucha lo que dice el profesor (la profesora). ¿A quién se refiere?

1... 2... 3... 4... 5... 6...

ASÍ SE DICE

Remember that **ser** is used with adjectives to express inherent qualities and characteristics. Use **estar** if the characteristic is not typical of the person (or thing), or if someone's behavior or appearance strikes you as unusual and surprising. ¡ojo! English often uses expressions such as *is acting, seems,* and so forth, for cases in which Spanish uses **estar**.

EXPRESSIONS OF INHERENT QUALITY
La rata **es** muy **inquieta.**
El tigre **es violento.**

EXPRESSIONS OF NONTYPICAL ATTRIBUTES
No sé qué le pasa al buey. **Está** muy **inquieto.**
Cuidado con el conejo. **Está** muy **violento** hoy.

Actividad F   Personalidades y profesiones

Paso 1 ¿Asocias ciertas profesiones con ciertos tipos de personas? Empareja los elementos de la columna A con los de la columna B. Luego explica por qué.

MODELO   Un(a) _____ sería un buen (una buena) _____. Para ser _____, es necesario ser _____. También es importante ser _____. El (La) _____ posee estas cualidades.

A	B
actor/actriz	dragón
científico/a dedicado/a	cabra
revolucionario/a	caballo
activista político/a	serpiente
obrero/a de fábrica (*factory worker*)	

Paso 2 Presenta tus ideas a la clase. ¿Están de acuerdo tus compañeros con lo que les presentas?

Actividad G   ¿Sabías que... ?

Paso 1 Escucha y lee la siguiente selección **¿Sabías que... ?** Explica las cualidades que se asocian con estos animales.

el cardenal
el delfín
el halcón
el oso (*bear*)
el toro

Paso 2 ¿Puedes indicar en qué ciudades o estados están los equipos deportivos que han adoptado estos animales como símbolos?

Paso 3 (Optativo) En grupos de tres o cuatro, busquen un animal que pueda simbolizar un nuevo partido político. Comparen el símbolo que han escogido con los de los otros grupos. ¿Qué cualidades tienen los animales que escogieron?

¿Sabías que...

el ser humano siempre ha usado, y aún usa, los animales como símbolos? Entre los aztecas y los mayas, por ejemplo, el jaguar era un animal muy estimado por sus cualidades. Es astuto y feroz, las cualidades que los aztecas creían que eran importantes para ser un buen guerrero.[a] Los guerreros aztecas se ponían trajes y adornos que imitaban al jaguar. En los tiempos modernos, aunque con ciertas variantes, la costumbre continúa. Por ejemplo, ¿no has oído hablar de los Leones de Detroit, de los Potros de Indianapolis o de los Carneros de St. Louis?

---

[a]*warrior*

México a través de los siglos (detalle, 1929–1935) por Diego Rivera (mexicano, 1886–1957)

Las grandes civilizaciones prehispanas usaban los animales como símbolos, incorporando su imagen en el arte, la arquitectura y en sus trajes ceremoniales.

Visit the *Vistazos* website at **www.mhhe.com/vistazos.**

Vistazos

El horóscopo chino (II)

¿Y el gallo? ¿Cómo es?

Describing Personalities (III)

MONO

Son mono los nacidos en

1908
1920
1932
1944
1956
1968
1980
1992
2004

- **malicioso** y poco **escrupuloso**
- sociable y encantador
- **astuto**
- **egoísta** y vanidoso
- **juguetón**
- detallista
- independiente
- ama la diversión
- tiene fantástica memoria
- lo **resuelve** todo con originalidad

El mono

Es vanidoso y con una amplia sed de conocimientos. No vacila en mentir cuando le interesa, pero resulta encantador.

GALLO

Son gallo los nacidos en

1909
1921
1933
1945
1957
1969
1981
1993
2005

- **soñador**
- **arrogante**
- **egoísta**
- eccéntrico
- **conservador**
- es compañero **estimulante**
- posee un gran coraje
- le gusta ser adulado
- le **importan un comino** los sentimientos ajenos

El gallo

Lo peor de él es que siempre cree tener razón.

VOCABULARIO ÚTIL

importar un comino	not to matter at all	**ingenuo/a**	naive
mentir (ie, i)	to lie	**juguetón (juguetona)**	playful
resolver (ue)	to resolve	**leal**	loyal
ajeno/a	of another, belonging to someone else	**soñador(a)**	dreamer

PERRO

Son perro los nacidos en

1910
1922
1934
1946
1958
1970
1982
1994
2006

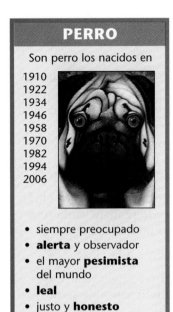

- siempre preocupado
- **alerta** y observador
- el mayor **pesimista** del mundo
- **leal**
- justo y **honesto**
- **respetuoso**
- discreto
- un poco ambicioso, pero no mucho
- apasionado

El perro

Es la persona ideal para guardar un secreto.

CERDO

Son cerdo los nacidos en

1911
1923
1935
1947
1959
1971
1983
1995
2007

- galante y servicial
- escrupuloso y **sincero**
- **ingenuo**
- **confidente**
- **indefenso**
- un poco **torpe** en asuntos de dinero
- tiene integridad
- lo cree todo (pero necesita pruebas)

El cerdo

Pon tu confianza en él; no te defraudará nunca.

Actividad A ¿A quién se refiere?

Lee rápidamente los horóscopos simbolizados por los cuatro animales. Luego escucha las palabras descriptivas del profesor (de la profesora). ¿A quién se refiere en cada caso?

1... 2... 3... 4... 5... 6...

Actividad B Los animales hablan

¿Quién diría (*would say*) y quién no diría cada una de las siguientes?

MODELO   El (La) _____ diría esto porque indica que _____. Así, el (la) _____ no creo que lo diría.

1. «Acabo de leer una novela deliciosa... de Jackie Collins.»
2. «Realmente me da mucha pena (*it pains me*). Me duele oír eso.»
3. «No puedes decir que lo que yo digo no es así.» (Acaba de dar su opinión sobre algo.)
4. «Sabes que siempre puedes contar conmigo (*count on me*).»
5. «Diego Rivera, el gran muralista, era mi tío.» (¡La persona que lo dice no tiene ningún pariente famoso!)

Actividad C ¿A quién escogerías°?

would you choose

COMUNICACIÓN

Paso 1 Con otra persona determinen cuáles son las cualidades esenciales para realizar cada uno de los siguientes cargos (*tasks*).

ASÍ SE DICE

To express abstract concepts such as *the important* (*good, curious,* and so forth) *thing,* Spanish uses **lo** plus a masculine singular adjective. This construction is useful when discussing personalities.

lo bueno / lo malo
the good thing / the bad thing

lo interesante
the interesting thing

lo importante
the important thing

lo curioso
the curious thing

Lo bueno del buey es que es paciente. **Lo curioso** de él es que no tolera muchas costumbres modernas.

MODELO   Para _____, es necesario _____.
o Para _____, una persona tiene que _____.

1. manejar tus asuntos financieros
2. organizar una importante fiesta para el presidente (la presidenta) de la universidad
3. cuidar a unos niños pequeños cuando los padres no están en casa
4. decorar tu casa o apartamento
5. negociar un acuerdo político con otro país
6. ayudarte en un experimento que tú diriges (*direct*)
7. defenderte como abogado/a (*lawyer*) si se te acusa de un crimen

Paso 2 Repasen brevemente las doce descripciones del horóscopo chino. Luego, escojan el animal que creen que mejor puede realizar cada uno de esos cargos. También escojan el animal que no podría hacerlo.

Paso 3 Preparen una breve explicación y preséntenla a la clase.

MODELO   Para ___1___, nosotros escogimos al (a la) ___2___. El (La) ___2___ tiene fama de ___3___. Esto es indispensable para realizar este trabajo. Nunca se debe considerar al (a la) ___2___ para hacer esto porque este tipo de personalidad es ___3___.

1 = la ocupación o cargo a realizar
2 = el nombre de un animal
3 = cualidad(es) atribuida(s) a este animal

Vistazos
La expresión de la personalidad

gramática esencial

¿Has mentido alguna vez?

Introduction to the Present Perfect

he		
has		
ha		
ha	hablado	
hemos	+	leído
habéis		salido
han		
han		

—**He tomado** una decisión.
—¿Sí? ¿Cuál es?
—**He decidido** buscar otro trabajo.
—¿Lo **has pensado** bien?

You may recall encountering in *Vistazos* the present perfect (**el pretérito perfecto**) tense. Forms such as **ha investigado** and **han investigado,** roughly equivalent to English *has investigated* and *have investigated,* consist of the verb **haber** and a past participle.

In most past participles the **-ar, -er,** and **-ir** endings of the infinitive are replaced with **-ado, -ido,** and **-ido,** respectively. There are no stem changes.

probar	**He probado** comidas muy exóticas.
poder	No **he podido** estudiar para el examen.
dormir	No **he dormido** bien esta semana.

A few common verbs have irregular past participles.

hacer:	**hecho**	¿**Has hecho** la tarea?
escribir:	**escrito**	No **hemos escrito** la composición.
poner:	**puesto**	Mi papá ya **ha puesto** la mesa.
decir:	**dicho**	¿**He dicho** algo incorrecto?
ver:	**visto**	¿**Has visto** a la profesora recientemente?
morir:	**muerto**	Su perro **ha muerto.**

Although the verb **ir** is irregular in many tenses, it has a regular past participle. What do you think is the past participle of **ir?** You were right if you guessed **ido.**

As you continue to describe your personality in this lesson, you will find the present perfect useful when talking about things you have and haven't done.

Actividad A   ¿Sí o no?

Empareja una frase de la columna A con una de la columna B para formar oraciones lógicas y gramaticalmente correctas. Luego indica si se te aplican o no.

A
1. He estudiado **D**
2. He hablado **C**
3. He visto **e**
4. He salido **b**
5. He conocido **A**
6. Me he acostado **f**

B
a. a una persona famosa.
b. con algunos amigos esta semana.
c. con algunos familiares por teléfono esta semana.
d. para varios exámenes este semestre.
e. una película en el cine recientemente.
f. tarde varias veces esta semana.

Actividad B   ¿Cuánto sabes?

Escoge una respuesta para cada pregunta.

1. De los actores a continuación, ¿quién no ha muerto todavía?
   a. Raúl Julia
   b. Rock Hudson
   c. Freddie Prinze, Jr.

ASÍ SE DICE

The present perfect in English and Spanish share many meanings and functions; however, they are not exactly equivalent. For example, English *I have lived in Chicago for two years* would be rendered in Spanish as **Hace dos años que vivo en Chicago.** See whether you can give an English equivalent for each sentence below.

Hace un mes que no llueve.
Hace mucho tiempo que no veo a mi familia.
Hace un año que no fumo.

2. Todas las cantantes a continuación han hecho un vídeo musical menos una. ¿Quién es esa persona?
   a. Bette Midler
   b. Ella Fitzgerald
   c. Barbra Streisand
3. ¿Quién de las siguientes personas ha recibido el Premio Nobel dos veces?
   a. Marie Curie
   b. Óscar Arias
   c. Nelson Mandela
4. De los siguientes tenistas, ¿quién no ha ganado un campeonato del *Grand Slam* en la categoría de individuales?
   a. Conchita Martínez
   b. Sergi Bruguera
   c. Todd Martin
5. ¿Cuáles de los siguientes países hispanos han sufrido una invasión de los Estados Unidos?
   a. España, la Argentina y Puerto Rico
   b. Cuba, México y Nicaragua
   c. el Ecuador, el Perú y Colombia

A S Í S E D I C E

What if you want to say *I have just taken an exam?* Can you use the present perfect to express this in Spanish? No. In Spanish, **acabar de** + *infinitive* is used: **Acabo de tomar un examen.** Can you render these sentences into English?

Acabo de correr cinco millas.
Acabamos de estudiar el horóscopo chino.
Acabas de cometer un error grave.

Actividad C   ¿Lo has hecho tú?

Paso 1   Completa las siguientes frases con información que se te aplica.

Esta semana...

1. he escrito _____.
2. he mirado _____.
3. he ido al (a la) _____.
4. he visitado (a) _____.
5. he leído* _____.

Paso 2   La clase entera debe convertir las oraciones del **Paso 1** en preguntas y hacérselas al profesor (a la profesora) para averiguar si ha hecho cosas iguales a las que hicieron Uds. ¿Quién tiene más en común con el profesor (la profesora)?

MODELO   ¿Ha escrito Ud. (Has escrito) una carta esta semana?

COMUNICACIÓN

Actividad D   Un perfil° breve

profile

Paso 1   Escoge a un compañero (una compañera) de clase y hazle las siguientes preguntas. Basándote en sus respuestas, determina en dónde lo/la pondrías (*you would put*) en la siguiente escala.

arriesgado/a (*daring*)   conservador(a)
espontáneo/a   ←——————→   tradicional
agresivo/a   reservado/a

1. ¿Cuál es el lugar más lejos de tu ciudad (pueblo) que has visitado?
2. ¿Cuál es el plato más exótico que has comido?

———————
*When **-er** and **-ir** verb stems end in **-a, -e,** or **-o,** the **i** in the past participle ending **-ido** carries an accent.

Lección 13   ¿Con qué animal te identificas?

3. ¿Cuál es la hora de la noche más tarde en que has regresado a casa de tus padres?

4. ¿Has visto alguna película «escandalosa»? ¿Has leído algún libro «escandaloso»?*

5. ¿Has discutido (*argued*) con un profesor (una profesora) sobre la nota de un examen?

¿Qué piensa tu compañero/a de tu análisis? ¿Está de acuerdo?

Paso 2 Ahora, cambien de papeles. Tú debes contestar las preguntas que te hace tu compañero/a, y él o ella va a analizar tus respuestas.

Paso 3 ¿Cuántas cosas iguales o parecidas han hecho tanto tú como tu compañero/a? ¿algunas? ¿ninguna? Escribe las oraciones apropiadas.

MODELO   (número 5) Los dos hemos discutido...

¿Te atreves a... ?

More Verbs That Require a Reflexive Pronoun

> atreverse a + *inf.*
> burlarse de
> comportarse
> darse cuenta de
> jactarse de
> portarse

— ... y lo peor es que nunca **se da cuenta de** sus errores.

You learned in **Lección 10** that a number of verbs in Spanish that are not reflexive in meaning/sense require a reflexive pronoun. Remember **quejarse** (**de**) (*to complain [about]*)? These verbs do not translate into English with -*self* or -*selves,* nor do they denote that someone is doing something to him or herself. You will always see the following verbs used in Spanish with a reflexive pronoun.

atreverse a + *inf.* to dare to (*do something*)

   ¿**Te atreves a** decir eso?

burlarse (de) to laugh (*at*), make fun (*of someone*)

   Ella siempre **se burla de** mí.

comportarse to behave

   Los niños no **se comportan** bien cuando van a la iglesia.

darse cuenta (de) to realize (*something*)

   Nunca **se da cuenta de** sus errores.

---

*Si una pregunta te parece indiscreta, puedes contestar «Esta pregunta me parece indiscreta».

jactarse (de) to boast (*about something*)

    Se jactan de ser los mejores jugadores de fútbol.

portarse to behave

    Siempre **me porto** bien en público.

Actividad E   ¿Quién?

Paso 1 Indica a cuáles de los animales del horóscopo chino describe cada frase a continuación. Tienes que defender tu opinión.

1. Se queja de la música contemporánea.
2. No se queja mucho.
3. Se burla de los demás muchas veces y se jacta de sus propios éxitos.
4. No se burla de los demás ni tampoco se jacta de sus propios éxitos.
5. No se da cuenta cuando los demás le mienten.

Paso 2 Ahora completa las siguientes oraciones de una manera lógica usando un adjetivo o varios que describa(n) a la persona.

1. Si una persona (no) se queja mucho es porque es _____.
2. Si una persona (no) se jacta mucho es porque es _____.
3. Si una persona (no) se da cuenta de que otros le mienten es porque es _____.

COMUNICACIÓN

Actividad F   En mi vida...

Paso 1 Completa las siguientes oraciones. Puedes escribir frases verdaderas o falsas.

1. Me he comportado mal _____.
2. Me he atrevido a _____.
3. Me he quejado de _____.
4. Me he burlado de _____.
5. Me he jactado de _____.

Paso 2 Algunos voluntarios deben leer algunas de sus oraciones a la clase. La clase tiene que determinar si la información es verdadera o falsa.

Paso 3 (Optativo) En grupos, escriban oraciones que se le aplican al profesor (a la profesora). ¿Conocen Uds. bien al profesor (a la profesora)?

En tu opinión

«Las apariencias engañan.»
«Los hombres y las mujeres son igualmente chismosos.»

Los hispanos hablan

Paso 1 Lee cómo se describe a sí mismo César Agusto Romero en la selección **Los hispanos hablan.** Como César Agusto se describe como caótico, ¿qué esperas escuchar en la descripción? ¿Esperas encontrar a una persona de intereses variados o a una persona con intereses limitados?

Vocabulario útil

la mezcla	*mixture*
gringa	norteamericana

¿Cómo te describes a ti mismo?

NOMBRE: César Agusto Romero
EDAD: 37 años
PAÍS: Nicaragua

«Me describo como una persona bastante caótica... »

Paso 2 Ahora escucha o mira el resto del segmento. Verifica que César Agusto es la persona que esperabas encontrar. Da uno o dos ejemplos que muestran que César Agusto es caótico. Según lo que dice, ¿qué signo del horóscopo chino le viene mejor (*best suits him*)?

Paso 3 ¿En qué te pareces a César Agusto? Determines si tú eres caótico/a o, al contrario, si eres disciplinado/a y ordenado/a. Da uno o dos ejemplos para apoyar lo que dices.

Vocabulario

¿Cómo eres?	What Are You Like?
adaptable	adaptable
alerta (*inv.*)	alert
ambicioso/a	ambitious
arrogante	arrogant
astuto/a	astute
autoritario/a	authoritarian
cabezón (cabezona)	stubborn
calmado/a	calm
celoso/a	jealous
chismoso/a	gossipy
confidente	trustworthy
conservador(a)	conservative
desconfiado/a	distrustful
discreto/a	discreet
divertido/a	fun-loving
egoísta	egotistical, self-centered
encantador(a)	charming
equilibrado/a	balanced
escrupuloso/a	scrupulous; particular
estimulante	stimulating
honesto/a	honest
idealista	idealistic
imaginativo/a (R)	imaginative
impaciente	impatient
indeciso/a	indecisive
indefenso/a	defenseless, helpless
ingenuo/a	naive
inquieto/a	restless
inseguro/a	insecure
juguetón (juguetona)	playful
leal	loyal
malicioso/a	malicious
maligno/a	corrupt
metódico/a	methodical
optimista (R)	optimistic
paciente	patient
perfeccionista	perfectionist
pesimista (R)	pessimistic
popular	popular
rebelde	rebellious
respetuoso/a	respectful
sabio/a	wise
soñador(a)	dreamer

tacaño/a	stingy
torpe	clumsy
violento/a	violent

El horóscopo chino	The Chinese Horoscope
el buey	ox
el caballo	horse
la cabra	goat
el cerdo	pig
el conejo	rabbit
el dragón	dragon
el gallo	rooster
el mono	monkey
el perro (R)	dog
la rata	rat
la serpiente	snake
el tigre	tiger

Verbos para hablar de ciertos comportamientos	Verbs for Talking About Certain Kinds of Behavior
atreverse (a)	to dare (to)
burlarse (de)	to make fun (of), laugh (at)
comportarse	to behave
darse cuenta (de)	to realize (*something*)
jactarse (de)	to boast, brag (about)
portarse	to behave

Otras palabras y expresiones útiles

la confianza	trust
la sangre	blood
ajeno/a	of another, belonging to someone else
aconsejar	to advise, give counsel
amar	to love
confiar	to trust
mentir (ie, i)	to lie
realizar	to achieve
resolver (ue)	to resolve
importar un comino	not to matter at all
lo peor	the worst thing

Otros vistazos

In the **Vistazos** CD-ROM, you will learn more about Hispanic cultures, including:

- un fragmento del poema «Salutación al águila» por Rubén Darío
- datos biográficos sobre Rubén Darío
- algo sobre la geografía de Nicaragua
- un poco sobre la historia de Nicaragua
- datos interesantes en **¿Sabías que... ?**

Historia

Click on the dates to hear the corresponding text in Spanish. After listening to and reading the timeline, click on the *Prueba* button to take a quick quiz on what you have learned!

Breve historia de Centroamérica y los sandinistas

_1926_ Augusto César Sandino empieza a organizar sus fuerzas para oponerse[1] al gobierno conservador

_1934_ Sandino es asesinado por órdenes del general liberal Anastasio Somoza García

_1936_ Somoza se hace dictador de Nicaragua; tiene el apoyo[2] del gobierno de los Estados Unidos

_1961_ Surge[3] el Frente Sandinista de Liberación para oponerse a la dictadura de Somoza

_1972_ Un terremoto[4] destruye una gran parte de Managua, la capital

_1979_ Los Sandinistas toman el poder e instalan un gobierno nuevo; Somoza es desterrado[5] a Florida

_1990_ Violeta Chamorro, la candidata conservadora, es elegida en las elecciones más libres en la historia de Nicaragua

_1998_ El huracán Mitch causa gran destrucción en Nicaragua y Honduras; mueren más de 10.000 personas

[1] oppose

14

¿QUÉ RELACIONES TENEMOS CON LOS ANIMALES?

Como el título de esta lección lo sugiere, vas a examinar la forma en que los seres humanos tratan a los animales y lo que piensan de ellos. En esta lección, vas a

▦ ver cómo la presencia humana ha afectado a algunos animales salvajes (*wild*)

▦ examinar lo que significa para el ser humano tener mascotas (*pets*)

▦ describir dónde vives y por qué

▦ aprender otra forma verbal, el condicional

▦ repasar los objetos directos e indirectos

▦ escuchar a una hispana describir cómo se les tratan a las mascotas en su país

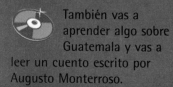 También vas a aprender algo sobre Guatemala y vas a leer un cuento escrito por Augusto Monterroso.

La chica que amaba coyotes (1995), por Diana Bryer (estadounidense, 1942–   )

Vistazos

Las mascotas (I)

¿Sería buena idea?

Introduction to the Conditional Tense

tomar	+	-ía
ser		-ías
vivir		-ía
		-ía
		-íamos
		-íais
		-ían
		-ían

Me **gustaría** tener una mascota. Sí, un perro.

¿Pero, qué **haría** con un perro en este apartamento tan pequeño?

Además, no me **permitirían** tener un animal aquí.

Bueno, **podría** comprarme un canario, pero...

soy alérgica a las plumas (*feathers*)...

The conditional verb form is used to express hypothetical situations and is roughly equivalent to English *would* + verb. You have already used one conditional verb form in the expression **Me gustaría.** Here are other examples.

¿Cómo **sería** el mundo sin animales?

¿Cómo **tratarías** a un chimpancé?

What would the world be like without animals?
How would you treat a chimp?

The conditional is formed by adding **-ía** and person-number endings to the infinitive.

ser   sería, serías, sería, sería,
             seríamos, seríais, serían, serían

Note that the forms for **yo, él/ella,** and **Ud.** are the same. Context will often help determine the subject. Here are a few common verbs that are irregular in the conditional.

decir → **dir-**   diría, dirías, diría, diría,
                          diríamos, diríais, dirían, dirían

hacer → **har-**   haría, harías, haría, haría,
                          haríamos, haríais, harían, harían

poder → **podr-**   podría, podrías, podría, podría,
                          podríamos, podríais, podrían, podrían

salir → **saldr-**   saldría, saldrías, saldría, saldría
                          saldríamos, saldríais, saldrían, saldrían

tener → **tendr-**   tendría, tendrías, tendría, tendría,
                          tendríamos, tendríais, tendrían, tendrían

haber → **habría** (*there would be*)

You will often see the conditional used with what is called the past subjunctive to make *if . . . then* statements of a hypothetical nature.

Si tuvieras un chimpancé,   *If you had a chimp, what*
    ¿qué nombre le **pondrías?**   *name would you give it?*

For now, we will concentrate on the conditional. You need not worry about the past subjunctive.

Actividad A   Sería mala idea...

Indica qué animal no sería apropiado tener como mascota en los lugares o situaciones indicados.

> MODELO   Sería mala idea tener un(a) _____ como mascota si se
>   viviera _____ porque _____.

1. ...si se viviera en un desierto...
2. ...si se viviera en un clima frío...
3. ...si se viviera en una selva (*jungle*) tropical...
4. ...si se viviera en un apartamento pequeño...
5. ...si se viviera en una mansión con muebles (*furniture*) antiguos y valiosos...
6. ...si se viviera solo/a y se tuviera que trabajar todo el día...
7. ...si se viviera con cinco niños...

Actividad B   ¿Qué nombre le pondrías?

Indica el nombre que le pondrías a cada animal si fuera (*it were*) tu mascota.

MODELO Si yo tuviera un(a) _____ , le pondría el nombre de _____ .

1. chihuahua
2. serpiente de cascabel
3. araña (*spider*)
4. piraña
5. canario
6. caballo
7. chimpancé

Actividad C ¿Es algo más que un animal?

Paso 1 Entrevista a un compañero (una compañera) de clase. ¿Qué harías si tuvieras un perro?

1. Mi mascota dormiría...
   a. afuera.
   b. en el mismo cuarto en que yo duermo.
   c. en la misma cama conmigo.
   d. en mi cama bajo mis mantas (*blankets*).
   e. en su propia cama.
2. Durante mis vacaciones...
   a. dejaría a mi mascota en una residencia para animales.
   b. dejaría a mi mascota en casa de unos amigos.
   c. les pediría a unos amigos que se quedaran en mi casa con la mascota.
   d. mi mascota me acompañaría.
3. Le daría de comer a mi mascota...
   a. sólo la comida más barata.
   b. alimentos enlatados (*canned*).
   c. una combinación de **a** y **b**.
   d. las sobras de la mesa y **a, b** o **c**.
   e. la comida de mi plato mientras como.
   f. una dieta especial.
   g. ¿ ?
4. Mi mascota...
   a. lamería (*would lick*) los platos después de que comiéramos.
   b. me lamería la cara.
   c. ¿ ?

5. A mi mascota yo...
  a. le hablaría bastante.
  b. le hablaría sólo cuando hiciera algo malo.
  c. la educaría y le enseñaría a hacer cosas.
  d. ¿ ?
6. Mi mascota sería...
  a. un animal y nada más.
  b. una mascota muy querida.
  c. como un miembro de la familia.
  d. ¿ ?

Paso 2 ¿Puedes decir qué tipo de dueño sería la persona entrevistada?

TIPOS DE DUEÑOS DE ANIMALES

«Somos iguales.» Este dueño quiere tanto a su animal que lo confunde con los seres humanos. Lo pasa mejor con su animal que con cualquier persona y le da a su mascota la misma atención que le daría a un niño.

«Lo quiero, pero... » Este dueño también quiere mucho a su mascota pero nunca olvida que es un animal. Cuida mucho a su mascota y en raras ocasiones la trata como a un ser humano.

«¡Fuera de aquí!» Este dueño no debería tener una mascota. El animal no recibe ningún afecto. Su dueño no hace nada más que darle de comer.

Vistazos

Las mascotas (II)

¿Te hacen sentirte bien?

Review of Direct and Indirect Object Pronouns

objeto directo	objeto indirecto
me	me
te	te
lo, la	le
lo, la	le
nos	nos
os	os
los, las	les
los, las	les

You may remember that a verb can have a subject, direct object, and/or an indirect object.

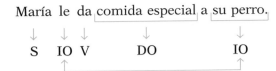

María le da comida especial a su perro.

S IO V DO IO

You may also remember that subject pronouns, direct object pronouns, and indirect object pronouns often replace them. These are used when subject, direct objects, and indirect objects are known to the speaker or have been previously mentioned. Often, third-person indirect object pronouns are used jointly with the indirect objects to which they refer. This may seem redundant, but that's the way Spanish is! (Remember that subject pronouns may also be omitted.)

Evidentemente, a este señor le hace sentir bien su perro. Lo acompaña a todas partes y lo quiere mucho.

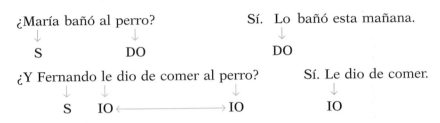

¿María bañó al perro?

S DO

Sí. Lo bañó esta mañana.

DO

¿Y Fernando le dio de comer al perro?

S IO ⟷ IO

Sí. Le dio de comer.

IO

In the previous examples, the speaker needed to choose between **le** and **lo** depending on whether the dog was a direct or indirect object of each verb. Note that **me, te, nos,** and **os** all function as both direct and indirect object pronouns. In the examples below, the speaker does not need to choose between two different pronouns because **me** is both a direct and an indirect object pronoun.

Me está mirando el niño.
El niño **me** trae su pelota.

The child is watching me.
The child is bringing his ball to me.

[handwritten: Child = subject]

[handwritten: in front of conj. verb.]

Remember that Spanish word order is flexible, so subjects can follow verbs. In addition, subject pronouns may be omitted once a referent is established. Thus, don't mistake object pronouns as subjects of sentences. In the sentence above, **Me está mirando el niño,** it is the child who is watching me; I am not watching the child!

Actividad A ¿Qué animal es?

Paso 1 Completa cada oración con el nombre de un animal. Expresa tu opinión personal en las oraciones.

[handwritten: (to me) me = ind. pronoun]

1. _____ me da(n) miedo (*frighten**).
2. _____ me da(n) compañía.
3. _____ me da(n) asco.†
4. _____ me hace(n) sentir bien.
5. _____ me hace(n) sentir mal.

[handwritten: plural - dan]

***Dar miedo** literally means *to give fear.*
†**Dar asco** literally means *to give revulsion.* It is used to talk about things that are repugnant. It can also be used in the sense of *That makes me sick!*

Paso 2 Comparte tus respuestas con la clase. Luego, completa las siguientes oraciones basado en las opiniones de la clase.

1. A muchos en la clase, _____ nos da(n) miedo.
2. A muchos en la clase, _____ nos da(n) compañía.
3. A muchos en la clase, _____ nos da(n) asco.
4. A muchos en la clase, _____ nos hace(n) sentir bien.
5. A muchos en la clase, _____ nos hace(n) sentir mal.

Actividad B ¿Qué les hacemos a los perros?

Indica qué les hacemos a los perros que no les hacemos a los gatos.

1. ☑ Les limpiamos los dientes (*teeth*).
2. ☑ Les cortamos las uñas.
3. ❑ Les compramos juguetes.
4. ❑ Les compramos ropa.
5. ❑ Les hablamos.
6. ❑ Les enseñamos a hacer trucos (*tricks*).

¿Crees que los perros reciben trato diferente del que se les da a los gatos?

Actividad C ¿Los tratamos igual?

Indica una vez más qué hacemos con los perros que no hacemos con los gatos.

1. ❑ Los acariciamos.
2. ❑ Los besamos.
3. ☑ Los corregimos.
4. ❑ Los peinamos.
5. ❑ Los dejamos solos en casa por muchas horas.
6. ❑ Los bañamos.
7. ❑ Los llevamos a dar un paseo.

Otra vez, ¿crees que los perros reciben un trato diferente del que se les da a los gatos?

ASÍ SE DICE

In **Actividad B** you may have puzzled over the use of indirect object pronouns in sentences 1 and 2 because the English equivalents do not use indirect objects. In Spanish, indirect objects and definite articles are often used with parts of the body instead of possessive adjectives (**mi, tu, su,** and so forth).

Juan **me** lavó **el pelo.**
Juan washed my hair.

Le corté **las uñas al perro.**
I cut the dog's nails.

Le examiné **las orejas al gato.**
I checked the cat's ears.

Un psiquiatra californiano trata a su paciente canino, un schnauser enano de unos cuatro años.

Lección 14   ¿Qué relaciones tenemos con los animales?

Actividad D   Las mascotas y los amigos

Paso 1 Divídanse en grupos de cuatro o cinco. A cada grupo el profesor (la profesora) le va a asignar uno de los siguientes temas. Cada grupo tiene que preparar una lista de cinco cosas para el tema asignado.

Tema 1: ¿Qué nos hacen las mascotas que también los amigos nos hacen?

MODELO   Los dos nos hacen sentir bien.

Tema 2: ¿Qué nos hacen los amigos que no pueden hacernos las mascotas (y viceversa)?

MODELO   Los amigos nos pueden criticar pero las mascotas, no.

Paso 2 Escriban las listas en la pizarra. ¿Sería mejor tener muchos amigos en vez de mascotas o viceversa?

Vistazos

La vivienda

¿La ciudad o el campo?

Talking About Where You Live and Why

vocabulario esencial

Un edificio urbano de muchos pisos en Montevideo, Uruguay

Una casa particular en San José, Costa Rica

Tipos de vivienda

la casa particular la casa privada
el piso el apartamento
la residencia estudiantil

Lugares

el barrio la zona de una ciudad
el campo el área rural
la ciudad el centro urbano

El campo en Extremadura,
España

Factores que influyen en la elección de un lugar para vivir

el costo de vida   lo que cuesta económicamente vivir, para mantenerse
los gastos   sustantivo derivado de **gastar;** lo que por lo general gastas en
   comida, ropa, carro, etcétera
el tamaño   grande, pequeño o regular
las tiendas   lugares donde se hacen las compras (comida, ropa)
la vida privada   la ausencia de otras personas «molestas»

VOCABULARIO
ÚTIL

cercano/a	nearby
tomar en cuenta	to take into account

Actividad A   ¿Qué buscabas?

En esta actividad vas a examinar los factores que influyeron en la elección de tu vivienda.

Paso 1 En grupos de cuatro, lean la siguiente lista. Cada persona debe indicar la importancia que tenía para él o ella al elegir su vivienda cada uno de estos factores. (Si vives con tus padres, escucha y anota lo que dicen los otros.)

   1 = Me era(n) muy importante(s).
   2 = No me era(n) muy importante(s).
   3 = No me importaba(n) para nada.
   4 = No lo(s)/la(s) tomé en cuenta.

MODELO   La tranquilidad era muy importante para mí cuando buscaba
   vivienda.

a. _____ el tamaño de la vivienda

b. _____ los gastos

c. _____ la vida privada

d. _____ la tranquilidad

e. _____ la seguridad

f. _____ el acceso a parques cercanos

g. _____ el acceso a tiendas o supermercados cercanos

h. _____ el acceso al transporte público

i. _____ la calidad de las escuelas en la zona

j. _____ la posibilidad de tener mascotas

k. _____ la distancia del campus universitario

Paso 2 ¿Qué diferencias y semejanzas hay en tu grupo? ¿Cuáles son los dos factores de mayor importancia que citan Uds.? ¿Y los dos factores de menor importancia?

Paso 3 Comparen las respuestas del **Paso 2** con las del resto de la clase. ¿Hay preferencias que se repiten más que otras?

Paso 4 (Optativo) Imagina tu vida en diez años. ¿Cambiarían las respuestas que diste en el **Paso 1?** ¿Qué factores influirían en la elección de tu casa?

Actividad B   ¿Qué buscan los pájaros?

Paso 1 Piensa un momento en los pájaros. ¿Cómo escogen dónde van a vivir? ¿Cuáles son los factores que parecen tener más importancia para ellos cuando buscan dónde construir su nido (nest)? Usando los factores de la **Actividad A,** indica la importancia de cada uno.

FACTORES QUE INFLUYEN EN LOS PÁJAROS AL ELEGIR DÓNDE CONSTRUIR SU NIDO

Les es muy importante...	Tiene poca importancia...	No toman en cuenta...
_____	_____	_____
_____	_____	_____
_____	_____	_____
_____	_____	_____

Paso 2 Compara tu lista con las listas del resto de la clase. ¿En qué están de acuerdo? ¿En qué no están de acuerdo? ¿En realidad has tomado en cuenta el punto de vista de un pájaro?

Paso 3 Ahora, toda la clase debe determinar qué tienen los pájaros y los seres humanos en común respecto a la importancia de los factores que determinan el lugar en donde van a vivir. Marquen con una **I** (igual) si es de igual importancia tanto para los pájaros como para los humanos. Marquen con una **D** (diferente) si no tiene la misma importancia para ambos.

1. _____ el tamaño

2. _____ el acceso a la alimentación

3. _____ la vida privada

4. _____ la seguridad

5. _____ las escuelas

6. _____ la distancia de su lugar de origen

¿Pueden explicar sus conclusiones? ¿Hay necesidades básicas o universales?

Actividad C ¿Sabías que... ?

Paso 1 Cuando los animales pierden su hábitat tradicional, ¿qué hacen? ¿Se adaptan? ¿Se extinguen? Escucha y lee la selección **¿Sabías que... ?** que aparece en la siguiente página sobre la cigüeña (*stork*). Luego, contesta las siguientes preguntas.

1. En tus propias palabras, ¿puedes explicar cómo afectó la Guerra Civil española la población de cigüeñas ibéricas?
2. ¿Qué factor general parece ser la causa del descenso de la población de cigüeñas? Da también dos o tres ejemplos concretos de este factor.

Paso 2 (Optativo) ¿Con cuál de las siguientes afirmaciones estás de acuerdo? Explica con ejemplos.

1. Igual que los animales, los seres humanos tienen dificultad en adaptarse a nuevos hábitats.
2. A diferencia de los animales, los seres humanos pueden vivir en cualquier lugar. O se adaptan al hábitat o lo modifican.

COMUNICACIÓN

Actividad D ¿La ciudad o el campo?

A veces se discuten las ventajas y desventajas de vivir en la ciudad o en el campo. En esta actividad se examina este tema.

Paso 1 Primero, la clase entera debe indicar cuál es su reacción inicial. ¿Es mejor vivir en la ciudad o en el campo? No es necesario explicar la respuesta en este momento.

Paso 2 Busca a un compañero (una compañera) con quien trabajar. El profesor (La profesora) les va a asignar uno de los temas a continuación.

1. el espacio
2. el costo de vida
3. el trabajo
4. la vida privada
5. la tranquilidad
6. la seguridad
7. los parques
8. las tiendas y supermercados
9. las diversiones para adultos
10. las diversiones para niños
11. el transporte
12. las escuelas

Tu compañero/a y tú deben escribir dos oraciones sobre su tema. Una oración debe describir la ciudad y la otra el campo.

Paso 3 Presenten las oraciones a la clase. Después de presentarlas, voten para ver si es mejor la ciudad o el campo para...

1. una persona soltera.
2. una pareja.
3. una familia.
4. una persona con un impedimento físico (como, por ejemplo, alguien que necesita una silla de ruedas).
5. una persona jubilada (*retired*) / un matrimonio jubilado.

¿Sabías que...

los Estados Unidos no son el único país que se preocupa por la extinción de los animales? Así como ocurre en los Estados Unidos con el águila y el búho[a] en Oregón, en España hay una campaña para salvar a la cigüeña. La población de cigüeñas ibéricas comenzó a descender en la época de la Guerra Civil española (1936–1939) y en años posteriores. Muchos campanarios,[b] edificios y árboles —lugares donde estos pájaros nidificaban[c] tradicionalmente— fueron destruidos. Más tarde, otras causas aún más graves se vinieron a sumar: crecimiento progresivo de la población humana, destrucción del paisaje,[d] urbanización de zonas de campo, desecación[e] de zonas húmedas —de vital importancia biológica para estas aves— construcción de carreteras,[f] contaminación de ríos y arroyos,[g] en fin, la industrialización y modernización del terreno agrícola. Aunque las cigüeñas han intentado adaptarse a estas nuevas circunstancias y modificar su hábitat, no han tenido mucho éxito. Los censos de la parte central de España indican que ahora hay un poco menos de la mitad de nidos en comparación con los que había en 1940. A este paso, la población de cigüeñas ibéricas está en claro peligro de desaparecer.

---

[a]*owl* [b]*bell towers* [c]*used to nest* [d]*landscape* [e]*drying* [f]*highways* [g]*creeks*

La presión humana en Madrid ha hecho que las cigüeñas tengan que anidar en las torres (*towers*) de conducción eléctrica.

Visit the *Vistazos* website at **www.mhhe.com/vistazos**.

Busca en la red el porcentaje de la población urbana en el año 2000 para tres países hispanos.

Observaciones

- Se dice que muchas personas tratan a sus perros como un miembro de la familia, casi como un niño. ¿Has notado este fenómeno?
- Hay gente que quiere mucho a sus amigos pero no a las mascotas de sus amigos. ¿Qué experiencia tienes con esto?

Los hispanos hablan

Paso 1 Lee lo que dice Marisela Funés sobre el tratamiento de los perros. Luego indica cuál de las dos afirmaciones a continuación crees que va a sugerir Marisela en el resto del segmento.

1. Aunque los perros tienen nombres de persona, no se les trata como persona.
2. Los perros tienen nombres de persona, y se les trata como persona.

Paso 2 Ahora escucha o mira el resto del segmento. ¿Con qué aspectos de lo que dice estás de acuerdo?

Vocabulario útil

los trucos	tricks
pararse en dos patas	to sit (*dogs*)
los guisos	stews

Al llegar aquí, ¿notaste algunas diferencias entre el tratamiento de los perros en los Estados Unidos y en tu país?

NOMBRE: Marisela Funés
EDAD: 27 años
PAÍS: Argentina

«Una diferencia que he visto entre los perros como mascotas aquí y en Argentina es que aquí los nombres son muy humanos, que se les dan nombres de personas... »

Paso 3 En la siguiente lista hay varias situaciones que tienen que ver con los perros como mascotas. Indica en qué país esperas encontrar cada situación, en la Argentina, en los Estados Unidos o en los dos países.

	ARGENTINA	ESTADOS UNIDOS	LOS DOS PAÍSES
1. un perro que se llama Carlota	❑	❑	❑
2. un perro que ladra cuando alguien toca la puerta (*knocks on the door*)	❑	❑	❑
3. un perro que come huevos, pan y carne	❑	❑	❑
4. un perro que toma vitaminas	❑	❑	❑
5. un programa de televisión que incluye un segmento sobre los trucos que aprenden las mascotas	❑	❑	❑
6. un perro que vive en la casa, no afuera en el jardín	❑	❑	❑
7. un perro que sabe darse la mano (*to shake hands*)	❑	❑	❑
8. un perro que es miembro de la familia	❑	❑	❑

Vocabulario

Las mascotas — Pets

el animal doméstico (salvaje) — domestic (wild) animal
el/la dueño/a — owner

tratar — to treat

¿La ciudad o el campo? — The City or the Country?

el apartamento (R) — apartment
el área rural — rural area
el barrio — neighborhood
el campo — country(side)
la casa particular (privada) — private house
el centro urbano — urban center
la ciudad — city
el piso — apartment

la residencia estudiantil — student dormitory
el tamaño (R) — size
la tienda — store
la vida privada — privacy
la vivienda — housing; house
la zona — zone

mantenerse (*irreg.*) — to support oneself

Otras palabras y expresiones útiles

el costo de vida — cost of living
el gasto — expense

cercano/a — nearby

tomar en cuenta — to take into account

Otros vistazos

In the **Vistazos** CD-ROM, you will learn more about Hispanic cultures, including:

- el cuento «El perro que deseaba ser un ser humano» por Augusto Monterroso
- datos biográficos sobre Augusto Monterroso
- algo sobre la geografía de Guatemala
- un poco sobre la historia de Guatemala
- datos interesantes en **¿Sabías que... ?**

¿Sabías que...?

Rigoberta Menchú, indígena guatemalteca, ganó el Premio Nobel de la Paz en 1992? Rigoberta, una indígena del grupo étnico maya-quiché, perdió a su familia y casi todo en su pueblo a manos del gobierno. Sus dos hermanitos, Nicolás y Felipe, juntos con la mejor amiga de Rigoberta, murieron a causa del uso de pesticidas en las plantaciones. Luego, el ejército quemó vivo[1] a su hermano, Patrocinio. Poco después su padre también fue quemado vivo. Los soldados mataron poco a poco a su mamá, cortándola en pedazos.[2]

Antes de los 23 años de edad, Rigoberta Menchú empezó a luchar por los derechos humanos de la gente indígena en Guatemala. La comunidad internacional reconoció sus esfuerzos[3] continuos, otorgándole[4] en 1992 el prestigioso Premio Nobel de la Paz.

[1]quemó... *burned alive*
[2]*pieces*
[3]*efforts*
[4]*awarding her*

15

¿ES EL SER HUMANO OTRO ANIMAL?

¿Cuánto sabes del comportamiento de los animales? ¿Hacen todo guiados por el instinto o hay cosas que tienen que aprender? ¿Y los seres humanos? En la respuesta a estas preguntas se basa esta lección. Además, vas a

▪ aprender cómo dar y seguir direcciones

▪ aprender algunas preposiciones y repasar el uso de **estar**

▪ repasar los verbos reflexivos recíprocos

▪ aprender algo sobre el sentido de orientación de varios animales

▪ comparar el comportamiento de animales con el de los seres humanos

▪ escuchar a alguien hablar sobre la distinción entre los seres humanos y los animales

También vas a aprender algo sobre varias regiones de Sudamérica y vas a leer un fragmento de un cuento escrito por Horacio Quiroga.

Vistazos

¿Dónde está la biblioteca?

Telling Where Things Are

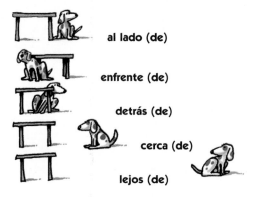

al lado (de)

enfrente (de)

detrás (de)

cerca (de)

lejos (de)

ASÍ SE DICE

Have you seen the word **quedar** used instead of **estar** to refer to location? Although both **estar** and **quedar** can be used to talk about the location of things (buildings, cities, places), only **estar** can be used to talk about animate beings.

estar/quedar

¿Dónde **está/queda** la oficina principal?
Colombia **está/queda** al norte del Perú.

estar

¿Dónde **está** el secretario?
Manuel **está** en Colombia ahora.

When talking about location, **estar** is normally used.

> El perro **está** al lado de la mesa.
> —¿Dónde **estás?**
> —**Estoy** cerca de la plaza.

Note that the preposition **de** is used with **al lado** (*next to, alongside*), **enfrente** (*in front*), **detrás** (*behind*), **cerca** (*near, close*), and **lejos** (*far*) when a point of reference is mentioned.

> La biblioteca está **enfrente de** la cafetería.

You can omit **de** if a point of reference is not explicitly mentioned.

> —¿Sabes dónde está la cafetería?
> —Sí...
> —Pues, la biblioteca está **al lado.**

Actividad A   ¿Sí o no?

Escucha lo que dice el profesor (la profesora). ¿Es cierto o falso?

   1...   2...   3...   4...   5...   etcétera

Actividad B   ¿Qué edificio es?

Escucha lo que dice el profesor (la profesora) y da la información que pide.

   1...   2...   3...   4...   5...   etcétera

Lección 15   ¿Es el ser humano otro animal?

Actividad C   Una prueba

Con un compañero (una compañera), inventen una prueba para dar a la clase.

Paso 1 Escojan un punto de referencia en el *campus* o en la ciudad. ¡OJO! Recuerden que no todos los estudiantes conocen bien la ciudad.

Paso 2 Decidan en qué posición van a poner a la persona que contesta la pregunta —es decir, si va a estar enfrente, detrás, a la derecha, etcétera, de este punto de referencia.

Paso 3 Escriban cinco preguntas.

MODELOS   Estás enfrente de las residencias estudiantiles. ¿Qué edificio está detrás?

Estás a la derecha del gimnasio. ¿Qué edificio queda más cerca de allí?

Paso 4 Den la prueba a la clase.

¿Cómo se llega al zoológico?

Giving and Receiving Directions

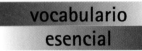
Here are some useful expressions for giving and following directions in Spanish.

Siga (Ud.) por...	Continue . . . , Follow . . .
Siga derecho / Siga recto*...	Continue (Go) straight . . .
Doble a la derecha / a la izquierda.	Turn right/left.
Cruce la calle...	Cross the street . . .
una cuadra / una manzana*	block
la bocacalle	intersection
la esquina	corner
el semáforo	traffic light
¿Me podría decir... ?	Could you tell me . . . ?
Perdón, ¿cómo se llega a... ?	Excuse me, how do you get to . . . ?
¿Dónde está/queda... ?	Where is . . . ?

If you were giving directions to a friend or if a friend were giving directions to you, the familiar form of the commands would be used (**sigue, dobla,** and so forth).

Actividad D   ¿Adónde llegas?

Escucha las direcciones† que da el profesor (la profesora). ¿Adónde llegas?

1...   2...   3...   4...   etcétera

****Recto** and **manzana** are dialectal variants used in some places, including Spain and Central America.
†*Other dialectal variants used to express *directions* include **indicaciones** and **instrucciones.**

—Por favor, ¿**dónde queda** el parque zoológico?

—A ver... **Siga Ud. por esta calle** hasta que llegue a una **bocacalle** con **semáforo.** Luego **doble a la izquierda** y **siga derecho** por siete **cuadras.** Allí en la **esquina** verá la entrada al parque zoológico. Pero está cerrado hoy...

Actividad E   ¿Y tú?

Paso 1 Escucha lo que dice tu profesor(a). Para cada oración indica si se te aplica siempre, nunca o raras veces.

   1... 2... 3... 4... 5... 6... 7...

Paso 2 ¿Cuáles son tus reacciones hacia el **Paso 1,** y cómo te comparas con los demás miembros de la clase? ¿Es cierto que a los hombres no les gusta pedir direcciones y a las mujeres no les importa?

COMUNICACIÓN

Actividad F   ¿Sabías que... ?

Paso 1 ¿Sabes lo que es el sentido de orientación? El sentido de orientación se refiere a la habilidad de saber dónde se está y no perderse. Indica si tienes tú buen sentido de orientación según la siguiente escala.

SENTIDO DE ORIENTACIÓN

excelente		**ni bueno, ni malo**		**ninguno**
5	4	3	2	1

Paso 2 Ahora esucha y lee la selección **¿Sabías que... ?** que aparece en la siguiente página. Luego, contesta las siguientes preguntas.

1. Explica con tus propias palabras lo que es «el tercer ojo». Explica qué es, qué animales lo tienen y qué habilidad le da al animal.
2. Indica cuál(es) de las siguientes afirmaciones sobre la abeja es (son) cierta(s).
   ❑ La abeja nace con la habilidad de guiarse por el sol.
   ❑ La abeja también puede usar las estrellas para guiarse durante la noche.
   ❑ La abeja usa la colmena como punto de referencia.

A S Í S E D I C E

Por can be used to mean *by way of, through,* or even *along* when talking about routes or movement.

Voy **por** tu barrio para llegar a mi casa.

Caminaba **por** la playa cuando...

Se tiene que pasar **por** la aduana (*customs*) al entrar en México.

NAVEGANDO POR LA RED

Busca en la red un plano (*map*) para una de las siguientes ciudades o una zona de ellas: México, D.F.; Madrid; Buenos Aires; San Juan; Lima; Santiago. Trae una copia a la clase y practica dando direcciones para llegar de un lugar a otro.

Paso 3 (Optativo) Describe el sentido de orientación de los miembros de tu familia. Usa las palabras y frases a continuación que consideres apropiadas.

PARIENTE	ANIMAL	CATEGORÍA
madre	ave	cuando le dan direcciones
padre	reptil	cuando visita una ciudad
hermano/a	langosta (*locust*)	por primera vez
hijo/a	mariposa (*butterfly*)	para ir a la casa de un
abuelo/a	abeja	amigo por primera vez
	tortuga	sabe dónde queda el
		norte

MODELO   Mi padre tiene el sentido de orientación de una tortuga. Nunca necesita mapa. Es un misterio cómo él siempre sabe por dónde ir y cómo llegar a cualquier lugar cuando visitamos por primera vez una ciudad.

¿Sabías que...

muchos animales tienen excelente sentido de orientación? A nosotros los seres humanos nos parece que nunca se pierden, siempre saben dónde están y algunos hacen viajes de miles de millas sin tener problemas en llegar al destino deseado. ¿Cómo lo hacen? Varios animales poseen un «tercer ojo» situado en alguna parte de la cabeza. Este tercer ojo es muy sensible a la luz y parece que los animales que lo poseen (como, por ejemplo, la salamandra, varios tipos de peces, las serpientes y otros reptiles) se orientan por el sol.

En cambio, las abejas[a] poseen una «brújula[b] interna». A diferencia del tercer ojo, la brújula no funciona durante la noche. Como el tercer ojo es muy sensible a la luz, el animal que lo posee puede seguir orientándose por las estrellas.[c] La brújula interna de la abeja no le da esta habilidad.

Muchos creen que el sentido de orientación de los animales y su habilidad para viajar largas distancias son innatos, es decir, instintivos. Sin embargo, experimentos hechos con las abejas demuestran que no lo es. Cada abeja tiene que aprender a usar su brújula interna. Se ha comprobado que aun después de sesenta vuelos, la abeja se pierde si no puede ver la colmena.[d] Sólo después de quinientos vuelos aprende el funcionamiento de su brújula interna.

---

[a]*bees*   [b]*compass*   [c]*stars*   [d]*hive*

Mientras que los seres humanos consultamos una brújula para orientarnos, la abeja se orienta por la posición del sol.

Visit the *Vistazos* website at **www.mhhe.com/vistazos**.

Vistazos

¿Cómo se saludan?

Review of Reciprocal Reflexives

As you saw in **Lección 5,** Spanish reflexive constructions can express a reciprocal action. That is, they can indicate when two or more people have done or do something to each other.

Nos saludamos cordialmente.	*We greeted each other cordially.*
No **nos reconocimos.**	*We didn't recognize each other.*
Se abrazaron.	*They hugged each other.*
Se respetan.	*They respect each other.*

The last two examples can also mean *They hugged themselves* and *They respect themselves,* respectively. Context, however, will usually let you know if the **se** or **nos** should be interpreted as *each other* or as *themselves* or *ourselves.*

ASÍ SE DICE

In Spanish, you can emphasize just how reciprocal an action is by adding the phrase **el uno al otro.**

Nos saludamos cordialmente **el uno al otro.**
Se abrazaron **el uno al otro.**
Se respetan **el uno al otro.**

If one of the people involved is female, then either **uno** or **otro** should be made feminine. If the two people are female, then it should be **una** and **otra.**

Se abrazaron **la una a la otra.**

In **Actividad A,** if you can insert the phrase **el uno al otro** into the sentence and it makes sense, then the **se** or **nos** means *each other.*

Se reconocen.

Se tocan.

Se abrazan.

Actividad A ¿Recíproco o no?

Lee cada situación a continuación y, según el contexto, indica si el **se** o **nos** significa *each other* o no.

	SÍ	NO
1. Los boxeadores se golpearon (*hit*). Ganaron mucho por el espectáculo.	❑	❑
2. Los dos políticos se gritaron (*yelled*). Durante veinte años, nunca han llegado a ningún acuerdo.	❑	❑
3. Llega un día en que los niños se bañan sin la ayuda de sus padres. Esto suele ocurrir entre los 5 ó 6 años de edad.	❑	❑
4. Las personas que sufren de depresión muchas veces no se estiman. Sienten presiones internas muy fuertes.	❑	❑
5. Las abejas se orientan por el sol. Así saben cómo regresar a la colmena.	❑	❑
6. Carlos no me cae bien, pero nos saludamos cordialmente por cortesía.	❑	❑

Actividad B ¿En qué orden?

Indica el orden (del 1 al 5) en que pasan las acciones en la siguiente situación. Compara lo que escribiste con lo que escribió otro compañero (otra compañera).

Gladysín y su madre no se han visto hace un año porque Gladysín pasó el año estudiando en el extranjero (*abroad*). Llega el día que Gladysín vuelve a su país. En el aeropuerto ella y su madre...

_____ se besan.
_____ se saludan.
_____ se toman del brazo y van a recoger el equipaje.
_____ se reconocen.
_____ se abrazan.

Actividad C   Entre amigos

Paso 1 Completa una de las siguientes oraciones con el nombre de un amigo (una amiga). Debes dar información verdadera.

Cuando nos saludamos...

1. mi amigo/a _____ y yo nos besamos.
2. mi amigo/a _____ y yo nos damos la mano.
3. mi amigo/a _____ y yo nos tocamos de alguna manera.

Paso 2 Con los otros compañeros de clase, hagan una encuesta. Según lo que respondieron en el **Paso 1,** ¿es el contacto físico más común entre dos mujeres o entre una mujer y un hombre que entre dos hombres?

Paso 3 (Optativo) ¿Qué pasa en la siguiente situación?

Cuando un profesor (una profesora) y yo nos encontramos en la calle...

Situación

Muchos animales forman grupos sociales, como, por ejemplo, los elefantes, los lobos, los delfines, los chimpancés y los gorilas. Si no fueras (*If you weren't*) un ser humano, ¿qué animal serías?

Los hispanos hablan

¿En qué se diferencian los animales y los seres humanos?

Paso 1 Lee lo que dice Montserrat Oliveras sobre las relaciones entre los hombres y los animales. Indica qué esperas encontrar cuando escuchas su opinión.

1. una actitud positiva hacia los seres humanos
2. una actitud negativa hacia los seres humanos
3. una actitud equilibrada hacia los seres humanos

Paso 2 Verifica tu selección y da uno o dos ejemplos para mostrar que tenías razón. ¿Estás de acuerdo con sus ideas?

¿En qué se diferencian los animales y los seres humanos?

NOMBRE:	Montserrat Oliveras
EDAD:	33 años
PAÍS:	España

«Si me preguntas cuál es la diferencia entre los animales y los hombres, yo creo que la verdad es que los únicos animales son los hombres... »

Paso 3 Piensa en cinco adjetivos que crees que describen la personalidad de Montserrat. ¿Qué características tiene ella que corresponden a los siguientes signos del horóscopo chino?

1. el dragón
2. la serpiente
3. el mono
4. el gallo

¿Qué signo le viene mejor (*suits her best*)?

Vocabulario

¿Dónde está... ?	**Where Is . . . ?**
el este	east
el oeste	west
el norte	north
el sur	south
al lado (de)	next to, alongside
cerca (de)	near, close
detrás (de)	behind
enfrente (de)	in front (of)
lejos (de)	far (from)
quedar	to be located
De aquí para allá	**From Here to There**
la bocacalle	intersection
la cuadra	block

la esquina	corner
la manzana	block
el semáforo	traffic light
Cruce la calle.	Cross the street.
Doble a la derecha (izquierda).	Turn right (left).
Siga derecho (recto).	Continue (Go) straight.
Siga (Ud.) por...	Continue . . . , Follow . . .
¿Dónde queda... ?	Where is . . . ?
¿Me podría decir... ?	Could you tell me . . . ?
Perdón, ¿cómo se llega a... ?	Excuse me, how do you get to . . . ?

Otros vistazos

In the **Vistazos** CD-ROM, you will learn more about Hispanic cultures, including:

- un fragmento del cuento «Juan Darién» por Horacio Quiroga
- datos biográficos sobre Horacio Quiroga
- algo sobre la geografía de varios países de Sudamérica
- un poco sobre la historia de Uruguay
- datos interesantes en **¿Sabías que... ?**

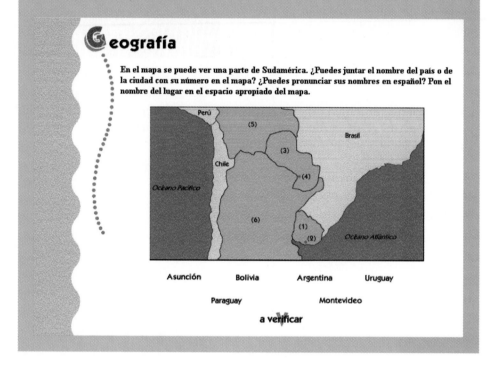

eografía

En el mapa se puede ver una parte de Sudamérica. ¿Puedes juntar el nombre del país o de la ciudad con su número en el mapa? ¿Puedes pronunciar sus nombres en español? Pon el nombre del lugar en el espacio apropiado del mapa.

Asunción   Bolivia   Argentina   Uruguay

Paraguay   Montevideo

a verificar

GRAMMAR SUMMARY FOR LECCIONES 13–15

The Present Perfect

he has ha ha hemos habéis han han	+	almorzado leído salido

1. The present perfect corresponds roughly to English *have + past participle.*

    Ya **he comido.**
    I have eaten already.

    ¿Te **has mirado?**
    Have you looked at yourself?

2. There are no stem-vowel changes with past participles: **almorzar → almorzado, venir → venido,** and so forth.

3. A number of common verbs have irregular past participles that do not end in **-ado** or **-ido.**

decir →	dicho
escribir →	escrito
hacer →	hecho
morir →	muerto
poner →	puesto
ver →	visto

4. There are two instances in which the present perfect is used in English where it is not used in Spanish.

    a. to have . . . for + *amount of time*

    Hace varios minutos **que** estoy aquí.
    *I **have been** here for a few minutes.*

    Hace dos años **que** vivo en Chicago.
    *I **have lived** in Chicago for two years.*

    b. to have just (*done something*)

    Acabo de limpiar eso. No lo toques.
    *I **have just cleaned** that. Don't touch it.*

    ¿Acabas de llegar?
    ***Have you just arrived?**/Did you just arrive?*

Verbs That Require a Reflexive Pronoun

Some verbs in Spanish require a reflexive pronoun. Because these verbs are not true reflexives or reciprocal reflexives, their English equivalents do not use *-self, -selves,* or *each other.*

atreverse a + *inf.*	*to dare to (do something)*
burlarse (de)	*to make fun (of)*
comportarse	*to behave*
darse cuenta (de)	*to realize*
jactarse (de)	*to boast (about)*
portarse	*to behave*

Note that some of these verbs use prepositions when followed by nouns or verbs.

No me atreví.
No me atreví **a decirlo.**
No me di cuenta.
No me di cuenta **de eso.**

The Conditional Tense

tomar	**ía**	me	atrever	**ía**	vivir	**ía**	
tomar	**ías**	te	atrever	**ías**	vivir	**ías**	
tomar	**ía**	se	atrever	**ía**	vivir	**ía**	
tomar	**ía**	se	atrever	**ía**	vivir	**ía**	
tomar	**íamos**	nos	atrever	**íamos**	vivir	**íamos**	
tomar	**íais**	os	atrever	**íais**	vivir	**íais**	
tomar	**ían**	se	atrever	**ían**	vivir	**ían**	
tomar	**ían**	se	atrever	**ían**	vivir	**ían**	

1. The conditional in Spanish is roughly equivalent to English *would + verb* when the latter expresses a hypothetical event.

   No **viviría** allí nunca.
   I would never live there.

   ¿**Te burlarías** de mí?
   Would you make fun of me?

2. Remember that *would + verb* in English can also refer to a repeated action in the past. In this situation, you would use the imperfect in Spanish and not the conditional.

   Iba y **venía** mucho.
   He would come and go a lot (in those days).

   Nos comportábamos bien.
   We would behave (when we were children).

3. A few common verbs have irregular stems in the conditional tense.

decir	→	dir-
hacer	→	har-
poder	→	podr-
salir	→	saldr-
tener	→	tendr-
haber	→	habría (*there would be*)

Direct and Indirect Object Pronouns

DIRECT OBJECT PRONOUNS	INDIRECT OBJECT PRONOUNS
me	me
te	te
lo, la	le
lo, la	le
nos	nos
os	os
los, las	les
los, las	les

1. Note that **me, te, nos,** and **os** can function as either direct or indirect object pronouns.

2. Remember that object pronouns precede conjugated verbs. They can also be attached to the end of infinitives and present participles.

   ¿**Lo tienes** o **lo has dejado** en casa?
   Do you have it or have you left it at home?

   ¿Por qué no **me saludas?**
   Why don't you greet me?

   Carmen **me está diciendo** algo.
   (Carmen **está diciéndome** algo.)
   Carmen is telling me something.

   Nos van a llamar esta noche. (**Van a llamarnos** esta noche.)
   They are going to call us tonight.

3. Although you have not really used object pronouns with commands in *Vistazos*, it may be helpful to know that object pronouns are attached to the end of affirmative commands but are placed in front of negative commands.

   Dime algo.
   Tell me something.

   ¡**No me digas** nada!
   Don't tell me anything!

4. Because **me, te, nos,** and **os** function as both direct and indirect object pronouns,

Grammar Summary for **Lecciones 13–15**

you need only distinguish between the two kinds using **Ud., Uds.** and third-person pronouns.

> **¿El perro?** No **lo** veo.
> *The dog? I don't see him.*

> **¿El perro?** Ya **le** di de comer.
> *The dog? I already fed him.*

5. Remember that Spanish has flexible word order, so don't mistake object pronouns for subjects of a verb.

> **¿La** va a llamar Juan?
> correct interpretation: *Is John going to call her?*
> incorrect interpretation: *Is she going to call John?*

> Ya **nos** vio el profesor.
> correct interpretation: *The professor already saw us.*
> incorrect interpretation: *We already saw the professor.*

6. You will often see indirect object pronouns used in situations in which English would use a possessive construction (*my, your, his, Mary's,* and so forth), especially with parts of the body.

> **Me** sacó **una muela** el dentista.
> *The dentist pulled out one of my molars.*

> **Le** examiné **las orejas** al perro.
> *I checked the dog's ears.*

> ¿Y **le** examinaste **las patas?**
> *And did you check his paws?*

Estar + Location

Estar, and not **ser,** is normally used to talk about location.

> Buenos Aires **está** en la Argentina.
> Ahora mi mamá **está** en México.
> ¿Dónde **está** la oficina del profesor?

Quedar can be used to talk about the location of inanimate objects only.

> ¿Dónde **queda la oficina** del profesor?
> **México queda** al sur de los Estados Unidos.

Review of Reciprocal Reflexives

When **se** and **nos** mean *each other,* they are reciprocal reflexives: two or more people have done or do something to each other. **Se** can also mean *themselves* and **nos** can mean *ourselves.* Context should tell you which interpretation is appropriate.

> **Nos abrazamos** cuando **nos saludamos.**
> **Nos reconocimos** inmediatamente aunque habían pasado (*had passed*) 10 años.
> El trabajo de los boxeadores es **golpearse.**
> **Se besaron** los novios.

¿ADÓNDE VAMOS?

En esta lección, vas a

■ aprender vocabulario relacionado con la ropa y los viajes

■ determinar con quién podrías hacer un viaje largo

■ aprender el vocabulario relacionado con muchas profesiones y el trabajo

■ hablar de las cualidades necesarias para practicar ciertas profesiones u ocupaciones

■ explicar por qué quieres dedicarte a cierta profesión u ocupación

■ ver cómo se forma el futuro de los verbos

■ ver una nueva forma verbal, el subjuntivo

■ escuchar a dos personas hablar sobre el futuro de la lengua española

También vas a aprender un poco más sobre España y leer otro poema de Juan Ramón Jiménez.

Vistazos
La ropa y el viaje

¿Cómo te vistes?

Talking About Clothing

Las prendas de vestir

el sombrero

las medias

los zapatos

el vestido

la blusa de rayón

El bufón llamado
«*Don Juan de Austria*»
(1632–1633) y *La infanta
Margarita de Austria*
(1653) por Diego
Velázquez (español,
1599–1660)

la camisa de algodón

la corbata de seda

la chaqueta

el traje de lana

los pantalones

la falda

los calcetines

VOCABULARIO ÚTIL

llevar	to wear	**la sudadera**	sweats
vestirse (i, i)	to dress, get dressed	**el suéter**	sweater
		el tacón (alto)	(high) heel
barato/a	inexpensive	**el traje de baño**	bathing suit
caro/a	expensive	**Las telas de fibras naturales**	**Natural Fabrics**
el abrigo	overcoat	**el algodón**	cotton
los *bluejeans*	jeans	**la lana**	wool
la camiseta	T-shirt	**la seda**	silk
el cuero	leather		
el diseño	design	**Las telas de fibras sintéticas**	**Synthetic Fabrics**
la gorra	ball cap		
el jersey	pullover	**el poliéster**	polyester
los pantalones cortos	shorts	**el rayón**	rayon

Actividad A Cambios

Paso 1 Mira las fotos que acompañan el **Vocabulario esencial** y escucha las descripciones del profesor (de la profesora). ¿A cuál de las personas o fotos describe?

1... 2... 3... 4... 5... etcétera

Paso 2 Ahora, indica si cada oración es cierta o falsa.

		C	F
1.	Antiguamente, los hombres llevaban medias. Ahora no.	❏	❏
2.	Antes tanto las mujeres como los hombres vestían pantalones así como hoy.	❏	❏
3.	Como hoy, los hombres de épocas anteriores llevaban pantalones largos, no cortos.	❏	❏
4.	Las telas que se usaban en épocas anteriores eran la seda, la lana y el algodón. No existían las telas sintéticas.	❏	❏
5.	Los sombreros no han cambiado mucho a través de la historia.	❏	❏
6.	Antiguamente, las mujeres llevaban faldas cortas.	❏	❏

Paso 3 ¿A qué conclusión llegas?

❏ La ropa ha cambiado mucho para el hombre y la mujer.
❏ La ropa no ha cambiado tanto.

Actividad B En la clase...

Paso 1 Observa la ropa de tus compañeros. Escribe en el cuadro el número de prendas que ves hoy en clase.

<table>
<tr><th colspan="4">LA ROPA QUE LLEVAMOS HOY EN CLASE</th></tr>
<tr><td>bluejeans</td><td>otros tipos de pantalones</td><td>faldas</td><td>vestidos</td></tr>
<tr><td colspan="2">jerseys / sudaderas</td><td>camisas</td><td>camisetas / blusas</td></tr>
<tr><td>zapatos de cuero</td><td>zapatos de tenis</td><td>zapatos para correr</td><td>zapatos de otros tipos</td></tr>
</table>

Paso 2 Ahora, calcula el porcentaje de la clase que lleva cada prenda de ropa. ¿Qué tiende a llevar la mayoría? También anota si una prenda de ropa tiene algún detalle o estilo distinto, por ejemplo, si los jerseys llevan el nombre de la universidad, un emblema, etcétera.

ASÍ SE DICE

The verb **vestirse** is a true reflexive. When you say **Me visto** you are literally saying *I dress myself*. To talk about what you put on, you may use **vestirse**, or simply **ponerse**, which means literally *to put on one's self*.

¿Qué **te pones** para ir a clase?
Suelo **ponerme** pantalones cortos y camiseta.

COMUNICACIÓN

La guayabera es una camisa típicamente latino-americana.

Paso 3 Anota aquí las tres prendas de vestir más populares entre los estudiantes.

_____   _____   _____

En esta lista se dan algunas razones por las cuales es posible que muchos estudiantes lleven una prenda de ropa en particular.

❑ Es cómodo/a.
❑ Es barato/a.
❑ Es fácil de lavar (cuidar).
❑ Dura (*It lasts*) mucho.

❑ Va bien con cualquier otro tipo de ropa.
❑ Está de moda (*in style*).
❑ ¿ ?

¿Por qué crees que los estudiantes llevan la ropa que anotaste arriba? ¿Qué opinan los demás?

En tu opinión

«El presidente debe vestirse de una manera más informal para identificarse más con el pueblo.»

«La ropa y la forma de vestirse son mucho más importantes para las mujeres que para los hombres.»

vocabulario esencial

¿En tren o en auto?

Talking About Trips and Traveling (I)

¿Cómo vamos?

el autobús	bus
el avión	airplane
el barco	boat
el crucero	cruise ship
el tren	train

¿Dónde?

el aeropuerto	airport
la cabina	cabin
la estación	station
el extranjero	abroad
la sala de espera	waiting room
la sección de (no) fumar	(no) smoking section

¿Quiénes?

el/la agente (de viajes)	(travel) agent
el/la asistente de vuelo	flight attendant
el/la camarero/a	
el maletero	porter, skycap
el/la pasajero/a	passenger

¿Qué hacemos?

alquilar	to rent
bajar de	to get off (*a bus, car, plane, etc.*)
facturar el equipaje	to check luggage
hacer autostop	to hitchhike
hacer cola	to stand in line
hacer escala	to make a stop (*flight*)
hacer la maleta	to pack one's suitcase
hacer un viaje	to take a trip
marearse	to get sick, become nauseated
sacar fotos	to take pictures
subir a	to get on/in (*a bus, car, plane, etc.*)
viajar	to travel

¿Qué más?

el asiento	seat
el boleto/el billete*	ticket
de ida	one-way
de ida y vuelta	round-trip

*_____

***Boleto** is mostly used in Latin America; **billete** is used in Spain.

la clase turística	economy class	la primera clase	first class
la demora	delay	la salida	departure
el equipaje	luggage	el vuelo	flight
la llegada	arrival		
el pasaje	ticket, passage		

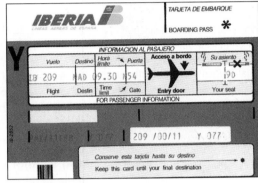

¿Sabes cuál de los pasajes es para viajar en tren y cuál es para viajar en avión? ¿Puedes encontrar la hora de salida de cada viaje? ¿y el número del vuelo del viaje en avión?

Actividad C   Definiciones y descripciones

Escucha la definición o descripción que da el profesor (la profesora) y luego indica a cuál de las opciones se refiere.

1. **a.** el tren   **b.** el barco   **c.** el avión
2. **a.** la sala de espera   **b.** la cabina   **c.** la estación
3. **a.** el maletero   **b.** el agente de viajes   **c.** el pasajero
4. **a.** el asiento   **b.** la demora   **c.** el billete
5. **a.** el barco   **b.** la cabina   **c.** el vuelo
6. **a.** hacer cola   **b.** hacer escala   **c.** hacer la maleta
7. **a.** alquilar   **b.** marearse   **c.** facturar
8. **a.** el pasaje   **b.** la sala de espera   **c.** la demora
9. **a.** el billete   **b.** de ida y vuelta   **c.** la clase turística
10. **a.** la pasajera   **b.** la agente de viajes   **c.** la asistente de vuelo

Actividad D   ¿En qué orden?

Cuando viajas en avión, ¿en qué orden haces las siguientes actividades? Compara tus resultados con los del resto de la clase.

_____ Compro el boleto.
_____ Facturo el equipaje.
_____ Hago cola.
_____ Le pido una almohada (*pillow*) al asistente de vuelo.

_____ Hago la maleta.
_____ Llego al aeropuerto.
_____ Subo al avión.
_____ Tomo el asiento.
_____ Voy a la sala de espera.

Vistazos

Actividad E ¿Molestia o no?

Paso 1 Indica si las siguientes cosas te molestan o te molestarían en un viaje por avión.

5 = Me molesta mucho y de hecho (*in fact*) me enfado.
3 = Me molesta.
0 = No me molesta. Así es la vida.

1. _____ Hay una demora de una hora.
2. _____ Hay una demora de dos horas o más.
3. _____ Tienes que hacer cola por más de 30 minutos para facturar el equipaje.
4. _____ La persona en el asiento a tu lado se marea y vomita.
5. _____ Según el itinerario, es necesario hacer tres escalas y cambiar de avión dos veces.
6. _____ Al llegar a tu destino, tus maletas no aparecen. Te dicen que no van a llegar hasta el día siguiente.

Paso 2 Ahora entrevista a un compañero (una compañera) de clase. Léele cada oración y pregúntale si le molesta o no (tu compañero/a no debe mirar su libro). Apunta sus respuestas, pero no le digas lo que has contestado tú en el **Paso 1.**

Paso 3 Al final, revela tus respuestas y compáralas con las de tu compañero/a. ¿A quién le molestan más esas situaciones? Entre todos, ¿han pensado en otras situaciones molestas?

ASÍ SE DICE

Para can be used instead of **a** to indicate *to, toward, for,* or *in the direction of,* especially when travel or distance is involved.

Mañana salgo **para** París.
¿Cuándo vienes **para** México?

For now you can use **a,** but look for uses of **para** with destination as you continue to learn Spanish.

vocabulario esencial

¿Dónde nos quedamos?

Talking About Trips and Traveling (II)

El alojamiento	Lodging
el armario	closet
el botones	bellhop
la cama matrimonial	double bed
la cama sencilla	twin bed
las comodidades	conveniences, amenities
la habitación	room
con baño (privado)	with a (private) bath
con ducha	with a shower
el hotel de lujo	luxury hotel
el hotel de cuatro estrellas	four-star hotel
el/la huésped(a)	guest
el mozo	bellhop
la pensión completa	room and full board
la pensión	boarding house, bed and breakfast

la media pensión	room and breakfast (*often with one other meal*)
la recepción	front desk
el servicio de cuarto	room service
alojarse	to stay, lodge
confirmar	to confirm
reservar	to reserve
con (un mes de) anticipación	(one month) in advance
tener vista	to have a view
completo/a	full, no vacancy
desocupado/a	vacant, unoccupied

Hay hoteles de todo tipo en el mundo hispano. ¿Qué tipo de hotel te gusta a ti, los hoteles de lujo con todas las comodidades o los hoteles más baratos?

Actividad F   El alojamiento en un hotel

Paso 1 Indica si cada una de las siguientes cosas es necesaria para ti o si sólo es preferible cuando te alojas en un hotel. Si no la tomas en consideración, indica eso.

	NECESARIO	PREFERIBLE	NO LA TOMO EN CONSIDERACIÓN.
1. una cama matrimonial en vez de una sencilla	❑	❑	❑
2. la ayuda de un botones	❑	❑	❑
3. un baño privado	❑	❑	❑
4. un baño con ducha	❑	❑	❑
5. servicio de cuarto	❑	❑	❑
6. si el precio incluye el desayuno	❑	❑	❑
7. si tiene vista	❑	❑	❑
8. extras como champú gratis y televisión por cable	❑	❑	❑
9. armario grande	❑	❑	❑

Paso 2 ¿Cómo contestan las siguientes personas a cada número del Paso 1?

1. una persona de negocios que viaja frecuentemente y que normalmente se queda tres días en un hotel
2. dos jóvenes ricos y famosos que van a Colorado para esquiar
3. una persona que viaja en auto y que solamente pasa una noche en el hotel antes de continuar su viaje
4. dos personas jubiladas (*retired*) que pasan una semana en Florida

Actividad G ¿Somos compatibles?

Paso 1 Piensa en cinco cosas que serían importantes para ti al viajar al extranjero.

Paso 2 Basándote en lo que escribiste en el **Paso 1,** escribe varias preguntas para hacerle a otra persona sobre sus preferencias al viajar, para ver si los (las) dos serían compatibles durante un viaje largo. Por ejemplo, si para ti el precio del alojamiento sería un factor importante, puedes hacer preguntas como las siguientes:

¿Cuánto pagarías en un hotel la noche?
¿Harías *camping* para ahorrar dinero?
¿Podrías dormir en el tren durante la noche?

Busca a alguien en la clase para hacerle las preguntas y apunta sus respuestas. Trata de conseguir todos los detalles posibles.

Vistazos

Las profesiones

vocabulario esencial

¿Qué profesión?

Talking About Professions

Campos

la psicología

la asistencia social

Profesiones

el psicólogo (la psicóloga)

el trabajador (la trabajadora) social

el arte

la arquitectura

el pintor (la pintora)

el escultor (la escultora)

el arquitecto (la arquitecta)

---

[a]vos = *you* (*fam., sing.*), used in Argentina and other Latin American countries
[b]apechugar... *put up with*

Lección final   ¿Adónde vamos?

Campos	Profesiones
la música	el/la músico
el cine la televisión el teatro	el director (la directora) el fotógrafo (la fotógrafa) el productor (la productora) el actor (la actriz)
los deportes	el/la atleta el jugador (la jugadora) de _____
la moda[c]	el diseñador (la diseñadora)

Campos	Profesiones
los negocios	el hombre (la mujer) de negocios
la computación	el programador (la programadora) el/la técnico
la contabilidad[d]	el contador (la contadora)
la agricultura	el granjero (la granjera)
el derecho[e]	el abogado (la abogada)
el gobierno la política	el político (la política) el senador (la senadora) el/la representante el presidente (la presidenta)

Campos	Profesiones
el periodismo	el/la periodista
la enseñanza	el profesor (la profesora) el maestro (la maestra)
la medicina	el médico (la médica) el enfermero (la enfermera) el veterinario (la veterinaria)
la farmacia	el farmacéutico (la farmacéutica)
la terapia física	el/la terapeuta

Campos	Profesiones
la ciencia	el científico (la científica) el biólogo (la bióloga) el físico (la física) el químico (la química) el astrónomo (la astrónoma)
la ingeniería	el ingeniero (la ingeniera)

[c]*fashion* [d]*accounting* [e]*law*

VOCABULARIO ÚTIL

el/la asesor(a)	consultant
el/la ayudante	assistant
el/la especialista (*en algo*)	specialist (in something)
el/la gerente	manager
el/la jefe/a	boss
consultar	to consult

Actividad A Asociaciones

Paso 1 El profesor (La profesora) va a mencionar una profesión. Indica el nombre que se asocia con cada profesión.

1. **a.** Lois Lane   **b.** Amelia Earhart   **c.** Bette Midler
2. **a.** Bill Cosby   **b.** Perry Mason   **c.** Barbara Walters
3. **a.** Oprah Winfrey **b.** Donald Trump   **c.** Michael Douglas
4. **a.** Sammy Sosa   **b.** Julio Iglesias   **c.** Juan Valdés

5. a. Ann Landers   **b.** Mr. Rogers   **c.** Liz Claiborne
6. a. Fidel Castro   **b.** Lee Treviño   **c.** Isabel Allende
7. a. Johnson y Johnson   **b.** Sara Lee   **c.** Federico García Lorca
8. a. Hillary Clinton   **b.** Jaime Escalante   **c.** Jane Fonda

Paso 2 Indica lo que asocias con cada profesión que se menciona.

1. a. la máquina de escribir   **b.** la ropa especial   **c.** los animales
2. a. los pacientes   **b.** el transporte   **c.** la clase
3. a. los contratos   **b.** el béisbol   **c.** las revistas
4. a. el laboratorio   **b.** el piano   **c.** el dinero
5. a. la aspirina   **b.** el congreso   **c.** los dibujos

Paso 3 Indica el lugar que asocias con cada profesión que se menciona.

1. a. la corte   **b.** la clase   **c.** la universidad
2. a. la playa   **b.** la escuela   **c.** el restaurante
3. a. el campo   **b.** la ciudad   **c.** el espacio
4. a. la clínica   **b.** la casa   **c.** el parque
5. a. el hospital   **b.** el océano   **c.** el estudio

Actividad B ¿Cuánto prestigio?

Algunas profesiones tienen más prestigio que otras. ¿Cómo calificas tú las siguientes profesiones?

Paso 1 Pon al lado de cada profesión el número que indique el prestigio que tú crees que tiene en la sociedad.

1 = poco prestigio
2 = algún prestigio
3 = mucho prestigio

_____ trabajador(a) social
_____ abogado/a
_____ maestro/a de secundaria
_____ enfermero/a
_____ piloto
_____ director(a) de cine
_____ policía

_____ veterinario/a
_____ hombre (mujer) de negocios
_____ contador(a)
_____ asistente de vuelo
_____ granjero/a
_____ taxista

Paso 2 Compara lo que escribiste con lo que escribieron otros dos compañeros de clase. ¿Tienen opiniones diferentes? ¿En qué basaron sus respuestas?

Actividad C De niño/a

Muchas personas tienen aspiraciones profesionales cuando son muy jóvenes. ¿Qué pensabas ser tú?

Paso 1 Completa la siguiente oración.

Recuerdo que de niño/a quería ser _____.

Paso 2 ¿Han cambiado tus deseos? ¿Qué quieres ser ahora?

Ahora estudio para ser _____.

Paso 3 ¿Cuántas personas en la clase han cambiado de idea también? Comparte tus oraciones con la clase. Anota lo que dicen tus compañeros. Determina...

1. si algunos de los estudiantes respondieron de una manera semejante.
2. si la mayoría ha cambiado de idea o no.

¿Qué características y habilidades se necesitan?

Talking About Traits Needed for Particular Professions

Bueno, quieren saber qué **habilidades** especiales tengo. Voy a poner que **hablo varios idiomas...** y que **sé usar una computadora...**

The following is a list of qualities and skills (or abilities) that are useful for talking about particular professions. Some of these expressions you already know.

Cualidades

pensar de una manera directa
ser carismático/a
ser compasivo/a
　(*compassionate*)
ser compulsivo/a
ser emprendedor(a)
　(*aggressive, enterprising*)
ser físicamente fuerte
ser hábil para las matemáticas

ser honesto/a
ser íntegro/a (*honorable*)
ser listo/a (*clever, smart*)
ser mayor
ser organizado/a
ser paciente
tener don de gentes (*to have a way with people*)

Habilidades

hablar otro idioma	**saber mandar** (*to know*
saber dibujar	*how to direct others*)
saber escribir bien	**saber usar una**
saber escuchar	**computadora**
saber expresarse claramente	**tener habilidad manual**
	(para trabajar con las manos)

Note that **saber** + *infinitive* means *to know how to do something* or *to be able to do something*. Spanish does not normally use **poder** + *infinitive* to talk about being able to do something that is related to talent or knowledge.

Sé escribir bien.   *I know how to write well.*
María **sabe escuchar.**   *María knows how to listen.*

but

María **puede levantar** cien   *María can lift a hundred*
    libras fácilmente.   *pounds easily.*

Actividad D   ¿Qué profesional?

La clase entera debe determinar qué profesionales deben tener las siguientes cualidades.

1. Deben pensar de una manera directa.
2. Deben ser emprendedores.
3. Necesitan ser pacientes.
4. Deben ser físicamente fuertes.
5. Necesitan ser hábiles para las matemáticas.
6. Deben ser carismáticos.
7. Deben tener don de gentes.

Actividad E   Definiciones

El profesor (La profesora) va a dar unas definiciones. ¿De qué cualidad se habla en cada caso?

    1... 2... 3... 4... 5...

COMUNICACIÓN

Actividad F   ¿Qué cualidades?

Paso 1 La clase debe dividirse en grupos de tres. A cada grupo se le va a asignar una profesión.

Lección final   ¿Adónde vamos?

Paso 2 Cada grupo debe pensar en por lo menos tres de las cualidades que se requieren para practicar esa profesión. Luego, debe llenar el siguiente párrafo.

> La profesión de que hablamos es _____. En primer lugar, para practicar esta profesión, una persona tiene que _____. También debe _____. Y es muy bueno _____.

Paso 3 Cada grupo va a leer su párrafo a la clase. ¿Están los otros grupos de acuerdo con sus opiniones?

Observaciones

Algunas personas son ideales para sus profesiones y les gustan mucho. Otras no y si pudieran, cambiarían de profesión. ¿Sabes tú de personas como éstas?

Vistazos

Las posibilidades y probabilidades del futuro

¿Cómo será nuestra vida?

Introduction to the Simple Future Tense

gramática esencial

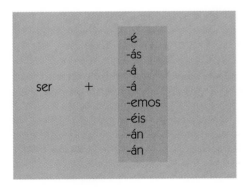

ser	+	-é
		-ás
		-á
		-á
		-emos
		-éis
		-án
		-án

Creo que en el siglo XXI **habrá** avances médicos muy importantes. **Tendremos** nuevos métodos científicos y una tecnología capaz de tratar enfermedades muy graves.

You already know several ways to express future intent in Spanish.

> Muchos estudiantes **piensan especializarse** en las ciencias computacionales.
> La mayoría de la gente **espera llevar** una vida mejor dentro de unos años.
> El mundo **va a ser** muy diferente en el próximo siglo.

Spanish also has a simple future tense, equivalent to English *will* + *verb*.

> —¿Qué lenguas **serán** importantes en el mercado mundial del siglo XXI?
> —Bueno, el japonés **será** importante.

The future tense is formed by adding the endings **-é, -ás, -á, -emos, -án** to the infinitive of a verb.

> cambiar + é = cambiaré (*I will change*)
> ver + ás = verás (*you* [tú] *will see*)
> vivir + á = vivirá (*he/she/you* [Ud.] *will live*)
> ser + emos = seremos (*we will be*)
> trabajar + án = trabajarán (*they/you* [Uds.] *will work*)

The endings are the same regardless of whether the infinitive ends in **-ar, -er,** or **-ir.** A small number of frequently used verbs have irregular future stems. Among them are

decir → **dir-**	diré, dirás, dirá, dirá, diremos, diréis, dirán, dirán
hacer → **har-**	haré, harás, hará, hará, haremos, haréis, harán, harán
poder → **podr-**	podré, podrás, podrá, podrá, podremos, podréis, podrán, podrán
salir → **saldr-**	saldré, saldrás, saldrá, saldrá, saldremos, saldréis, saldrán, saldrán
tener → **tendr-**	tendré, tendrás, tendrá, tendrá, tendremos, tendréis, tendrán, tendrán
haber → **habr-**	habrá (*there will be*)

Actividad A   ¿Qué predices?

A continuación hay una lista de predicciones sobre lo que ocurrirá en los próximos diez años. Indica con cuáles estás de acuerdo y con cuáles no.

	ESTOY DE ACUERDO.	NO ESTOY DE ACUERDO.
1. Habrá la posibilidad de seleccionar un «hijo perfecto» por medio de los avances en la genética.	☐	☑
2. No se podrá encontrar comidas con conservantes artificiales, pues éstos serán prohibidos definitivamente.	☑	☐

3. Una mujer será presidenta de los Estados Unidos. ☐ ☑

4. Desarrollarán una vacuna contra el SIDA. ☑ ☐

5. Encontrarán el remedio para el cáncer. ☑ ☐

6. Se resolverá el problema del efecto invernadero (*greenhouse effect*). ☐ ☐

7. El español llegará a ser* la lengua mundial, reemplazando al inglés como la lengua de los negocios y la tecnología. ☐ ☑

8. La ropa será más unisexo. Por eso, empezarán a desaparecer las secciones separadas para hombres y mujeres en los almacenes (*department stores*). ☐ ☑

Actividad B ¿Sabías que... ?

Escucha y lee la selección **¿Sabías que... ?** que aparece en la siguiente página. Luego, contesta las siguientes preguntas.

1. ¿Cuál es el estereotipo de la mujer hispana según la selección?
2. Describe con tus propias palabras lo que está pasando en los países hispanos según lo que has leído y escuchado.

Actividad C ¿Es igual o diferente?

COMUNICACIÓN

Paso 1 ¿Es la situación en los Estados Unidos igual o diferente a la que se describe en lo que leíste en la selección **¿Sabías que... ?** Los hombres en la clase deben entrevistar a las mujeres usando las siguientes ideas para formular sus preguntas.

1. la carrera que estudia
2. sus aspiraciones y planes con relación al trabajo y la vida personal y familiar

Paso 2 Ahora las mujeres deben entrevistar a los hombres usando las mismas ideas del **Paso 1.** ¿Hay muchas diferencias entre las respuestas de las personas de cada sexo? Después la clase debe comentar lo siguiente y escribir la información en la pizarra.

1. las futuras carreras de los dos sexos
2. planes para el matrimonio u otro tipo de relaciones permanentes con otra persona
3. planes para tener hijos

****Llegar a ser** means *to become,* in the sense of a process of evolution, promotion, or change over time.

Mercedes **llegó a ser** jefa después de mucho trabajo.
Buenos Aires **llegó a ser** la ciudad más importante de la Argentina.

¿Sabías que...

en muchos países de habla española el futuro está en manos de las mujeres? La imagen estereotípica que se tiene de los países hispanohablantes es que son sociedades «machistas», donde el hombre ocupa todas las posiciones importantes y la mujer queda relegada a hacer los trabajos domésticos y a criar los hijos. Sin embargo, si analizamos las estadísticas de empleo más recientes, todo parece indicar que este estereotipo está muy lejos de ser realidad. Según varios estudios recientes, las mujeres en el mundo hispano están consiguiendo nuevos puestos a un ritmo tres veces mayor que los hombres. Además, cada día más mujeres ocupan puestos administrativos y técnicos en los campos que eran territorio de los hombres.

Parece que ésta es una tendencia que continuará en las próximas décadas en todo el mundo hispano. En España, México, Costa Rica, Panamá, el Perú, la Argentina y otros países, las mujeres hispanas están entrando en grandes números en los campos de administración de empresas, derecho, medicina, ingeniería y ciencias. Los investigadores predicen que para el año 2010, el número de mujeres profesionales empleadas será mayor que el número de hombres.

Una foto de un folleto (*pamphlet*) distribuido por el Ministerio de Asuntos Sociales de España. ¿Por qué carga tantos sombreros la mujer? ¿Qué representan?

Visit the *Vistazos* website at **www.mhhe.com/vistazos.**

Busca en la red cualquier información sobre el futuro que a ti te interese. Presenta algunas ideas a la clase y comenta si estás de acuerdo o no con la información.

gramática esencial

¿Es probable?
¿Es posible?

Introduction to the Subjunctive: Expressions of Uncertainty

(No) Es probable que		
(No) Es posible que		
No es cierto que	+	subjuntivo
Es dudoso que		
Dudo que		
No creo que		

...y **es poco probable que encontremos** una vacuna contra esta enfermedad en los próximos cinco años, pero hay esperanzas para el futuro lejano.

Often we express belief and affirm ideas by using phrases such as "I believe that . . ." and "It's true that . . . ", among others.

> *I believe that a woman will be president in ten years.*
> *It's true that we have never had a woman president.*

We can also express the opposite, namely disbelief, doubt, and probability, by using phrases such as "I don't think that . . . ", "It's doubtful that . . . ", "It's possible or probable that . . . ", and so on. When we use such expressions in Spanish, the verb in the second part of the sentence appears in a form called the *subjunctive*. Negation can affect the use of the subjunctive with expressions of doubt, disbelief, and uncertainty.

SUBJUNCTIVE REQUIRED	INDICATIVE REQUIRED
Es dudoso que...	No es dudoso que...
No es cierto que...	Es cierto que...
No creo que...	Creo que...
Dudo que...	No dudo que...

The forms of the present subjunctive are based on the **yo** form of the present indicative (the present tense verb forms with which you have been working).

tomar → **tomo** → **tom-**
conocer → **conozco** → **conozc-**
salir → **salgo** → **salg-**

What makes the subjunctive different from the indicative is that verbs in the subjunctive use the "opposite vowel" in their endings: **-ar** verbs use an **-e-** and **-er/-ir** verbs use an **-a-.** Here are some examples in the third-person singular and plural.

-ar (→ -e)	-er (→ -a)	-ir (→ -a)
tom**e**, tom**en**	com**a**, com**an**	viv**a**, viv**an**
llegu**e**, llegu**en**	teng**a**, teng**an**	salg**a**, salg**an**
pagu**e**, pagu**en**	entiend**a**, entiend**an**	sirv**a**, sirv**an**

Note that **-ar** verbs whose stem ends in **g** (pagar → **pag-,** llegar → **lleg-**) will add a **u** to maintain the hard **g** sound.

A few verbs in the present subjunctive have irregular forms. Here are the third-person singular and plural forms of some of these verbs.

dar	**dé, den**	saber	**sepa, sepan**
estar	**esté, estén**	ser	**sea, sean**
haber	**haya, hayan**	tener	**tenga, tengan**
ir	**vaya, vayan**		

Actividad D   ¿Estás de acuerdo?

Algunas personas dudan de muchas cosas, no sólo de lo que puede (o no puede) ocurrir en el futuro sino también del estado de ciertas cosas en el presente. Indica si estás de acuerdo o no con lo siguiente. ¿Y qué piensan tus compañeros?

ASÍ SE DICE

Spelling changes in the subjunctive serve to maintain the pronunciation of certain consonants. Remember that to maintain the hard "**g**" of **pagar, llegar, entregar,** and other verbs, a **u** is added to the stem before the vowel **e.** To maintain the hard "**c**" of **buscar, indicar,** and other verbs, the **c** is dropped from the stem and **qu** is added before the vowel **e.**

Indicative	Subjunctive
entre**g**o	entre**gu**e
pa**g**o	pa**gu**e
bus**c**o	bus**qu**e
indi**c**o	indi**qu**e

ASÍ SE DICE

You may already have inferred this from its use throughout *Vistazos,* but to express *by* or *for a certain time,* use **para** and not **por.**

Para el año 2020, todos viviremos en casas electrónicas.
¿Estarás listo **para mañana?**
Hay que entregar la tarea **para el lunes.**

	ESTOY DE ACUERDO.	NO ESTOY DE ACUERDO.
1. Es dudoso que para el año 2010 les encontremos solución a los problemas del medio ambiente.	❑	❑
2. No es muy cierto que en diez años se pueda seleccionar el sexo de los hijos.	❑	❑
3. Es dudoso que en diez años Quebec sea independiente del resto del Canadá.	❑	❑
4. No es cierto que todas las escuelas públicas sean tan malas como lo dicen las noticias.	❑	❑
5. Es muy dudoso que en este momento el gobierno comprenda los problemas de los que no tienen vivienda.	❑	❑

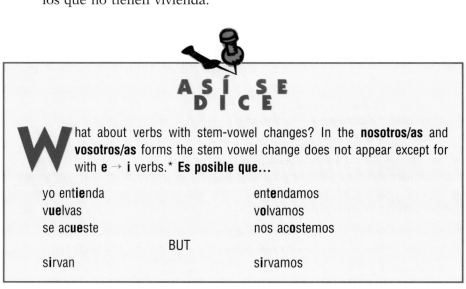

ASÍ SE DICE

What about verbs with stem-vowel changes? In the **nosotros/as** and **vosotros/as** forms the stem vowel change does not appear except for with **e → i** verbs.* **Es posible que...**

yo ent**ie**nda	ent**e**ndamos
v**ue**lvas	v**o**lvamos
se ac**ue**ste	nos ac**o**stemos
BUT	
s**i**rvan	s**i**rvamos

Actividad E ¿Qué es probable que ocurra para el año 2020?

Usando la siguiente «escala de probabilidades» y el subjuntivo, forma una nueva oración para indicar lo que opinas sobre cada idea.

ESCALA DE PROBABILIDADES

⟵————————————⟶

No es probable.	Es poco probable.	Es probable.	Es muy probable.

---

*Verbs such as **dormir** and **morir (o → ue)** *do* have different stems in these forms **(o → u): durmamos** and **muramos.**

MODELO   Los carros dejarán de contaminar el ambiente para el
          año 2020. →
          Es poco probable que los carros dejen de contaminar el
          ambiente para el año 2020.

1. Cada estudiante universitario en los Estados Unidos tendrá una
   computadora personal.
2. Con la eficiencia de la tecnología, el ser humano será más perezoso.
3. Todos usaremos teléfonos de bolsillo (*pocket phones*).
4. La mayoría de nosotros vivirá en casas «inteligentes».
5. No existirá la institución de la seguridad social en los Estados
   Unidos.
6. México mostrará evidencia de transformarse en un poder econó-
   mico importante de Latinoamérica.
7. Todos haremos las compras por el Internet.

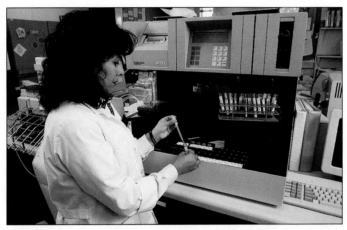

¿Serán todos los avances tecnológicos y científicos benefi-
ciosos para el ser humano? ¿Hay desventajas o peligros
que los acompañen?

Actividad F   ¿Dudas?

En la actividad previa indicaste la probabilidad de ciertos acontecimientos en el futuro. En esta actividad, vas a expresar tus dudas aun más.

Paso 1   Con un compañero (una compañera), indiquen si las expresiones
a continuación implican que se tiene una gran duda, una ligera duda o
ninguna duda.

Dudo...   Estoy seguro/a...
No creo...   No estoy seguro/a de...
Creo...   No me parece...

Paso 2   Refiriéndote al año 2020, combina cada una de las siguientes
oraciones con una expresión de arriba.

MODELO   Creo... / No se venderán libros, sólo vídeos. →
          Creo que no se venderán libros, sólo vídeos.

1. La energía solar será más común que la energía nuclear.
2. Los carros funcionarán con electricidad y no con gasolina.

COMUNICACIÓN

3. La temperatura global subirá de forma permanente debido al efecto invernadero.
4. Habrá otra guerra en el Oriente Medio (*Middle East*).
5. Los hispanos llegarán a ser el grupo minoritario mayor de los EE.UU.
6. El español será considerado idioma oficial en California, Florida y otros estados.
7. (Inventa tú una oración relacionada con la condición política o social de los Estados Unidos o con la vida de todos los días.)

Paso 3 Usando la expresión **¿Crees que... ?,** pregúntales a dos compañeros de clase lo que opinan de las afirmaciones anteriores. Anota sus respuestas.

Paso 4 Escriban siete oraciones en las que describan lo que las otras dos personas y tú creen y lo que no creen.

MODELOS   Todos (no) creemos que / dudamos que...
Yo (no) creo que... , pero mis compañeros lo creen/dudan.
Marta y yo (no) creemos que... , pero Roberto lo cree/duda.

El ocio

Aunque parece ilógico, el ocio, o sea el tiempo libre, se convertirá en uno de los bienes más escasos y, por lo tanto, más preciados. Al principio de los años 80 los prospectivistas declararon que la sociedad de los ordenadores, de la robótica y de los satélites nos liberaría del trabajo, dejándonos cada vez más tiempo libre. Hasta el momento ha ocurrido exactamente lo opuesto y lo más probable es que se mantenga la presente aceleración de la vida moderna. La tranquilidad no dependerá de los avances científicos sino de las actitudes personales y sociales.

Situación

Es el año 2020. Un político de la Cámara de representantes[a] ha propuesto un referéndum obligando a que todos los ciudadanos norteamericanos estudien español como una segunda lengua desde la escuela primaria. ¿Por qué? Porque los hispanos han llegado a ser la minoría más grande en los Estados Unidos y porque hay una verdadera zona de comercio libre entre el Canadá, los Estados Unidos y los países de Latinoamérica. ¿Cómo votas tú?

----
[a]Cámara... *House of Representatives*

Lección final   ¿Adónde vamos?

Los hispanos hablan

¿Cómo ves el futuro de la lengua española?

Paso 1 Lee lo que dicen Giuli Dussias y Montserrat Oliveras sobre el futuro del español. ¿Están las dos de acuerdo en cuanto al futuro de la lengua española?

¿Cómo ves el futuro de la lengua española?

NOMBRE: Giuli Dussias
EDAD: 35 años
PAÍS: Venezuela

«El futuro del español en mi opinión es brillante. En realidad es un idioma que se habla en más de veinte países en todo el mundo y es el idioma que más se estudia, uno de los idiomas más estudiados del mundo y de hecho el idioma que más se estudia aquí en los Estados Unidos. Por lo cual,... »

NOMBRE: Montserrat Oliveras
EDAD: 33 años
PAÍS: España

«Eh, si me preguntas qué opino sobre el futuro del español, tengo que decirte que es un futuro muy optimista... »

Paso 2 Ahora escucha o mira el resto de los segmentos. Luego indica quién menciona cada tema a continuación, Giuli, Montserrat o las dos.

1. Hablar español es una ventaja.
2. Se habla español cada vez más y mejor en los Estados Unidos.
3. El contacto con otras lenguas hace que el español tenga influencias externas.

Paso 3 Comenta el futuro del español en tu propia vida. ¿Piensas seguir estudiando español? ¿Hasta cuándo? ¿Piensas que tendrá un papel (*role*) importante en tu vida?

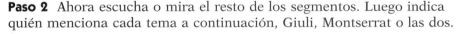

Vocabulario

Las prendas de vestir	Articles of Clothing
el abrigo	overcoat
los *bluejeans*	jeans
la blusa	blouse
los calcetines	socks
la camisa	shirt
la camiseta	T-shirt
la chaqueta	jacket
la corbata	tie
la falda	skirt
la gorra	ball cap
el jersey	pullover
las medias	stockings
los pantalones	pants
los pantalones cortos	shorts
el sombrero	hat
la sudadera	sweats
el suéter	sweater
el traje	suit
el traje de baño	bathing suit
el vestido	dress
los zapatos	shoes
los zapatos de tacón alto	high-heel shoes

llevar	to wear
ponerse (*irreg.*)	to put on (*clothing*)
vestir (i, i)	to wear
vestirse (i, i) (R)	to dress, get dressed

Las telas y materiales	Fabrics and Materials
el algodón	cotton
el cuero	leather
la lana	wool
el poliéster	polyester
el rayón	rayon
la seda	silk

Palabras útiles

barato/a (R)	inexpensive
caro/a	expensive
el diseño	design

De viaje	On a Trip
el aeropuerto	airport
el/la agente de viajes	travel agent
el/la asistente de vuelo	flight attendant
el autobús	bus
el avión	airplane
el barco	boat
la cabina	cabin

el/la camarero/a	flight attendant
el crucero	cruise ship
la estación	station
el extranjero	abroad
el maletero	porter, skycap
el/la pasajero/a	passenger
la sala de espera	waiting room
la sección de (no) fumar	(no) smoking section
el tren	train

alquilar	to rent
bajar de	to get off (*a bus, car, plane, etc.*)
facturar el equipaje	to check luggage
hacer autostop	to hitchhike
hacer cola	to stand in line
hacer escala	to make a stop (*flight*)
hacer la maleta	to pack one's suitcase
hacer un viaje	to take a trip
marearse	to get sick (nauseated)
sacar fotos	to take pictures
subir a	to get on/in (*a bus, car, plane, etc.*)
viajar	to travel

Palabras útiles para los viajes	Useful Words for Trips
el asiento	seat
el boleto (el billete)	ticket
de ida	one-way ticket
de ida y vuelta	round-trip ticket
la clase turística	economy class
la demora	delay
el equipaje	luggage
el pasaje	ticket; passage
la llegada	arrival
la primera clase	first class
la salida	departure
el vuelo	flight

El alojamiento	Lodging
el armario	closet
el botones	bellhop
la cama	bed
matrimonial	double bed
sencilla	twin bed
las comodidades	conveniences, amenities
la habitación	room
con baño (privado)	with a (private) bath
con ducha	with a shower

el hotel	hotel	el/la enfermero/a	nurse
de cuatro estrellas	four-star hotel	el/la escultor(a)	sculptor
de lujo	luxury hotel	el/la especialista	specialist
el/la huésped(a)	guest	el/la farmacéutico/a	pharmacist
la media pensión	room and breakfast (*often with one other meal*)	el/la físico/a	physicist
		el/la fotógrafo/a	photographer
el mozo	bellhop	el/la gerente	manager
la pensión	boarding house, bed and breakfast	el/la granjero/a	farmer
		el hombre (la mujer) de negocios	businessman (business-woman)
la pensión completa	room and full board	el/la ingeniero/a	engineer
la recepción	front desk	el/la jefe/a	boss
el servicio de cuarto	room service	el/la jugador(a) de...	. . . player
alojarse	to stay, lodge	el/la maestro/a	teacher (*elementary school*)
confirmar	to confirm	el/la médico/a	doctor
reservar	to reserve	el/la músico	musician
con (*time* + de) anticipación	(*time*) in advance	el/la periodista	journalist
		el/la pintor(a)	painter
tener vista	to have a view	el/la político/a	politician
completo/a	full, no vacancy	el/la presidente/a	president
desocupado/a	vacant, unoccupied	el/la productor(a)	producer
		el/la profesional	professional
		el/la profesor(a) (R)	professor
Campos	**Fields**	el/la programador(a)	programmer
la arquitectura	architecture	el/la psicólogo/a	psychologist
la asistencia social	social work	el/la químico/a	chemist
la contabilidad	accounting	el/la representante	representative
el derecho	law	el/la senador(a)	senator
la enseñanza	teaching	el/la técnico	technician
la farmacia	pharmacy	el/la terapeuta	therapist
el gobierno	government	el/la trabajador(a) social	social worker
la medicina	medicine	el/la veterinario/a	veterinarian
la moda	fashion		
los negocios	business	**Cualidades y habilidades**	**Qualities and Abilities**
la política	politics	hablar otro idioma	to speak another language
la terapia física	physical therapy		
		pensar de una manera directa	to think in a direct (*linear*) manner

Repaso: la agricultura, el arte, la ciencia, el cine, la computación, los deportes, la ingeniería, la música, el periodismo, la psicología, el teatro, la televisión

		saber	to know how
		dibujar (R)	to draw
		escribir (R) bien	to write well
Profesiones	**Professions**	escuchar (R)	to listen
el/la abogado/a	lawyer	expresarse claramente	to express oneself clearly
el actor (la actriz)	actor (actress)		
el/la arquitecto/a	architect	mandar	to direct others
el/la asesor(a)	consultant	usar una computadora	to use a computer
el/la astrónomo/a	astronomer		
el/la atleta	athlete	ser	to be
el/la ayudante	assistant	carismático/a	charismatic
el/la biólogo/a	biologist	compasivo/a	compassionate
el/la científico/a	scientist	compulsivo/a	compulsive
el/la contador(a)	accountant	emprendedor(a)	enterprising, aggressive
el/la director(a)	director		
el/la diseñador(a)	designer	físicamente fuerte	physically strong

hábil para las matemáticas	good at math	**Las posibilidades y probabilidades del futuro**	Future Possibilities and Probabilities
honesto/a (R)	honest	**la duda**	doubt
íntegro/a	honorable		
listo/a	clever, smart	**dudar**	to doubt
mayor (R)	older		
organizado/a	organized	**(no) creo que...**	I (don't) think that . . .
paciente (R)	patient	**(no) es cierto que...**	it's (not) certain that . . .
tener	to have	**es dudoso que...**	it's doubtful that . . .
don de gentes	a way with people	**(no) es posible que...**	it's (not) possible that . . .
habilidad manual	the ability to work with one's hands	**(no) es probable que...**	it's (not) probable that . . .

Palabras útiles

consultar	to consult
dedicarse a	to dedicate oneself to

Otros vistazos

In the **Vistazos** CD-ROM, you will learn more about Hispanic cultures, including:

- el poema «El viaje definitivo» por Juan Ramón Jiménez
- más datos biográficos sobre el poeta
- algo más sobre la historia de España
- más información sobre la geografía de España
- datos interesantes en **¿Sabías que... ?**

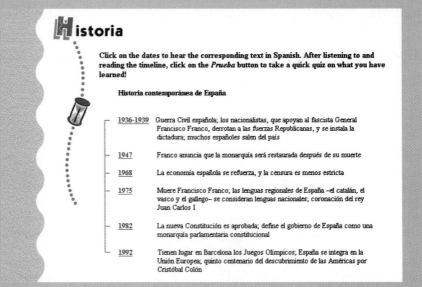

Lección final   ¿Adónde vamos?

GRAMMAR SUMMARY FOR LECCIÓN FINAL

The Subjunctive

USES

The subjunctive has a variety of uses in Spanish; in *Vistazos* you have focused on the subjunctive with expressions of uncertainty, with clauses preceded by expressions of doubt, disbelief, uncertainty, probability, possibility, and so on. Here are some expressions that elicit the subjunctive.

dudar que (no) es probable que
es dudoso que no creer que
(no) es posible que no es cierto que

No creo que tengas más días de vacaciones que yo.

Dudamos que ella **pueda** venir esta noche.

Es probable que ellos **sepan** cómo llegar a este lugar.

Note that if **dudar** and **es dudoso** are negated, then these become expressions of certainty and the subjunctive is not used.

No dudo que tu hermana **es** la mejor cantante entre todas.

FORMS

Like **Ud.** commands, the subjunctive stem is the same as that of the **yo** form of the present indicative. The **nosotros/as** and **vosotros/as** forms of most stem-changing verbs do not have a stem-vowel change (see verb chart on pp. A4–A5).

1. Subjunctive endings take on the "opposite vowel": **-ar** verbs have **-e-** in the endings and **-er/-ir** verbs have an **-a-**. Spelling changes also appear in the subjunctive in order to maintain pronunciation of certain consonants in the stem (**g → gu, c → qu, z → c**).

2. Verbs with **-ir** endings that have an **e → ie** or **e → i** stem-vowel change in the present

indicative will have an **-i-** instead of an **-e-** in the **nosotros/as** and **vosotros/as** stems of the subjunctive.

(yo)	me sienta	pida
(tú)	te sientas	pidas
(Ud.)	se sienta	pida
(él/ella)	se sienta	pida
(nosotros/as)	nos sintamos	pidamos
(vosotros/as)	os sintáis	pidáis
(Uds.)	se sientan	pidan
(ellos/ellas)	se sientan	pidan

3. The following verbs have irregular subjunctive stems.

dar	**dé** (but: **des, den,** and so forth)
estar	**esté**
haber	**haya**
ir	**vaya**
saber	**sepa**
ser	**sea**

The Future Tense

1. The Spanish and English future tenses have essentially the same function—to express events that will occur sometime in the future.

Creo que **estaré** contento.
I think I will be happy.

Algún día una mujer **será** presidenta de los Estados Unidos.
Someday a woman will be president of the United States.

¿**Habrá** clase mañana?
Will there be class tomorrow?

2. The future is formed like the conditional. The infinitive is used as the stem and the endings shown below are added.

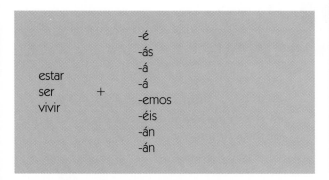

estar		-é
ser	+	-ás
vivir		-á
		-á
		-emos
		-éis
		-án
		-án

3. Irregular conditional verb stems are irregular in the future tense as well.

decir →	**dir-**
hacer →	**har-**
poder →	**podr-**
salir →	**saldr-**
tener →	**tendr-**
haber →	**habrá** (*there will be*)

Subjunctive Forms

	-ar	**-er**	**-ir**
(yo)	almuerce	tenga	viva
(tú)	almuerces	tengas	vivas
(Ud.)	almuerce	tenga	viva
(él/ella)	almuerce	tenga	viva
(nosotros/as)	almorcemos	tengamos	vivamos
(vosotros/as)	almorcéis	tengáis	viváis
(Uds.)	almuercen	tengan	vivan
(ellos/ellas)	almuercen	tengan	vivan

VERBS

A. Regular Verbs: Simple Tenses

INFINITIVE / PRESENT PARTICIPLE / PAST PARTICIPLE	INDICATIVE					SUBJUNCTIVE		IMPERATIVE
	PRESENT	IMPERFECT	PRETERITE	FUTURE	CONDITIONAL	PRESENT	IMPERFECT	
hablar	hablo	hablaba	hablé	hablaré	hablaría	hable	hablara	
hablando	hablas	hablabas	hablaste	hablarás	hablarías	hables	hablaras	habla tú,
hablado	habla	hablaba	habló	hablará	hablaría	hable	hablara	no hables
	hablamos	hablábamos	hablamos	hablaremos	hablaríamos	hablemos	habláramos	hable Ud.
	habláis	hablabais	hablasteis	hablaréis	hablaríais	habléis	hablarais	hablemos
	hablan	hablaban	hablaron	hablarán	hablarían	hablen	hablaran	hablen
comer	como	comía	comí	comeré	comería	coma	comiera	
comiendo	comes	comías	comiste	comerás	comerías	comas	comieras	come tú,
comido	come	comía	comió	comerá	comería	coma	comiera	no comas
	comemos	comíamos	comimos	comeremos	comeríamos	comamos	comiéramos	coma Ud.
	coméis	comíais	comisteis	comeréis	comeríais	comáis	comierais	comamos
	comen	comían	comieron	comerán	comerían	coman	comieran	coman
vivir	vivo	vivía	viví	viviré	viviría	viva	viviera	
viviendo	vives	vivías	viviste	vivirás	vivirías	vivas	vivieras	vive tú,
vivido	vive	vivía	vivió	vivirá	viviría	viva	viviera	no vivas
	vivimos	vivíamos	vivimos	viviremos	viviríamos	vivamos	viviéramos	viva Ud.
	vivís	vivíais	vivisteis	viviréis	viviríais	viváis	vivierais	vivamos
	viven	vivían	vivieron	vivirán	vivirían	vivan	vivieran	vivan

B. Regular Verbs: Perfect Tenses

INDICATIVE										SUBJUNCTIVE			
PRESENT PERFECT		PAST PERFECT		PRETERITE PERFECT		FUTURE PERFECT		CONDITIONAL PERFECT		PRESENT PERFECT		PAST PERFECT	
he		había		hube		habré		habría		haya		hubiera	
has	hablado	habías	hablado	hubiste	hablado	habrás	hablado	habrías	hablado	hayas	hablado	hubieras	hablado
ha	comido	había	comido	hubo	comido	habrá	comido	habría	comido	haya	comido	hubiera	comido
hemos	vivido	habíamos	vivido	hubimos	vivido	habremos	vivido	habríamos	vivido	hayamos	vivido	hubiéramos	vivido
habéis		habíais		hubisteis		habréis		habríais		hayáis		hubierais	
han		habían		hubieron		habrán		habrían		hayan		hubieran	

C. Irregular Verbs

| INFINITIVE PRESENT PARTICIPLE PAST PARTICIPLE | INDICATIVE | | | | | SUBJUNCTIVE | | IMPERATIVE |
	PRESENT	IMPERFECT	PRETERITE	FUTURE	CONDITIONAL	PRESENT	IMPERFECT	
andar andando andado	ando andas anda andamos andáis andan	andaba andabas andaba andábamos andabais andaban	anduve anduviste anduvo anduvimos anduvisteis anduvieron	andaré andarás andará andaremos andaréis andarán	andaría andarías andaría andaríamos andaríais andarían	ande andes ande andemos andéis anden	anduviera anduvieras anduviera anduviéramos anduvierais anduvieran	anda tú, no andes ande Ud. andemos anden
caer cayendo caído	caigo caes cae caemos caéis caen	caía caías caía caíamos caíais caían	caí caíste cayó caímos caísteis cayeron	caeré caerás caerá caeremos caeréis caerán	caería caerías caería caeríamos caeríais caerían	caiga caigas caiga caigamos caigáis caigan	cayera cayeras cayera cayéramos cayerais cayeran	cae tú, no caigas caiga Ud. caigamos caigan
dar dando dado	doy das da damos dais dan	daba dabas daba dábamos dabais daban	di diste dio dimos disteis dieron	daré darás dará daremos daréis darán	daría darías daría daríamos daríais darían	dé des dé demos deis den	diera dieras diera diéramos dierais dieran	da tú, no des dé Ud. demos den
decir diciendo dicho	digo dices dice decimos decís dicen	decía decías decía decíamos decíais decían	dije dijiste dijo dijimos dijisteis dijeron	diré dirás dirá diremos diréis dirán	diría dirías diría diríamos diríais dirían	diga digas diga digamos digáis digan	dijera dijeras dijera dijéramos dijerais dijeran	di tú, no digas diga Ud. digamos digan
estar estando estado	estoy estás está estamos estáis están	estaba estabas estaba estábamos estabais estaban	estuve estuviste estuvo estuvimos estuvisteis estuvieron	estaré estarás estará estaremos estaréis estarán	estaría estarías estaría estaríamos estaríais estarían	esté estés esté estemos estéis estén	estuviera estuvieras estuviera estuviéramos estuvierais estuvieran	está tú, no estés esté Ud. estemos estén
haber habiendo habido	he has ha hemos habéis han	había habías había habíamos habíais habían	hube hubiste hubo hubimos hubisteis hubieron	habré habrás habrá habremos habréis habrán	habría habrías habría habríamos habríais habrían	haya hayas haya hayamos hayáis hayan	hubiera hubieras hubiera hubiéramos hubierais hubieran	
hacer haciendo hecho	hago haces hace hacemos hacéis hacen	hacía hacías hacía hacíamos hacíais hacían	hice hiciste hizo hicimos hicisteis hicieron	haré harás hará haremos haréis harán	haría harías haría haríamos haríais harían	haga hagas haga hagamos hagáis hagan	hiciera hicieras hiciera hiciéramos hicierais hicieran	haz tú, no hagas haga Ud. hagamos hagan

C. Irregular Verbs (*continued*)

INFINITIVE / PRESENT PARTICIPLE / PAST PARTICIPLE	INDICATIVE PRESENT	IMPERFECT	PRETERITE	FUTURE	CONDITIONAL	SUBJUNCTIVE PRESENT	IMPERFECT	IMPERATIVE
ir yendo ido	voy vas va vamos vais van	iba ibas iba íbamos ibais iban	fui fuiste fue fuimos fuisteis fueron	iré irás irá iremos iréis irán	iría irías iría iríamos iríais irían	vaya vayas vaya vayamos vayáis vayan	fuera fueras fuera fuéramos fuerais fueran	ve tú, no vayas vaya Ud. vayamos vayan
oír oyendo oído	oigo oyes oye oímos oís oyen	oía oías oía oíamos oíais oían	oí oíste oyó oímos oísteis oyeron	oiré oirás oirá oiremos oiréis oirán	oiría oirías oiría oiríamos oiríais oirían	oiga oigas oiga oigamos oigáis oigan	oyera oyeras oyera oyéramos oyerais oyeran	oye tú, no oigas oiga Ud. oigamos oigan
poder pudiendo podido	puedo puedes puede podemos podéis pueden	podía podías podía podíamos podíais podían	pude pudiste pudo pudimos pudisteis pudieron	podré podrás podrá podremos podréis podrán	podría podrías podría podríamos podríais podrían	pueda puedas pueda podamos podáis puedan	pudiera pudieras pudiera pudiéramos pudierais pudieran	
poner poniendo puesto	pongo pones pone ponemos ponéis ponen	ponía ponías ponía poníamos poníais ponían	puse pusiste puso pusimos pusisteis pusieron	pondré pondrás pondrá pondremos pondréis pondrán	pondría pondrías pondría pondríamos pondríais pondrían	ponga pongas ponga pongamos pongáis pongan	pusiera pusieras pusiera pusiéramos pusierais pusieran	pon tú, no pongas ponga Ud. pongamos pongan
querer queriendo querido	quiero quieres quiere queremos queréis quieren	quería querías quería queríamos queríais querían	quise quisiste quiso quisimos quisisteis quisieron	querré querrás querrá querremos querréis querrán	querría querrías querría querríamos querríais querrían	quiera quieras quiera queramos queráis quieran	quisiera quisieras quisiera quisiéramos quisierais quisieran	quiere tú, no quieras quiera Ud. queramos quieran
saber sabiendo sabido	sé sabes sabe sabemos sabéis saben	sabía sabías sabía sabíamos sabíais sabían	supe supiste supo supimos supisteis supieron	sabré sabrás sabrá sabremos sabréis sabrán	sabría sabrías sabría sabríamos sabríais sabrían	sepa sepas sepa sepamos sepáis sepan	supiera supieras supiera supiéramos supierais supieran	sabe tú, no sepas sepa Ud. sepamos sepan
salir saliendo salido	salgo sales sale salimos salís salen	salía salías salía salíamos salíais salían	salí saliste salió salimos salisteis salieron	saldré saldrás saldrá saldremos saldréis saldrán	saldría saldrías saldría saldríamos saldríais saldrían	salga salgas salga salgamos salgáis salgan	saliera salieras saliera saliéramos salierais salieran	sal tú, no salgas salga Ud. salgamos salgan

C. Irregular Verbs (*continued*)

INFINITIVE / PRESENT PARTICIPLE / PAST PARTICIPLE	INDICATIVE PRESENT	IMPERFECT	PRETERITE	FUTURE	CONDITIONAL	SUBJUNCTIVE PRESENT	IMPERFECT	IMPERATIVE
ser / siendo / sido	soy / eres / es / somos / sois / son	era / eras / era / éramos / erais / eran	fui / fuiste / fue / fuimos / fuisteis / fueron	seré / serás / será / seremos / seréis / serán	sería / serías / sería / seríamos / seríais / serían	sea / seas / sea / seamos / seáis / sean	fuera / fueras / fuera / fuéramos / fuerais / fueran	sé tú, no seas / sea Ud. / seamos / sean
tener / teniendo / tenido	tengo / tienes / tiene / tenemos / tenéis / tienen	tenía / tenías / tenía / teníamos / teníais / tenían	tuve / tuviste / tuvo / tuvimos / tuvisteis / tuvieron	tendré / tendrás / tendrá / tendremos / tendréis / tendrán	tendría / tendrías / tendría / tendríamos / tendríais / tendrían	tenga / tengas / tenga / tengamos / tengáis / tengan	tuviera / tuvieras / tuviera / tuviéramos / tuvierais / tuvieran	ten tú, no tengas / tenga Ud. / tengamos / tengan
traer / trayendo / traído	traigo / traes / trae / traemos / traéis / traen	traía / traías / traía / traíamos / traíais / traían	traje / trajiste / trajo / trajimos / trajisteis / trajeron	traeré / traerás / traerá / traeremos / traeréis / traerán	traería / traerías / traería / traeríamos / traeríais / traerían	traiga / traigas / traiga / traigamos / traigáis / traigan	trajera / trajeras / trajera / trajéramos / trajerais / trajeran	trae tú, no traigas / traiga Ud. / traigamos / traigan
venir / viniendo / venido	vengo / vienes / viene / venimos / venís / vienen	venía / venías / venía / veníamos / veníais / venían	vine / viniste / vino / vinimos / vinisteis / vinieron	vendré / vendrás / vendrá / vendremos / vendréis / vendrán	vendría / vendrías / vendría / vendríamos / vendríais / vendrían	venga / vengas / venga / vengamos / vengáis / vengan	viniera / vinieras / viniera / viniéramos / vinierais / vinieran	ven tú, no vengas / venga Ud. / vengamos / vengan
ver / viendo / visto	veo / ves / ve / vemos / veis / ven	veía / veías / veía / veíamos / veíais / veían	vi / viste / vio / vimos / visteis / vieron	veré / verás / verá / veremos / veréis / verán	vería / verías / vería / veríamos / veríais / verían	vea / veas / vea / veamos / veáis / vean	viera / vieras / viera / viéramos / vierais / vieran	ve tú, no veas / vea Ud. / veamos / vean

D. Stem-Changing and Spelling Change Verbs

INFINITIVE / PRESENT PARTICIPLE / PAST PARTICIPLE	INDICATIVE PRESENT	IMPERFECT	PRETERITE	FUTURE	CONDITIONAL	SUBJUNCTIVE PRESENT	IMPERFECT	IMPERATIVE
construir (y) / construyendo / construido	construyo / construyes / construye / construimos / construís / construyen	construía / construías / construía / construíamos / construíais / construían	construí / construiste / construyó / construimos / construisteis / construyeron	construiré / construirás / construirá / construiremos / construiréis / construirán	construiría / construirías / construiría / construiríamos / construiríais / construirían	construya / construyas / construya / construyamos / construyáis / construyan	construyera / construyeras / construyera / construyéramos / construyerais / construyeran	construye tú, no construyas / construya Ud. / construyamos / construyan
dormir (ue, u) / durmiendo / dormido	duermo / duermes / duerme / dormimos / dormís / duermen	dormía / dormías / dormía / dormíamos / dormíais / dormían	dormí / dormiste / durmió / dormimos / dormisteis / durmieron	dormiré / dormirás / dormirá / dormiremos / dormiréis / dormirán	dormiría / dormirías / dormiría / dormiríamos / dormiríais / dormirían	duerma / duermas / duerma / durmamos / durmáis / duerman	durmiera / durmieras / durmiera / durmiéramos / durmierais / durmieran	duerme tú, no duermas / duerma Ud. / durmamos / duerman

D. Stem-Changing and Spelling Change Verbs (*continued*)

INFINITIVE / PRESENT PARTICIPLE / PAST PARTICIPLE	INDICATIVE					SUBJUNCTIVE		IMPERATIVE
	PRESENT	IMPERFECT	PRETERITE	FUTURE	CONDITIONAL	PRESENT	IMPERFECT	
pedir (i, i) pidiendo pedido	pido pides pide pedimos pedís piden	pedía pedías pedía pedíamos pedíais pedían	pedí pediste pidió pedimos pedisteis pidieron	pediré pedirás pedirá pediremos pediréis pedirán	pediría pedirías pediría pediríamos pediríais pedirían	pida pidas pida pidamos pidáis pidan	pidiera pidieras pidiera pidiéramos pidierais pidieran	pide tú, no pidas pida Ud. pidamos pidan
pensar (ie) pensando pensado	pienso piensas piensa pensamos pensáis piensan	pensaba pensabas pensaba pensábamos pensabais pensaban	pensé pensaste pensó pensamos pensasteis pensaron	pensaré pensarás pensará pensaremos pensaréis pensarán	pensaría pensarías pensaría pensaríamos pensaríais pensarían	piense pienses piense pensemos penséis piensen	pensara pensaras pensara pensáramos pensarais pensaran	piensa tú, no pienses piense Ud. pensemos piensen
producir (zc) produciendo producido	produzco produces produce producimos producís producen	producía producías producía producíamos producíais producían	produje produjiste produjo produjimos produjisteis produjeron	produciré producirás producirá produciremos produciréis producirán	produciría producirías produciría produciríamos produciríais producirían	produzca produzcas produzca produzcamos produzcáis produzcan	produjera produjeras produjera produjéramos produjerais produjeran	produce tú, no produzcas produzca Ud. produzcamos produzcan
reír (i, i) riendo reído	río ríes ríe reímos reís ríen	reía reías reía reíamos reíais reían	reí reíste rió reímos reísteis rieron	reiré reirás reirá reiremos reiréis reirán	reiría reirías reiría reiríamos reiríais reirían	ría rías ría riamos riáis rían	riera rieras riera riéramos rierais rieran	ríe tú, no rías ría Ud. riamos rían
seguir (i, i) (g) siguiendo seguido	sigo sigues sigue seguimos seguís siguen	seguía seguías seguía seguíamos seguíais seguían	seguí seguiste siguió seguimos seguisteis siguieron	seguiré seguirás seguirá seguiremos seguiréis seguirán	seguiría seguirías seguiría seguiríamos seguiríais seguirían	siga sigas siga sigamos sigáis sigan	siguiera siguieras siguiera siguiéramos siguierais siguieran	sigue tú, no sigas siga Ud. sigamos sigan
sentir (ie, i) sintiendo sentido	siento sientes siente sentimos sentís sienten	sentía sentías sentía sentíamos sentíais sentían	sentí sentiste sintió sentimos sentisteis sintieron	sentiré sentirás sentirá sentiremos sentiréis sentirán	sentiría sentirías sentiría sentiríamos sentiríais sentirían	sienta sientas sienta sintamos sintáis sientan	sintiera sintieras sintiera sintiéramos sintierais sintieran	siente tú, no sientas sienta Ud. sintamos sientan
volver (ue) volviendo vuelto	vuelvo vuelves vuelve volvemos volvéis vuelven	volvía volvías volvía volvíamos volvíais volvían	volví volviste volvió volvimos volvisteis volvieron	volveré volverás volverá volveremos volveréis volverán	volvería volverías volvería volveríamos volveríais volverían	vuelva vuelvas vuelva volvamos volváis vuelvan	volviera volvieras volviera volviéramos volvierais volvieran	vuelve tú, no vuelvas vuelva Ud. volvamos vuelvan

Vocabularies

The Spanish-English Vocabulary contains all the words that appear in the text, with the following exceptions: (1) most identical cognates that do not appear in the chapter vocabulary lists; (2) verb forms; (3) diminutives in **-ito/a;** (4) absolute superlatives in **-ísimo/a;** and (5) most adverbs in **-mente.** Active vocabulary is indicated by the number of the chapter in which a word or given meaning is first listed **(P = Lección preliminar; F = Lección final).** Vocabulary that is glossed in the text is not considered to be active vocabulary, and no chapter number is indicated for it. Only meanings that are used in this text are given. The English-Spanish Vocabulary includes all words and expressions in the end-of-chapter vocabulary lists.

Gender is indicated except for masculine nouns ending in **-o,** feminine nouns ending in **-a,** and invariable adjectives. Stem changes and spelling changes are indicated for verbs: **dormir (ue, u); llegar (gu).**

Because **ch** and **ll** are no longer considered separate letters, words with **ch** and **ll** are alphabetized as they would be in English. The letter **ñ** follows the letter **n: añadir** follows **anual,** for example.

The following abbreviations are used:

adj. adjective	*Mex.* Mexico
adv. adverb	*n.* noun
Arg. Argentina	*obj.* object
conj. conjunction	*p.p.* past participle
d.o. direct object	*pl.* plural
f. feminine	*poss.* possessive
fam. familiar or colloquial	*prep.* preposition
form. formal	*pron.* pronoun
gram. grammatical term	*refl.* reflexive
inf. infinitive	*rel. pron.* relative pronoun
inv. invariable	*s.* singular
i.o. indirect object	*Sp.* Spain
irreg. irregular	*sub.* subject
Lat. Am. Latin America	*v.* verb
m. masculine	

Spanish-English Vocabulary

A

a to; at (*with time*)
abeja bee
abierto/a *adj.* open
abogado/a lawyer (F)
abrazar (c) to hug (5)
abrazo hug; embrace
abrigo overcoat (F)
abril *m.* April (2)
abrir (*p.p.* **abierto**) to open
absoluto/a absolute; **en absoluto** absolutely not, not at all
abuelo/a grandfather, grandmother (4); *m. pl.* grandparents (4)
aburrido/a boring (P); **estar** (*irreg.*) **aburrido/a** to be bored (10)
aburrirse *refl.* to get bored (10)
abusar de to abuse (12)
abuso abuse (12); **abuso de las drogas** drug abuse (12)
acabar de + *inf.* to have just (*done something*) (10)
acampar to go camping (11)
acariciar to caress
acceso access
accidente *m.* accident
acción *f.* action
aceite *m.* oil (7); **aceite de maíz/oliva** corn/olive oil (7)
aceleración *f.* acceleration
aceptable acceptable
aceptar to accept
acertar (ie) to guess right; to get right
acompañar to accompany
aconsejar to advise, give counsel (13)
acontecimiento event
acostar (ue) to put to bed; **acostarse** *refl.* to go to bed (1)
acostumbrado/a accustomed; **estar** (*irreg.*) **acostumbrado/a** to be accustomed
acostumbrar to be accustomed to; **acostumbrarse** (*refl.*) **a** to get accustomed to
actitud *f.* attitude
actividad *f.* activity
activista (*m., f.*) **político/a** political activist
activo/a active
acto act
actor *m.* actor (F)
actriz *f.* actress (F)
actual current
acuático/a aquatic
acuerdo agreement; **de acuerdo** in agreement; **estar** (*irreg.*) **de acuerdo** to agree

acupuntura acupuncture
acusar to accuse
adaptable adaptable (13)
adaptar(se) to adapt, adjust (5)
además *adv.* besides, also; **además de** *prep.* besides, in addition to
adicción *f.* addiction (12); **salir** (*irreg.*) **de una adicción** to overcome an addiction (12)
adicto/a *n.* addict; *adj.* addicted; **convertirse (ie, i)** (*refl.*) **en adicto/a** to become addicted (12); **ser** (*irreg.*) **adicto/a** to be addicted (12)
adiós good-bye (P)
aditivo additive
adivinar to guess; to predict
adjetivo adjective (P); **adjetivo de cantidad** quantifying adjective (P); **adjetivo de posesión** possessive adjective (P); **adjetivo demostrativo** demonstrative adjective (P); **adjetivo descriptivo** descriptive adjective (P)
administración (*f.*) **de empresas** business administration (P)
administrativo/a administrative
admirar to admire
admitir to admit (12)
adolescente adolescent
adonde *adv. conj.* where
adoptivo/a: hijo/a adoptivo/a adopted son/daughter
adquirido/a acquired
aduana *s.* customs
adular to adulate, flatter
adulto adult
adverbio adverb
aeróbico/a: ejercicio aeróbico aerobic exercise; **hacer** (*irreg.*) **ejercicio(s) aeróbico(s)** to do aerobics (1)
aeropuerto airport (F)
afán (*m.*) **de realización** eagerness to get things done (5)
afectar to affect
afecto affection
afeitar to shave (*someone*) (5); **afeitarse** *refl.* to shave oneself
afeminado/a effeminate
afición *f.* hobby, fun activity
afirmación *f.* affirmation, statement
afirmativo/a affirmative
áfrica Africa
africano/a *adj.* African
afuera *adv.* outside
agente *m., f.* agent (F); **agente de viajes** travel agent (F)
agosto August (2)

agradable pleasing
agradar to please (7)
agregar (gu) to add
agresividad *f.* aggressiveness (5)
agresivo/a aggressive (5)
agricultura agriculture (P)
agrio/a sour (7)
agronomía agriculture (P)
agua *f.* (*but* **el agua**) water (7); **esquiar (esquío) en el agua** to water ski (11)
aguacate *m.* avocado (7)
aguantar to put up with
águila *f.* (*but* **el águila**) eagle
ahora *adv.* now
ahorrar to save (money)
aire *m.* air
ajeno/a foreign, strange; of another, belonging to someone else (13)
ajillo: al ajillo cooked in garlic sauce
ajo garlic
ajuar *m.* trousseau (*bride's wedding day outfit*)
al (*contraction of* **a** + **el**) to the; **al** + *inf.* upon, while, when (*doing something*); **al (mes)** per (month)
alcachofa artichoke
alcanzar (c) to reach (for)
alcohol *m.* alcohol
alcohólico/a *n., adj.* alcoholic; **bebida alcohólica** alcoholic beverage (9)
alcoholismo alcoholism (12)
alegrarse *refl.* to get happy (10)
alegre happy (10); **sentirse (ie, i)** (*refl.*) **alegre** to feel happy (10)
alejarse *refl.* to go far (away)
alemán *m.* German (*language*) (P)
Alemania Germany
alérgico/a allergic
alerta *inv.* alert (13)
álgebra *m.* algebra
algo something
algodón *m.* cotton (F)
alguien someone
algún, alguno/a any, some; *pl.* some (P); **alguna vez** ever (*with a question*); once (*with a statement*); **algunas veces** sometimes
alimentación *f.* food, diet (*general*)
alimenticio/a: pasta alimenticia pasta (7)
alimento food (7); **alimento básico** basic food (7); **alimento enlatado** canned food
aliviar to relieve; to lessen
allá *adv.* there (*far away or vague*); **de aquí para allá** from here to there (15)

allí *adv.* there
almacén *m.* department store
almohada pillow
almorzar (ue) (c) to have lunch (1)
almuerzo lunch (7)
alojamiento lodging (F)
alojarse *refl.* to stay, lodge (F)
alquilar to rent (F)
alternativa *n.* alternative
alto/a tall (5); high; **el/la más alto/a (de)** the tallest (5); **en voz alta** out loud; **marea alta** high tide; **más alto/a (que)** taller (than) (5); **pizza de pan alto** thick-crust pizza; **zapato de tacón alto** high-heeled shoe (F)
alumno/a student
ama *f.* (*but* **el ama**) **de casa** housewife
amante *m., f.* lover
amar to love (13)
amargo/a bitter (7)
amarillo/a yellow (7)
ambicioso/a ambitious (13)
ambiente *m.* surroundings, environment; *adj. m., f.*: **medio ambiente** environment, surroundings (5)
ambos/as *adj.* both
América America
americano/a *n., adj.* American; **fútbol** (*m.*) **americano** football; **jugar (ue) (gu) al fútbol americano** to play football (2)
amigo/a friend (P); **salir** (*irreg.*) **con los amigos** to go out with friends (10)
amistad *f.* friendship
amor *m.* love
amplio/a ample
análisis *m.* analysis
analizar (c) to analyze
ancas (*f. pl.*) **de rana** frog's legs
anciano/a old
andar *irreg.* to walk (3); to go; **andar en bicicleta** to ride a bicycle (11)
andino/a *adj.* Andean
anfitrión, anfitriona host, hostess
ángel *m.* angel
anglosajón, anglosajona Anglo Saxon
anidar to build a nest
animado/a: dibujo animado cartoon
animal *m.* animal; **animal doméstico/salvaje** domestic/wild animal (14)
ánimo spirit; **estado de ánimo** state of mind (10)
anoche *adv.* last night (3)
anónimo/a anonymous
anotar to make a note of; to write down

anterior previous
antes *adv.* before; **antes (de) que** *prep.* before
anticipación *f.*: **con anticipación** in advance (F); **reservar con** (*time* + **de**) **anticipación** to reserve (*amount of time*) in advance (F)
antiestético/a unaesthetic
antiguamente long ago; formerly
antiguo/a old; ancient
antropología anthropology (P)
anual *adj.* annual
añadir to add
año year (2); **hace unos años** a few years ago; **los años 20** the twenties (6); **tener** (*irreg.*) _____ **años** to be _____ years old (4)
aparecer (zc) to appear
apariencia appearance
apartamento apartment (2); **limpiar el apartamento** to clean the apartment (2)
apasionado/a passionate
apechugar (gu) con to put up with
apellido last name (4)
aperitivo appetizer (*drink*); aperitif
apetecer (zc) to be appetizing (7); to appeal, be appealing (*food*) (7); **no me apetece** it doesn't appeal to me
aplicar (qu) to apply
apoyar to rest, lean; to support (*emotionally*) (5)
apoyo support
apreciado/a appreciated
apreciar to appreciate
aprender to learn; **aprender a** + *inf.* to learn (how) to (*do something*)
apropiado/a appropriate
aprovechar to take advantage of
aproximado/a approximate
apuntar to jot down
aquí here (P); **de aquí para allá** from here to there (15); **por aquí** around here
araña spider
árbol *m.* tree; **árbol genealógico** family tree
área *f.* (*but* **el área**) area (14); **área rural** rural area (14)
argentino/a *n., adj.* Argentine
arma *f.* (*but* **el arma**) weapon
armado/a: fuerzas armadas armed forces
armario closet (F)
aroma *m.* aroma
arquitecto/a architect (F)
arquitectura architecture (F)
arreglar to arrange
arriba *adv.* up above
arriesgado/a daring

arrogante arrogant (13)
arroyo stream
arroz *m.* rice (7)
arte *m., f.* art (P)
artículo article; **artículo (in)definido** *gram.* (in)definite article (P)
artista *m., f.* artist
artístico/a artistic
artritis *f.* arthritis
asado/a roast(ed) (7); **(medio) pollo asado** (half a) roast chicken (7)
ascendencia ancestry
asco: dar (*irreg.*) **asco** to disgust
asegurar to assure (5)
asesor(a) consultant (F)
aseveración *f.* affirmation, assertion
así *adv.* thus, so; **así como** *adv.* as well as; (just) like
asiento seat (F); **tomar asiento** to take a seat
asignar to assign
asignatura subject (*school*)
asistencia social social work (F)
asistente (*m., f.*) **de vuelo** flight attendant (F)
asistir (a) to attend (1)
asociación *f.* association
asociado/a *n.* associate
asociar to associate
aspecto aspect, appearance
aspiración *f.* aspiration
aspirina aspirin
astilla: de tal palo, tal astilla a chip off the old block
astronomía astronomy (P)
astrónomo/a astronomer (F)
astuto/a astute (13)
asunto topic, matter, affair
asustado/a afraid (10); **estar** (*irreg.*) **asustado/a** to be afraid (10)
asustar to frighten (10); **asustarse** *refl.* to get frightened
ataque (*m.*) **cardíaco** heart attack
atención *f.* attention; **prestar atención** to pay attention
atender (ie) to wait on (*a customer*) (8)
atleta *m., f.* athlete (F)
atractivo/a attractive (P)
atreverse (*refl.*) **(a)** to dare (to) (13); **atreverse a** + *inf.* to dare to (*do something*)
atributo *n.* attribute
atún *m.* tuna (7)
aun *adv.* even
aún *adv.* still, yet
aunque even though, although
ausencia absence
ausente absent
auto car; **en auto** by car

A9

autobús *m.* bus (F); **tomar un autobús** to take a bus

autoevaluación *f.* self-evaluation

automóvil *m.* automobile

automovilístico/a *adj.* automobile

autor(a) author

autoritario/a authoritarian (13)

autostop *m.:* **hacer** (*irreg.*) **autostop** to hitchhike (F)

auxiliar *adj.* auxiliary

avance *m.* advance

avanzado/a advanced

ave *f.* (*but* **el ave**) bird; *pl.* poultry (7)

avena *s.* oats

aventura adventure

aventurero/a adventurous (5)

avergonzado/a ashamed, embarrassed (10); **sentirse (ie, i)** (*refl.*) **avergonzado/a** to feel ashamed, embarrassed (10)

averiguar (gü) to find out

avión *m.* airplane (F)

ayer *adv.* yesterday (3)

ayuda help

ayudante *m., f.* assistant (F)

ayudar to help (8); **ayudar a** + *inf.* to help (to) (*do something*)

azteca *n., adj. m., f.* Aztec

azúcar *m.* sugar (7)

azul blue (5); **ojos azules** blue eyes (5)

B

bailar to dance (2)

baile *m.* dance

bajar de to get off (*a bus, car, plane, etc.*) (F)

bajo *prep.* under

bajo/a short (*height*) (5); low; **marea baja** low tide

balanceado/a balanced

baloncesto *Sp.* basketball

banana banana (7)

bañar to bathe (*someone or something*) (5); **bañarse** *refl.* to bathe oneself (11); **bañarse en el jacuzzi** to bathe in the jacuzzi (11)

baño bathroom (F); **baño con ducha** bathroom with a shower; **habitación** (*f.*) **con baño (privado)** room with a (private) bath (F); **traje** (*m.*) **de baño** bathing suit (F)

bar *m.* bar

barato/a inexpensive (P)

barbacoa: a la barbacoa cooked on a barbecue (grill)

barco boat (F); **navegar (gu) en un barco** to sail (11)

barrer to sweep

barrio neighborhood (14)

barrita small loaf (*bread*)

basar to base; **basarse** (*refl.*) **en** to base (*one's opinions*) on

base *f.:* **a base de** on the basis of; based upon

básico/a basic (7); **alimento básico** basic food (7)

basquetbol *m.* basketball (10); **jugar (ue) (gu) al basquetbol** to play basketball (10)

bastante *adj., adv.* very (much), a lot

batalla battle

bebé *m., f.* baby

beber to drink (9)

bebida drink, beverage (9); **bebida alcohólica** alcoholic beverage (9)

béisbol *m.* baseball (10); **jugar (ue) (gu) al béisbol** to play baseball (10)

beisbolista *m., f.* baseball player

Bélgica Belgium

bello/a beautiful

beneficio benefit

beneficioso/a beneficial

besar to kiss (5)

biblioteca library (1)

bici *f.* bike (*short for* **bicicleta**)

bicicleta bicycle (11); **andar** (*irreg.*) **en bicicleta** to ride a bicycle (11); **montar en bicicleta** to ride a bicycle

bien *adv.* well (5); correct; very (9); **bien caliente** very hot (9); **bien frío** very cold (9); **caer** (*irreg.*) **bien** to make a good impression (7), to agree with (*food*) (7); **¿está todo bien?** is everything OK? (8); **llevarse** (*refl.*) **bien** to get along well (5); **para sentirse** (*refl.*) **bien** to feel well (10); **pasarlo bien** to have a good time

bienes *m. pl.* goods, possessions

bienestar *m.* well-being

bife *m. Arg.* steak

billete *m. Sp.* ticket (F); **billete de ida** one-way ticket (F); **billete de ida y vuelta** round-trip ticket (F)

biografía biography

biográfico/a biographical

biología biology (P)

biológico/a biological

biólogo/a biologist (F)

bistec *m.* steak (7)

blanco/a *adj.* white (7); **dejar en blanco** to leave blank; **pan** (*m.*) **blanco** white bread (7); **vino blanco** white wine (9)

bluejeans *m. pl.* jeans (F)

blusa blouse (F)

boca mouth (8); **limpiarse** (*refl.*) **la boca** to rinse (out) one's mouth

bocacalle *f.* intersection (15)

bodega cellar

bodegón *m.* still life (painting)

boleto *Lat. Am.* ticket (F); **boleto de ida** one-way ticket (F); **boleto de ida y vuelta** round-trip ticket (F)

boliche *m.:* **jugar (ue) (gu) al boliche** to bowl (10)

bollería assorted breads and rolls (7)

bollo roll (7)

bolsa bag; sack; purse

bolsillo pocket; **teléfono de bolsillo** pocket phone

bolsita para llevar doggie bag (8)

bonito/a pretty (P)

bordo: a bordo on board

bosque *m.* forest (11)

botones *m. s.* bellhop (F)

boxeador(a) *m., f.* boxer

boxeo boxing

Brasil *m.* Brazil

brazo arm (8)

breve *adj.* brief

brillante brilliant

brújula compass

bucear to (scuba) dive (11)

buen, bueno/a good (P); **buen provecho** enjoy your meal; **buenas noches** good evening (P); **buenas tardes** good afternoon (P); **buenos días** good morning (P); **buenos modales** good manners (8); **es (muy) buena idea** it's a (very) good idea (8); **estar** (*irreg.*) **de buen humor** to be in a good mood (10); **hace buen tiempo** the weather's good (2); **sacar (qu) una buena nota** to get a good grade (10); **tener** (*irreg.*) **buena educación** to be well-mannered (8)

bueno... well . . . , anyway . . . , at any rate . . .

buey *m.* ox (13)

bufón, bufona buffoon

búho owl

burlarse (*refl.*) **(de)** to make fun (of), laugh (at) (13)

buscar (qu) to look for (3)

C

caballo horse (13)

cabeza head; **tener** (*irreg.*) **dolor** (*m.*) **de cabeza** to have a headache (10)

cabezón, cabezona stubborn (13)

cabina cabin (F)

cable *m.* cable; **televisor** (*m.*) **por cable** cable television

cabra goat (13)

cacahuete *m.*: **mantequilla de cacahuete** peanut butter (7)

cada *inv.* each (2); every; **cada vez más** more and more; **cada vez menos** less and less

caer(se) *irreg.* to fall (down); **caer bien/mal** to make a good/bad impression (7); to (dis)agree with (*food*) (7); **dejar caer** to drop

café *m.* coffee (7); café; **café con leche** coffee with milk (7); **café descafeinado** decaffeinated coffee (9); **café espresso** espresso (*coffee*); **tomar un café** to drink a cup of coffee (2)

cafeína caffeine (9)

cafetería cafeteria

caja box

calcetín *m.* (*pl.* **calcetines**) sock (F)

calcio calcium (7)

calcular to calculate

cálculo calculus (P)

calidad *f.* quality

caliente hot (9); **bien caliente** very hot (9)

calificación *f.* rating

calificar (qu) to rate

californiano/a *adj.* Californian

callado/a quiet; **permanecer (zc) callado/a** to keep quiet (10)

calle *f.* street (15); **cruce la calle** cross the street (15)

calmado/a calm (13)

calmarse *refl.* to calm down

calor *m.* heat; **hace (mucho) calor** it's (very) hot (*weather*) (2); **tener** (*irreg.*) **calor** to be (feel) hot (*people*)

caloría calorie

calórico/a caloric

calvo/a bald (5)

cama bed (F); **cama matrimonial** double bed (F); **cama sencilla** twin bed (F)

cámara camera; **Cámara de representantes** House of Representatives

camarero/a waiter, waitress (8); flight attendant (F)

camarón *m. Lat. Am.* shrimp (7)

cambiar to change; **cambiar de idea** to change one's mind

cambio change; **cambios de humor** mood swings; **en cambio** on the other hand

caminar to walk (10)

camión *m.* truck; *Mex.* bus

camisa shirt (F)

camiseta T-shirt (F)

campanario bell tower

campaña campaign

campeón, campeona champion

campeonato championship

camping *m.*: **hacer** (*irreg.*) **camping** to go camping (11)

campo country(side) (14); field (F)

campus *m.* campus

canal *m.* canal

canario canary

cancelar to cancel

cáncer *m.* cancer

canino/a *adj.* canine

canoso/a gray-haired (5); **pelo canoso** gray hair (5)

cansado/a tired (10); **estar** (*irreg.*) **cansado/a** to be tired (10)

cansarse *refl.* to get tired (10)

cantante *m., f.* singer

cantar to sing (10)

cantidad *f.* quantity; **adjetivo de cantidad** quantifying adjective (P)

cantina canteen; restaurant-bar

caótico/a chaotic

capacidad *f.* ability (5); capacity; **capacidad para _____** ability to _____ (5)

capaz (*pl.* **capaces**) capable, able (5); **capaz de dirigir (a otros)** able to direct (others) (5)

capital *f.* capital (*city*)

capítulo chapter

captar to capture; **captar la idea** to grasp (understand) the idea

cara face (5)

caracol *m.* snail

carácter *m.* (*pl.* **caracteres**) character

característica characteristic (5), trait; **característica de la personalidad** personality trait (5); **característica física** physical characteristic (5)

carbohidrato carbohydrate (7)

carcajada: reír(se) (i, i) a carcajadas to laugh loudly (11)

cardenal *m.* cardinal

cardíaco/a cardiac; **ataque** (*m.*) **cardíaco** heart attack

cargar (gu) to carry; to charge

cargo charge; task

Caribe *m.* Caribbean (Sea)

carismático/a: ser (*irreg.*) **carismático/a** to be charismatic (F)

carne *f.* meat (7); **carne de res** beef (7); **carne roja** red meat

carnero ram

caro/a expensive (F)

carrera major (P); career; **¿qué carrera haces?** what's your (*fam. s.*) major? (P)

carretera highway

carro car

carta letter

cartero/a mail carrier

casa house (14); home; **ama** *f.* (*but* **el ama**) **de casa** housewife; **casa particular (privada)** private house (14); **en casa** at home (1); **limpiar la casa** to clean the house; **quedarse en casa** to stay at home (2)

casado/a married (4); **está casado/a** he (she) is married (4)

casarse *refl.* to get married

cascabel *m.*: **serpiente** (*f.*) **de cascabel** rattlesnake

casco helmet

casero/a homemade; **comida casera** home-cooked food; **remedio casero** home remedy; **trabajos caseros** *pl.* housework, chores

casi *adv.* almost

caso case

casón *m.* large house

castaño/a brown (5); **ojos castaños** brown eyes (5)

castigar (gu) to punish (9)

castigo punishment

categoría category; class; quality; **de primera categoría** of the highest quality, first class

catolicismo Catholicism

católico/a *n., adj.* Catholic; **Iglesia Católica** the Catholic Church (*as a whole*)

catorce fourteen (P)

causa cause; **a causa de** because of

causar to cause; **causar risa** to cause laughter, make laugh (11)

caviar *m.* caviar

cazar (c) to hunt

cebolla onion

celebrar to hold (*an event*)

célebre famous

celo: tener (*irreg.*) **celos** to be jealous

celoso/a jealous (13)

cena dinner (3); **preparar la cena** to prepare (make) dinner (3)

cenar to have dinner (1)

censo census

centavo cent

centígrado/a *adj.* centigrade

centro center (14); **centro urbano** urban center (14)

Centroamérica Central America

cerca (de) near, close (15)

cercano/a nearby (14)

cerdo pig (13); **chuleta de cerdo** pork chop (7)

cereal *m.* cereal (7); grain (7)

ceremonia ceremony

cero zero (P)

cerrado/a closed

A11

cerrar (ie) to close
cerveza beer (7)
champán *m.* champagne
champiñón *m.* mushroom
champú *m.* shampoo
chao ciao (P)
chaqueta jacket (F)
charlar to chat (2)
cheque *m.* check
chicano/a *n.* Chicano
chicle *m.* gum (7); **masticar (qu) chicle** to chew gum (7)
chico/a *n.* boy, girl (P)
chileno/a Chilean
chimpancé *m.* chimpanzee
chino/a Chinese; **horóscopo chino** Chinese horoscope (13)
chismoso/a gossipy (13)
chiste *m.* joke (10); **contar (ue) un chiste** to tell a joke (10)
chistoso/a funny (11)
chocolate *m.* chocolate
chorizo sausage
chuleta de cerdo pork chop (7)
churro *type of fried dough* (7)
ciclismo cycling
cien(to) one hundred (6)
ciencia science (P); **ciencias** (*pl.*) **computacionales** computer science; **ciencias** (*pl.*) **naturales** natural sciences (P); **ciencias** (*pl.*) **políticas** political science (P); **ciencias** (*pl.*) **sociales** social sciences (P)
científico/a *n.* scientist (F); *adj.* scientific
cierto/a true; certain (5); **es cierto** it is certain (5); **(no) es cierto que** _____ it's (not) certain that _____ (F)
cifra number (6); figure
cigarrillo cigarette
cigüeña stork
cinco five (P)
cincuenta fifty (6)
cine *m.* movie theater (2); **director(a) de cine** film director; **ir** (*irreg.*) **al cine** to go to the movies (2)
circunstancia circumstance
citar to cite
ciudad *f.* city (14)
ciudadano/a citizen
civil civil; **guerra civil** civil war
civilización *f.* civilization
claramente clearly (F); **expresarse** (*refl.*) **claramente** to express oneself clearly (F)
claro *adv.* clearly; **claro que sí** of course; **está claro** it's clear (*obvious*) (5)

claro/a *adj.* clear; light; **ojos claros** light-colored eyes
clase *f.* class (P); type, kind; **clase turística** economy class (F); **compañero/a de clase** classmate (P); **en la clase** in class (P); **primera clase** first class (F); **tomar clases** to take classes
clásico/a classic
clasificación *f.* classification
cliente *m., f.* customer (8)
clima *m.* climate
climatizado/a air-conditioned
clínica clinic
club *m.* club
cocaína cocaine
coche *m.* car
cocido/a cooked
cocina kitchen; cuisine
cocinado/a cooked (7)
cocinero/a chef, cook (8)
codo elbow (8)
cognado cognate (P)
coincidir to coincide
cola tail; line; **hacer** (*irreg.*) **cola** to stand in line (F)
colega *m., f.* colleague
colérico/a angry, bad-tempered
colmena beehive
colocar (qu) to place, arrange
colombiano/a *n.* Colombian
colonia neighborhood; colony
color *m.* color (5); **color crema** cream-colored; **¿de qué color es/son** _____**?** what color is/are _____? (5)
columna column
combatir to fight
combinación *f.* combination
combinar to combine
comentar to comment on
comentario commentary
comenzar (ie) (c) to begin; **comenzar a** + *inf.* to begin to (*do something*)
comer to eat (1); **comerse** (*refl.*) **las uñas** to bite one's nails (10); **dar** (*irreg.*) **de comer** to feed; **hábito de comer** eating habit (7)
comercio: zona de comercio libre free trade zone
comestible(s) *m.* food
cometer to commit; **cometer un error** to commit (make) an error
cómico/a *adj.* comic(al), funny (P)
comida meal (7); food (8); **comida casera** home-cooked food; **comida frita** fried food; **comida para llevar** food to go (8); **comida principal** main meal; **comida rápida** fast food

comino: importar un comino not to matter at all (13)
como *prep.* like; **así como** *adv.* as well as; (just) like; **como quieras** as you wish; **tal como** just as; **tan** _____ **como** as _____ as (6); **tan pronto como** as soon as; **tanto/a** _____ **como** as much _____ as (6); **tantos/as** _____ **como** as many _____ as (6)
¿cómo? how? (4); pardon me? (P); **¿cómo dice?** what did you (*form. s.*) say? (P); **¿cómo eres?** what are you (*fam. s.*) like? (13); **¿cómo es?** what does he (she) look like? (5); **¿cómo se dice** _____ **en español?** how do you (*impersonal*) say _____ in Spanish? (P); **¿cómo se llama usted?** what's your (*form. s.*) name? (P); **¿cómo te llamas?** what's your (*fam. s.*) name? (P)
comodidad *f.* convenience, amenity (F)
cómodo/a comfortable
compañero/a companion; **compañero/a de clase** classmate (P); **compañero/a de cuarto** roommate (P); **compañero/a de trabajo** workmate, colleague
compañía company; **dar** (*irreg.*) **compañía** to give (keep) company; **hacer** (*irreg.*) **en compañía** to do (something) together
comparación *f.* comparison (6)
comparar to compare
compartir to share
compasivo/a: ser (*irreg.*) **compasivo/a** to be compassionate (F)
competencia competition
complejo/a *adj.* complex
completar to complete
completo/a complete; full, no vacancy (F); **leche** (*f.*) **completa** whole milk; **pensión** (*f.*) **completa** room and full board (F); **por completo** completely
complicado/a complicated
comportamiento behavior (13)
comportarse *refl.* to behave (13)
composición *f.* composition; writing (P)
compra *n.* buying; shopping; purchase; **hacer** (*irreg.*) **las compras** to go shopping; **ir** (*irreg.*) **de compras** to go shopping (2)
comprar to buy, purchase
comprender to understand (5); **no comprendo** I don't understand (P)
comprobar (ue) to verify, check; to prove
compuesto/a *adj.* compound

compulsivo/a: ser (*irreg.*) **compulsivo/a** to be compulsive (F)

computación *f.* computer science (P); **escribir a computadora** to write on a computer; **usar una computadora** to use a computer (F)

computacional: ciencias (*pl.*) **computacionales** computer science

común common; **en común** in common

comunicación *f.* communication; *pl.* communications (P)

comunicarse (qu) *refl.* to communicate

comunicativo/a communicative

con with (1); **con frecuencia** often (2); **¿con qué frecuencia?** how often? (1)

concentrarse *refl.* to be focused

concepto concept

concierto concert

concluir (y) to conclude

conclusión *f.* conclusion

concordar (ue) to agree

concreto/a *adj.* concrete

condición *f.* condition

condicional *m. gram.* conditional (*tense*)

condimento condiment (7)

conducción (*f.*) **eléctrica** electrical conduction

conducir *irreg.* to drive (1); to lead

conejo rabbit (13)

conferencia lecture

confianza trust (13); confidence

confiar (confío) to trust (13)

confidente *adj.* trustworthy (13)

confirmar to confirm (F)

conflicto conflict

confundir to mix up; to confuse; to mistake

confusión *f.* confusion

congreso congress

conjunto: en conjunto as a whole

conmigo with me

conocer (zc) to know (*someone*) (1); to meet

conocido/a (well-)known

conocimiento knowledge

consecuencia consequence (12)

conseguir (i, i) (g) to get, obtain

consejo advice; **consejo práctico** practical advice; **pedir (i, i) consejo** to ask (for) advice

conservador(a) conservative (13)

conservante *m.* preservative

consideración *f.* consideration

considerar to consider

consistir en to consist of (12)

constante *adj.* constant

construcción *f.* construction

construir (y) to construct

consultar to consult (F)

consumido/a consumed

consumir to consume (8)

consumo consumption

contabilidad *f.* accounting (F)

contacto contact

contador(a) accountant (F)

contaminación *f.* contamination, pollution

contaminar to contaminate, pollute

contar (ue) to count; to tell; **contar con** to count on; to possess, have; **contar un chiste** to tell a joke (10)

contemporáneo/a contemporary

contener (*like* **tener**) to contain

contenido content

contento/a *adj.* happy (10); content; **ponerse** (*irreg. refl.*) **contento/a** to be (get) happy (10)

contestar to answer

contexto context

continuación *f.*: **a continuación** following

continuar (continúo) to continue

contra *prep.* against

contrario: al contrario on the contrary; **por el contrario** on the contrary

contrato contract

contribuir (y) to contribute

convencer (z) to convince

convención *f.* convention

conversar to converse, chat

convertir (ie, i) to convert; **convertirse** *refl.* to become, turn into; **convertirse en adicto/a** to become addicted (12)

cooperación *f.* cooperation

copa cup; (wine) glass (8); drink; **Copa Mundial** World Cup (*soccer*); **tomar copas** to have drinks

copia copy

copla verse, stanza

coraje *m.* courage

corbata tie (F)

cordial *adj.* polite, cordial

coronel *m.* colonel

correcto/a correct

corredor(a) runner, jogger (12)

corregir (i, i) (j) to correct

correo mail; **correo electrónico** e-mail

correr to run (2); **zapato de correr** running shoe

correspondencia correspondence; relationship, connection

corresponder to belong to; to correspond

cortar to cut (8); to cut down; to clip

corte *f.* court (*law*)

cortesía courtesy; **por cortesía** politely

corto/a short; **pantalones** (*m. pl.*) **cortos** shorts (F)

cosa thing; **es cosa sabida** it is a known fact (5)

cosmopolita *adj. m., f.* cosmopolitan (P)

costa coast

costar (ue) to cost

costilla rib

costo de vida cost of living (14)

costumbre *f.* custom, habit (8)

creador(a) *n.* creator; *adj.* creative

creatividad *f.* creativity

crecimiento growth

crédito credit; **tarjeta de crédito** credit card

creer (y) to believe (5); **(no) creo que** _____ I (don't) think that _____ (F)

crema: color crema cream-colored

criar (crío) to raise

crimen *m.* (*pl.* **crímenes**) crime

criticar (qu) to criticize

crítico/a critical

cronológico/a chronological

croqueta croquette, fritter

crucero cruise ship (F)

crudo/a raw (7)

cruzar (c) to cross; **cruce la calle** cross the street (15)

cuadra block (*of houses*) (15)

cuadro painting; square; table, chart

cual(es) *rel. pron.* which; who

¿cuál(es)? which? (4); what? (4); **¿cuál es tu nombre?** what's your (*fam. s.*) name? (P)

cualidad *f.* quality (F)

cualquier *adj.* any

cualquiera *pron.* anyone

cuando when; **de vez en cuando** from time to time (2)

¿cuándo? when? (1)

cuanto: cuanto más _____ **más** _____ the more _____ the more _____; **en cuanto** as soon as; **en cuanto a** regarding, as for, as to

cuanto/a: unos/as cuantos/as a few

¿cuánto/a? how much?

¿cuántos/as? how many? (P)

cuarenta forty (6)

cuarto room (1); quarter; **compañero/a de cuarto** roommate (P); **menos cuarto** quarter to (*the hour*) (1); **servicio de cuarto** room service (F); **y cuarto** quarter past (*the hour*) (1)

cuate/a *Lat. Am. n.* twin

cuatro four (P); **hotel** (*m.*) **de cuatro estrellas** four-star hotel (F)

cuatrocientos/as four hundred (6)

cubiertos *n. pl.* silverware (8)

cubrir to cover

cuchara spoon (8)

cuchillo knife (8)

cuenco (earthenware) bowl (8)

cuenta bill (3), check (*restaurant*) (8); count; **darse** (*irreg. refl.*) **cuenta (de)** to realize, notice (*something*) (13); **pagar (gu) la cuenta** to pay the bill (3); **tomar en cuenta** to take into account (14)

cuento story

cuerda: saltar a la cuerda to jump rope (11)

cuero leather (F)

cuestión *f.* question; matter; issue

cuidado care; **¡cuidado!** watch out!, careful!; **tener** (*irreg.*) **cuidado** to be careful (12)

cuidar to take care of

cuido care, minding

culpa fault; guilt

cultura culture

cuñado/a brother-in-law, sister-in-law (4)

curación *f.*: **tasa de curación** rate of recovery

curioso/a curious, strange

D

dama lady; **primera dama** First Lady

dañino/a harmful (12)

daño damage; **daño físico** physical injury (12); **hacer** (*irreg.*) **daño** to hurt, harm

dar *irreg.* to give (3); **dar asco** to disgust; **dar compañía** to give (keep) company; **dar de comer** to feed; **dar hambre** to make hungry; **dar igual** to be the same (*to someone*), not to care; **dar miedo** to frighten; **dar pena** to pain, sadden; **dar un paseo** to take a walk (2); **dar una fiesta** to throw (have) a party (11); **dar(se) la mano** to shake hands; **darse** (*refl.*) **cuenta (de)** to realize, notice (*something*) (13)

dato fact; *pl.* data

de *prep.* of (P); from (P)

debajo (de) *prep.* below; **por debajo** *adv.* underneath

deber *v.* + *inf.* should, must, ought to (*do something*) (1); **se debe ____** you (*impersonal*) should, must ____ (8)

debido a due to, because of

débil weak

década decade (6)

decidir to decide

decir *irreg.* (*p.p.* **dicho**) to say (3); to tell (3); **¿cómo dice?** what did you (*form. s.*) say? (P); **¿cómo se dice ____ en español?** how do you (*impersonal*) say ____ in Spanish? (P); **es decir** that is; **¿me podría decir ____?** could you (*form. s.*) tell me ____? (15); **querer decir** to mean, signify

decisión *f.* decision; **tomar una decisión** to make a decision

declaración *f.* declaration, statement

declarar to declare

decorar to decorate

dedicar (qu) to dedicate; **dedicarse** (*refl.*) **a** to dedicate oneself to (F)

deducir (*like* **conducir**) to deduce

defender (ie) to defend

definición *f.* definition

definido/a: artículo definido *gram.* definite article (P)

definitivo/a definitive

defraudar to defraud, cheat

dejar to leave (8); **dejar caer** to drop; **dejar de** + *inf.* to stop (*doing something*); **dejar en blanco** to leave blank; **dejar propina** to leave a tip (8)

del (*contraction of* **de** + **el**) of the, from the

delfín *m.* dolphin

delgado/a thin

delicioso/a delicious

demás: los/las demás the others

demasiado *adv.* too much

demonio: ¿qué demonios? what the heck?

demora delay (F)

demostrar (ue) to demonstrate, show

demostrativo/a: adjetivo demostrativo *gram.* demonstrative adjective (P)

dentista *m., f.* dentist

dentro de *adv.* inside; in; within

depender (de) to depend (on)

dependiente *adj.* dependent

dependiente/a salesclerk

deporte *m.* sport (2); **hacer** (*irreg.*) **deporte** to practice, play a sport; **practicar (qu) un deporte** to practice, play a sport (2)

deportivo/a *adj.* sports

depresión *f.* depression

deprimido/a depressed (10); **sentirse (ie, i)** (*refl.*) **deprimido/a** to feel depressed (10)

derecha *n.* right (*direction*) (8); **a la derecha (de)** (to the) right (of); **doble a la derecha** turn (to the) right (15)

derecho *n.* law (F); right (*civil, legal, etc.*); straight (*direction*) (15); **siga derecho** continue (go) straight (15)

derecho/a right (*direction*) (8)

derivado/a derived

derramar to spill (8)

desaparecer (zc) to disappear

desarrollar to develop

desarrollo development

desayunar to have breakfast (1)

desayuno breakfast (7)

descafeinado/a: café (*m.*) **descafeinado** decaffeinated coffee (9)

descansar to rest

descender (ie) to go down, descend

descenso decline

desconfiado/a distrustful (13)

descremado/a: leche (*f.*) **descremada** skim (lowfat) milk

describir (*p.p.* **descrito**) to describe (4)

descripción *f.* description

descriptivo/a descriptive; **adjetivo descriptivo** *gram.* descriptive adjective (P)

descrito/a *adj.* described

descubrir to discover

desde *prep.* since; from; **desde ____ hasta ____** from ____ to ____

desear to desire

desecación *f.* dessication, drying

deseo desire, wish

desierto desert (11)

desnatado/a skim, lowfat

desocupado/a vacant, unoccupied (F)

despedida *n.* leave-taking (P)

despedir (i, i) to say good-bye (5)

despejado/a clear; **está despejado** it's clear (*weather*) (2)

despertar (ie) (*p.p.* **despierto**) to wake; **despertarse** *refl.* to wake up (1)

despierto/a *adj.*: **soñar (ue) despierto/a** to daydream

después *adv.* after (2), afterward, later, then; **después (de) que** *prep.* after

destacable notable

destacarse (qu) *refl.* to stand out

destino destination

destrucción *f.* destruction

destruir (y) to destroy

desventaja disadvantage

detalle *m.* detail

detallista detail-oriented
determinar to determine
detestar to detest
detrás (de) *prep.* behind (15)
detrimento detriment
devolver (ue) to return (*something*)
devorar to devour
día *m.* day (1); **al día siguiente (al otro día)** (on) the next day; **buenos días** good morning (P); **de día** (in the) daytime; **día de trabajo** workday (1); **hoy (en) día** nowadays; **menú** (*m.*) **del día** daily menu (7); **plato del día** daily special (8); **¿qué día es hoy?** what day is it today? (1); **todo el día** all day (long); **todos los días** every day (1)
dialéctica *s.* dialectics
dialecto dialect
diario/a daily
dibujar to draw (11)
dibujo drawing; **dibujo animado** cartoon
diccionario dictionary
dicho *p.p.* (of **decir**) said; told
diciembre *m.* December (2)
diecinueve nineteen (P)
dieciocho eighteen (P)
dieciséis sixteen (P)
diecisiete seventeen (P)
diente *m.* tooth
dieta diet
dietético/a *adj.* diet
diez ten (P)
diferencia difference; **a diferencia de** in contrast to
diferenciar to differentiate; **diferenciarse** *refl.* **(de)** to be different (from)
diferente (de) different (from)
diferir (ie, i) (de) to differ (from)
difícil difficult, tough
dimensión *f.* dimension
Dinamarca Denmark
dinero money; **gastar dinero** to spend money (2)
dios(a) god(dess); **Dios mío** my goodness
dirección *f.* address; direction
directo/a direct; **pensar (ie) de una manera directa** to think in a direct (linear) manner (F)
director(a) director (F); **director(a) de cine** film director
dirigir (j) to direct (5); to manage; **capaz de dirigir (a otros)** able to direct (others) (5)
disciplinado/a disciplined
disco record
discoteca discotheque (2)

discreto/a discreet (13)
disculpar to excuse, pardon
discutir to argue
diseñador(a) designer (F)
diseño design (F)
disminución *f.* decrease
disminuir (y) to decrease
disponer (*like* **poner**) to have available
disposición *f.* disposition
distancia distant
distinción *f.* distinction
distinguir (g) to distinguish
distinto/a distinct, different
distraer (*like* **traer**) to distract
distribuir (y) to distribute
diversión *f.* diversion; entertainment; fun
divertido/a fun-loving (13); fun
dividir(se) to divide
divorciado/a divorced (4); **está divorciado/a** he (she) is divorced (4)
divorcio divorce
doblar to turn; **doble a la derecha/izquierda** turn (to the) right/left (15)
doble double
doce twelve (P)
doctor(a) doctor
dólar *m.* dollar
doler (ue) to ache, hurt
dolor *m.* pain; **tener** (*irreg.*) **dolor de cabeza** to have a headache (10); **tener** (*irreg.*) **dolor de estómago** to have a stomachache
doméstico/a domestic (14); household; **animal** (*m.*) **doméstico** domestic animal (14); **quehacer** (*m.*) **doméstico** household chore; **tarea doméstica** household chore; **trabajo doméstico** household chore
domicilio: servicio a domicilio home delivery (8)
domingo Sunday (1); **domingo pasado** last Sunday (11)
dominicano/a *adj.* Dominican; from the Dominican Republic; **República Dominicana** Dominican Republic
don *m.* talent, gift; **don de mando** talent for leadership (5); **tener** (*irreg.*) **don de gentes** to have a way with people (F)
don, doña *title of respect used before a person's first name*
donde where
¿dónde? where? (4); **¿de dónde eres?** where are you (*fam. s.*) from? (P); **¿de dónde es usted?** where are you (*form. s.*) from? (P); **¿dónde está _____?** where is

_____? (15); **¿dónde queda _____?** where is _____? (15)
dormir (ue, u) to sleep (1); **dormirse** *refl.* to fall asleep (3)
dormitorio room
dos two (P); **a las dos** at two o'clock (1); **dos veces** twice; **los/las dos** *pron.* both; **son las dos** it's two o'clock (1)
doscientos/as two hundred (6)
dragón *m.* dragon (13)
drama *m.* drama
dramático/a dramatic
droga drug; **abuso de las drogas** drug abuse (12)
ducha shower; **baño con ducha** bathroom with a shower; **habitación** (*f.*) **con ducha** room with a shower (F)
ducharse *refl.* to shower; to take a shower
duda doubt (F)
dudar to doubt (F)
dudoso/a: es dudoso que _____ it's doubtful that _____ (F)
dueño/a owner (14)
dulce *n. m.* candy (7); *adj.* sweet (7)
durante during (1); for (*with time*)
durar to last
duro/a hard; **rock** (*m.*) **duro** hard rock (*music*)

E

e and (*used instead of* **y** *before words beginning with* **i** *or* **hi**)
ecología ecology
economía *s.* economics (P)
económico/a economic; inexpensive
edad *f.* age (6); **Edad Media** Middle Ages
edificio building
educación *f.* education; **educación física** physical education (P); **tener** (*irreg.*) **buena educación** to be well-mannered (F)
educado/a well-mannered, polite (8)
educar (qu) to educate
educativo/a educational
efecto effect; **efecto invernadero** greenhouse effect
eficiencia efficiency
egocéntrico/a egocentric
egoísta egotistical, self-centered (13)
ejemplo example; **por ejemplo** for example
ejercer (z) to exercise (*one's rights*); to practice (*a profession*)
ejercicio exercise; **ejercicio aeróbico** aerobic exercise; **hacer** (*irreg.*) **ejercicio(s)** to exercise, do exercises (1); **hacer** (*irreg.*)

ejercicio(s) aeróbico(s) to do aerobics (1)

el *m. s.* the

él *m., sub. pron.* he (P); *obj. of prep.* him

elección *f.* election; choice

electricidad *f.* electricity

eléctrico/a: conducción (*f.*) **eléctrica** electrical conduction

electrónico/a electronic; **correo electrónico** e-mail

elefante/a elephant

elegante elegant

elegir (i, i) (j) to elect; to choose

elemento element

elevar to elevate; to increase

eliminar to eliminate

ella *f., sub. pron.* she (P); *obj. of prep.* her

ello *neuter, obj. of prep.* it

ellos/as *sub. pron.* they (P); *obj of prep.* them

embargo: sin embargo however; nevertheless

embarque *m.*: **tarjeta de embarque** boarding pass

emblema *m.* emblem

emborracharse *refl.* to get drunk

emoción *f.* emotion

emocional emotional

emparejar to match

emperador *m.* swordfish (7)

empezar (ie) (c) to begin (3); **empezar a** + *inf.* to begin (*doing something*)

empleado/a *adj.* employed

emplear to employ; to use

empleo employment; job

emprendedor(a): ser (*irreg.*) **emprendedor(a)** to be enterprising, aggressive (F)

empresa company; **administración** (*f.*) **de empresas** business administration (P)

en in (1); at (1); on

enano/a dwarf

encantado/a pleased to meet you (P)

encantador(a) charming (13)

encantar to delight, be extremely pleasing (7); **me encanta(n)** I love

encerrarse (ie) (*refl.*) **(en su cuarto)** to shut oneself up (in one's room) (10)

enciclopedia encyclopedia

encontrar (ue) to find; to meet; **encontrarse** (*refl.*) **en** to find oneself (in); to be (*location*)

encuesta survey; poll

energía energy; **energía nuclear** nuclear energy; **energía solar** solar energy

enero January (2)

enfadado/a angry (10); **ponerse** (*irreg. refl.*) **enfadado/a** to be (get) angry (10)

enfadarse *refl.* to get angry

enfermarse *refl.* to fall ill

enfermedad *f.* illness

enfermero/a nurse (F)

enfermo/a ill, sick

enfocar (qu) to focus

enfoque *m.* focus

enfrente (de) in front (of) (15)

engañar to deceive

engordar to be fattening

enlatado/a: alimento enlatado canned food

enojado/a angry (10); **estar** (*irreg.*) **enojado/a** to be angry (10)

enojarse *refl.* to get angry (10)

enorme enormous

ensalada salad (7); **ensalada mixta** mixed salad

ensayar to try

ensayo essay

enseñanza *n.* teaching (*profession*) (F)

enseñar to teach; **enseñar a** + *inf.* to teach (how) to (*do something*)

entender (ie) to understand (1); **no entiendo** I don't understand (P)

entero/a entire, whole

entomología entomology

entonces *adv.* then; next (*in a series*)

entrada ticket; entrance

entrar to enter; **entrar en** + *n.* to enter (go in) (*a place*)

entre *prep.* between, among

entregar (gu) to give, hand over; turn in

entrenamiento training

entrenarse *refl.* to train

entrevista interview

entrevistar to interview

envidia envy; **tener** (*irreg.*) **envidia** to be envious

época epoch, age; time period (6)

equilibrado/a balanced (13)

equilibrio balance (12); **mantener** (*like* **tener**) **un equilibrio sano** to maintain a healthy balance (12)

equipado/a equipped

equipaje *m.* luggage (F); **facturar el equipaje** to check luggage (F)

equipo team

equivalencia *n.* equivalent

equivocarse (qu) *refl.* to make a mistake; to be wrong

error *m.* error; mistake; **cometer un error** to commit (make) an error

escala scale; **hacer** (*irreg.*) **escala** to make a stop (*on a flight*) (F)

escalar montañas to mountain climb (11)

escandaloso/a scandalous

escaso/a scarce

escena scene

esclavo/a slave

escoger (j) to choose

esconder to hide

escribir (*p.p.* **escrito**) to write (1); **escribir a computadora** to write on a computer; **escribir a máquina** to type; **escribir bien** to write well (F); **escribir la tarea** to write the assignment; **máquina de escribir** typewriter

escrito/a *adj., p.p.* (of **escribir**) written

escrupuloso/a scrupulous, particular (13)

escuchar to listen (to) (1); **escuchar la radio** to listen to the radio

escuela school; **escuela primaria** primary (elementary) school; **escuela secundaria** secondary (high) school

escultor(a) sculptor (F)

escultura sculpture

ese/a *adj.* that (P)

ése/a *pron.* that (one)

esencial essential

eso *neuter pron.* that, that thing, that matter; **por eso** therefore, that's why

esos/as *adj.* those (P)

ésos/as *pron.* those (ones)

espacial *adj.* space

espacio space; blank

espaguetis *m. pl.* spaghetti (7)

espantoso/a scary (P)

España Spain

español *m.* Spanish (*language*) (P); **¿cómo se dice _____ en español?** how do you (*impersonal*) say _____ in Spanish? (P)

español(a) *n.* Spaniard; *adj.* Spanish

especial special

especialista *m., f.* specialist (F)

especialización *f.* major (P)

especializarse (c) *refl.* to specialize; to major

especificar (qu) to specify

específico/a specific

espectacular spectacular

espectáculo show; spectacle

espejo mirror

espera wait; **sala de espera** waiting room (F)

esperanza hope; **esperanza de vida** life expectancy

esperar to expect; to hope; to wait (for)

espinacas *f. pl.* spinach (7)
espíritu *m.* spirit
espiritual spiritual
espontáneo/a spontaneous
esposo/a husband, wife (4); *m. pl.* married couple (4)
espresso: café (*m.*) **espresso** espresso (*coffee*)
esquiar (esquío) to ski (11); **esquiar en el agua** to water ski (11); **esquiar en las montañas** to snow ski (11)
esquina corner (15)
estación *f.* season (*of the year*) (2); station (F)
estadio stadium
estadística statistic; *s.* statistics
estado state; **estado de ánimo** state of mind (10)
Estados Unidos United States
estadounidense *n. m., f.* American; *adj. m., f.* of or from the United States
estándard *adj. m., f.* standard
estar *irreg.* to be (3); **¿dónde está _____?** where is _____? (15); **está casado/a** he (she) is married (4); **está claro** it's clear (*obvious*) (5); **está despejado** it's clear (*weather*) (2); **está divorciado/a** he (she) is divorced (4); **está lloviendo** it's raining (2); **está nevando** it's snowing (2); **está nublado** it's cloudy (*weather*) (2); **¿está todo bien?** is everything OK? (8); **está vivo/a** he (she) is alive (4); **estar aburrido/a (asustado/a, cansado/a, enojado/a, nervioso/a, tenso/a)** to be bored (afraid, tired, angry, nervous, tense) (10); **estar acostumbrado/a** to be accustomed; **estar de acuerdo** to agree; **estar de buen/mal humor** to be in a good/bad mood (10); **estar de moda** to be in style; **estar de vacaciones** to be on vacation; **estar listo/a (para)** to be ready (for)
estatura height (5); **de estatura mediana** of medium height (5); **¿de qué estatura es?** what height is he (she)? (5)
este *m.* east (15)
este/a *adj.* this (P); **esta noche** tonight; **en este momento** at this moment, at this time
éste/a *pron.* this (one)
estereotípico/a sterotypical
estereotipo stereotype
estilo style
estimación (*f.*) **propia** self-esteem (12)

estimado/a esteemed
estimarse *refl.* to have a high opinion of oneself
estimulante stimulating (13)
estimular to stimulate
esto *neuter pron.* this, this thing, this matter
estofado/a: lentejas estofadas lentil stew
estómago stomach; **tener** (*irreg.*) **dolor** (*m.*) **de estómago** to have a stomachache
estos/as *adj.* these (P)
éstos/as *pron.* these (ones)
estrella star; **hotel** (*m.*) **de cuatro estrellas** four-star hotel (F)
estrés *m.* stress; **vulnerable al estrés** vulnerable to stress (5)
estructura structure
estudiante *m., f.* student (P); **soy estudiante de _____** I am a(n) _____ student (P)
estudiantil: residencia estudiantil student dormitory (14)
estudiar to study (1); **estudio _____** I am studying _____ (P); **¿qué estudias?** what are you (*fam. s.*) studying? (P)
estudio study
Europa Europe
evento event
evidencia evidence
evidente evident (5); **es evidente** it is evident (5)
evitar to avoid; **tendencia a evitar riesgos** tendency to avoid risks (5); **tender (ie) a evitar riesgos** to tend to avoid risks
exacto/a *adj.* exact; *adv.* exactly
exagerado/a exaggerated
examen *m.* (*pl.* **exámenes**) test (P); **tener** (*irreg.*) **un examen** to take a test (3); **tomar un examen** to take a test
examinar to examine
excelente excellent
excéntrico/a eccentric
excepción *f.* exception
excepcional exceptional
excepto *adv.* except
exceso excess
excusa excuse
existencia existence
existir to exist
éxito success
exótico/a exotic
experiencia experience
experimento experiment
explicación *f.* explanation
explicar (qu) to explain
explorar to explore

exportación *f.* exportation
exportar to export
exposición *f.* exhibition
expresar to express; **expresarse** (*refl.*) **claramente** to express oneself clearly (F)
expresión *f.* expression (P)
extendido/a: familia extendida extended family (4)
exterior *m.* exterior; outside
extinción *f.* extinction
extinguirse (g) *refl.* to become extinct
extra *m.* perk; *adj. m., f.* extra; **hacer** (*irreg.*) **horas extras** to work overtime
extranjero *n.* abroad (F); **al (en el) extranjero** abroad
extranjero/a *adj.* foreign; **lengua extranjera** foreign language (P)
extraño/a strange
extroversión *f.* extroversion (5)
extrovertido/a extroverted (5)

F
fábrica factory
fabuloso/a fabulous
fácil easy
factor *m.* factor
facturar el equipaje to check luggage (F)
falda skirt (F)
falso/a false
falta lack
faltar to be missing, lacking (10); to be absent; **faltar a** to miss, not go to
fama fame; **tener** (*irreg.*) **fama de** to have a reputation for
familia family (4); **familia extendida** extended family (4); **familia nuclear** nuclear family (4); **familia unida** close (united) family
familiar *n. m.* relative; *adj.* familiar, pertaining to a family; **reunión** (*f.*) **familiar** family reunion
famoso/a famous (P)
fanático/a fan; fanatic (12)
fantástico/a fantastic
farmacéutico/a pharmacist (F)
farmacia pharmacy (F)
fascinante fascinating
fascinar to fascinate
fatal awful
favor *m.:* **por favor** please (P); **otra vez, por favor** again, please (P); **repita, por favor** repeat, please (P); **tengo una pregunta, por favor** I have a question, please (P)
favorito/a favorite (P)
febrero February (2)

A17

fecha (*calendar*) date
fenomenal phenomenal
fenómeno phenomenon
feroz (*pl.* **feroces**) ferocious
festival *m.* festival
fibra fiber (7); **telas de fibras naturales** natural fabrics (F)
fideo noodle; **fideos ñoquis** gnocchi noodles
fiel faithful
fiesta party (2); **dar** (*irreg.*) **una fiesta** to throw (have) a party (11); **hacer** (*irreg.*) **una fiesta** to throw (have) a party
figurar to figure, appear
fijarse *refl.* to notice, take note
filete *m.* fillet (*meat or fish*)
filosofía philosophy (P)
filosófico/a philosophical
fin *m.* end; **en fin** finally; **fin de semana** weekend (1); **fin de semana pasado** last weekend (3); **por fin** finally
final *m.* end; *adj.* final; **a final(es) de** at the end of; **al final (de)** at the end (of)
finalista *m., f.* finalist
financiero/a financial
Finlandia Finland
firmar to sign
física *s.* physics (P)
físicamente fuerte physically strong (F)
físico/a *n.* physicist (F); *adj.* physical (5); **característica física** physical characteristic (5); **daño físico** physical injury (12); **educación** (*f.*) **física** physical education (P); **terapia física** physical therapy (F)
flan *m.* baked custard (7)
flor *f.* flower
folklórico/a folk, folkloric
folleto pamphlet
forma form; way; **buena forma** good physical condition
formar to form
formular to formulate
foto(grafía) *f.* photo(graph); **sacar (qu) fotos** to take pictures (F)
fotógrafo/a photographer (F)
fragmento fragment
francés *m.* French (*language*) (P)
francés, francesa *adj.* French
Francia France
frase *f.* phrase; sentence
frecuencia frequency; **con frecuencia** often (2); **¿con qué frecuencia?** how often? (1)
frecuentar to frequent
frecuente frequent
frecuentemente frequently (1)

frente a facing
fresa strawberry (7)
fresco/a fresh; cool; **hace fresco** it's cool (*weather*) (2)
frijol *m.* bean (7)
frío/a cold (9); **bien frío** very cold (9); **hace (mucho) frío** it's (very) cold (*weather*) (2)
frito/a *adj.* fried; **comida frita** fried food; **huevo frito** fried egg (7); **papa frita** *Lat. Am.* potato chip (7); french fry (7); **patata frita** *Sp.* potato chip (7); french fry (7); **pescado frito** fried fish
fruta fruit (7)
fuente *f.* source; fountain
fuera (de) *adv.* outside (of)
fuerte strong (F); **físicamente fuerte** physically strong (F); **licor** (*m.*) **fuerte** hard alcohol (9)
fuerza: fuerzas armadas armed forces
fumar to smoke (9); **sección** (*f.*) **de (no) fumar** (no) smoking section (F)
función *f.* function
funcionamiento *n.* functioning, operation
funcionar to function, work
fútbol *m.* soccer; **fútbol americano** football; **jugar (ue) (gu) al fútbol americano** to play football (2); **jugar (ue) (gu) al fútbol** to play soccer (2)
futuro *n.* future
futuro/a *adj.* future

G
galante gallant; charming
galleta cookie (7)
gallo rooster (13)
gamba *Sp.* shrimp
gana desire, wish; **tener** (*irreg.*) **ganas de** + *inf.* to feel like (*doing something*) (10)
ganar to earn (1); to win
gasolina gasoline
gastar (dinero) to spend (money) (2)
gasto expense (14)
gastronómico/a gastronomical
gato/a cat
gelatina gelatin
gemelo/a *n., adj.* twin (4)
genealógico/a: árbol (*m.*) **genealógico** family tree
general: en general in general; **por lo general** generally
generalización *f.* generalization
generalmente generally (1)
generoso/a generous

genética *s.* genetics
genético/a: herencia genética genetic inheritance (5)
genio temper; mood; **tener** (*irreg.*) **mal genio** to have a bad temper
gente *f. s.* people (6); **tener** (*irreg.*) **don de gentes** to have a way with people (F)
geografía geography (P)
geográfico/a geographical
gerente *m., f.* manager (F)
gesto gesture
gimnasio gym(nasium)
gobernar (ie) to govern; to control
gobierno government (F)
golf *m.* golf (11); **jugar (ue) (gu) al golf** to golf (11)
golpe *m.* blow, hit
golpear to hit, strike
gorila *m.* gorilla
gorra ball cap (F)
gozar (c) de to enjoy
gracia humor; **hacerle** (*irreg.*) **gracia a uno** to strike someone as funny (11); **tener** (*irreg.*) **gracia** to be funny, charming (11)
gracias thank you, thanks (P); **muchas gracias** many thanks, thank you very much
gracioso/a funny, amusing (11)
grado grade; degree
graduarse (*refl.*) **(me gradúo) (de)** to graduate (from)
gramática grammar
gran, grande big (5); great; **el/la menos grande** the smallest (5); **menos grande (que)** smaller (than) (5)
granjero/a farmer (F)
grasa fat (7)
gratis *inv.* free
grave serious (*situation*) (12)
gregario/a gregarious (5)
griego *n.* Greek (*language*)
gringo/a *adj.* American (*often pejorative*)
gripe *f.* flu
gris gray
gritar to shout (10)
grupo group
guardar to keep
guatemalteco/a *n.* Guatemalan
guayabera *type of loose-fitting man's shirt*
guerra war; **guerra civil** civil war
guerrero/a warrior
guiar(se) (guío) to guide
guisante *m.* pea (7)
guiso stew
guitarra guitar; **tocar (qu) la guitarra** to play the guitar (1)

gustar to be pleasing, to please; **no me gusta(n)** _____ I don't like _____ (P); **no me gusta(n) para nada** I don't like it (them) at all (P); **sí, me gusta(n)** _____ yes, I like _____ (P); **¿te gusta(n)** _____? do you (_fam. s._) like _____? (P)

gusto taste (_preference_) (7); pleasure; **mucho gusto** pleased to meet you (P); **ser** (_irreg._) **de mal gusto** to be in bad taste

H

haber _irreg._ to have (_auxiliary_)

hábil _adj. m., f._: **hábil para las matemáticas** good at math (F)

habilidad _f._ ability (F); **habilidad manual** the ability to work with one's hands (F)

habitación _f._ room (F); **habitación con baño (privado)** room with a (private) bath (F); **habitación con ducha** room with a shower (F)

habitante _m., f._ inhabitant

hábitat _m._ (_pl._ **hábitats**) habitat

hábito habit; **hábito de comer** eating habit (7)

habitué _n. m., f._ regular, habitual customer

habla _n. f._ (_but_ **el habla**) language; **de habla española/hispana** Spanish-speaking; **de habla inglesa** English-speaking

hablador(a) talkative

hablante _m., f._ speaker

hablar to speak (1); **hablar otro idioma** _m._ to speak another language (F); **hablar por teléfono** to talk on the phone (1); **oír** (_irreg._) **hablar de** to hear talk about

hacer _irreg._ (_p.p._ **hecho**) to do (1); to make (1); **hace** + _time_ _____ ago (3); **hace buen tiempo** the weather's good (2); **hace (mucho) calor** it's (very) hot (_weather_) (2); **hace fresco** it's cool (_weather_) (2); **hace (mucho) frío** it's (very) cold (_weather_) (2); **hace mal tiempo** the weather's bad (2); **hace poco** a short time ago; **hace sol** it's sunny (2); **hace unos años** a few years ago; **hace varios meses** several months ago; **hace viento** it's windy (2); **hacer autostop** to hitchhike (F); **hacer camping** to go camping (11); **hacer cola** to stand in line (F); **hacer daño** to hurt, harm; **hacer deporte** to practice, play a sport; **hacer ejercicio(s)** to exercise, do exercises (1); **hacer ejercicio(s) aeróbico(s)** to do

aerobics (1); **hacer en compañía** to do (_something_) together; **hacer escala** to make a stop (_on a flight_) (F); **hacer horas extras** to work overtime; **hacer la maleta** to pack one's suitcase (F); **hacer las compras** to go shopping; **hacer preguntas** to ask questions (4); **hacer reír** to make laugh (11); **hacer ruido** to make noise (10); **hacer un viaje** to take a trip (F); **hacer una fiesta** to throw (have) a party; **hacerle gracia a uno** to strike someone as funny (11); **no hacer nada** to do nothing (2); **¿qué carrera haces?** what's your (_fam. s._) major? (P); **¿qué tiempo hace?** what's the weather like? (2)

hacia _prep._ toward

halcón _m._ falcon

hambre _f._ (_but_ **el hambre**) hunger; **dar** (_irreg._) **hambre** to make hungry; **tener** (_irreg._) **hambre** to be hungry (7)

hamburguesa hamburger (7)

hasta _prep._ until; **desde** _____ **hasta** _____ from _____ to _____; **hasta el momento** (up) until now; **hasta mañana** see you tomorrow (P); **hasta por** up to and including; **hasta pronto** see you soon (P); **hasta que** until; **hasta (muy) tarde** until (very) late (2)

hay there is, there are (P); **hay que** one must, it's necessary (8)

hecho fact; deed; reason; **de hecho** in fact; **por el hecho de** for the purpose of

hecho/a _adj., p.p._ (of **hacer**) made; done

helado ice cream (7)

helado/a frozen; iced; **té** (_m._) **helado** iced tea (9)

hemisferio hemisphere

heredar to inherit

hereditario/a hereditary (5)

herencia inheritance; **herencia genética** genetic inheritance (5)

herida wound, injury (12)

herir (ie, i) to wound (12)

hermanastro/a stepbrother, stepsister (4)

hermano/a brother, sister (4); _m. pl._ brothers and sisters, siblings (4); **medio/a hermano/a** half brother, half sister (4)

hielo ice (9); **con hielo** with ice (9); **sin hielo** without ice (9)

hierba: té (_m._) **de hierbas** herbal tea (9)

hijo/a son/daughter (4); _m. pl._ children (4); **hijo/a adoptivo/a** adopted son/daughter; **hijo/a único/a** only child

hipocresía hypocrisy

hispánico/a _n., adj._ Hispanic

hispano/a _n., adj._ Hispanic; **de habla hispana** Spanish-speaking

Hispanoamérica Latin America

hispanohablante _m., f._ Spanish speaker; _adj._ Spanish-speaking

historia history (P); story

histórico/a historical

hogar _m._ home

hoja sheet (_of paper_); leaf

hola hello (P)

hombre _m._ man; **hombre de negocios** businessman (F)

honesto/a honest (13); **ser** (_irreg._) **honesto/a** to be honest (F)

hora hour; time; **¿a qué hora?** at what time? (1); **es hora de** + _inf._ it's time to (_do something_); **hacer horas extras** to work overtime; **por hora** per hour; **¿qué hora es?** what time is it? (1); **una hora al día** one hour a day

horario schedule

horno: al horno baked (7)

horóscopo horoscope (13); **horóscopo chino** Chinese horoscope (13)

horror _m._ horror

hospital _m._ hospital

hotel _m._ hotel (F); **hotel de cuatro estrellas** four-star hotel (F); **hotel de lujo** luxury hotel (F)

hoy _adv._ today (1); **de hoy** today's, of today; **hoy (en) día** nowadays; **hoy es** _____ today is _____ (1); **¿qué día es hoy?** what day is it today? (1)

hueso bone

huésped(a) guest (F)

huevo egg (7); **huevo frito** fried egg (7); **huevo revuelto** scrambled egg (7)

humanidad _f._ humanity; _pl._ humanities (P)

humano/a human; **ser** (_m._) **humano** human being

húmedo/a humid

humor _m._ humor; mood; **cambios de humor** mood swings; **estar** (_irreg._) **de buen/mal humor** to be in a good/bad mood (10)

I

ibérico/a Iberian

ida _n._: **billete** (_m. Sp._) **de ida** one-way ticket (F); **billete** (_m. Sp._) **de**

ida y vuelta round-trip ticket (F); **boleto** (*Lat. Am.*) **de ida** one-way ticket (F); **boleto** (*Lat. Am.*) **de ida y vuelta** round-trip ticket (F)

idea idea; **cambiar de idea** to change one's mind; **captar la idea** to grasp (understand) the idea; **es (muy) buena idea** it's a (very) good idea (8)

ideal *adj. m., f.* ideal

idealista *adj. m., f.* idealistic (13)

idéntico/a identical

identificar (qu) to identify; **identificarse con** to identify oneself with

idioma *m.* language (P); *pl.* foreign languages (P); **hablar otro idioma** to speak another language (F)

iglesia church (2); **Iglesia Católica** the Catholic Church (*as a whole*); **ir** (*irreg.*) **a la iglesia** to go to church (2)

igual *adj., adv.* equal, same; **al igual que** (just) like; **dar** (*irreg.*) **igual** to be the same (*to someone*), not to care; **por igual** equally, the same

igualmente likewise (P)

ilógico/a illogical

ilustrar to illustrate

imagen *f.* (*pl.* **imágenes**) image

imaginación *f.* imagination (5)

imaginar to imagine

imaginario/a imaginary

imaginativo/a imaginative (5)

imitar to imitate

impaciente impatient (13)

impasible indifferent

impedimento impediment

imperfecto *gram.* imperfect (*tense*)

impersonal: obligación (*f.*) **impersonal** impersonal obligation (8)

impetuoso/a impetuous

implicar (qu) to imply

imponer(se) (*like* **poner**) to impose (5)

importancia importance

importante important

importar to be important (7); to matter (7); to import; **importar un comino** not to matter at all (13)

imposible impossible

imprescindible: es imprescindible it's essential (8)

impresión (*f.*) impression

improvisar to improvise

impuesto *n.* tax

impulsividad *f.* impulsiveness

impulsivo/a impulsive (5)

incapaz (*pl.* **incapaces**) incapable

incluido/a included

incluir (y) to include

incluso *adv.* even

incorporar to incorporate

incorrecto/a incorrect

incremento increase

indeciso/a indecisive (13)

indefenso/a defenseless, helpless (13)

indefinido/a: artículo indefinido *gram.* indefinite article (P)

independencia independence

independiente independent

independizarse (c) *refl.* to become independent

indicación *f.* indication; *pl.* instructions

indicado/a indicated; **persona indicada** person in question, person to see (*about something*)

indicar (que) to indicate

indicativo/a *gram.* indicative (*tense*)

indiferente indifferent

indígena *n. m., f.* indigenous person; *adj. m., f.* indigenous

indirecto/a indirect

indiscreto/a indiscreet

individuo *n.* individual

indudable without a doubt (5); **es indudable** it is without a doubt (5)

industrioso/a industrious

inevitable unavoidable

infante/a *any son or daughter of a king of Spain or Portugal, except the eldest*

infinitivo *gram.* infinitive

influencia influence

influir (y) to influence

información *f.* information

informar(se) to inform

informática computer science

ingeniería engineering (P)

ingeniero/a engineer (F)

ingenio ingenuity

ingenioso/a ingenious, clever

ingenuo/a naive (13)

ingerir (ie, i) to ingest, eat

Inglaterra England

inglés *m.* English (*language*) (P)

inglés, inglesa *adj.* English; **de habla inglesa** English-speaking

ingrediente *m.* ingredient

inicial *adj.* initial

inmediato/a immediate

inmortalidad *f.* immortality

innato/a innate

inquieto/a restless (13)

insatisfacción *f.* dissatisfaction

inseguro/a insecure (13)

insincero/a insincere (P)

inspirar to inspire

instalación *f.* installation; *pl.* facilities

instantánea snapshot

instante *m.* instant

instintivo/a instinctive

instinto instinct

institución *f.* institution

instituto institute

instrucción *f.* instruction; *pl.* directions

insultar to insult

integrado/a integrated

integral: pan (*m.*) **integral** whole-wheat bread (7)

integridad *f.* integrity

íntegro/a: ser (*irreg.*) **íntegro/a** to be honorable (F)

intelectualizar (c) to intellectualize

inteligente intelligent (P)

intercambio exchange

interés *m.* interest

interesante interesting (P)

interesar to be interesting (7)

interior *n. m.* inside

internacional international

interno/a internal

interrumpir to interrupt

íntimo/a close

introducción *f.* introduction

introvertido/a introverted (5)

invadir to invade

invasión *f.* invasion

inventar to invent

invernadero/a: efecto invernadero greenhouse effect

invernal: síndrome (*m.*) **invernal** winter syndrome (*depression*)

invertido/a inverted

investigador(a) investigator, researcher

investigar (gu) to investigate, research

invierno winter (2)

invitado/a *n.* guest

invitar to invite; to treat (*pay for someone*) (8)

ir *irreg.* to go (1); **ir a** + *inf.* to be going to (*do something*); **ir a la iglesia** to go to church (2); **ir al cine** to go to the movies (2); **ir al teatro** to go to the theater (11); **ir de compras** to go shopping (2); **irse** *refl.* to leave

irritado/a irritated

irritarse *refl.* to be (get) irritated (10)

isla island

Italia Italy

italiano Italian (*language*) (P)

italiano/a *n., adj.* Italian

itinerario itinerary

izquierda *f.* left; **a la izquierda** (to the) left; **doble a la izquierda** turn (to the) left (15)
izquierdo/a left (8)

J
¡ja! ha!
jactarse (*refl.*) **(de)** to boast, brag (about) (13)
jacuzzi *m.* jacuzzi (11); **bañarse** (*refl.*) **en el jacuzzi** to bathe in the jacuzzi (11)
jaguar *m.* jaguar
jamás never (2)
jamón *m.* ham (7); **jamón serrano** cured Spanish ham
japonés *m.* Japanese (*language*) (P)
japonés, japonesa *n.* Japanese
jardín *m.* garden; yard; **trabajar en el jardín** to garden (11); to do yard work
jarra pitcher (8)
jefe/a boss (F)
jersey *m.* pullover (F)
jirafa giraffe
joven (*pl.* **jóvenes**) *n. m., f.* young person; *adj.* young (6)
judía verde green bean (7)
juego game
jueves *m. inv.* Thursday (1)
jugador(a) de _____ _____ player (F)
jugar (ue) (gu) to play (*sports*) (1); **jugar a los naipes** to play cards (11); **jugar a los videojuegos** to play video games (3); **jugar al basquetbol** to play basketball (10); **jugar al béisbol** to play baseball (10); **jugar al boliche** to bowl (10); **jugar al fútbol** to play soccer (2); **jugar al fútbol americano** to play football (2); **jugar al golf** to golf (11); **jugar al tenis** to play tennis; **jugar al voleibol** to play volleyball (11)
jugo juice (7); **jugo de manzana** apple juice (9); **jugo de naranja** orange juice (7); **jugo de tomate** tomato juice (9); **jugo de toronja** grapefruit juice
juguete *m.* toy
juguetón, juguetona playful (13)
julio July (2)
junio June (2)
junto con together with
junto/a *adj.* together
justo/a just, fair
juzgar (gu): a juzgar por judging by, from

K
kilómetro kilometer

L
la *f. s.* the; *f., d.o.* you (*form. s.*), her, it
labio lip
laboratorio laboratory (1)
laborioso/a laborious
lacio/a straight (5); **pelo lacio** straight hair (5)
lácteo/a: producto lácteo dairy product (7)
lado side; **al lado (de)** next to, alongside (15); **por otro (lado)** on the other (hand); **por un lado** on the one hand
ladrar to bark
lago lake (11)
lamer to lick
lana wool (F)
langosta lobster; locust
langostino prawn
largo/a long
las *f. pl.* the; *f., d.o.* you (*form. pl.*), them
latín *m.* Latin (*language*)
latino/a *n., adj.* Hispanic; Latin
Latinoamérica Latin America
latinoamericano/a *n., adj.* Latin American
lavar to wash (2); **lavar la ropa** to wash clothes (2); **lavar los platos** to wash the dishes (8); **lavarle el pelo a uno** to wash someone's hair
le *i.o.* to/for you (*form. s.*), to/for him, to/for her, to/for it
leal loyal (13)
lección *f.* lesson
leche *f.* milk (7); **café** (*m.*) **con leche** coffee with milk (7); **leche completa** whole milk; **leche descremada** skim (lowfat) milk
lechuga lettuce (7)
lectura *n.* reading
leer (y) to read (1)
legalización *f.* legalization
legalizar (c) to legalize
legumbre *f.* vegetable
lejano/a remote, distant
lejos (de) far(away) (from) (15)
lengua tongue; language; **lengua extranjera** foreign language (P)
lenguado *n.* sole (*fish*)
lenguaje *m.* language (*style of speech*)
lenteja lentil (7); **lentejas estofadas** lentil stew
lento/a *adj.* slow
león, leona lion, lioness
les *i.o.* to/for you (*form. pl.*), to/for them
lesión *f.* wound, injury (12)

letargo lethargy
letra letter (*alphabet*); *pl.* letters (*humanities*) (P)
levantar to raise; to lift; **levantar la mesa** to clear the table (8); **levantar pesas** to lift weights (10); **levantarse** *refl.* to get up (1)
liberar to liberate, (set) free
libra pound (*weight*)
libre free; **tiempo libre** free (spare) time (11); **zona de comercio libre** free trade zone
libro book (P)
licencia de manejar driver's license
licor (*m.*) **fuerte** hard alcohol (9)
liga league
ligero/a small, slight
limitar to limit
límite *m.* limit; boundary
limón *m.* lemon (7)
limpiar to clean (2); **limpiar el apartamento** to clean the apartment (2); **limpiar la casa/** to clean the house; **limpiarse** (*refl.*) **la boca** to rinse (out) one's mouth
lista list
listo/a clever, smart (F); ready; **estar** (*irreg.*) **listo/a (para)** to be ready (for); **ser** (*irreg.*) **listo/a** to be clever, smart (F)
literatura literature (P)
llamada telefónica telephone call
llamar to call (3); **¿cómo se llama usted?** what's your (*form. s.*) name? (P); **¿cómo te llamas?** what's your (*fam. s.*) name? (P); **llamar por teléfono** to call on the phone (3); **llamarse** *refl.* to be called, named; **me llamo _____** my name is _____ (P); **se llama _____** his (her) name is _____ (P)
llegada arrival (F)
llegar (gu) to arrive (3); to reach; **llegar a** + *inf.* to start to (*do something*); **llegar a ser** to become; **perdón, ¿cómo se llega a _____?** excuse me, how do you (*impersonal*) get to _____? (15)
llenar to fill in
lleno/a full
llevar to carry (5); to wear (F); to take (something *or* someone someplace); **bolsita para llevar** doggie bag (8); **comida para llevar** food to go (8); **llevar una vida** to lead a life; **llevarse** (*refl.*) **bien/mal** to get along well/poorly (5)
llorar to cry (10)
llover (ue) to rain; **está lloviendo** it's raining (2); **llueve** it's raining (2)

A21

lluvia rain

lo *d.o. m.* you (*form. s.*), him, it; **lo peor** the worst thing (13)

lobo wolf

loco/a crazy

lógico/a logical

lograr to attain, achieve

lomo back (*animal*)

longevidad *f.* longevity

los *m. pl.* the; *m., d.o.* you (*form. pl.*), them

lotería lottery

lucha fight

luego then, therefore (2); after(wards)

lugar *m.* place (11); **en primer lugar** in the first place

lujo: hotel (*m.*) **de lujo** luxury hotel (F)

luna moon

lunes *m. inv.* Monday (1)

luz *f.* (*pl.* **luces**) light; **sensible a la luz** sensitive to light

M

machista *adj. m., f.* (male) chauvinistic

madera wood

madrastra stepmother (4)

madre *f.* mother (4); **madre soltera** single mother (4)

maestro/a teacher (*elementary school*) (F)

magnetismo magnetism

magnífico/a magnificent

maíz *m.* corn (7); **aceite** (*m.*) **de maíz** corn oil (7)

mal *adv.* badly, poorly (5); **caer** (*irreg.*) **mal** to make a bad impression (7); to disagree with (*food*) (7); **llevarse** (*refl.*) **mal** to get along poorly (5); **pasarlo (muy) mal** to have a (very) bad time (10)

mal, malo/a *adj.* bad (P); **estar** (*irreg.*) **de mal humor** to be in a bad mood (10); **hace mal tiempo** the weather's bad (2); **sacar (qu) una mala nota** to get a bad grade (10); **ser** (*irreg.*) **de mal gusto** to be in bad taste; **tener** (*irreg.*) **mal genio** to have a bad temper

malestar *m.* malaise, indisposition

maleta suitcase (F); **hacer** (*irreg.*) **la maleta** to pack one's suitcase (F)

maletero/a porter, skycap (F)

malgastar to waste

malicioso/a malicious (13)

maligno/a corrupt (13)

mamá *fam.* mom

mandar to send; to direct others (F); to lead

mandato order, command

mando leadership; control; order; **don** (*m.*) **de mando** talent for leadership (5)

manejar to drive (1); to manage; to understand; **licencia de manejar** driver's license

manera manner, way; **de una manera _____** in a _____ way; **manera de ser** way of being; **pensar (ie) de una manera directa** to think in a direct (linear) manner (F)

mano *f.* hand (8); **dar(se)** (*irreg.*) **la mano** to shake hands

mansión *f.* mansion

manta blanket

mantel *m.* tablecloth (8)

mantener (*like* **tener**) to maintain; to support (*financially*) (5); **mantener un equilibrio sano** to maintain a healthy balance (12); **mantenerse** *refl.* to support oneself (14)

mantequilla butter (7); **mantequilla de cacahuete** peanut butter (7)

manual *adj.*: **habilidad** (*f.*) **manual** the ability to work with one's hands (F)

manzana apple (7); block (*of houses*) (15); **jugo de manzana** apple juice (9)

mañana morning (1); *adv.* tomorrow (1); **hasta mañana** see you tomorrow (P); **mañana es _____** tomorrow is _____ (1); **por la mañana** in the morning (1); **todas las mañanas** every morning (1)

mapa *m.* map

máquina machine; **escribir a máquina** to type; **máquina de escribir** typewriter; **máquina vendedora** vending machine (7)

mar *m.* sea (11)

marca brand; mark

marcar (qu) to mark

marea tide; **marea alta/baja** high/low tide

marearse *refl.* to get sick (nauseated) (F)

marejada swell (*sea*)

margarina margarine

margen *m.* (*pl.* **márgenes**) margin

marido husband (4)

mariposa butterfly

marisco shellfish (7)

marítimo/a maritime

marrón dark brown (7)

Marte *m.* Mars

martes *m. inv.* Tuesday (1)

marzo March (2)

más more (1); **cada vez más** more and more; **cuanto más _____ más _____** the more _____ the more _____; **el/la más alto/a (de)** the tallest (5); **es más** what's more, moreover; **más alto/a (que)** taller (than) (5); **más o menos** more or less; **más tarde** later; **no puedo más** I can't do it anymore

mascota pet (14)

masticar (qu) to chew (7); **masticar chicle** to chew gum (7)

matar to kill; **matar dos pájaros de un tiro** to kill two birds with one stone

matemáticas *pl.* mathematics (P); **hábil para las matemáticas** good at math (F)

materia subject (P)

material *m.* material (F)

materno/a maternal

matrícula tuition

matrimonial: cama matrimonial double bed (F)

matrimonio marriage; married couple

maya *n. m., f.* Mayan

mayo May (2)

mayonesa mayonnaise (7)

mayor older (4); greater; main; **el/la mayor** the oldest (4); **la mayor parte** majority; **ser** (*irreg.*) **mayor** to be older (F)

mayoría majority

mayormente mainly

me *d.o.* me; *i.o.* to/for me; *refl. pron.* myself

media *n.* average; *pl.* stockings (F)

mediano/a *adj.* medium; **de estatura mediana** of medium height (5)

medianoche *f.* midnight

mediar to pass (*amount of time*)

medicina medicine (F)

médico/a *n.* doctor (F); *adj.* medical

medio *n.*: **medio ambiente** environment, surroundings (5); **por medio de** by means of

medio/a *adj.* half; average; **Edad** (*f.*) **Media** Middle Ages; **media pensión** *f.* room and breakfast (*often with one other meal*) (F); **medio/a hermano/a** half brother, half sister (4); **Oriente** (*m.*) **Medio** Middle East; **(medio) pollo asado** (half a) roast chicken (7); **y media** half past (*the hour*) (1)

medir (i, i) to measure

meditar to meditate (11)

mediterráneo/a Mediterranean

mejilla cheek (5)

mejillón *m.* mussel

mejor better; **el/la mejor** the best; *adv.* better, best; **venirle** (*irreg.*) **mejor a uno** to suit someone best

mejorar to improve

melón *m.* melon

memoria memory

mencionar to mention

menor younger (4); less; smaller; **el/la menor** the youngest (4)

menos less (1); least; **cada vez menos** less and less; **el/la menos grande** the smallest (5); **más o menos** more or less; **menos cuarto** quarter to (*the hour*) (1); **menos grande (que)** smaller (than) (5); **por lo menos** at least

mentir (ie, i) to lie (13)

mentón *m.* chin (5)

menú *m.* menu (7); **menú del día** daily menu (7)

menudo: a menudo often

mercado market

merendar (ie) to snack (on) (7)

merienda snack (7)

mermelada jam, marmalade (7)

mes *m.* month (2); **al mes** per month, monthly; **hace varios meses** several months ago

mesa table (8); **levantar la mesa** to clear the table (8); **poner** (*irreg.*) **la mesa** to set the table (8); **sentarse (ie)** (*refl.*) **a la mesa** to sit at the table

mesero/a waiter, waitress (8)

meterse *refl.*: **meterse con** to pick on; to attack; **meterse en** to get involved

metódico/a methodical (13)

método method

metro subway; meter

mexicano/a *n., adj.* Mexican

México Mexico

mezcal *m.* mescal

mezcla mixture

mí *obj. of prep.* me; *refl. obj. of prep.* myself

mi(s) *poss.* my (P)

miedo fear; **dar** (*irreg.*) **miedo** to frighten; **tener** (*irreg.*) **miedo** to be afraid (10)

miel *f.* honey

miembro member

mientras *adv.* while; **mientras tanto** meanwhile

miércoles *m. inv.* Wednesday (1)

mil one thousand (6)

militar *adj.*: **servicio militar** military service

milla mile

millón *m.* million

mínimo *m.* minimum

mínimo/a *adj.* minimum, minimal

ministerio ministry (*government*)

minoría minority

minoritario/a *adj.* minority

minuto *n.* minute

mío/a *poss.* mine, of mine; **Dios mío** my goodness

mirar to look, look at, watch (1); **mirar la televisión** to watch TV (1); **mirar un vídeo** to watch a video; **mirar una telenovela** to watch a soap opera

misa Mass (Catholic)

mismo/a same; -self

misterio mystery

mixto/a: ensalada mixta mixed salad

moda fashion (F); **estar** (*irreg.*) **de moda** to be in style

modales *m. pl.* manners (8); **buenos modales** good manners (8)

modelo *m.* model; *m., f.* fashion model

moderación *f.* moderation

moderno/a modern

modificar (qu) to modify

molestar to bother, annoy

molestia annoyance

molesto/a annoying

momento moment; **en este momento** at this moment, at this time; **hasta el momento** (up) until now

mono monkey (13)

monótono/a monotonous

montaña mountain (11); **escalar montañas** to mountain climb (11); **esquiar (esquío) en las montañas** to snow ski (11)

montar to ride; **montar en bicicleta/ motocicleta** to ride a bicycle/ motorcycle

monumento monument

moreno/a dark-haired (5); dark-skinned (5); **pelo moreno** dark hair (5)

morir (ue, u) (*p.p.* **muerto**) to die; **ya murió** he (she) already died (4)

moro/a *n.* Moor

mostaza mustard (7)

mostrar (ue) to show

motivo motive, reason

moverse (ue) *refl.* to move (*a part of one's body*)

movimiento movement

mozo bellhop (F)

mucho *adv.* a lot, (very) much (P)

mucho/a much (P); **mucho gusto** pleased to meet you (P)

muchos *n. pl.* many people (*general*)

muchos/as many (P); **muchas gracias** many thanks, thank you very

much; **muchas veces** many times, often

mudarse *refl.* to move, change residence

muebles *m. pl.* furnishings, furniture

muela molar

muerte *f.* death

muerto *p.p.* (of **morir**) died

mujer *f.* woman; wife (4); **mujer de negocios** businesswoman (F)

mundial *adj.* world; **Copa Mundial** World Cup (*soccer*); **Serie** (*f.*) **Mundial** World Series (*baseball*)

mundo world

muñeco stuffed animal

muralista *m., f.* muralist

músculo muscle

museo museum (11)

música music (P)

musical: vídeo musical music video

músico/a musician (F)

muy very (P); **muy tarde** very late (1); **muy temprano** very early (1)

N

nacer (zc) to be born

nacido/a born

nacimiento birth

nación *f.* nation

nacional national; **vuelo nacional** domestic flight

nada nothing, not anything (2); **nada de** + *noun* no + *noun*; **no hacer** (*irreg.*) **nada** to do nothing (2); **no me gusta(n) para nada** I don't like it (them) at all (P)

nadar to swim (2)

nadie no one, not anyone (2)

naipe *m.*: **jugar (ue) (gu) a los naipes** to play cards (11)

naranja *n.* orange (7); **jugo de naranja** orange juice (7)

narcisista *adj.* narcissistic; *m., f.* narcissist

nariz *f.* nose (5)

narración *f.* narration, story

narrar to tell, recount

nata whipped cream

natación *f.* swimming

natalidad *f.* birthrate

natural natural; plain; **ciencias** (*pl.*) **naturales** natural sciences (P); **telas de fibras naturales** natural fabrics (F); **yogur** (*m.*) **natural** plain yogurt

naturaleza nature

navegación *f.* navigation

navegar (gu) to navigate; **navegar en un barco** to sail (11); **navegar (gu) la red** to surf the 'Net

Navidad *f.* Christmas; *pl.* Christmas time (festivities)

necesario/a necessary (8); **es necesario** it's necessary (8)

necesidad *f.* necessity

necesitar to need (1)

negación *f.*: **palabra de negación** word of negation (2)

negativo/a negative

negociar to negotiate

negocio business (*specific*); *pl.* business (*general*) (F); **hombre** (*m.*)/**mujer** (*f.*) **de negocios** businessman, businesswoman (F)

negro/a black (5); **pelo negro** black hair (5)

nene/a baby, small child

nervioso/a nervous (10); **estar** (*irreg.*) **nervioso/a** to be nervous (10)

nevar (ie) to snow; **está nevando** it's snowing (2); **nieva** it's snowing (2)

ni neither, nor; **ni me preguntes** don't even ask me

nidificar (qu) to (build a) nest

nido nest

nieto/a grandson, granddaughter (4); *m. pl.* grandchildren (4)

nieve *f.* snow

ningún, ninguno/a none, not any (2); **ninguna parte** nowhere

niño/a boy, girl, child; **de niño/a** as a boy, girl, child

nivel *m.* level

no no (P), not

noche *f.* night; **buenas noches** good evening (P); **de noche** at night, night time; **esta noche** tonight; **por la noche** in the evening, at night (1); **toda la noche** all night (long); **todas las noches** every night (1)

nombrar to name

nombre *m.* name; **¿cuál es tu nombre?** what's your (*fam. s.*) name? (P); **mi nombre es _____** my name is _____ (P); **su nombre es _____** his (her) name is _____ (P)

nórdico/a Nordic

normalmente normally (1)

norte *m.* north (15)

norteamericano/a *n., adj.* North American

nos *d.o.* us; *i.o.* to/for us; *refl. pron.* ourselves; **nos vemos** we'll be seeing each other (P)

nosotros/as *sub. pron.* we (P); *obj. of prep.* us; *refl. obj. of prep.* ourselves; **todos/as nosotros/as** all of us

nota note; grade (10); **sacar (qu) una buena/mala nota** to get a good/bad grade (10)

notar to notice; to write down

noticia(s) news

novecientos/as nine hundred (6)

novela *n.* novel

noventa ninety (6)

noviembre *m.* November (2)

novio/a boyfriend, girlfriend

nublado/a cloudy; **está nublado** it's cloudy (*weather*) (2)

nuclear: energía nuclear nuclear energy; **familia nuclear** nuclear family (4)

nudo knot

nuestro/a *poss.* our

nueve nine (P)

nuevo/a new (4); different; **de nuevo** again

nuez *f.* (*pl.* **nueces**) nut (7)

nulo/a null

número number (P); **número de teléfono** telephone number

numeroso/a numerous

nunca never (2)

nutritivo/a nutritious

Ñ

ñoqui *m.*: **fideos ñoquis** gnocchi noodles

O

o or (P); **o sea** that is to say

obedecer (zc) to obey

objeto object

obligación (*f.*) **impersonal** impersonal obligation (8)

obligar (gu) to obligate

obra work

obrero/a worker; **obrero de la tierra** farm worker

observación *f.* observation

observador(a) *adj.* observant

observar to observe

obtener (*like* **tener**) to obtain

obvio/a obvious (5); **es obvio** it is obvious (5)

ocasión *f.* occasion

océano ocean (11)

ochenta eighty (6)

ocho eight (P)

ochocientos/as eight hundred (6)

ocio leisure, leisure time

octubre *m.* October (2)

ocupación *f.* occupation

ocupar to occupy; **ocuparse** (*refl.*) **de** to take charge of, to look after

ocurrencia occurrence

ocurrir to occur

oda ode

oeste *m.* west (15)

ofenderse *refl.* to be (get) offended (10)

oficial *adj.* official

oficina office

ofrecer (zc) to offer

oír *irreg.* to hear; **oír hablar de** to hear talk about; **oír la radio** to listen to the radio

ojo eye (5); **¡ojo!** careful!, watch out!; **ojos azules/castaños/verdes** blue/brown/green eyes (5); **ojos claros** light-colored eyes; **vendarle los ojos (a uno)** to blindfold (someone)

oleaje *m.* swell, surf

oler (*irreg.*) **(a)** to smell (like/of)

oliva: aceite (*m.*) **de oliva** olive oil (7)

olvidar(se) (de) to forget

once eleven (P)

onza ounce

opción *f.* option

opinar to think, have the opinion (5)

opinión *f.* opinion (5)

oportunidad *f.* opportunity

optativo/a optional

optimista *adj. m., f.* optimistic (P)

opuesto/a *adj.* opposite

oración *f.* sentence

oratoria speech (*school subject*) (P)

orden *m.* order (*series*); *f.* order (*restaurant*)

ordenado/a orderly, tidy

ordenador *m. Sp.* computer

ordenar to order (8); to put in order

oreja ear (5)

organismo organism

organización *f.* organization

organizado/a organized (F)

organizar (c) to organize

orgulloso/a proud (10); **sentirse (ie, i)** (*refl.*) **orgulloso/a** to feel proud (10)

orientación *f.* orientation; direction

orientarse *refl.* to get one's bearings, to stay on course

Oriente (*m.*) **Medio** Middle East

origen *m.* (*pl.* **orígenes**) origin

originalidad *f.* originality

originarse *refl.* to originate

os *fam. pl. Sp., d.o.* you; *i.o.* to/for you; *refl. pron.* yourselves

oscuro/a dark

oso bear

ostra oyster

otoño fall, autumn (2)

otro/a other (P), another; **al otro día** (on) the next day; **capaz** (*pl.* **capaces**) **de dirigir (a otros)** able to direct (others) (5); **hablar otro**

idioma to speak another language (F); **otra vez** again (P); **otra vez, por favor** again, please (P); **por otra parte** on the other hand; **por otro lado** on the other hand
oveja sheep

P

paciencia patience
paciente *n. m., f.* patient; *adj. m., f.* patient (13)
padrastro stepfather (4)
padre *m.* father (4); *pl.* parents (4); **padre soltero** single father (4)
paella *Valencian rice dish with meat, fish or seafood and vegetables*
pagar (gu) to pay (3); **pagar la cuenta** to pay the bill (3)
página page
país *m.* country (P); **el País Vasco** Basque region
paisaje *m.* landscape
pájaro bird; **matar dos pájaros de un tiro** to kill two birds with one stone
palabra word (P); **palabra de negación** word of negation (2)
paliza beating
palo stick; **de tal palo, tal astilla** a chip off the old block
palomitas *pl.* popcorn (7)
pan *m.* bread; **pan blanco** white bread (7); **pan integral** whole-wheat bread (7); **pan tostado** toast (7); **pizza de pan alto** thick-crust pizza
panqueque *m.* pancake (7)
pantalones *m. pl.* pants (F); **pantalones cortos** shorts (F)
papa *m.* pope; *f. Lat. Am.* potato (7); **papa frita** *Lat. Am.* potato chip (7); french fry (7); **puré** (*m.*) **de papas** mashed potatoes (7)
papá *fam.* dad
papel *m.* paper; role
par *m.* pair
para *prep.* for (1); in order to; by (a future time); **bolsita para llevar** doggie bag (8); **capacidad** (*f.*) **para _____** ability to _____ (5); **comida para llevar** food to go (8); **de aquí para allá** from here to there (15); **hábil para las matemáticas** good at math (F); **no me gusta(n) para nada** I don't like it (them) at all (P)
paracaidismo *n.* skydiving
paraguas *m. s., pl.* umbrella
parar to stop (15); **pararse** (*refl.*) **en dos patas** to sit (*dogs*)
parcial partial

parecer (zc) to seem (5), appear; **parecerse** (*refl.*) **(a)** to resemble, look (a)like (5)
parecido/a similar (5)
pareja couple (4); partner (4)
pariente *m.* relative (4)
parmesano/a: queso parmesano Parmesan cheese
parque *m.* park (11); **parque zoológico** zoo
párrafo paragraph
parrillada *Arg.* mixed grill
parte *f.* part; **a todas partes** everywhere; **la mayor parte** majority; **ninguna parte** nowhere
participante *n. m., f.* participant
participar to participate
particular private (14); particular; **casa particular** private house (14)
partido game; **partido político** political party
pasa raisin
pasado *n.* past
pasado/a *adj.* last; past; **fin** (*m.*) **de semana pasado** last weekend (3); **sábado/domingo pasado** last Saturday/Sunday (11); **semana pasada** last week (3); **siglo pasado** last century (6)
pasaje *m.* ticket, passage (F)
pasajero/a passenger (F)
pasar to spend (*time*) (1); to happen; to pass; **pasar tiempo** to spend time; **pasarlo bien** to have a good time; **pasarlo (muy) mal** to have a (very) bad time (10); **¿qué te pasa?** what's the matter? (10)
pasatiempo pastime, hobby (2)
pasear to take a walk
paseo walk; avenue; **dar** (*irreg.*) **un paseo** to take a walk (2)
pasillo hallway
pasivo/a passive
paso step (15); passage (*time*)
pasta alimenticia pasta (7)
pastel *m.* pastry (7); pie
pastilla pill; **tomar una pastilla** to take a pill
pata paw; leg; **pararse** (*refl.*) **en dos patas** to sit (*dogs*)
patata *Sp.* potato (7); **patata frita** *Sp.* potato chip (7); french fry (7)
paterno/a paternal
patinar to skate (11)
pavo turkey; teetotaler
paz *f.* (*pl.* **paces**) peace
peca freckle (5)
pecho chest
pedalear to pedal (*a bike*)

pedir (i, i) to ask for, request (1); to order (8); **pedir consejo** to ask (for) advice
peinar to comb
película film, movie
peligro danger (12)
peligroso/a dangerous (12)
pelirrojo/a redheaded (5)
pelo hair (5); **lavarle el pelo a uno** to wash someone's hair; **pelo canoso/moreno/negro/rubio** gray/dark/black/blond hair (5); **pelo lacio/rizado** straight/curly hair (5); **tomarle el pelo a uno** to pull someone's leg
pelota ball
pena: dar (*irreg.*) **pena** to pain, sadden
pensamiento thought
pensar (ie) (en) to think (about) (1); **pensar de una manera directa** to think in a direct (linear) manner (F)
pensión *f.* boarding house, bed and breakfast (F); **media pensión** room and breakfast (*often with one other meal*) (F); **pensión completa** room and full board (F)
peor: lo peor the worst thing (13)
pequeño/a small (4); young
perdón *m.* pardon; excuse me; **perdón, ¿cómo se llega a _____?** excuse me, how do you (*impersonal*) get to _____? (15)
perdonar to pardon, excuse
pereza laziness (5)
perezoso/a lazy (5)
perfección *f.* perfection
perfeccionista *adj. m., f.* perfectionist (13)
perfecto/a perfect; **pretérito perfecto** *gram.* present perfect (*tense*)
perfil *m.* profile
periódico newspaper (1)
periodismo journalism (P)
periodista *m., f.* journalist (F)
período period (*time*)
permanecer (zc) to stay, remain; **permanecer callado/a** to keep quiet (10)
permanente *adj.* permanent
permisivo/a permissive
permitir to permit, allow (9)
pero *conj.* but (1)
perro dog (4)
persona person
personalidad *f.* personality (5); **característica de la personalidad** personality trait (5)
pertenecer (zc) to belong
Perú *m.* Peru
peruano/a *n., adj.* Peruvian

A25

pesa weight; **levantar pesas** to lift weights (10)
pescado *n.* fish (*caught*) (7)
pescar (qu) to fish (11)
peseta *unit of Spanish currency*
pesimista *n. m., f.* pessimist; *adj. m., f.* pessimistic (P)
pez *m.* (*pl.* **peces**) fish (*alive*)
picante spicy, hot
picar (qu) to nibble
picnic *m.:* **tener** (*irreg.*) **un picnic** to have a picnic (11)
pie *m.* foot
piel *f.* skin
piloto *m., f.* pilot
pimentero pepper shaker (8)
pimienta pepper (7)
pintar to paint (10)
pintor(a) painter (F)
pintura *n.* painting
piña pineapple
piraña piranha
piso apartment (14); floor (F); story (*building*)
pistola pistol
pizarra chalkboard
pizza de pan alto thick-crust pizza
pizzería pizzeria
plan *m.* plan
plancha: a la plancha grilled
planeta *m.* planet
plano city map
plátano banana; plantain
platillo saucer (8)
plato plate (8); dish; **lavar los platos** to wash the dishes (8); **plato de sopa** soup bowl (8); **plato del día** daily special (8); **plato principal** main dish (8); **primer (segundo) plato** first (second) course (7); **tercer plato** third course (8)
playa beach
plaza plaza, square
pluma feather
población *f.* population
pobre *adj.* poor; unfortunate
poco/a little (*quantity*) (P); **hace poco** a short time ago; **un poco (de)** a little
pocos/as few (P); **pocas veces** rarely (2)
poder *n. m.* power
poder *v. irreg.* to be able, can (1); **¿me podría decir _____?** could you (*form. s.*) tell me _____? (15); **¿me podría traer _____?** could you (*form. s.*) bring me _____? (8); **no puedo más** I can't do it anymore; **no se puede _____ sin _____** you (*impersonal*) can't _____ without _____ (8)

poema *m.* poem
poeta *m., f.* poet
policía *m.,* **mujer** (*f.*) **policía** police officer
poliéster *m.* polyester (F)
política *s.* politics
político/a *n.* politician (F); *adj.* political; **activista** (*m., f.*) **político/a** political activist; **ciencias** (*pl.*) **políticas** political science (P); **partido político** political party
pollo chicken (7); **(medio) pollo asado** (half a) roast chicken (7)
poner *irreg.* (*p.p.* **puesto**) to put, place (7); to give; to imagine, assume; to add (*to food*); to turn on (*electrical appliances*); **poner la mesa** to set the table (8); **ponerse** *refl.* to put on (*clothing*) (F); to be (get) (10); **ponerse contento/a (enfadado/a, triste)** to be (get) happy (angry, sad) (10); **ponerse de acuerdo** to come to an agreement; **ponerse rojo/a** to blush (10)
popular popular (13)
popularidad *f.* popularity
por *prep.* for; by; through; during; on account of; along, down (*a street*); per; **hablar por teléfono** to talk on the phone (1); **hasta por** up to and including; **llamar por teléfono** to call on the phone (3); **otra vez, por favor** again, please (P); **por aquí** around here; **por completo** completely; **por cortesía** politely; **por debajo** *adv.* underneath; **por ejemplo** for example; **por el contrario** on the contrary; **por eso** therefore, that's why; **por favor** please (P); **por fin** finally; **por hora** per hour; **por igual** equally, the same; **por la mañana/tarde/noche** in the morning/afternoon/evening, at night (1); **por lo general** generally; **por lo menos** at least; **por (lo) tanto** therefore; **por medio de** by means of; **por otra parte** on the other hand; **por otro lado** on the other hand; **por primera vez** for the first time; **¿por qué?** why?; **por supuesto** of course; **por un lado** on the one hand; **repita, por favor** repeat, please (P); **siga (Ud.) por _____** continue _____, follow _____ (15); **televisor** (*m.*) **por cable** television set with cable service; **tengo una pregunta, por favor** I have a question, please (P)
por otra parte on the other hand
porcentaje *m.* percentage

porción *f.* portion
porque because (1)
portarse *refl.* to behave (13)
portugués *m.* Portuguese (*language*) (P)
poseer (y) to possess (5)
posesión *f.:* **adjetivo de posesión** *gram.* possessive adjective (P)
posesivo/a possessive
posibilidad *f.* possibility
posible possible; **(no) es posible que _____** it's (not) possible that _____ (F)
posición *f.* position
positivo/a positive
posterior *adj.* later, subsequent
postre *m.* dessert (7)
potro colt
practicar (qu) to practice; **practicar un deporte** to practice, play a sport (2)
práctico/a practical; **consejo práctico** practical advice
preciado/a esteemed
precio price
preciso necessary (8); **es preciso** it's necessary (8)
predecir (*like* **decir**) to predict
predicción *f.* prediction
predominar to predominate
preferencia preference (P)
preferentemente preferably
preferible preferable
preferido/a favorite
preferir (ie, i) to prefer (1)
pregunta question; **hacer** (*irreg.*) **preguntas** to ask questions (4); **tengo una pregunta, por favor** I have a question, please (P)
preguntar to ask (*a question*) (1); **ni me preguntes** don't even ask me
prehispano/a prehispanic (*before the arrival of the Spanish in the New World*)
preliminar *adj.:* **lección** (*f.*) **preliminar** preliminary lesson
premio prize
prenda garment (F); **prenda de ropa** article of clothing; **prenda de vestir** article of clothing (F)
prendido/a turned on (*switch, light*)
prensa press (*media*)
preocupación *f.* worry, preoccupation
preocupar to (cause to) worry; **preocuparse** *refl.* to worry, get worried (10)
preparado/a prepared
preparar to prepare (3); **preparar la cena** to prepare (make) dinner (3)
preposición *f. gram.* preposition

presencia presence
presentación *f.* presentation
presentar to present; to introduce
presente *n. m.* present (*time*); *adj. m., f.* present
presidente/a president (F)
presión *f.* pressure
prestar to lend; to render; **prestar atención** to pay attention
prestigio prestige
pretérito *gram.* preterite, past (*tense*); **pretérito perfecto** present perfect (*tense*)
previo/a previous
primario/a: escuela primaria primary (elementary) school
primavera spring (*season*) (2)
primer, primero/a first (7); **de primera categoría** of the highest quality, first class; **en primer lugar** in the first place; **por primera vez** for the first time; **primer plato** first course (7); **primera clase** first class (F); **primera dama** First Lady
primero *adv.* first(ly), first of all
primitivo/a primitive
primo/a cousin (4)
principal *adj.* principal; **comida principal** main meal; **plato principal** main dish (8)
principio: al principio in (at) the beginning
privado/a private (14); **casa privada** private house (14); **habitación** (*f.*) **con baño (privado)** room with a (private) bath (F); **vida privada** privacy (14)
probabilidad *f.* probability (18)
probable probable; **(no) es probable que** _____ it's (not) probable that _____ (F)
probar (ue) to try, taste (8)
problema *m.* problem
producir (*like* **conducir**) to produce
producto product; **producto lácteo** dairy product (7)
productor(a) producer (F)
profesión *f.* profession
profesional *n. m., f.* professional (F); *adj. m., f.* professional
profesor(a) professor (P)
programa *m.* program
programador(a) programmer (F)
progresivo/a progressive
prohibición *f.* prohibition
prohibir (prohíbo) to prohibit (9)
promedio average (6); **tamaño promedio** average size
prometer to promise

pronombre *m. gram.* pronoun (P); **pronombre de sujeto** subject pronoun (P)
pronóstico del tiempo weather forecast
pronto soon; **hasta pronto** see you soon (P); **tan pronto como** as soon as
propina tip (8); **dejar propina** to leave a tip (8)
propio/a *adj.* own; **estimación** (*f.*) **propia** self-esteem (12)
proponer (*like* **poner**) to propose
propósito purpose
propuesto *p.p.* (of **proponer**) proposed
prórroga extension (*of a deadline*)
prospectivista *m., f.* futurist
protección *f.* protection
protector(a) *adj.* protective
proteína protein (7)
protestar to protest
provecho: buen provecho enjoy your meal
proveer (y) to provide
provincia province
provocar (qu) to provoke; to cause
próximo/a next
proyectar to project
prueba proof; test; quiz; **prueba de sorpresa** pop quiz
psicología psychology (P)
psicológico/a psychological
psicólogo/a psychologist (F)
psiquiatra *m., f.* psychiatrist
publicación *f.* publication
publicar (qu) to publish
publicidad *f.* advertising
público *n.*: **en público** in public
público/a public; **transporte** (*m.*) **público** public transportation
pueblo town; people
puerta door; gate (*airport*); **tocar (qu) la puerta** to knock on the door
puertorriqueño/a *n., adj.* Puerto Rican
pues... well . . .
puesto *n.* position, job
puesto *p.p.* (of **poner**) placed; put; made
pulpo octopus
punto point; period (*sentence*); **punto de referencia** point of reference; **punto de vista** point of view
puré (*m.*) **de papas** mashed potatoes (7)
puro/a pure

Q

que *rel. pron.* that, which (P); *conj.* that (P)
¿qué? what? (P); which? (4); **¿a qué hora?** at what time? (1); **¿con qué frecuencia?** how often? (1); **¿de qué color es/son** _____? what color is/are _____? (5); **¿de qué estatura es?** what height is he (she)? (5); **¿por qué?** why?; **¿qué carrera haces?** what's your (*fam. s.*) major? (P); **¿qué día es hoy?** what day is it today? (1); **¿qué estudias?** what are you (*fam. s.*) studying? (P); **¿qué hora es?** what time is it? (1); **¿qué tal?** what's up?, how's it going? (P); **¿qué te pasa?** what's the matter? (10); **¿qué tiempo hace?** what's the weather like? (2); **¿qué trae** _____? what does _____ come with? (8)
quedar to be remaining (10); to be located (15); **¿dónde queda** _____? where is _____? (15)
quedarse *refl.* to stay (2); **quedarse en casa** to stay at home (2)
quehacer (*m.*) **doméstico** household chore
quejarse (*refl.*) **(de)** to complain (about) (10)
querer *irreg.* to want (1); to like, love; **como quieras** as you wish
querido/a *n.* dear, darling; *adj.* liked, (be)loved
queso cheese (7); **queso parmesano** Parmesan cheese
quien(es) *rel. pron.* who, whom; **a quien(es)** to whom; **con quien(es)** with whom
¿quién(es)? who?, whom? (P); **¿a quién(es)?** to whom?; **¿con quién(es)?** with whom?
química chemistry (P)
químico/a *n.* chemist (F)
quince fifteen (P)
quinientos/as five hundred (6)
quitar to remove, take away (7)
quizá perhaps

R

racista *m., f.* racist
radio *f.* radio (*broadcasting*); *m.* radio (*set*); **escuchar la radio** to listen to the radio; **oír** (*irreg.*) **la radio** to listen to the radio
rana: ancas (*f. pl.*) **de rana** frog's legs
rápido *adv.* rapidly, quickly, fast
rápido/a rapid, fast; **comida rápida** fast food
raqueta racket

raquetbol *m.* racquetball

raro/a strange (P); rare (P); **raras veces** rarely (2)

rasgo trait (*usually facial feature*) (5)

rata rat (13)

rato: un rato a little while, a short time (3)

rayón *m.* rayon (F)

raza breed

razón *f.* reason; **tener** (*irreg.*) **razón** to be right

reacción *f.* reaction (10)

reaccionar to react

real real; royal

realidad *f.* reality; **en realidad** in fact, actually

realista *adj. m., f.* realistic (P)

realización *f.*: afán (*m.*) **de realización** eagerness to get things done (5)

realizar (c) to carry out; to achieve (13)

rebanada slice

rebelde rebellious (13)

recepción *f.* front desk (F)

receta recipe

recibir to receive (3)

recién *adv.* recently

reciente recent

recíproco/a reciprocal

recitar to recite

recoger (j) to pick up; to retrieve

recomendación *f.* recommendation

recomendar (ie) to recommend

reconocer (zc) to recognize

recordar (ue) to remember (2)

recreación *f.* recreation

recto straight (15); **siga recto** continue (go) straight (15)

recuerdo memory

red *f.* Internet; **navegar (gu) la red** to surf the 'Net

reemplazar (c) to replace

reescribir to rewrite

referencia: punto de referencia point of reference

referéndum *m.* referendum

referirse (ie, i) (*refl.*) **a** to refer to

refinar to refine

reflejar to reflect

reflexivo/a *gram.* reflexive

refrán *m.* proverb, saying

refresco soft drink (7)

refrigerador *m.* refrigerator

región *f.* region

regla rule

regresar to return (*to a place*) (1)

regular *adj.* regular, average, so-so

regularmente usually (1)

reír(se) (i, i) to laugh (10); **hacer** (*irreg.*) **reír** to make laugh (11); **reír(se) a carcajadas** to laugh loudly (11)

relación *f.* relation, relationship

relacionado/a (con) related (to) (9)

relacionar to relate (9); to associate

relajación *f.* relaxation

relajado/a relaxed (10); **sentirse (ie, i)** (*irreg.*) **relajado/a** to feel relaxed (10)

relajar(se) to relax (10); **¿cómo te relajas?** how do you (*fam. s.*) relax? (11)

relativamente relatively

relegado/a relegated

religión *f.* religion (P)

religioso/a religious

relleno/a stuffed; filled

remedio cure; **remedio casero** home remedy

remolacha sugar beet

remoto/a remote

repasar to review

repaso review

repente: de repente suddenly

repetir (i, i) to repeat; **repita, por favor** repeat, please (P)

reponer(se) (*like* **poner**) to cover

reportar to report

representante *m., f.* representative (F); **Cámara de representantes** House of Representatives

representar to represent

reptil *m.* reptile

República Dominicana Dominican Republic

requerir (ie, i) to require

res *m.*: **carne** (*f.*) **de res** beef (7)

reserva reservation

reservado/a reserved (5)

reservar to reserve (F); **reservar con** (*time* + **de**) **anticipación** *f.* to reserve (*amount of time*) in advance (F)

resfriado *n.* cold (*illness*)

residencia residency; dormitory; **residencia estudiantil** student dormitory (14)

residir to reside

resolver (ue) to resolve (13)

respectivamente respectively

respecto: (con) respecto a with respect to, concerning

respetar to respect

respetuoso/a respectful (13)

responder to respond

responsabilidad *f.* responsibility

responsable responsible

respuesta answer

restaurante *m.* restaurant (8)

resto rest, remainder

restricción *f.* restriction

resultado result

resultar to result; to turn out

resumen *m.* (*pl.* **resúmenes**) summary

reticente reluctant

retraído/a solitary, reclusive (5)

retraimiento reclusiveness (5)

reunión (*f.*) **familiar** family reunion

reunir (reúno) to assemble, unite; **reunirse** (*refl.*) **(con)** to meet (with)

revelar to reveal

revisar to review

revisión *f.* revision

revista magazine

revolución *f.* revolution

revolucionario/a *n.* revolutionary

revuelto/a *adj.*: **huevo revuelto** scrambled egg (7)

rey *m.* king

rezar (c) to pray

rico/a rich; delicious

riesgo risk (5); **tendencia a evitar riesgos** tendency to avoid risks (5); **tender (ie) a evitar riesgos** to tend to avoid risks

rifle *m.* rifle

río river (11)

risa laugh, laughter (11); **causar risa** to cause laughter, make laugh (11)

ritmo rhythm

rizado/a curly (5); **pelo rizado** curly hair (5)

robótica *s.* robotics

rock *m.* rock and roll (*music*); **rock duro** hard rock (*music*)

rojo/a red (7); **carne** (*f.*) **roja** red meat; **ponerse** (*irreg. refl.*) **rojo/a** to blush (10)

romántico/a romantic

ropa *s.* clothes; **lavar la ropa** to wash clothes (2); **prenda de ropa** article of clothing

rosado/a pink (7)

rosbif *m.* roastbeef

rosquilla doughnut

rubio/a blond(e) (5); **pelo rubio** blond hair (5)

rueda wheel; **silla de ruedas** wheelchair

ruido noise (10); **hacer** (*irreg.*) **ruido** to make noise (10)

rural rural (14); **área** (*f.,* but **el área**) **rural** rural area (14)

ruta route

rutina routine (1)

S

sábado Saturday (1); **sábado pasado** last Saturday (11)

sábana sheet (*bed*)

saber *irreg.* to know (*facts, information*) (3); **no lo sé todavía** I don't know yet (P); **no sé** I don't know (P); **sabe a _____** it tastes like _____ (7); **saber + inf.** to know how to (*do something*) (F); **saber a** to taste like; **supe que _____** I found out that _____

sabido/a: es cosa sabida it is a known fact (5)

sabio/a wise (13)

sabor *m.* taste (*flavor*) (7)

sacar (qu) to take out; **sacar fotos** to take pictures (F); **sacar una buena/mala nota** to get a good/bad grade (10); **sacar vídeos** to rent videos (2)

sacrificarse (qu) *refl.* to sacrifice oneself

sal *f.* salt (7)

sala de espera waiting room (F)

salado/a salty (P)

salamandra salamander

salchicha sausage (7)

salero salt shaker (8)

salida departure (F)

salir *irreg.* to go out (10); to leave (1); to turn out; to come out; **salir con los amigos** to go out with friends (10); **salir de una adicción** to overcome an addiction (12)

salsa sauce; **salsa de tomate** ketchup (7)

saltar a la cuerda to jump rope (11)

salud *f.* health

saludable healthy

saludar to greet (5)

saludo greeting (P)

salutación *f.* salutation, greeting

salvaje *adj.:* **animal** (*m.*) **salvaje** wild animal (14)

salvar to save

san, santo/a saint

sandía watermelon

sandwich *m.* sandwich (7)

sangre *f.* blood (13)

sano/a healthy (12); **mantener** (*like* **tener**) **un equilibrio sano** to maintain a healthy balance (12)

sastrería tailor's shop

satélite *m.* satellite

Saturno Saturn

se *refl. pron.* yourself (*form.*), himself, herself, yourselves (*form.*), themselves; one (*impersonal*)

sección *f.* section; **sección de (no) fumar** (no) smoking section (F)

secretario/a secretary

secundaria *n.* secondary (high) school

secundario/a *adj.* secondary; **escuela secundaria** secondary (high) school

sed *f.* thirst; **tener** (*irreg.*) **sed** to be thirsty (9)

seda silk (F)

sedentario/a sedentary

segmento segment

seguir (i, i) (g) to follow; to continue; **siga derecho (recto)** continue (go) straight (15); **siga (Ud.) por _____** continue _____, follow _____ (15)

según according to

segundo *adv.* second(ly); **en segundo** secondly

segundo/a *adj.* second; **segundo plato** second course (7)

seguridad *f.* security

seguro(s) *n.* insurance

seguro/a sure, secure

seis six (P)

seiscientos/as six hundred (6)

selección *f.* selection

seleccionar to select, choose

selva jungle

semáforo traffic light (15)

semana week (3); **fin** (*m.*) **de semana** weekend (1); **fin** (*m.*) **de semana pasado** last weekend (3); **semana pasada** last week (3)

semejante similar

semejanza similarity

semestre *m.* semester

semierecto/a semierect; *standing halfway up*

senador(a) senator (F)

sencillo/a simple; **cama sencilla** twin bed (F)

sensible a la luz sensitive to light

sensitivo/a sensitive

sentarse (ie) *refl.* to sit down; **sentarse a la mesa** to sit at the table

sentido sense; **sexto sentido** sixth sense

sentimiento feeling

sentir (ie, i) to feel; to feel sorry; **¿cómo te sientes?** how do you (*fam. s.*) feel? (10); **para sentirse bien** to feel well (10); **sentirse** *refl.* to feel (10); **sentirse alegre (avergonzado/a, deprimido/a, orgulloso/a, relajado/a)** to feel happy (ashamed, embarrassed, depressed, proud, relaxed) (10)

señor *m.* sir, Mr.; man, gentleman

señora ma'am, Mrs.; woman

separado/a separated

separarse to separate

septiembre *m.* September (2)

ser *n. m.* being; **ser humano** human being; **manera de ser** way of being

ser *v. irreg.* to be (P); **¿cómo eres?** what are you (*fam. s.*) like? (13); **¿cómo es?** what does he (she) look like? (5); **¿de dónde eres?** where are you (*fam. s.*) from? (P); **¿de dónde es usted?** where are you (*form. s.*) from? (P); **¿de qué color es/son _____?** what color is/are _____? (5); **¿de qué estatura es?** what height es he (she)? (5); **es _____** he (she) is _____ (4); **es (muy) buena idea** it's a (very) good idea (8); **es cierto** it is certain (5); **es cosa sabida** it is a known fact (5); **es decir** that is; **es dudoso que _____** it's doubtful that _____ (F); **es evidente** it is evident (5); **es imprescindible** it's essential (8); **es indudable** it is without a doubt (5); **es la una** it's one o'clock (1); **es necesario** it's necessary (8); **es obvio** it is obvious (5); **es preciso** it's a necessary (8); **es soltero/a** he (she) is single (4); **es viudo/a** he (she) is a widower, widow (4); **hoy es _____** today is _____ (1); **llegar (gu) a ser** to become; **mañana es _____** tomorrow is _____ (1); **(no) es cierto que _____** it's (not) certain that _____ (F); **(no) es posible que _____** it's (not) possible that _____ (F); **(no) es probable que _____** it's (not) probable that _____ (F); **o sea** that is to say; **¿qué hora es?** what time is it? (1); **ser adicto/a** to be addicted (12); **ser carismático/a** to be charismatic (F); **ser compasivo/a** to be compassionate (F); **ser compulsivo/a** to be compulsive (F); **ser de mal gusto** to be in bad taste; **ser emprendedor(a)** to be enterprising, aggressive (F); **ser honesto/a** to be honest (F); **ser íntegro/a** to be honorable (F); **ser listo/a** to be clever, smart (F); **ser mayor** to be older (F); **son las (dos, tres)** it's (two, three) o'clock (1); **soy _____** I am _____ (P); **soy de _____** I'm from _____ (P); **soy estudiante de _____** I am a(n) _____ student (P)

serie *f.* series; **Serie Mundial** World Series (*baseball*)

serio/a serious (*person*) (P); **en serio** seriously

serpiente *f.* snake (13); **serpiente de cascabel** rattlesnake

serrano/a *adj.*: **jamón** (*m.*) **serrano** cured Spanish ham

servicial helpful

servicio service; **servicio a domicilio** home delivery (8); **servicio de cuarto** room service (F); **servicio militar** military service

servilleta napkin (8)

servir (i, i) to serve

sesenta sixty (6)

setecientos/as seven hundred (6)

setenta seventy (6)

sexo sex

sexto sentido sixth sense

si if

sí yes (P); *refl. obj. of prep.* yourself (*form.*), himself, herself, yourselves (*form.*), themselves

sicólogo/a psychologist

SIDA *m.* AIDS

siempre always (2)

siete seven (P)

siglo century (6); **siglo pasado** last century (6)

significar (qu) to mean

signo sign (*horoscope*)

siguiente following, next; **al día siguiente** (on) the next day

silbar to whistle (10)

silla chair; **silla de ruedas** wheel chair

simbolizar (c) to symbolize

símbolo symbol

simpático/a nice, pleasant (*person*) (4)

sin *prep.* without; **no se puede _____ sin _____** you (*impersonal*) can't _____ without _____ (8); **sin embargo** however; nevertheless; **sin hielo** without ice (9)

sincero/a sincere (P)

síndrome *m.* syndrome; **síndrome invernal** winter syndrome (*depression*)

sino *conj.* but, instead, (but) rather

sinónimo synonym

sistema *m.* system

sitio site; place

situación *f.* situation

situado/a located, situated

sobras *pl.* leftovers

sobre *prep.* about (P); on; **sobre todo** above all

sobrino/a nephew, niece (4)

social *adj.*: **asistencia social** social work (F); **ciencias** (*pl.*) **sociales** social sciences (P); **trabajador(a) social** social worker (F)

socializar (c) to socialize

sociedad *f.* society

sociología sociology (P)

sol *m.* sun; **hace sol** it's sunny (2); **tomar el sol** to sunbathe

solamente only

solar: energía solar solar energy

soldado, mujer (*f.*) **soldado** soldier

soleado/a sunny

soler (ue) + *inf.* to be in the habit of (*doing something*) (1)

solicitante *m., f.* person surveyed (*opinion poll*)

solitario/a solitary

solo/a alone (1); single, sole; **a solas** alone

sólo *adv.* only

soltero/a *adj.* single (*marital status*) (4); **es soltero/a** he (she) is single (4); **madre** (*f.*) **soltera** single mother (4); **padre** (*m.*) **soltero** single father (4)

solución *f.* solution

sombrero hat (F)

sonar (ue) to sound; to ring

sonido sound

sonreír (i, i) to smile (10)

sonrojarse *refl.* to blush (10)

soñador(a) dreamer (13)

soñar (ue) despierto/a to daydream

sopa soup; **plato de sopa** soup bowl (8)

sorprenderse *refl.* to get surprised

sorpresa surprise; **prueba de sorpresa** pop quiz

sostener (*like* **tener**) to sustain, hold up

su(s) *poss.* your (*form. s., pl.*), his, her, their (P)

subir to go up; to lift up; to rise; **subir a** to get on (in) (*a bus, car, plane, etc.*) (F)

subjuntivo *n. gram.* subjunctive

subjuntivo/a *gram.* subjunctive

sudadera *s.* sweats (*clothing*) (F)

Sudamérica South America

sudar to sweat

Suecia Sweden

suegro/a father-in-law, mother-in-law (4); *m. pl.* in-laws (4)

sueldo salary

suelo ground; floor

sueño dream

suerte *f.* luck

suéter *m.* sweater (F)

suficiente sufficient

sufrir to suffer (12); to experience (12)

sugerir (i, i) to suggest

sujeto subject; **pronombre** (*m.*) **de sujeto** subject pronoun (P)

sumar to add (up)

suministro *m.* supply

súper *adj.* super

superfluo/a superfluous, unnecessarily excessive

supermercado supermarket

supuesto: por supuesto of course

sur *m.* south (15)

suroeste *m.* southwest

suspenso suspense

sustantivo *gram.* noun

sustituir (y) to substitute

suyo/a your, yours (*form. s., pl.*); his, of his; her, of hers; its; their, of theirs

T

tabaco tobacco

tabernero/a tavern keeper

tabla table, chart

tacaño/a stingy (13)

tacón *m.* heel (F); **zapato de tacón alto** high-heeled shoe (F)

tal such; **de tal palo, tal astilla** a chip off the old block; **¿qué tal?** what's up?, how's it going? (P); **tal como** just as; **tal vez** perhaps

tamaño size (6); **tamaño promedio** average size

también also (2)

tampoco neither, not either (2)

tan as, so; **tan _____ como** as _____ as (6); **tan pronto como** as soon as

tanto/a as much; so much; **mientras tanto** meanwhile; **por (lo) tanto** therefore; **tanto/a _____ como** as much _____ as (6)

tantos/as as many; so many; **tantos/as _____ como** as many _____ as (6)

tapa *Sp.* snack

tarde *n. f.* afternoon (1); *adv.* late (1); **buenas tardes** good afternoon (P); **hasta (muy) tarde** until (very) late (2); **más tarde** later; **muy tarde** very late (1); **por la tarde** in the afternoon (1); **todas las tardes** every afternoon (1)

tarea homework (1); **escribir la tarea** to write the assignment; **tarea doméstica** household chore

tarifa fare

tarjeta card; **tarjeta de crédito** credit card; **tarjeta de embarque** boarding pass

tarta pie (7)

tasa de curación rate of recovery

taxi *m.* taxi; **tomar un taxi** to take a taxi

taxista *m., f.* taxi driver

taza cup (8)

te *fam. s., d.o.* you; *i.o.* to/for you; *refl. pron.* yourself

té *m.* tea (7); **té de hierbas** herbal tea (9); **té helado** iced tea (9)

teatro theater (P); **ir** (*irreg.*) **al teatro** to go to the theater (11)

técnico/a *n.* technician (F); *adj.* technical

tecnología technology

tecnológico/a technological

tejido fabric

tela fabric (F); **telas de fibras naturales** natural fabrics (F)

telefónico/a: llamada telefónica telephone call

teléfono telephone; **hablar por teléfono** to talk on the phone (1); **llamar por teléfono** to call on the phone (3); **número de teléfono** telephone number; **teléfono de bolsillo** pocket phone

telenovela soap opera (3); **mirar una telenovela** to watch a soap opera; **ver** (*irreg.*) **una telenovela** to watch a soap opera (3)

televisión *f.* television (1); **mirar la televisión** to watch TV (1); **ver** (*irreg.*) **la televisión** to watch television (2)

televisor *m.* television (set); **televisor por cable** television set with cable service

tema *m.* topic, theme (9)

temperamento temperament

temperatura temperature (2)

temprano *adv.*: **(muy) temprano** (very) early (1)

tendencia a evitar riesgos tendency to avoid risks (5)

tender (ie) a to tend to; **tender a evitar riesgos** to tend to avoid risks

tenedor *m.* fork (8)

tener *irreg.* to have (1); **se tiene que** _____ you have (one has) (*impersonal*) to _____ (8); **tener** _____ **años** to be _____ years old (4); **tener buena educación** to be well-mannered (8); **tener calor** to be (feel) hot (*people*); **tener celos** to be jealous; **tener cuidado** to be careful (12); **tener dolor** (*m.*) **de cabeza** to have a headache (10); **tener dolor** (*m.*) **de estómago** to have a stomachache; **tener don de gentes** to have a way with people (F); **tener envidia** to be envious; **tener fama de** to have a reputation for; **tener ganas de** + *inf.* to feel like (*doing something*) (10); **tener gracia** to be funny, charm-

ing (11); **tener hambre** to be hungry (7); **tener mal genio** to have a bad temper; **tener miedo** to be afraid (10); **tener que** + *inf.* to have to (*do something*) (1); **tener que ver con** to have to do with; to concern; **tener razón** to be right; **tener sed** to be thirsty (9); **tener un examen** to take a test (3); **tener un picnic** to have a picnic (11); **tener vergüenza** to be ashamed, embarrassed (10); **tener vista** to have a view (F); **tengo** I have (P); **tengo una pregunta, por favor** I have a question, please (P); **tienes** you have (P)

tenis *m.* tennis; **jugar (ue) (gu) al tenis** to play tennis; **zapato de tenis** tennis shoe

tenista *m., f.* tennis player

tensión *f.*: **vulnerable a la tensión** vulnerable to tension (5)

tenso/a tense (10); **estar** (*irreg.*) **tenso/a** to be tense (10)

tentación *f.* temptation

terapeuta *m., f.* therapist (F)

terapia física physical therapy (F)

tercer, tercero/a third; **tercer plato** third course (8)

terminar to finish, end

ternera veal (7)

territorio territory

tesis *f.* thesis

tesoro treasure

tez *f.* (*pl.* **teces**) complexion

ti *fam. s., obj. of prep.* you; *refl. obj. of prep.* yourself

tiempo time; weather (2); *gram.* tense; **hace buen tiempo** the weather's good (2); **hace mal tiempo** the weather's bad (2); **pasar tiempo** to spend time; **pronóstico del tiempo** weather forecast; **¿qué tiempo hace?** what's the weather like? (2); **tiempo libre** free (spare) time (11)

tienda store (14)

tierra land; **obrero de la tierra** farm worker

tigre *m.* tiger (13)

timidez *f.* timidity (5)

tímido/a timid, shy (5)

tinto/a: vino tinto red wine (9)

tío/a uncle, aunt (4); *m. pl.* aunts and uncles (4)

típico/a typical

tipo type

tirar to throw

tiro shot; **matar dos pájaros de un tiro** to kill two birds with one stone

titulado/a titled

título title

toalla towel (6)

tobillo ankle

tocar (qu) to touch; to play (*musical instrument*) (1); to knock; **tocar la guitarra** to play the guitar (1); **tocar la puerta** to knock on the door

tocino bacon (7)

todavía *adv.* yet (P); still; **no lo sé todavía** I don't know yet (P)

todo *s.* everything (8); **¿está todo bien?** is everything OK? (8)

todo/a all, every; **a todas partes** everywhere; **sobre todo** above all; **toda la noche** all night (long); **todas las mañanas/tardes/ noches** every morning/afternoon/ evening (1); **todo el día** all day (long); **todos los días** every day (1)

todos *pl.* everyone, everybody

tolerar to tolerate, put up with

tomar to take; to drink (2); **tomar asiento** to take a seat; **tomar clases** to take classes; **tomar copas** to have drinks; **tomar el sol** to sunbathe; **tomar en cuenta** to take into account (14); **tomar un autobús/taxi** to take a bus/taxi; **tomar un café** to drink a cup of coffee (2); **tomar un examen** to take a test; **tomar una decisión** to make a decision; **tomar una pastilla** to take a pill; **tomar unas vacaciones** to take a vacation; **tomarle el pelo a uno** to pull someone's leg

tomate *m.* tomato (7); **jugo de tomate** tomato juice (9); **salsa de tomate** ketchup (7)

tonto/a foolish (P)

tormenta storm

toro bull

toronja grapefruit (7); **jugo de toronja** grapefruit juice

torpe clumsy (13)

torre *f.* tower

tortilla *Sp.* omelette (7); *Lat. Am.* tortilla

tortuga turtle

tostada toast (7)

tostado/a: pan (*m.*) **tostado** toast (7)

total *m.* total

trabajador(a) social social worker (F)

trabajar to work (1); **trabajar en el jardín** to garden (11); to do yard work

trabajo work; job; **compañero/a de trabajo** workmate, colleague; **día** (*m.*) **de trabajo** workday (1); **trabajo doméstico** household chore; **trabajos caseros** *pl.* housework, chores

tradicional traditional

traducir (*like* **conducir**) to translate

traer *irreg.* to bring (8); **¿me podría traer** _____? could you (*form. s.*) bring me _____? (8); **¿qué trae** _____? what does _____ come with? (8)

tragar (gu) to swallow

trágico/a tragic

trago drink

traje *m.* suit (F); costume; **traje de baño** bathing suit (F)

tranquilidad *f.* tranquility

tranquilo/a tranquil, calm

transformarse *refl.* to become transformed

transporte *m.* transport, transportation; **transporte público** public transportation

tratamiento treatment

tratar to treat (14); to discuss; **tratar de** + *inf.* to try to (*do something*); **tratarse** (*refl.*) **de** to do (deal) with, to be about

trato treatment (14)

través; a través de through

trece thirteen (P)

treinta thirty (P)

tremendo/a tremendous

tren *m.* train (F)

tres three (P); **a las tres** at three o'clock (1); **son las tres** it's three o'clock (1)

trescientos/as three hundred (6)

trimestre *m.* trimester; quarter

triste sad (10); **ponerse** (*irreg. refl.*) **triste** to be (get) sad (10)

triunfar to be successful

tropas *pl.* troops

tropezarse (ie) (c) (*refl.*) **con** to trip over, bump into

truco trick

tú *fam. s., sub. pron.* you (P); **¿y tú?** and you? (P)

tu(s) *fam. s., poss.* your (P)

turístico/a: clase (*f.*) **turística** economy class (F)

tutear *to address with the familiar form* **tú**

tuyo/a *poss.* your, of yours (*fam. s.*)

U

u or (*used instead of* **o** *before words beginning with* **o** *or* **ho**)

Ud. *abbreviation for* **usted** (P)

Uds. *abbreviation for* **ustedes** (P)

último/a last; highest; most recent; **última vez** last time (3)

un(a) a, an (P)

único/a only; unique; **hijo/a único/a** only child

unidad *f.* unit

unido/a united, close-knit; **Estados Unidos** United States; **familia unida** close-knit family

unisexo *inv.* unisex

universidad *f.* university

universitario/a *adj.* university

uno one (*impersonal sub.*); **hacerle** (*irreg.*) **gracia a uno** to strike someone as funny (11); **lavarle el pelo a uno** to wash someone's hair; **tomarle el pelo a uno** to pull someone's leg; **vendarle los ojos (a uno)** to blindfold (someone); **venirle** (*irreg.*) **mejor a uno** to suit someone best

uno/a one (*number*) (P); **a la una** at one o'clock (P); **es la una** it's one o'clock (P); **una vez** once (3)

unos/as few, some (P); **hace unos años** a few years ago; **unos/as cuantos/as** a few

uña fingernail; **comerse** (*refl.*) **las uñas** to bite one's nails (10)

urbanización *f.* urbanization

urbano/a urban (14); **centro urbano** urban center (14)

usar to use; **usar una computadora** to use a computer (F)

uso use

usted *form. s., sub. pron.* you (P); *obj. of prep.* you; **¿y usted?** and you? (P)

ustedes *form. pl., sub. pron.* you (P); *obj. of prep.* you

útil useful (P)

utilizar (c) to use, utilize

uva grape (7)

V

vacaciones *f. pl.* vacation; **estar** (*irreg.*) **de vacaciones** to be on vacation; **tomar unas vacaciones** to take a vacation

vacilador(a) unstable, unsteady, shaky

vacilar to hesitate

vacilón, vacilona funny

vacuna vaccine

valioso/a valuable

valor *m.* value

vanidoso/a vain

vapor *m.*: **al vapor** steamed (7)

variación *f.* variation

variado/a varied

variante *f.* difference

variar (varío) to vary

variedad *f.* variety

varios/as *pl.* various, several; **hace varios meses** several months ago

vasco/a *adj.*: **el País Vasco** Basque region

vaso (water) glass (8)

vasto/a vast

vecino/a neighbor (2)

vegetal *m.* vegetable

vegetariano/a *n., adj.* vegetarian

veinte twenty (P)

veinticinco twenty-five (P)

veinticuatro twenty-four (P)

veintidós twenty-two (P)

veintinueve twenty-nine (P)

veintiocho twenty-eight (P)

veintiséis twenty-six (P)

veintisiete twenty-seven (P)

veintitrés twenty-three (P)

veintiún, veintiuno/a twenty-one (P)

vendarle los ojos (a uno) to blindfold (someone)

vendedor(a) *n.* salesperson; *adj.* vending; **máquina vendedora** vending machine (7)

vender to sell (8)

venezolano/a *adj.* Venezuelan

venir *irreg.* to come (1); **venirle mejor a uno** to suit someone best

venta sale; *pl.* sales (*business*)

ventaja advantage

ver *irreg.* (*p.p.* **visto**) to see; to watch (2); **a ver** let's see; **¿cómo lo ves tú/ve usted?** how does that sound to you (*fam. s./form. s.*)?; **nos vemos** we'll be seeing each other (P); **tener** (*irreg.*) **que ver con** to have to do with; to concern; **ver la televisión** to watch television (2); **ver una telenovela** to watch a soap opera (3)

verano summer (2)

veras: de veras truly, really

verbo *gram.* verb (P)

verdad *f.* truth

verdadero/a true

verde green (5); **judía verde** green bean (7); **ojos verdes** green eyes (5)

verdeo: de verdeo unripe

verdura vegetable (7)

vergonzoso/a shameful

vergüenza: tener (*irreg.*) **vergüenza** to be ashamed, embarrassed (10)

verídico/a true

verificar (qu) to verify; to check

versión *f.* version

vestido dress (6)

vestir (i, i) to wear (F); **prenda de vestir** article of clothing (F); **vestirse (i, i)** *refl.* to dress, get dressed (1)

veterinario/a veterinarian (F)

vez *f.* (*pl.* **veces**) time; **a veces** sometimes (2); **alguna vez** ever (*with a question*); once (*with a statement*); **algunas veces** sometimes; **cada vez más** more and more; **cada vez menos** less and less; **de vez en cuando** from time to time (2); **dos veces** twice; **en vez de** instead of; **muchas veces** many times, often; **otra vez** again (P); **otra vez, por favor** again, please (P); **pocas (raras) veces** rarely (2); **por primera vez** for the first time; **tal vez** perhaps; **última vez** last time (3); **una vez** once (3)

viajar to travel (F)

viaje *m.* trip (F); **agente** (*m., f.*) **de viajes** travel agent (F); **hacer** (*irreg.*) **un viaje** to take a trip (F)

vicepresidente/a vice president

viceversa vice versa

vicio vice, bad habit

víctima *m., f.* victim

vida life (1); **costo de vida** cost of living (14); **esperanza de vida** life expectancy; **llevar una vida** to lead a life; **vida privada** privacy (14)

vídeo video; **mirar un vídeo** to watch a video; **sacar (qu) vídeos** to rent videos (2); **vídeo musical** music video

videoclub *m.* video rental store

videojuego video game (3); **jugar (ue) (gu) a los videojuegos** to play video games (3)

viejo/a *adj.* old (6)

viento wind; **hace viento** it's windy (2)

viernes *m.* Friday (1)

vinagre *m.* vinegar

vinculado/a connected

vino wine (7); **vino blanco/tinto** white/red wine (9)

violento/a violent (13)

violín *m.* violin

visitar to visit

vista view (F); vision, eyesight; **punto de vista** point of view; **tener** (*irreg.*) **vista** to have a view (F)

vistazo glance

visto/a *adj., p.p.* (of **ver**) seen

vitamina vitamin (7)

viudo/a widower, widow (4); **es viudo/a** he (she) is a widower, widow (4)

vivienda housing (14); house (14)

vivir to live; **¿dónde vives?** where do you (*fam. s.*) live? (14)

vivo/a alive (4); **está vivo/a** he (she) is alive (4)

vocabulario vocabulary (P)

voleibol *m.* volleyball (11); **jugar (ue) (gu) al voleibol** to play volleyball (11)

volumen *m.*: **a todo volumen** at full volume

voluntario/a *n.* volunteer; *adj.* voluntary

volver (ue) (*p.p.* **vuelto**) to return (*to a place*) (1); **volver a** + *inf.* to (*do something*) again

vomitar to vomit

vos *fam. s., sub. pron.* you; *obj. of prep.* you; *refl. obj. of prep.* yourself (*used instead of* **tú/ti** *in certain countries of Central and South America*)

vosotros/as *fam. pl. Sp., sub. pron.* you (P); *obj. of prep.* you; *refl. obj. of prep.* yourselves

votar to vote

voto vote

voz *f.* (*pl.* **voces**) voice

vuelo flight (F); **asistente** (*m., f.*) **de vuelo** flight attendant (F); **vuelo nacional** domestic flight

vuelta *n.*: **billete** (*m. Sp.*) **de ida y vuelta** round-trip ticket (F); **boleto** (*Lat. Am.*) **de ida y vuelta** round-trip ticket (F)

vuelto *p.p.* (of **volver**) returned (*to a place*)

vuestro/a *fam. pl. Sp., poss.* your

vulnerabilidad *f.* vulnerability (5)

vulnerable al estrés (a la tensión) vulnerable to stress (tension) (5)

Y

y and (P); **y cuarto/media** quarter/half past (*the hour*) (1); **¿y tú?** and you (*fam. s.*)? (P); **¿y usted?** and you (*form. s.*)? (P)

ya already (4); **ya murió** he (she) already died (4)

yo *sub. pron.* I (P)

yoga *m.* yoga

yogur *m.* yogurt (7); **yogur natural** plain yogurt

Z

zanahoria carrot (7)

zapato shoe (F); **zapato de correr** running shoe; **zapato de tacón alto** high-heeled shoe (F); **zapato de tenis** tennis shoe

zona zone (14); **zona de comercio libre** free trade zone

zoológico zoo; **parque** (*m.*) **zoológico** zoo

English-Spanish Vocabulary

A

a **un(a)** (P); a lot **mucho** (P)

ability **capacidad** *f.* (5), **habilidad** *f.* (F); ability to _____ **capacidad** *f.* **para** _____ (5); ability to work with one's hands **habilidad** *f.* **manual** (F)

able **capaz** (*pl.* **capaces**) (5); able to direct (others) **capaz de dirigir (a otros)** (5)

about **sobre** (P)

abroad **extranjero** (F)

abuse *n.* **abuso** (12); *v.* **abusar (de)** (12); drug abuse **abuso de las drogas** (12)

account: to take into account **tomar en cuenta** (14)

accountant **contador(a)** (F)

accounting **contabilidad** (F)

achieve **realizar (c)** (13)

actor **actor** *m.* (F)

actress **actriz** *f.* (F)

adapt **adaptar** (5)

adaptable **adaptable** (13)

addicted: to be addicted **ser** *irreg.* **adicto/a** (12); to become addicted **convertirse (ie, i) en adicto/a** (12)

addiction **adicción** *f.* (12); to overcome an addiction **salir** *irreg.* **de una adicción** (12)

adjective **adjetivo** (P); demonstrative adjective **adjetivo demostrativo** (P); descriptive adjective **adjetivo descriptivo** (P); possessive adjective **adjetivo de posesión** (P); quantifying adjective **adjetivo de cantidad** (P)

adjust **adaptar** (5)

administration **administración** *f.* (P); business administration **administración** *f.* **de empresas** (P)

admit **admitir** (12)

advance: to reserve (amount of time) in advance **reservar con** (*time +* **de**) **anticipación** (F)

adventuresome **aventurero/a** (5)

adventurous **aventurero/a** (5)

advise **aconsejar** (13)

afraid: to be afraid **estar** *irreg.* **asustado/a** (10), **tener** *irreg.* **miedo** (10)

after *adv.* **después** (2)

afternoon **tarde** *f.* (1); every afternoon **todas las tardes** (1); good afternoon **buenas tardes** (P); in the afternoon **por la tarde** (1)

again **otra vez** (P); again, please **otra vez, por favor** (P)

age **edad** *f.* (6)

agent **agente** *m., f.* (F); travel agent **agente de viajes** (F)

aggressive **agresivo/a** (5), (enterprising) **emprendedor(a)** (F)

aggressiveness **agresividad** *f.* (5)

ago: _____ ago **hace** (+ *time*) (3)

agree: to agree with (*food*) **caer** *irreg.* **bien** (7)

agriculture **agricultura** (P), **agronomía** (P)

airplane **avión** *m.* (F)

airport **aeropuerto** (F)

alcohol: hard alcohol **licor** *m.* **fuerte** (9)

alcoholic beverage **bebida alcohólica** (9)

alcoholism **alcoholismo** (12)

alert **alerta** *inv.* (13)

alive: he/she is alive **está vivo/a** (4)

allow **permitir** (9)

alone **solo/a** (1)

along: to get along well/poorly **llevarse bien/mal** (5)

alongside **al lado (de)** (15)

already **ya** (4)

also **también** (2)

always **siempre** (2)

ambitious **ambicioso/a** (13)

amenities **comodidades** *f.* (F)

amusing **gracioso/a** (11)

an **un(a)** (P)

and **y** (P); and you? **¿y tú?** (P), **¿y usted?** (P)

angry **enfadado/a** (10), **enojado/a** (10); to be angry **estar** *irreg.* **enojado/a** (10), **ponerse** *irreg.* **enfadado/a** (10); to get angry **enojarse** (10)

another: to speak another language **hablar otro idioma** *m.* (F)

anthropology **antropología** (P)

any: not any **ninguno/a** (2)

anyone: not anyone **nadie** (2)

anything: not anything **nada** (2)

apartment **apartamento** (2), **piso** (14); to clean the apartment **limpiar el apartamento** (2)

appeal **apetecer (zc)** (7)

apple **manzana** (7); apple juice **jugo de manzana** (9)

April **abril** (2)

architect **arquitecto** (F)

architecture **arquitectura** (F)

area **área** *f.* (*but* **el área**) (14); rural area **área rural** (14)

arm **brazo** (8)

arrival **llegada** (F)

arrive **llegar (gu)** (3)

arrogant **arrogante** (13)

art **arte** *f.* (*but* **el arte**) (P)

article **artículo** (P); article of clothing **prenda de vestir** (F); definite article **artículo definido** (P); indefinite article **artículo indefinido** (P)

as: as _____ as **tan** _____ **como** (6); as many _____ as **tantos/as** _____ **como** (6); as much _____ as **tanto/a** _____ **como** (6)

ashamed: to be ashamed **tener** *irreg.* **vergüenza** (10); to feel ashamed **sentirse (ie, i) avergonzado/a** (10)

ask (*a question*) **preguntar** (1); to ask for **pedir (i, i)** (1)

asleep: to fall asleep **dormirse (ue, u)** (3)

assistant **ayudante** *m., f.* (F)

assure **asegurar** (5)

astronomer **astrónomo/a** (F)

astronomy **astronomía** (P)

astute **astuto/a** (13)

at **en** (1); at home **en casa** (1); at night **por la noche** (1)

athlete **atleta** *m., f.* (F)

attend **asistir (a)** (1)

attendant: flight attendant **asistente** *m., f.* **de vuelo** (F), **camarero/a** (F)

attractive **atractivo/a** (P)

August **agosto** (2)

aunt **tía** (4); aunts and uncles **tíos** (4)

authoritarian **autoritario/a** (13)

autumn **otoño** (2)

average *n.* **promedio** (6)

avocado **aguacate** *m.* (7)

avoid **evitar** (5); tendency to avoid risks **tendencia a evitar riesgos** (5)

away: to take away **quitar** (7)

B

bacon **tocino** (7)

bad **malo/a** (P); to be in a bad mood **estar** *irreg.* **de mal humor** *m.* (10); to get a bad grade **sacar (qu) una mala nota** (10); to have a bad time **pasarlo mal** (10); to make a bad impression **caer** *irreg.* **mal** (7)

baked **al horno** (7)

balance **equilibrio** (12); to maintain a healthy balance **mantener** *irreg.* **un equilibrio sano** (12)

balanced **equilibrado/a** (13)

bald **calvo/a** (5)

ball cap **gorra** (F)

banana **banana** (7)

baseball **béisbol** (10); to play baseball **jugar (ue) (gu) al béisbol** (10) basketball **basquetbol** *m.* (10); to play basketball **jugar (ue) (gu) al basquetbol** *m.* (10)

bathe (*someone or something*) **bañar** (5); (*oneself*) **bañarse** (11); to bathe in a jacuzzi **bañarse en el jacuzzi** (11)

bathing suit **traje** *m.* **de baño** (F)

bathroom **baño** (F); room with a private bathroom **habitación** *f.* **con baño privado** (F)

be **ser** *irreg.* (P); **estar** *irreg.* (3); to be able **poder** *irreg.* (1); to be addicted **ser** *irreg.* **adicto/a** (12); to be afraid **estar** *irreg.* **asustado/a** (10), **tener** *irreg.* **miedo** (10); to be angry **estar** *irreg.* **enojado/a** (10), **ponerse** *irreg.* **enfadado/a** (10); to be appetizing/appealing **apetecer (zc)** (7); to be ashamed **tener** *irreg.* **vergüenza** (10); to be bored **estar** *irreg.* **aburrido/a** (10); to be careful **tener** *irreg.* **cuidado** (12); to be embarrassed **tener** *irreg.* **vergüenza** (10); to be happy **ponerse** *irreg.* **contento/a** (10); to be hungry **tener** *irreg.* **hambre** *f.* (7); to be important **importar** (7); to be in a good/bad mood **estar** *irreg.* **de buen/mal humor** *m.* (10); to be in the habit of (*doing something*) **soler (ue)** (+ *inf.*) (1); to be interesting **interesar** (7); to be irritated **irritarse** (10); to be located **quedar** (15); to be missing/lacking **faltar** (10); to be nervous **estar** *irreg.* **nervioso/a** (10); to be offended **ofenderse** (10); to be remaining **quedar** (10); to be sad **ponerse** *irreg.* **triste** (10); to be tense **estar** *irreg.* **tenso/a** (10); to be thirsty **tener** *irreg.* **sed** *f.* (9); to be tired **estar** *irreg.* **cansado/a** (10); to be very/extremely pleasing **encantar** (7); to be well-mannered **tener** *irreg.* **buena educación** *f.* (8); to be _____ years old **tener** *irreg.* _____ **años** (4)

bean **frijol** *m.* (7); green beans **judías verdes** (7)

because **porque** (1)

become addicted **convertirse (ie, i) en adicto/a** (12)

bed **cama** (F); bed and breakfast **pensión** *f.* (F); double bed **cama matrimonial** (F); to go to bed **acostarse (ue)** (1); twin bed **cama sencilla** (F)

beef **carne** *f.* **de res** (7)

beer **cerveza** (7)

begin **empezar (ie) (c)** (3)

behave **comportarse** (13), **portarse** (13)

behavior **comportamiento** (13)

behind **detrás (de)** (15)

believe **creer (y)** (5)

bellhop **botones** *m. s.* (F), **mozo** (F)

belonging to someone else **ajeno/a** (13)

beverage **bebida** (9); alcoholic beverage **bebida alcohólica** (9)

bicycle **bicicleta** (11); to ride a bicycle **andar** *irreg.* **en bicicleta** (11)

big **grande** (5)

bill **cuenta** (3); to pay the bill **pagar (gu) la cuenta** (3)

biologist **biólogo/a** (17)

biology **biología** (P)

bite one's nails **comerse las uñas** (10)

bitter **amargo/a** (7)

black **negro** (5); black hair **pelo negro** (5)

block (*of houses*) **cuadra** (15), **manzana** (15)

blond hair **pelo rubio** (5)

blood **sangre** *f.* (13)

blouse **blusa** (F)

blue **azul** (5); blue eyes **ojos azules** (5)

blush *v.* **ponerse** *irreg.* **rojo/a** (10), **sonrojarse** (10)

board: room and full board **pensión** *f.* **completa** (F)

boarding house **pensión** *f.* (F)

boast (about) **jactarse (de)** (13)

boat **barco** (F)

book **libro** (P)

bored: to be bored **estar** *irreg.* **aburrido/a** (10); to get bored **aburrirse** (10)

boring **aburrido/a** (P)

boss **jefe/a** (F)

bowl *v.* **jugar (ue) (gu) al boliche** (10); *n.* (earthenware) **cuenco** (8); (soup) **plato de sopa** (8)

boy **chico** (P)

brag (about) **jactarse (de)** (13)

bread: assorted breads and rolls **bollería** (7); white bread **pan** *m.* **blanco** (7); whole wheat bread **pan** *m.* **integral** (7)

breakfast **desayuno** (7); bed and breakfast **pensión** *f.* (F); room and breakfast (*often with one other meal*) **media pensión** *f.* (F); to have breakfast **desayunar** (1)

bring **traer** *irreg.* (8); could you bring me _____? **¿me podría traer _____?** (8)

brother **hermano** (4); brothers and sisters **hermanos** (4)

brother-in-law **cuñado** (4)

brown **castaño/a** (5); brown eyes **ojos castaños** (5); dark brown **marrón** (7)

bus **autobús** *m.* (F)

business **negocios** (F); business administration **administración** *f.* **de empresas** (P)

businessman **hombre** *m.* **de negocios** (F)

businesswoman **mujer** *f.* **de negocios** (F)

but **pero** (1)

butter **mantequilla** (7); peanut butter **mantequilla de cacahuete** (7)

C

cabin **cabina** (F)

caffeine **cafeína** (9)

calcium **calcio** (7)

calculus **cálculo** (P)

call **llamar** (3); to call on the phone **llamar por teléfono** (3)

calm **calmado/a** (13)

camping: to go camping **acampar** (11); **hacer** *irreg.* **camping** (11)

can *v.* (to be able) **poder** *irreg.* (1)

can't: one/you (impersonal) can't _____ without _____ **no se puede _____ sin _____** (8)

candy **dulce** *m.* (7)

cap: ball cap **gorra** (F)

carbohydrate **carbohidrato** (7)

card (*playing*) **naipe** *m.* (11); to play cards **jugar (ue) (gu) a los naipes** (11)

careful: to be careful **tener** *irreg.* **cuidado** (12)

carrot **zanahoria** (7)

carry **llevar** (5)

cause laughter **causar risa** (11)

center **centro** (14); urban center **centro urbano** (14)

century **siglo** (6); last century **el siglo pasado** (6)

cereal **cereal** *m.* (7)

certain **cierto/a** (13); it is certain **es cierto** (5); it's (not) certain that **(no) es cierto que** (F)

charismatic **carismático/a** (F)

charming **encantador(a)** (13); to be charming **tener** *irreg.* **gracia** (11)

chat **charlar** (2)

check *n.* (*restaurant*) **cuenta** (8); *v.* to check luggage **facturar el equipaje** (F)

cheek **mejilla** (5)

cheese **queso** (7)

chef **cocinero/a** (8)

chemist **químico/a** (F)

chemistry **química** (P)

A35

chew **masticar (qu)** (7); to chew gum **masticar chicle** (7)

chicken **pollo** (7); (half a) roast chicken **(medio) pollo asado** (7)

children **hijos** (4)

chin **mentón** *m.* (5)

Chinese horoscope **horóscopo chino** (13)

chips: potato chips **papas fritas** *Lat. Am.* (7), **patatas fritas** *Sp.* (7)

chop: pork chop **chuleta de cerdo** (7)

church **iglesia** (2); to go to church **ir** *irreg.* **a la iglesia** (2)

ciao **chao** (P)

city **ciudad** *f.* (14)

class **clase** *f.*; economy class **clase turística** (F); first class **primera clase** (F); in class **en la clase** (P)

classmate **compañero/a de clase** (P)

clean (the apartment) **limpiar (el apartamento)** (2)

clear *v.* to clear the table **levantar la mesa** (8); *adj.* it's clear (*obvious*) **está claro** (5); (*weather*) **está despejado** (2)

clearly **claramente** (F)

clever **listo/a** (F)

climb: mountain climb **escalar montañas** (11)

close **cerca (de)** (15)

closet **armario** (F)

clothes: to wash clothes **lavar la ropa** (2)

clothing: article of clothing **prenda de vestir** (F)

cloudy: it's cloudy (*weather*) **está nublado** (2)

clumsy **torpe** (13)

coffee **café** *m.* (2); coffee with milk **café con leche** (7); decaffeinated coffee **café descafeinado** (9)

cold **frío** (9); it's cold (*weather*) **hace frío** (2); very cold **bien frío** (9)

color **color** *m.* (5); what color is/are _____? **¿de qué color es/son _____?** (5)

come **venir** *irreg.* (1); what does _____ come with? **¿qué trae _____?** (8)

comic(al) **cómico** (P)

communications **comunicaciones** *f.* (P)

comparison **comparación** *f.* (6)

compassionate **compasivo/a** (F)

complain (about) **quejarse (de)** (10)

compulsive **compulsivo/a** (F)

computer **computadora** (F); computer science **computación** *f.* (P); to use a computer **usar una computadora** (F)

condiment **condimento** (7)

confirm **confirmar** (F)

consecuence **consecuencia** (12)

conservative **conservador(a)** (13)

consist of **consistir en** (12)

consult **consultar** (F)

consultant **asesor(a)** (F)

consume **consumir** (8)

continue: continue _____ **siga (Ud.) por _____** (15); continue straight **siga derecho/recto** (15)

conveniences **comodidades** *f.* (F)

cook **cocinero/a** (8)

cooked **cocinado/a** (7)

cookie **galleta** (7)

cool: it's cool (*weather*) **hace fresco** (2)

corn **maíz** *m.* (7); corn oil **aceite** *m.* **de maíz** (7)

corner **esquina** (15)

corrupt **maligno/a** (13)

cosmopolitan **cosmopolita** (P)

cost of living **costo de la vida** (14)

cotton **algodón** *m.* (F)

could: could you bring me _____? **¿me podría traer _____?** (8); could you tell me _____? **¿me podría decir _____?** (15)

counsel: to give counsel **aconsejar** (13)

country **país** *m.* (P)

country(side) **campo** (14)

couple **pareja** (4); married couple **esposos** (4)

course: first/second/third course **primer/segundo/tercer plato** (7)

cousin **primo/a** (4)

cream: ice cream **helado** (7)

creative **creador(a)** (13)

cross the street **cruce la calle** (15)

cruise ship **crucero** (F)

cry *v.* **llorar** (10)

cup **taza** (8)

curly hair **pelo rizado** (5)

custard: baked custard **flan** *m.* (7)

custom **costumbre** *f.* (8)

customer **cliente** *m., f.* (8)

cut *v.* **cortar** (8)

D

daily: daily menu **menú** *m.* **del día** (7); daily special **plato del día** (8)

dairy products **productos lácteos** (7)

dance **bailar** (2)

danger **peligro** (12)

dangerous **peligroso/a** (12)

dare (to) **atreverse (a)** (13)

dark: dark brown **marrón** (7); dark hair **pelo moreno** (5); dark-skinned **moreno/a** (5)

day **día** *m.* (1); every day **todos los días** (1); what day is it today? **¿qué día es hoy?** (1)

decade **década** (6)

decaffeinated coffee **café** *m.* **descafeinado** (9)

December **diciembre** (2)

dedicate oneself to **dedicarse (qu) a** (F)

defenseless **indefenso/a** (13)

definite article **artículo definido** (P)

delay **demora** (F)

delight *v.* **encantar** (7)

delivery: home delivery **servicio a domicilio** (8)

demonstrative adjective **adjetivo demostrativo** (P)

departure **salida** (F)

depressed **deprimido/a** (10); to feel depressed **sentirse (ie, i) deprimido/a** (10)

describe **describir** (4)

descriptive adjective **adjetivo descriptivo** (P)

desert **desierto** (11)

design *n.* **diseño** (F)

designer **diseñador(a)** (F)

desk: front desk **recepción** *f.* (F)

dessert **postre** *m.* (7)

died: he/she already died **ya murió** (4)

dinner **cena** (3); to have dinner **cenar** (1); to prepare dinner **preparar la cena** (3)

direct **dirigir (j)** (5); to direct others **mandar** (17); able to direct (others) **capaz de dirigir (a otros)** (5)

director **director(a)** (F)

disagree: to disagree with (*food*) **caer** *irreg.* **mal** (7)

discotheque **discoteca** (2)

discreet **discreto/a** (13)

dish **plato** (8); main dish **plato principal** (8); to wash the dishes **lavar los platos** (8)

distrustful **desconfiado/a** (13)

dive (*scuba*) *v.* **bucear** (11)

divorced: he/she is divorced **está divorciado/a** (4)

do **hacer** *irreg.* (1); to do aerobics **hacer** *irreg.* **ejercicio(s) aeróbico(s)** (1); to not do anything **no hacer** *irreg.* **nada** (2)

doctor **médico/a** (F)

dog **perro** (4)

doggie bag **bolsita para llevar** (8)

domestic **doméstico/a** (14); domestic animal **animal** *m.* **doméstico** (14)

dormitory: student dormitory **residencia estudiantil** (14)

double bed **cama matrimonial** (F)

doubt *n.* **duda** (F); *v.* **dudar** (F); it is without a doubt **es indudable** (5)

doubtful: it's doubtful that _____ **es dudoso que** _____ (F)

dough: *type of fried dough* **churro** (7)

dragon **dragón** *m.* (13)

draw **dibujar** (11)

dreamer **soñador(a)** (13)

dress *n.* **vestido** (F); *v.* **vestirse (i, i)** (1); to get dressed **vestirse (i, i)** (1)

drink: *n.* soft drink **refresco** (7); *v.* **tomar** (2), **beber** (9); to drink a cup of coffee **tomar un café** (2); and to drink? **¿y para tomar?** (7)

drive **conducir** *irreg.* (1), **manejar** (1)

drug abuse **abuso de las drogas** (12)

during **durante** (1)

E

each **cadainv.** (2); we'll be seeing each other **nos vemos** (P)

eagerness: eagerness to get things done **afán** *m.* **de realización** (5)

ear **oreja** (5)

early **temprano** (1); very early **muy temprano** (1)

earthenware bowl **cuenco** (8)

east **este** *m.* (15)

eat **comer** (1)

eating habit **hábito de comer** (7)

economics **economía** (P)

economy class **clase** *f.* **turística** (F)

education: physical education **educación** *f.* **física** (P)

egg **huevo** (7); fried egg **huevo frito** (7); scrambled egg **huevo revuelto** (7)

egotistical **egoísta** (13)

eight **ocho** (P)

eight hundred **ochocientos/as** (6)

eighteen **dieciocho** (P)

eighty **ochenta** (6)

either: not either **tampoco** (2)

elbow **codo** (8)

eleven **once** (P)

embarrassed: to be embarrassed **tener** *irreg.* **vergüenza** (10); to feel embarrassed **sentirse (ie, i) avergonzado/a** (10)

engineer **ingeniero/a** (F)

engineering **ingeniería** (P)

English *(language)* **inglés** *m.* (P)

enterprising **emprendedor(a)** (F)

environment **medio ambiente** *m.* (5)

essential: it's essential **es imprescindible** (8)

esteem: self-esteem **estimación** *f.* **propia** (12)

evening: good evening **buenas noches** (P); in the evening **por la noche** (1)

everyday life **la vida de todos los días** (1)

everything: is everything OK? **¿está todo bien?** (8)

evident: it is evident **es evidente** (5)

excuse me, how do you get to _____? **perdón, ¿cómo se llega a _____?** (15)

exercise *v.* **hacer** *irreg.* **ejercicio(s)** (1)

expense **gasto** (14)

expensive **caro/a** (F)

experience *v.* **sufrir** (12)

express oneself clearly **expresarse claramente** (F)

expression **expresión** *f.* (P)

extended family **familia extendida** (4)

extroversion **extroversión** *f.* (5)

extroverted **extrovertido/a** (5)

eye **ojo** (5); blue/brown/green eyes **ojos azules/castaños/verdes** (5)

F

fabric **tela** (F)

face **cara** (5)

fact: it is a known fact **es cosa sabida** (5)

fall *n.* *(season)* **otoño** (2); *v.* to fall asleep **dormirse (ue, u)** (3)

family **familia** (4); extended family **familia extendida** (4); nuclear family **familia nuclear** (4)

famous **famoso/a** (P)

fanatic **fanático/a** (12)

far **lejos** (15); far from **lejos de** (15)

farmer **granjero/a** (F)

fashion **moda** (F)

fat **grasa** (7)

father **padre** *m.* (4)

father-in-law **suegro** (4)

favorite **favorito/a** (P)

February **febrero** (2)

feel **sentirse (ie, i)** (10); how do you feel? **¿cómo te sientes?** (10); to feel ashamed (depressed, embarrassed, happy, proud, relaxed) **sentirse avergonzado/a (deprimido/a, avergonzado/a, alegre, orgulloso/a, relajado/a)** (10); to feel like *(doing something)* **tener** *irreg.* **ganas de** (+ *inf.*) (10); to feel well **para sentirse bien** (10)

few **pocos/as** (P)

fiber **fibra** (7)

field **campo** (F)

fifteen **quince** (P)

fifty **cincuenta** (6)

film **cine** *m.* (P)

first **primero/a (primer)** (7); first class **primera clase** *f.* (F); first course **primer plato** (7)

fish *n.* **pescado** (*caught*) (7); *v.* **pescar (qu)** (11)

five **cinco** (P)

five hundred **quinientos/as** (6)

flight **vuelo** (F); flight attendant **asistente** *m., f.* **de vuelo** (F), **camarero/a** (F)

follow _____ **siga (Ud.) por** _____ (15)

food **alimento** (7), **comida** (8); basic foods **alimentos básicos** (7); food to go **comida para llevar** (8)

foolish **tonto/a** (F)

football **fútbol** *m.* **americano** (2); to play football **jugar (ue) (gu) al fútbol americano** (2)

for **para** (1)

foreign: foreign languages **lenguas extranjeras** (P)

forest **bosque** *m.* (11)

fork **tenedor** (8)

forty **cuarenta** (6)

four **cuatro** (P); four-star hotel **hotel** *m.* **de cuatro estrellas** (F)

four hundred **cuatrocientos/as** (6)

fourteen **catorce** (P)

freckle **peca** (5)

free time **tiempo libre** (11)

French *(language)* **francés** *m.* (P)

french fries **papas fritas** *Lat. Am.* (7), **patatas fritas** *Sp.* (7)

frequently **frecuentemente** (1)

Friday **viernes** *m.* (1)

friend **amigo/a** (P); to go out with friends **salir** *irreg.* **con los amigos** (10)

fries: french fries **papas fritas** *Lat. Am.* (7), **patatas fritas** *Sp.* (7)

frighten **asustar** (10)

from **de** (P); from here to there **de aquí para allá** (15); I'm from _____ **soy de** _____ (P); where are you from? **¿de dónde eres?** (P), **¿de dónde es usted?** (P)

front: front desk **recepción** *f.* (F); in front (of) **enfrente (de)** (15)

fruit **fruta** (7)

full *(no vacancy)* **completo/a** (F)

fun: to make fun (of) **burlarse (de)** (13); fun-loving **divertido/a** (13)

funny **cómico/a** (P), **chistoso/a** (11), **gracioso/a** (11); to be funny **tener** *irreg.* **gracia** (11); to strike someone as funny **hacerle** *irreg.* **gracia a uno** (11)

future **futuro** (F); future intent **intención** *f.* **futura** (F)

G

garden *v.* **trabajar en el jardín** (11)

generally **generalmente** (1)

genetic inheritance **herencia genética** (5)

geography **geografía** (P)

German (*language*) **alemán** *m.* (P)

get: eagerness to get things done **afán** *m.* **de realización** (5); how do you get to _____? **¿cómo se llega a _____?** (15); to get along well/poorly **llevarse bien/mal** (5); to get angry **enojarse** (10), **ponerse** *irreg.* **enfadado/a** (10); to get bored **abu-rrirse** (10); to get dressed **vestirse (i, i)** (1); to get happy **alegrarse** (10), **ponerse** *irreg.* **contento/a** (10); to get irritated **irritarse** (10); to get off (*a bus, car, plane, etc.*) **bajar de** (F); to get offended **ofenderse** (10); to get on/in (*a bus, car, plane, etc.*) **subir a** (F); to get sad **ponerse** *irreg.* **triste** (10); to get sick (*nauseated*) **marearse** (F); to get tired **cansarse** (10); to get up **levantarse** (1); to get worried **preocuparse** (10)

girl **chica** (P)

give **dar** *irreg.* (3); to give counsel **aconsejar** (13)

glass: water glass **vaso** (8); wine glass **copa** (8)

go **ir** *irreg.* (1); food to go **comida para llevar** (8); go straight **siga derecho/recto** (15); to go camping **acampar** (11), **hacer** *irreg.* **camping** (11); to go out (*with friends*) **salir** *irreg.* **(con los amigos)** (1); to go shopping **ir de compras** (2); to go to bed **acostarse (ue)** (1); to go to church **ir a la iglesia** (2); to go to the movies **ir al cine** (2); to go to the theater **ir al teatro** (11)

goat **cabra** (13)

golf **golf** *m.* (11); to play golf **jugar (ue) (gu) al golf** (11)

good **bueno/a (buen)** (P); good afternoon **buenas tardes** (P); good at math **hábil** (*m., f.*) **para las matemáticas** (F); good-bye **adiós** (P); good evening **buenas noches** (P); good manners **buenos modales** (8); good morning **buenos días** (P); it's a good idea **es buena idea** (8); to be in a good mood **estar** *irreg.* **de buen humor** (10); to get a good grade **sacar (qu) una buena nota** (10); to make a good impression **caer** *irreg.* **bien** (7); to say good-bye **despedir (i, i)** (5)

good-bye **adiós** (P); to say good-bye **despedir (i, i)** (5)

gossipy **chismoso/a** (13)

government **gobierno** (F)

grade **nota** (10); to get a good/bad grade **sacar (qu) una buena/mala nota** (10)

grains **cereales** *m.* (7)

grandchildren **nietos** (4)

granddaughter **nieta** (4)

grandfather **abuelo** (4)

grandmother **abuela** (4)

grandparents **abuelos** (4)

grandson **nieto** (4)

grape **uva** (7)

grapefruit **toronja** (7)

gray hair **pelo canoso** (5)

green **verde** (5); green beans **judías verdes** (7); green eyes **ojos verdes** (5)

greet **saludar** (5)

greetings **saludos** (P)

gregarious **gregario/a** (5)

guest **huésped(a)** (F)

gum **chicle** *m.* (7); to chew gum **masticar (qu) chicle** (7)

H

habit **costumbre** *f.* (8); eating habit **hábito de comer** (7); to be in the habit of (*doing something*) **soler (ue)** (+ *inf.*) (1)

hair **pelo** (5); gray/dark/black/blond hair **pelo canoso/moreno/negro/rubio** (5); straight/curly hair **pelo lacio/rizado** (5)

half: half a roast chicken **medio pollo asado** (7); half brother/sister **medio/a hermano/a** (4); half past **y media** (1)

ham **jamón** *m.* (7)

hamburger **hamburguesa** (7)

hand **mano** *f.* (8); ability to work with one's hands **habilidad** *f.* **manual** (F)

happy **contento/a** (10), **alegre** (10); to be happy **ponerse** *irreg.* **contento/a** (10); to feel happy **sentirse (ie, i) alegre** (10); to get happy **alegrarse** (10), **ponerse** *irreg.* **contento/a** (10)

hard alcohol **licor** *m.* **fuerte** (9)

harmful **dañino/a** (12)

hat **sombrero** (F)

have **tener** *irreg.* (1); I have a question, please **tengo una pregunta, por favor** (P); to have a bad time **pasarlo mal** (10); to have a headache **tener dolor de cabeza** (10); to have a party **dar** *irreg.* **una fiesta** (11); to have a picnic **tener un picnic** (11); to have a view **tener vista** (F); to have breakfast **desayunar** (1); to have dinner

cenar (1); to have just (*done something*) **acabar de** (+ *inf.*) (10); to have lunch **almorzar (ue)** (1); to have the opinion **opinar** (5); to have to (*do something*) **tener que** (+ *inf.*) (1)

he **él** (P)

headache **dolor** *m.* **de cabeza** (10); to have a headache **tener** *irreg.* **dolor de cabeza** (10)

healthy **sano/a** (12); to maintain a healthy balance **mantener** *irreg.* **un equilibrio sano** (12)

height **estatura** (5); of medium height **de estatura mediana** (5); what height is he/she? **¿de qué estatura es?** (5)

hello **hola** (P)

help *v.* **ayudar** (8)

helpless **indefenso/a** (13)

her *poss.* **su(s)** (P)

herbal tea **té** *m.* **de hierbas** (9)

here **aquí** (P); from here to there **de aquí para allá** (15)

hereditary **hereditario/a** (5)

high-heel shoe **zapato de tacón alto** (F)

his *poss.* **su(s)** (P)

history **historia** (P)

hitchhike **hacer** *irreg.* **autostop** (F)

hobby **pasatiempo** (2)

home: at home **en casa** (2); home delivery **servicio a domicilio** (8)

homework **tarea** (1)

honest **honesto/a** (13)

honorable **íntegro/a** (F)

horoscope: Chinese horoscope **horóscopo chino** (13)

horse **caballo** (13)

hot *adj.* **caliente** (9); it's (very) hot (weather) **hace (mucho) calor** (2); very hot **bien caliente** (9)

hotel **hotel** *m.* (F); four-star hotel **hotel de cuatro estrellas** (F); luxury hotel **hotel de lujo** (F)

house **casa** (14), **vivienda** (14); boarding house **pensión** *f.* (F); private house **casa particular/privada** (14)

housing **vivienda** (14)

how **¿cómo?** (4); how do you feel? **¿cómo te sientes?** (10); how do you get to _____? **¿cómo se llega a _____?** (15); how do you relax? **¿cómo te relajas?** (11); how do you say _____ in Spanish? **¿cómo se dice _____ en español?** (P); how many? **¿cuántos/as?** (P); how often? **¿con qué frecuencia?** (1); how's it going? **¿qué tal?** (P)

hug *v.* **abrazar (c)** (5)

humanities **humanidades** *f.* (P)
hungry: to be hungry **tener** *irreg.* **hambre** *f.* (7)
husband **esposo** (4), **marido** (4)

I

I *pron.* **yo** (P)
ice **hielo** (9); ice cream **helado** (7); with ice **con hielo** (9); without ice **sin hielo** (9)
iced tea **té** *m.* **helado** (9)
idea: it's a (very) good idea **es (muy) buena idea** (8)
idealistic **idealista** (13)
imagination **imaginación** *f.* (5)
imaginative **imaginativo/a** (5)
impatient **impaciente** (13)
important: to be important **importar** (7)
impose **imponer** *irreg.* (5)
impression: to make a good/bad impression **caer** *irreg.* **bien/mal** (7)
impulsive **impulsivo/a** (5)
in **en** (1); in front (of) **enfrente (de)** (15); in the morning/afternoon/evening **por la mañana/tarde/noche** (1)
indecisive **indeciso/a** (13)
indefinite article **artículo indefinido** (P)
inexpensive **barato/a** (P)
injury **herida** (12), **lesión** *f.* (12); physical injury **daño físico** (12)
in-laws **suegros** (4)
insecure **inseguro/a** (13)
insincere **insincero/a** (P)
intelligent **inteligente** (P)
intent: future intent **intención** *f.* **futura** (F)
interesting **interesante** (P); to be interesting (to someone) **interesarle (a alguien)** (7)
intersection **bocacalle** *f.* (15)
introverted **introvertido/a** (5)
irritated: to be (get) irritated **irritarse** (10)
Italian (*language*) **italiano** (P)

J

jacket **chaqueta** (F)
jacuzzi **jacuzzi** *m.* (11); to bathe in a jacuzzi **bañarse en el jacuzzi** (11)
jam **mermelada** (7)
January **enero** (2)
Japanese (*language*) **japonés** *m.* (P)
jealous **celoso/a** (13)
jeans *bluejeans m.* (F)
jogger **corredor(a)** (12)
joke: to tell a joke **contar (ue) un chiste** (10)
journalism **periodismo** (P)

journalist **periodista** *m., f.* (F)
juice **jugo** (7); apple juice **jugo de manzana** (9); orange juice **jugo de naranja** (7); tomato juice **jugo de tomate** (9)
July **julio** (2)
jump *v.* **saltar** (11); to jump rope **saltar a la cuerda** (11)
June **junio** (2)
just: to have just (*done something*) **acabar de** (+ *inf.*) (10)

K

keep quiet **permanecer (zc) callado/a** (10)
ketchup **salsa de tomate** (7)
kiss *v.* **besar** (5)
knife **cuchillo** (8)
know (*facts, information*) **saber** *irreg.* (3); it is a known fact **es cosa sabida** (5); to know (*someone*) **conocer** *irreg.*

L

laboratory **laboratorio** (1)
lacking: to be lacking **faltar** (10)
lake **lago** (11)
language **idioma** *m.* (P); foreign languages **lenguas extranjeras** (P); to speak another language **hablar otro idioma** (P)
last: last name **apellido** (4); last night **anoche** (3); last time **última vez** (3); last week **la semana pasada** (3); last weekend **el fin de semana pasado** (3)
late **tarde** (1); until (very) late **hasta (muy) tarde** (2); very late **muy tarde** (1)
laugh *n.* **risa** (11); *v.* **reírse (i, i)** (10); to laugh (at) **burlarse (de)** (13); to laugh loudly **reír(se) (i, i) a carcajadas** (11); to make laugh **causar risa** (11), **hacer** *irreg.* **reír** (11)
laughter **risa** (11); to cause laughter **causar risa** (11)
law **derecho** (F)
lawyer **abogado/a** (F)
laziness **pereza** (5)
lazy **perezoso/a** (5)
leadership: talent for leadership **don** *m.* **de mando** (5)
leather **cuero** (F)
leave **salir** *irreg.* (1); to leave a tip **dejar propina** (8); leave-takings **despedidas** (P)
left *adj.* **izquierdo/a** (8); turn left **doble a la izquierda** (15)
lemon **limón** *m.* (7)
lentils **lentejas** (7)
less **menos** (1)

letters **letras** (P)
lettuce **lechuga** (7)
library **biblioteca** (1)
lie *v.* **mentir (ie, i)** (13)
life **vida** (1); everyday life **la vida de todos los días** (1)
lift weights **levantar pesas** (10)
light: traffic light **semáforo** (15)
like: do you like _____? **¿te gusta(n) _____?** (P); I don't like _____ **no me gusta(n) _____** (P); I don't like it (them) at all **no me gusta(n) para nada** (P); what are you like? **¿cómo eres?** (13)
likewise **igualmente** (P)
line: to stand in line **hacer** *irreg.* **cola** (F)
linear: to think in a linear manner **pensar (ie) de una manera directa** (F)
listen (to) **escuchar** (1)
literature **literatura** (P)
little **poco/a** (P); little while **un rato** (3)
living: cost of living **costo de la vida** (14)
located: to be located **quedar** (15)
lodge *v.* **alojarse** (F)
lodging **alojamiento** (F)
look: to look at **mirar** (1); to look for **buscar (qu)** (3); to look like **parecerse (zc)** (5); what does he/she look like? **¿cómo es?** (5)
lot: a lot **mucho** (P)
loudly: to laugh loudly **reír(se) (i, i) a carcajadas** (11)
love *v.* **amar** (13)
loyal **leal** (13)
luggage **equipaje** *m.* (F); to check luggage **facturar el equipaje** (F)
lunch **el almuerzo** (7); to have lunch **almorzar (ue)** (1)
luxury hotel **hotel** *m.* **de lujo** (F)

M

machine: vending machine **máquina vendedora** (7)
main dish **plato principal** (8)
maintain a healthy balance **mantener** *irreg.* **un equilibrio sano** (12)
major **carrera** (P), **especialización** *f.* (P); what is your major? **¿qué carrera haces?** (P)
make **hacer** *irreg.* to make a good/bad impression **caer** *irreg.* **bien/mal** (7); to make a stop (*on a flight*) **hacer escala** (F); to make fun (of) **burlarse (de)** (13); to make laugh **causar risa** (11), **hacer reír** (11); to make noise **hacer ruido** (10)

A39

malicious **malicioso/a** (13)

manager **gerente** *m., f.* (F)

manner: good manners **buenos modales** (8); to think in a direct/linear manner **pensar (ie) de una manera directa** (F)

many **muchos/as** (P); how many? **¿cuántos/as?** (P)

March **marzo** (2)

marmalade **mermelada** (7)

married: he/she is married **está casado/a** (4); married couple **esposos** (4)

mashed potatoes **puré** *m.* **de papas** (7)

material **material** *m.* (F)

math(ematics) **matemáticas** (P); good at math **hábil** (*m., f.*) **para las matemáticas** (F)

matter *v.* **importar** (7); not to matter at all **no importar un comino** (13); what's the matter (with you)? **¿qué te pasa?** (10)

May **mayo** (2)

mayonnaise **mayonesa** (7)

meal **comida** (7)

meat **carne** *f.* (7)

medicine **medicina** (F)

meditate **meditar** (11)

medium: of medium height **de estatura mediana** (5)

meet: pleased to meet you **encantado/a** (P), **mucho gusto** (P)

menu **menú** *m.* (7); daily menu **menú del día** (7)

methodical **metódico/a** (13)

milk **leche** *f.* (7)

mind: state of mind **estado de ánimo** (10)

missing: to be missing (lacking) **faltar** (10)

Monday **lunes** *m.* (1)

monkey **mono** (13)

month **mes** *m.* (2)

mood: to be in a bad/good mood **estar** *irreg.* **de mal/buen humor** *m.* (10)

more **más** (1)

morning **mañana** (1); every morning **todas las mañanas** (1); good morning **buenos días** (P); in the morning **por la mañana** (1)

mother **madre** *f.* (4); single mother **madre soltera** (4)

mother-in-law **suegra** (4)

mountains **montañas** (11); to mountain climb **escalar montañas** (11)

mouth **boca** (8)

movie **cine** *m.* (2); to go to the movies **ir** *irreg.* **al cine** (2)

much **mucho** (P); very much **mucho** (P)

museum **museo** (11)

music **música** (P)

musician **músico/a** (F)

must (*do something*) **deber** (+ *inf.*) (1); one must **hay que** (8), **se debe** (8), **se tiene que** (8); you (*impersonal*) must **se debe** (8)

mustard **mostaza** (7)

my *poss.* **mi(s)** (P)

N

nails: to bite one's nails **comerse las uñas** (10)

naive **ingenuo/a** (13)

name **nombre** *m.*; his/her name is _____ **se llama** _____ (P), **su nombre es** _____ (P); last name **apellido** (4); my name is _____ **me llamo** _____ (P), **mi nombre es** _____ (P); what's your name? **¿cómo te llamas?** (P), **¿cómo se llama usted?** (P), **¿cuál es tu/su nombre?** (P)

napkin **servilleta** (8)

natural sciences **ciencias naturales** (P)

nauseated: to get nauseated **marearse** (F)

near **cerca (de)** (15)

nearby **cercano/a** (14)

necessary: it's necessary **es necesario** (8), **es preciso** (8), **hay que** (8)

need *v.* **necesitar** (1)

negation: word of negation **palabra de negación** (2)

neighbor **vecino/a** (2)

neighborhood **barrio** (14)

neither **tampoco** (2)

nephew **sobrino** (4)

nervous **nervioso/a** (10); to be nervous **estar** *irreg.* **nervioso/a** (10)

never **jamás** (2), **nunca** (2)

new **nuevo/a** (4)

newspaper **periódico** (1)

next to **al lado (de)** (15)

nice (*person*) **simpático/a** (4)

niece **sobrina** (4)

night: at night **por la noche** (1); every night **todas las noches** (1); last night **anoche** (3)

nine **nueve** (P)

nine hundred **novecientos/as** (6)

nineteen **diecinueve** (P)

ninety **noventa** (6)

no **no** (P); no one **nadie** (2)

noise **ruido** (10); to make noise **hacer** *irreg.* **ruido** (10)

none **ninguno/a** (2)

normally **normalmente** (1)

north **norte** *m.* (15)

nose **nariz** *f.* (5)

not anything **nada** (2)

nothing **nada** (2)

November **noviembre** (2)

number **cifra** (6), **número** (P)

nurse **enfermero/a** (F)

nut **nuez** *f.* (*pl.* **nueces**) (7)

O

obligation **obligación** *f.* (8); impersonal obligation **obligación impersonal** (8)

obvious: it is obvious **es obvio** (5)

ocean **océano** (11)

o'clock: at one o'clock **a la una** (1); at (two, three) o'clock **a las (dos, tres)** (1); it's one o'clock **es la una** (1); it's (two, three) o'clock **son las (dos, tres)** (1)

October **octubre** (2)

of **de** (P); of medium height **de estatura mediana** (5)

offended: to be (get) offended **ofenderse** (10)

often **con frecuencia** (2); how often? **¿con qué frecuencia?** (1)

oil **aceite** *m.* (7); corn oil **aceite de maíz** *m.* (7); olive oil **aceite de oliva** (7)

OK: is everything OK? **¿está todo bien?** (8)

old **viejo/a** (6); to be _____ years old **tener** _____ **años** (4)

older **mayor** (4)

oldest **el/la mayor** (4)

olive oil **aceite** *m.* **de oliva** (7)

omelette **tortilla** *Sp.* (7)

once **una vez** (3)

one **uno** (P); at one o'clock **a la una** (1); it's one o'clock **es la una** (1)

one hundred **cien(to)** (6)

one thousand **mil** (6)

opera: soap opera **telenovela** (3)

opinion: to have the opinion **opinar** (5)

optimistic **optimista** (P)

or **o** (P)

orange **naranja** (7); orange juice **jugo de naranja** (7)

order *v.* **pedir (i, i)** (8), **ordenar** (8)

organized **organizado/a** (F)

ought to (*do something*) **deber** (+ *inf.*) (1)

overcome an addiction **salir** *irreg.* **de una adicción** (12)

owner **dueño/a** (14)

ox **buey** *m.* (13)

P

pack one's suitcase **hacer** *irreg.* **la maleta** (F)
paint *v.* **pintar** (10)
painter **pintor(a)** (F)
pancake **panqueque** *m. pl.* (7)
pants **pantalones** *m. pl.* (F)
pardon me? **¿cómo?** (P)
parents **padres** (4)
park **parque** *m.* (11)
particular **escrupuloso/a** (13)
partner **pareja** (4)
party **fiesta** (2); to throw/have a party **dar** *irreg.* **una fiesta** (11)
passage (*ticket*) **pasaje** *m.* (F)
passenger **pasajero/a** (F)
past: half past **y media** (1)
pasta **pasta alimenticia** (7)
pastime **pasatiempo** (2)
patient *adj.* **paciente** (13)
pay **pagar (gu)** (3); to pay the bill **pagar la cuenta** (3)
peanut butter **mantequilla de cacahuete** (7)
peas **guisantes** *m.* (7)
people **gente** *f.* (6); to have a way with people **tener** *irreg.* **don de gentes** (F)
pepper **pimienta** (7); pepper shaker **pimentero** (8)
perfectionistic **perfeccionista** (13)
permit **permitir** (9)
personality **personalidad** *f.* (5); personality trait **característica de la personalidad** (5)
pessimistic **pesimista** (P)
pet (*animal*) **mascota** (14)
pharmacist **farmacéutico/a** (F)
pharmacy **farmacia** (F)
philosophy **filosofía** (P)
phone: to call on the phone **llamar por teléfono** (3)
photographer **fotógrafo/a** (F)
physical **físico/a**; physical characteristic **característica física** (5); physical education **educación** *f.* **física** (P); physical injury **daño físico** (12); physical therapy **terapia física** (F)
physically strong **físicamente fuerte** (F)
physicist **físico/a** (F)
physics **física** *s.* (P)
picnic: to have a picnic **tener** *irreg.* **un picnic** (11)
picture: to take pictures **sacar (qu) fotos** (F)
pie **tarta** (7)
pig **cerdo** (13)
pink **rosado/a** (7)
pitcher **jarra** (8)

place *n.* **lugar** *m.* (11); *v.* **poner** *irreg.* (7)
plate **plato** (8)
play (*sports*) **jugar (ue) (gu)** (1), **practicar (qu)**; (*an instrument*) **tocar (qu)** (1); to play basketball/baseball/golf/soccer/volleyball **jugar al basquetbol** (10) / **béisbol** (10) / **golf** (11) / **fútbol** (2) / **voleibol** (11); to play cards **jugar a los naipes** (11); to play football **jugar al fútbol americano** (2); to play the guitar **tocar (qu) la guitarra** (1); to play video games **jugar a los videojuegos** (3)
player: _____ player **jugador(a) de _____** (F)
playful **juguetón, juguetona** (13)
pleasant **simpático/a** (4)
please *v.* **agradar** (7); *adv.* **por favor** (P); again, please **otra vez, por favor** (P); I have a question, please **tengo una pregunta, por favor** (P); repeat, please **repita, por favor** (P)
pleased: pleased to meet you **encantado/a** (P), **mucho gusto** (P)
pleasing: to be very/extremely pleasing **encantar** (7)
polite **educado/a** (8)
political science **ciencias políticas** *pl.* (P)
politician **político/a** (F)
politics **política** *s.* (F)
poorly **mal** (5); to get along poorly **llevarse mal** (5)
popcorn **palomitas** (7)
popular **popular** (13)
pork chop **chuleta de cerdo** (7)
porter **maletero** (F)
Portuguese (*language*) **portugués** *m.* (P)
possess **poseer (y)** (5)
possessive **posesivo/a** (13); possessive adjective **adjetivo de posesión** (P)
possibility **posibilidad** *f.* (F)
possible: it's (not) possible that _____ **(no) es posible que _____** (F)
potato **papa** *Lat. Am.* (7), **patata** *Sp.* (7); mashed potatoes **puré** *m.* **de papas** (7); potato chips **papas fritas** *Lat. Am.* (7), **patatas fritas** *Sp.* (7)
poultry **aves** *f., pl.* (7)
practice: to practice a sport **practicar un deporte** (3)
prefer **preferir (ie, i)** (1)
preferences **preferencias** (P)
prepare: to prepare dinner **preparar la cena** (3)

president **presidente/a** (F)
pretty **bonito/a** (P)
privacy **vida privada** (14)
private **particular** (14), **privado/a** (14); private house **casa particular/privada** (14); room with a private bath **habitación** *f.* **con baño privado** (F)
probability **probabilidad** *f.* (F)
probable: it's (not) probable that _____ **(no) es probable que _____** (F)
producer **productor(a)** (F)
profession **profesión** *f.* (F)
professional **profesional** *m., f.* (F)
professor **profesor(a)** (P)
programmer **programador(a)** (F)
prohibit **prohibir (prohíbo)** (9)
pronoun **pronombre** *m.* (P); subject pronoun **pronombre de sujeto** (P)
proteins **proteínas** (7)
proud **orgulloso/a** (10); to feel proud **sentirse (ie, i) orgulloso/a** (10)
psychologist **psicólogo/a** (F)
psychology **psicología** (P)
pullover **jersey** *m.* (F)
punish **castigar (gu)** (9)
put **poner** *irreg.* (7); put on (*clothing*) **ponerse** *irreg.* (F)

Q

quality **cualidad** *f.* (F)
quantifying adjective **adjetivo de cantidad** (P)
quarter: quarter past **y cuarto** (1); quarter to **menos cuarto** (1)
question: I have a question, please **tengo una pregunta, por favor** (P)
quiet: to keep quiet **permanecer (zc) callado/a** (10)

R

rabbit **conejo** (13)
rain *v.*: it's raining **llueve** (2), **está lloviendo** (2)
rare **raro/a** (P)
rarely **pocas veces** (2), **raras veces** (2)
rat **rata** (13)
raw **crudo/a** (7)
rayon **rayón** *m.* (F)
reaction **reacción** *f.* (10)
read **leer (y)** (1)
realistic **realista** (P)
realize (*something*) **darse** *irreg.* **cuenta (de)** (13)
rebellious **rebelde** (13)
receive **recibir** (3)
reclusive **retraído/a** (5)
reclusiveness **retraimiento** (5)

A41

red **rojo/a** (7); red wine **vino tinto** (9)

redheaded **pelirrojo/a** (5)

related (to) **relacionado/a (con)** (9)

relative **pariente** *m.* (4)

relax **relajarse** (10); how do you relax? **¿cómo te relajas?** (11)

relaxed **relajado/a** (10); to feel relaxed **sentirse (ie, i) relajado/a** (10)

religion **religión** *f.* (P)

remaining: to be remaining **quedar** (10)

remember **recordar (ue)** (3)

remove **quitar** (7)

rent *v.* **alquilar** (F); to rent videos **sacar (qu) vídeos** (2)

repeat, please **repita, por favor** (P)

representative *n.* **representante** *m., f.* (F)

request *v.* **pedir (i, i)** (1)

resemble **parecerse (zc)** (5)

reserve *v.* **reservar** (F); to reserve (*amount of time*) in advance **reservar con** (*time* + **de**) **anticipación** (F)

reserved **reservado/a** (5)

resolve **resolver (ue)** (13)

respectful **respetuoso/a** (13)

restaurant **restaurante** *m.* (8)

restless **inquieto/a** (13)

return (*to a place*) **regresar** (1), **volver (ue)** (1)

rice **arroz** *m.* (7)

ride: to ride a bicycle **andar** *irreg.* **en bicicleta** (11)

right (*direction*) *adj.* **derecho/a** (8); turn right **doble a la derecha** (15)

risk **riesgo** (5); tendency to avoid risks **tendencia a evitar riesgos** (5)

river **río** (11)

roast(ed) **asado/a** (7); roast chicken **pollo asado** (7)

roll **bollo** (7); assorted breads and rolls **bollería** (7)

room **cuarto** (1), **habitación** *f.* (F); room and breakfast (*often with one other meal*) **media pensión** *f.* (F); room and full board **pensión** *f.* **completa** (F); room service **servicio de cuarto** (F); room with a (private) bath **habitación** *f.* **con baño (privado)** (F); room with a shower **habitación** *f.* **con ducha** (F)

roommate **compañero/a de cuarto** (P)

rooster **gallo** (13)

rope: to jump rope **saltar a la cuerda** (11)

routine **rutina** (1)

run **correr** (2)

runner **corredor(a)** (12)

rural **rural** (14); rural area **área** *f.* (*but* **el área**) **rural** (14)

S

sad **triste** (10); to be (get) sad **ponerse** *irreg.* **triste** (10)

sail *v.* **navegar (gu) en un barco** (11)

salad **ensalada** (7)

salt **sal** *f.* (7); salt shaker **salero** (8)

sandwich **sandwich** *m.* (7)

Saturday **sábado** (1)

saucer **platillo** (8)

sausage **salchicha** (7)

say **decir** *irreg.* (3); to say good-bye **despedir (i, i)** (5); how do you say _____ in Spanish? **¿cómo se dice _____ en español?** (P); what did you say? **¿cómo dice?** (P)

scary **espantoso/a** (P)

science **ciencia** (P); computer science **computación** *f.* (P); natural sciences **ciencias naturales** (P); political science **ciencias** *pl.* **políticas** (P); social sciences **ciencias sociales** (P)

scientist **científico/a** (F)

scrupulous **escrupuloso/a** (13)

sculptor **escultor(a)** (F)

sea **mar** *m.* (11)

season (*of the year*) **estación** *f.* (2)

seat **asiento** (8)

second course **segundo plato** (7)

section: (no) smoking section **sección** *f.* **de (no) fumar** (F)

see: see you soon **hasta pronto** (P); see you tomorrow **hasta mañana** (P); we'll be seeing each other **nos vemos** (P)

seem **parecer (zc)** (5)

self-centered **egoísta** (13)

self-esteem **estimación** *f.* **propia** (12)

sell **vender** (8)

senator **senador(a)** (F)

September **septiembre** (2)

serious (*person*) **serio/a** (P); (*situation*) **grave** (12)

service: room service **servicio de cuarto** (F)

set the table **poner** *irreg.* **la mesa** (8)

seven **siete** (P)

seven hundred **setecientos/as** (6)

seventeen **diecisiete** (P)

seventy **setenta** (6)

shaker: pepper shaker **pimentero** (8); salt shaker **salero** (8)

shave (*someone*) **afeitar** (5)

she *pron.* **ella** (P)

shellfish **mariscos** *m. pl.* (7)

ship: cruise ship **crucero** (F)

shirt **camisa** (F)

shoe **zapato** (F); high-heeled shoe **zapato de tacón alto** (F)

shopping: to go shopping **ir** *irreg.* **de compras** (2)

short **bajo/a** (5); short time **un rato** (3)

shorts **pantalones** *m. pl.* **cortos** (F)

should (*do something*) **deber** (+ *inf.*) (1); one/you (*impersonal*) should **se debe** (8)

shout *v.* **gritar** (10)

shower: room with a shower **habitación** *f.* **con ducha** (F)

shrimp **camarones** *m. pl.* (7)

shut oneself up: to shut oneself up in one's room **encerrarse (ie) en su cuarto** (10)

shy **tímido/a** (5)

silk **seda** (F)

silverware **cubiertos** *pl.* (8)

similar **parecido/a** (5)

sincere **sincero/a** (P)

sing **cantar** (10)

single: he/she is single **es soltero/a** (4); single father **padre** *m.* **soltero** (4); single mother **madre** *f.* **soltera** (4)

sister **hermana** (4); sisters and brothers **hermanos** (4)

sister-in-law **cuñada** (4)

six **seis** (P)

six hundred **seiscientos/as** (6)

sixteen **dieciséis** (P)

sixty **sesenta** (6)

size *n.* **tamaño** (6)

skate *v.* **patinar** (11)

ski: to snow ski **esquiar (esquío) en las montañas** (11); to water ski **esquiar en el agua** (11)

skirt **falda** (F)

skycap **maletero** (F)

sleep **dormir (ue, u)** (1)

small **pequeño/a** (4)

smaller (than) **menos grande (que)** (5)

smallest **el/la menos grande (de)** (5)

smart **listo/a** (F)

smile *v.* **sonreír (i, i)** (10)

smoke **fumar** (9)

smoking: (no) smoking section **sección** *f.* **de (no) fumar** (F)

snack *n.* **merienda** (7); *v.* to snack on **merendar (ie)** (7)

snake **serpiente** *f.* (13)

snow *v.*: it's snowing **nieva** (2), **está nevando** (2); to snow ski **esquiar (esquío) en las montañas** (11)

soap opera: to watch a soap opera **ver** *irreg.* **una telenovela** (3) soccer **fútbol** *m.*; to play soccer **jugar (ue) (gu) al fútbol** (2)

social **social** (P); social sciences **ciencias sociales** (P); social work **asistencia social** (F); social worker **trabajador(a) social** (F)

sociology **sociología** (P)

sock **calcetín** *m.* (*pl.* **calcetines**) (F)

soft drink **refresco** (7)

solitary **retraído/a** (5)

some **algunos/as** (P), **unos/as** (P)

sometimes **a veces** (2)

soon: see you soon **hasta pronto** (P)

soup bowl **plato de sopa** (8)

sour **agrio/a** (7)

south **sur** *m.* (15)

spaghetti **espaguetis** *m. pl.* (7)

Spanish (*language*) **español** *m.* (P); how do you say _____ in Spanish? **¿cómo se dice _____ en español?** (P)

spare time **tiempo libre** (11)

speak **hablar** (1); to speak another language **hablar otro idioma** *m.* (F)

special: daily special **plato del día** (8)

specialist **especialista** *m., f.* (F)

speech (*school subject*) **oratoria** (P)

spend (*money*) **gastar (dinero)** (2); (*time*) **pasar** (1)

spill *v.* **derramar** (8)

spinach **espinacas** *pl.* (7)

spoon **cuchara** (8)

sport **deporte** *m.* (3)

spring (*season*) **primavera** (2)

stand in line **hacer** *irreg.* **cola** (F)

star: four-star hotel **hotel** *m.* **de cuatro estrellas** (F)

state: state of mind **estado de ánimo** (10)

station **estación** *f.* (F)

stay **quedarse** (2); (*in a hotel or boarding house*) **alojarse** (F); to stay at home **quedarse en casa** (2)

steak **bistec** *m.* (7)

steamed **al vapor** (7)

stepbrother **hermanastro** (4)

stepfather **padrastro** (4)

stepmother **madrastra** (4)

stepsister **hermanastra** (4)

stimulating **estimulante** (13)

stingy **tacaño/a** (13)

stockings **medias** (F)

stop: to make a stop (*on a flight*) **hacer** *irreg.* **escala** (F)

store **tienda** (14)

straight **derecho** (15), **recto** (15); continue/go straight **siga derecho/recto** (15); straight hair **pelo lacio** (5)

strange **raro/a** (P)

strawberry **fresa** (7)

street **calle** (15); cross the street **cruce la calle** (15)

strike someone as funny **hacerle** *irreg.* **gracia a uno** (11)

strong **fuerte** (F); physically strong **físicamente fuerte** (F)

stubborn **cabezón, cabezona** (13)

student **estudiante** *m., f.* (P); I am a(n) _____ student **soy estudiante de _____** (P); student dormitory **residencia estudiantil** (14)

study **estudiar** (1); I'm studying _____ **estudio _____** (P); what are you studying? **¿qué estudias?** (P)

subject **materia** (P); subject pronoun **pronombre** *m.* **de sujeto** (P)

suffer **sufrir** (12)

sugar **azúcar** *m.* (7)

suit **traje** *m.* (F); bathing suit **traje de baño** (F)

suitcase **maleta** (F); to pack one's suitcase **hacer** *irreg.* **la maleta** (F)

summer **verano** (2)

Sunday **domingo** (1)

sunny: it's sunny **hace sol** (2)

superficial **superficial** (13)

support *v.*: (*emotionally*) **apoyar** (5); (*financially*) **mantener** *irreg.* (5); to support oneself **mantenerse** *irreg.* (14)

surroundings **medio ambiente** *m.* (5)

sweater **suéter** *m.* (F)

sweats **sudadera** *s.* (F)

sweet **dulce** (7)

swim **nadar** (2)

swordfish **emperador** *m.* (7)

T

table **mesa** (8); to clear the table **levantar la mesa** (8); to set the table **poner** *irreg.* **la mesa** (8)

tablecloth **mantel** *m.* (8)

take: to take a test **tener** *irreg.* **un examen** (3); to take a trip **hacer** *irreg.* **un viaje** (F); to take a walk **dar** *irreg.* **un paseo** (2); to take away **quitar** (7); to take into account **tomar en cuenta** (14); to take pictures **sacar (qu) fotos** (F)

talent: talent for leadership **don de mando** (5)

talk *v.* **hablar**; to talk on the phone **hablar por teléfono** (1)

tall **alto/a** (5)

taller (than) **más alto/a (que)** (5)

tallest **el/la más alto/a (de)** (5)

taste *n.*: (*flavor*) **sabor** *m.* (7); (*preference*) **gusto** (7)

taste *v.* (*sample, try*) **probar (ue)** (8); it tastes like _____ **sabe a _____** (7)

tea **té** *m.* (7); herbal tea **té de hierbas** (9); iced tea **té helado** (9)

teacher (*elementary school*) **maestro/a** (F)

teaching (*profession*) **enseñanza** (F)

technician **técnico** (F)

television **televisión** *f.* (1)

tell **decir** *irreg.* (3); to tell a joke **contar (ue) un chiste** (10); could you tell me _____ ? **¿me podría decir _____?** (15)

temperature **temperatura** (2)

ten **diez** (P)

tendency: tendency to avoid risks **tendencia a evitar riesgos** (5)

tense **tenso/a** (10); to be tense **estar** *irreg.* **tenso/a** (10)

test **examen** *m.* (*pl.* **exámenes**) (P); to take a test **tener** *irreg.* **un examen** (3)

thank you **gracias** (P)

thanks **gracias** (P)

that **ese/a** *adj.* (P); **que** *conj.* (P)

theater (*school subject*) **teatro** (P); to go to the theater **ir** *irreg.* **al teatro** (11)

their *poss.* **su(s)** (P)

theme **tema** *m.* (9)

then **luego** (2)

therapist **terapeuta** *m., f.* (F)

therapy: physical therapy **terapia física** (F)

there: from here to there **de aquí para allá** (15); there is, there are **hay** (P)

therefore **luego** (2)

these **estos/as** *adj.* (P)

they *pron.* **ellos/ellas** (P)

thing: the worst thing **lo peor** (13)

think **pensar (ie)** (1); (*have the opinion*) **opinar** (5); to think about **pensar (ie) en** (1); to think in a direct (linear) manner **pensar (ie) de una manera directa** (F); I (don't) think that _____ **(no) creo que _____** (F)

third course **tercer plato** (7)

thirsty: to be thirsty **tener** *irreg.* **sed** (9)

thirteen **trece** (P)

thirty **treinta** (P)

this **este/a** *adj.* (P)

those **esos/as** *adj.* (P)

three **tres** (P); at three o'clock **a las tres** (1); it's three o'clock **son las tres** (1)

three hundred **trescientos/as** (6)

throw a party **dar** *irreg.* **una fiesta** (11)

Thursday **jueves** *m.* (1)

ticket **billete** *m.* (F), **boleto** (F), **pasaje** *m.* (F); one-way ticket **billete/boleto de ida** (F); round-trip ticket **billete/boleto de ida y vuelta** (F)

tie **corbata** (F)

tiger **tigre** *m.* (13)

time: at what time? **¿a qué hora?** (1); free/spare time **tiempo libre** (11); from time to time **de vez en cuando** (2); last time **última vez** (3); short time **un rato** (3); time period **época** (6); to have a (very) bad time **pasarlo (muy) mal** (10); what time is it? **¿qué hora es?** (1)

timid **tímido/a** (5)

timidity **timidez** *f.* (5)

tip *n.* **propina** (8); to leave a tip **dejar propina** (8)

tired **cansado/a** (10); to be tired **estar** *irreg.* **cansado/a** (10); to get tired **cansarse** (10)

toast **pan** *m.* **tostado** (7); **tostada** (7)

today is _____ **hoy es** _____ (1)

tomato **tomate** *m.* (7); tomato juice **jugo de tomate** (9)

tomorrow **mañana** (1); see you tomorrow **hasta mañana** (P); tomorrow is _____ **mañana es** _____ (1)

traffic light **semáforo** (15)

train **tren** *m.* (F)

trait **característica** (5), (*usually facial feature*) **rasgo** (5); personality traits **características de la personalidad** (5)

travel **viajar** (F)

travel agent **agente** *m., f.* **de viajes** (F)

treat *v.* **tratar** (14), (*pay for someone*) **invitar** (8)

trip *n.* **viaje** *m.* (F); on a trip **de viaje** (F); to take a trip **hacer** *irreg.* **un viaje** (F)

trust *n.* **confianza** (13); *v.* **confiar (confío)** (13)

trustworthy **confidente** (13)

try (*taste*) **probar (ue)** (8)

T-shirt **camiseta** (F)

Tuesday **martes** *m.* (1)

tuna **atún** *m.* (7)

turn right/left **doble a la derecha/izquierda** (15)

twelve **doce** (P)

twenties **los años 20** (6)

twenty **veinte** (P)

twenty-eight **veintiocho** (P)

twenty-five **veinticinco** (P)

twenty-four **veinticuatro** (P)

twenty-nine **veintinueve** (P)

twenty-one **veintiuno** (P)

twenty-seven **veintisiete** (P)

twenty-six **veintiséis** (P)

twenty-three **veintitrés** (P)

twenty-two **veintidós** (P)

twin **gemelo/a** (4); twin bed **cama sencilla** (F)

two **dos** (P); at two o'clock **a las dos** (1); it's two o'clock **son las dos** (1)

two hundred **doscientos/as** (6)

U

uncle **tío** (4); uncles and aunts **tíos** (4)

understand **comprender** (5), **entender (ie)** (1); I don't understand **no comprendo** (P), **no entiendo** (P)

unoccupied **desocupado/a** (F)

until (very) late **hasta (muy) tarde** (2)

up: what's up? **¿qué tal?** (P)

urban **urbano/a** (14); urban center **centro urbano** (14)

use a computer **usar una computadora** (F)

useful **útil** (P)

usually **regularmente** (1)

V

vacancy: no vacancy **completo/a** (F)

vacant **desocupado/a** (F)

veal **ternera** (7)

vegetable **verdura** (7)

vending machine **máquina vendedora** (7)

verb **verbo** (P)

very **muy** (P)

veterinarian **veterinario/a** (F)

video game **videojuego** (3); to play video games **jugar (ue) (gu) a los videojuegos** (3)

view: to have a view **tener** *irreg.* **vista** (F)

violent **violento/a** (13)

vitamin **vitamina** (7)

vocabulary **vocabulario** (P)

volleyball: to play volleyball **jugar (ue) (gu) al voleibol** (11)

vulnerability **vulnerabilidad** *f.* (5)

W

wait on (*a customer*) **atender (ie)** (8)

waiter **camarero** (8), **mesero** (8)

waitress **camarera** (8), **mesera** (8)

wake up (*awaken*) **despertarse (ie)** (1)

walk **andar** *irreg.* (3), **caminar** (10); to take a walk **dar** *irreg.* **un paseo** (2)

want *v.* **querer** *irreg.* (1)

wash *v.*: to wash clothes **lavar la ropa** (2); to wash the dishes **lavar los platos** (8)

watch *v.* **mirar** (1), **ver** (2); to watch a soap opera **ver** *irreg.* **una telenovela** (3); to watch television **mirar la televisión** (1), **ver** *irreg.* **la televisión** (2)

water **agua** *f.* (*but* **el agua**) (7); to water ski **esquiar (esquío) en el agua** (11)

way: one-way ticket **billete** *m.*/**boleto de ida** (F); to have a way with people **tener** *irreg.* **don** *m.* **de gentes** (F)

we *pron.* **nosotros/as** (P); we'll be seeing each other **nos vemos** (P)

wear **llevar** (F), **vestir (i, i)** (F)

weather **tiempo** (2); the weather's bad **hace mal tiempo** (2); the weather's good **hace buen tiempo** (2); what's the weather like? **¿qué tiempo hace?** (2)

Wednesday **miércoles** *m.* (1)

week **semana** (3); last week **la semana pasada** (3)

weekend **fin** *m.* **de semana** (1); last weekend **el fin de semana pasado** (3); weekend activities **actividades** *f.* **para el fin de semana** (2)

weights: to lift weights **levantar pesas** (10)

well **bien** (5); to get along well **llevarse bien** (5)

well-mannered **educado/a** (8); to be well-mannered **tener** *irreg.* **buena educación** (8)

west **oeste** *m.* (15)

what? **¿qué?** (P); **¿cuál?** (4); **¿cuáles?** (4); what are you like? **¿cómo eres?** (13); what are you studying? **¿qué estudias?** (P); what color is/are _____? **¿de qué color es/son** _____? (5); what did you say? **¿cómo dice?** (P); what does _____ come with? **¿qué trae** _____? (8); what does he/she look like? **¿cómo es?** (5); what height is he/she? **¿de qué estatura es?** (5); what is your major? **¿qué carrera haces?** (P); what time is it? **¿qué hora es?** (1); what's the matter (with you)? **¿qué te pasa?** (10); what's up? **¿qué tal?** (P); what's your name? **¿cómo te llamas?** (P), **¿cómo se llama usted?** (P), **¿cuál es tu nombre?** (P)

wheat: whole wheat bread **pan** *m.* **integral** (7)

A44

when? **¿cuándo?** (1)

where? **¿dónde?** (4); where are you from? **¿de dónde eres?** (P), **¿de dónde es usted?** (P); where is _____? **¿dónde está** _____? (15), **¿dónde queda** _____? (15)

which **que** *conj.* (P)

which? **¿cuál(es)?** (4), **¿qué?** (4)

while: little while **un rato** (3)

whistle *v.* **silbar** (10)

white **blanco/a** (7); white bread **pan** *m.* **blanco** (7); white wine **vino blanco** (9)

who? **¿quién(es)?** (P)

whole wheat bread **pan** *m.* **integral** (7)

whom? **¿quién?** (P)

widow: she is a widow **es viuda** (4)

widower: he is a widower **es viudo** (4)

wife **esposa** (4), **mujer** (4)

wild: wild animal **animal** *m.* **salvaje** (14)

windy: it's windy **hace viento** (2)

wine **vino** (7); red/white wine **vino tinto/blanco** (9); wine glass **copa** (8)

winter **invierno** (2)

wise **sabio/a** (13)

with **con** (1); with ice **con hielo** (9)

without **sin** (9); it is without a doubt **es indudable** (5); one/you (*impersonal*) can't _____ without _____ **no se puede** _____ **sin** _____ (8); without ice **sin hielo** (9)

wool **lana** (F)

word **palabra** (P)

work *v.* **trabajar** (1); ability to work with one's hands **habilidad** *f.* **manual** (F); *n.* social work **asistencia social** (F)

workday **día** *m.* **de trabajo** (1)

worker: social worker **trabajador(a) social** (F)

worry *v.* **preocuparse** (10)

worst: the worst thing **lo peor** (13)

wound *n.* **herida** (12), **lesión** *f.* (12); *v.* **herir (ie, i)** (12)

write **escribir** (1)

writing *n.* **composición** *f.* (P)

Y

year **año** (2); to be _____ years old **tener** *irreg.* _____ **años** (4)

yellow **amarillo/a** (7)

yes **sí** (P)

yesterday **ayer** (3)

yet **todavía** (P); I don't know yet **no lo sé todavía** (P)

yogurt **yogur** *m.* (7)

you *pron.* **tú** *fam. s.* (P), **usted (Ud.)** *form. s.* (P), **ustedes (Uds.)** *form. pl.*, **vosotros/as** *fam. pl. Sp.*; and you? **¿y tú?** (P), **¿y usted?** (P)

young **joven** *m., f.* (*pl.* **jóvenes**) (6)

younger **menor** (4)

youngest **el/la menor** (4)

your **tu(s)** *fam. poss.* (P), **su(s)** *form. s., pl. poss.* (P)

Z

zero **cero** (P)

zone **zona** (14)

Index

Vocabulary and Grammar Index

a, 194
  personal, to mark object of verb, 56, 106, 144
abstract or general term, definite article, 150
acabar de, + infinitive, 268
accent mark
  acoustic stress, 126, 188
  command forms, 254
  with interrogatives, 93
  stressed vowel ending of irregular verbs, 71–74, 229
acoustic stress, 126, 188
addiction, 244, 247, 249
adjectives, descriptive, 21, 206
  comparative forms of, 98
  corresponding nouns, 123
  demonstrative, 21
  gender, 12–13, 206
  order of, 13, 14
  possessive, 15
  preceding nouns, 14
  quantifying, 21
  showing number, 15
  superlative forms of, 98, 129
age, 131–132, 142
agradar, 158, 212
alcoholic beverages, 187, 191, 195, 196
andar. *See* Appendix
animals, 275, 295, 296
  Chinese horoscope, 258–261, 264–265, 272
  extinction, 285
  as pets, 255, 276–281, 286
  sense of direction, 293
  as symbols, 263
articles, definite, 9, 21
articles, indefinite, 9, 21
-ar verbs
  command forms of, 244, 246
  imperfect tense, 137, 144
  present indicative, 29, 83
  preterite tense, 70, 71, 73, 76, 79, 85, 188, 198

simple future tense, 316
subjunctive form, 319, 327, 328
  See also Appendix
aspect, 231

beber, 30, 188, 196, 252
because of, 203
become, 317
beverages, 169, 187, 196

caer. *See* Appendix
cansarse, preterite tense, 252
cardinal numbers, 15, 21, 131–134, 142
century, 133–134, 138, 142
Chinese horoscope, 258–261, 262, 264–265, 272
clothing, 303–305, 324
cognates, 7, 128
colors
  foods, 149, 169
  physical appearance, 112–113, 128
comer. *See* Appendix
command forms, 243–245, 253–254
  negative commands, 246–247, 254
  "soft"" commands, 245
¿cómo?, 93, 143, 155
comparison
  of adjectives, 98, 129
  más/menos, 98
  mayor/menor, 98
  tan... como, 139, 140, 142, 144
  tanto... como, 139, 140, 142, 144
comprender, 190
con, used with interrogatives, 143
conditional tense, 275–276, 300. *See also* Appendix
conocer
  preterite tense, 190, 230, 225
  uses of, 92
con que, 178
con quien, 178
construir. *See* Appendix
correr, 30
¿cuál?, 93, 154

¿cuándo?, 93, 143
¿cuántos?, 93, 143

dañino, using, 239
daño, using, 239
dar
  idioms with, 50, 279
  preterite tense, 229, 253
  See also Appendix
days of the week, 32–33, 45, 80
de, used with interrogatives, 143
decir, 34. *See also* Appendix
definite article
  abstract or general term, 150
  forms of, 9, 21
demonstrative adjectives, 21
descriptive adjectives, 12–14, 21, 98, 123, 129, 206
directions, giving, 291, 297
direct object pronouns, 100–102, 104, 143, 166, 278–279, 300–301
do, 86
¿dónde?, 93, 143
dormir, 71, 189, 198, 320. *See also* Appendix
doubt, expressing, 321, 326

ellos/ellas, 52, 76, 77, 78, 84, 189
el uno al otro, 294
en, used with interrogatives, 143
encantar, 158, 212
endings
  of **-ar** verbs, 29, 70, 73, 74, 83, 137, 144, 316
  of **-er** verbs, 29, 34, 70, 73, 74, 83, 144, 190, 316
  gender and names of professions, 312
  of **-ir** verbs, 29, 34, 70, 73, 74, 83, 144, 316
  stressed vowel ending of irregular verbs, 71–74, 229
  See also Appendix
en que, 178

-er verbs
command forms of, 244, 246
imperfect tense, 144
present indicative, 29, 83
preterite tense, 70, 71, 73, 76, 79, 85, 188, 190, 198
simple future tense, 316
subjunctive form, 319, 327, 328
See also Appendix
está, using, 203
estar
+ adjective, 251
describing location, 301
using, 31, 61, 152, 204, 262, 290, 301
versus **ser**, 5, 203
See also Appendix
everyday language
activities, talking about one's, 47–50, 52, 67–68, 70–73, 80
assertions and opinions, 124–125, 128
classroom expressions, 3, 6, 7–8, 20, 37
clothing, 303–305, 324
conversation, 125
daily routine, 26–27, 43
doubt, expressing, 321, 326
emotions, expression of, 202–208, 219
family members, 90–91, 93, 96–98, 100–107, 109, 139–140
family size, 131, 133, 141, 142
feeling well, 217–218
frequency, expressions of, 30–31, 45, 49, 64
giving directions, 291, 297
information questions, 93, 155
introductions, 2–3
likes and dislikes, expressing, 9–10, 21, 55–56, 83, 158, 212
personality, describing, 122–123, 128, 258–269, 271, 272, 313
pets, 255, 276–281, 286
studies, talking about, 20, 37
time, talking about, 27–28, 30–31, 36–37, 45, 49, 58, 64, 68, 80, 82, 227, 232, 252
travel, 306–310, 324
using the familiar (**tú**) forms, 5, 38
verifying information, 93, 155

fabrics, 304
faltar, 210–211, 212, 250–251
familia, using, 228
family members, 90–91, 93, 96–98, 100–107, 109, 139–140
feeling well, 217–218, 220
food additives, 158–159, 161
foods, 146, 148–169
future tense, 315–316, 327–328

gender
names of professions, 312
of nouns, 9
gente, using, 228
giving directions, 291, 297
gracia, 234
Grammar Summary sections
commands, 253–254
comparisons of equality, 144
conditional tense, 300
direct object pronouns, 300–301
do, 86
estar + adjective, 251
estar + location, 301
faltar, 250–251
future tense, 327–328
gustar, 83
hay, 85
imperfect tense, 144, 251–252
impersonal **se**, 197–198
indirect object pronouns, 197, 300–301
interrogatives, 143
irregular verbs, 84, 85
it, 86
negation, 84
object marker **a**, 144
passive **se**, 197–198
present perfect, 299
present tense, 83–84
preterite tense, 85, 198, 251–253
pronouns, 143
que, 144
quedar, 250–251
question words, 143
reciprocal reflexives, 301
reflexive verbs, 250, 299–300, 301
ser, 83
soler + verb, 85–86
stem-changing verbs, 84
subjunctive form, 327, 328
tener + nouns, 251
See also Appendix
gustar, using, 9–10, 21, 55–57, 83, 158, 212

haber, present perfect tense with, 267. *See also* Appendix
hablar, 73. *See also* Appendix
hacer
idioms with, 57–58, 59, 64, 69, 234
preterite tense, 69, 73, 76, 85, 190
See also Appendix
hay, uses of, 16–17, 20
health, 239–240, 249
heredity and genetics, 122–123, 126
herida, using, 239
herir, using, 239
hotels, 308–309, 324–325

idioms
with **dar**, 50, 279
with **hacer**, 57–58, 59, 64, 69, 234
with **pasar**, 63
with **por**, 292
with **tener**, 152, 196, 206, 234
if ... then statement, 276
imperatives. *See* command forms; Appendix
imperfect tense, 135–138, 144, 217, 231–232, 241–242, 251. *See also* Appendix
impersonal obligation, 174–175, 184
impersonal sentences, 173, 176, 178, 192–193
importar, 158
indefinite article, forms of, 9, 21
indicative tense
past imperfect indicative tense. *See* imperfect tense
present indicative tense, 29, 34, 61, 83, 84
See also Appendix
indirect object pronoun, 75, 158, 159, 161–164, 166, 197, 211, 278–279, 300–301
infinitive form of verb, 29
information questions, 93, 155
interrogative words, 93, 109, 143, 154
invitar, 180
ir
forms of, 31, 34
imperfect tense, 136, 137, 144, 241
past participle, 267
preterite tense, 69, 73, 76, 85
See also Appendix
irregular forms of conditional tense, 276
irregular past participle, 267
irregular verbs
present indicative, 61, 84
preterite tense, 72, 73, 74, 79, 85, 229–230
-ir verbs
command forms of, 244, 246
imperfect tense, 144
present indicative, 29, 83
preterite tense, 70, 71, 73, 76, 79, 85, 188, 198
simple future tense, 316
subjunctive form, 319, 327, 328
See also Appendix
it, 86

jamás, 50
jugar, using, 29

la, as direct object, 105, 106
le, used with verb, 161–164

leisure activities, 47–48, 64, 176, 214–215, 218–219, 220, 222–227, 229–230, 236
lesión, using, 239
llamarse, 2
llegar a ser, 317
llevar, reflexive form of, 121
lo
  + adjective, 266
  as direct object, 104–105, 106, 278
lo bueno, 266
location, describing, 290–292, 297
lodging, 308–309, 324–325
lo malo, 266

malo/a, 57n
más, 98
mayor, 98
me, 115, 117–118, 143, 158, 161–164, 204–205, 278
menor, 98
mientras, 232
months and seasons, 61–62, 65
morir, 320

nada, 50, 51
nadie, 50, 51, 64, 84
negative commands, 246–247, 254
negative emotion, 206
negative words, 50–51, 64, 84
ningun(o), 51n, 64
nouns
  corresponding to adjectives, 123
  gender of, 9
numbers, cardinal, 15, 21, 131–134, 142
nunca, 50

object marker, **a** as, 56, 106, 144
occupations, 262, 310–315, 325
oír. See Appendix

para
  + subject pronoun, 124
  and **por**, 34, 308, 319
parece que, 124
pasar, idioms with, 63
passive construction, with **se**, 176–177, 192–193, 197–198
past imperfect indicative tense. See imperfect tense
past participle
  forming, 267
  irregular, 267
  object pronouns attached to, 101–102
past subjunctive tense, 276
past tense. See imperfect tense; preterite tense; Appendix
pedir, 71, 165, 174, 179, 189, 198. See also Appendix

pensar. See Appendix
perfect tenses
  present perfect tense, 266–267, 268, 299
  See also Appendix
personal endings
  of **-ar** verbs, 29, 70, 73, 74, 79, 83, 137, 144
  of **-ir** and **-er** verbs, 29, 34, 70, 73, 74, 79, 83, 144, 190
  See also Appendix
personality traits, 122–123, 128, 258–269, 271, 272, 313
personal pronouns, 5, 21
pets, 255, 276–281, 286
physical description, 112–113, 115–116, 128
poder
  present tense, 190
  preterite tense, 72, 85, 190
  See also Appendix
poner. See Appendix
ponerse, + adjective, 205
por, 203
  idioms with, 292
  and **para**, 34, 308, 319
possessive adjectives, 15, 21
prepositions, with question words, 143
present indicative, 61
  of **-ar** verbs, 29, 83
  of **-ir** and **-er** verbs, 29, 83
  of stem-changing verbs, 29, 34, 53, 84, 179
  See also Appendix
present perfect tense, 266–267, 268, 299. See also Appendix
preterite tense, 69, 70–82, 85, 188–190, 198, 227, 229–232, 247, 251–253. See also Appendix
producir. See Appendix
professions, 262, 310–315, 325
pronouns
  direct object pronouns, 100–102, 104, 143, 166, 278–279, 300–301
  indirect object pronoun, 75, 158, 159, 161–164, 166, 197, 211, 278–279, 300–301
  reciprocal, 143
  reflexive, 29, 34, 53, 115, 117–118, 143, 174, 204–205, 209, 250, 269, 294, 299–300, 301
  subject pronouns, 5, 21, 101, 104, 124, 143, 197
  true reflexive pronouns, 117–118, 143

quantifying adjectives, 21
que, 124, 144
¿qué?, 93, 143, 154, 155

quedar, 210–211, 212, 250–251, 290, 301
querer. See Appendix
questions
  interrogative words, 93, 109, 143, 154
  tag questions, 157, 212
¿quién?, 93, 143

reciprocal actions, 294
reciprocal pronouns, 143
reciprocal reflexives, 294, 301
recreational activities, 47–48, 64, 176, 214–215, 218–219, 220, 222–227, 229–230, 236
reflexive pronouns, 29, 34, 53, 115, 117–118, 143, 174, 204–205, 209, 250, 269, 294, 299–300, 301
reflexive verbs, 29, 34, 53, 118–120, 204–205, 222, 250, 294, 305
regular verbs. See **-ar** verbs; **-er** verbs; **-ir** verbs; Appendix
reír. See Appendix
relajarse, 222

saber
  present tense, 190
  preterite tense, 72, 85, 190, 230, 252
  uses of, 92, 325
  See also Appendix
salir
  preterite tense, 188, 252
  See also Appendix
se
  impersonal sentences, 173, 176, 178, 192–193, 197–198, 209
  passive construction with, 176–177, 192–193, 197–198
  reflexive pronoun, 29, 34, 53, 115, 117–120, 143, 174, 204–205, 209
seasons of the year, 61–62, 65
seguir. See Appendix
sense of direction, 292–293
sentences, impersonal, 173, 176, 178, 192–193
sentir. See Appendix
sentirse, 205
se pone, using, 203
ser
  expressing time, 232, 252
  imperfect tense, 136, 137, 144, 241
  present tense, 5–6, 20, 61, 102
  preterite tense, 71, 73, 85
  talking about professions, 313
  using, 262, 313, 325
  versus **estar**, 5, 203
  See also Appendix
servir, 71, 189, 198
se siente, using, 203

simple future tense, 315–316, 327–328

size, describing, 94n

"soft" commands, 245

soler, using, 39–40, 85

sports, 176, 214–215, 218–219, 222, 225, 226

stem-changing verbs
  imperfect verb forms, 217
  list of, 29, 179
  present indicative of, 29, 34, 53, 61, 83, 84
  preterite tense of, 71, 73, 78, 189, 198, 253
  subjunctive form of, 320
  See also Appendix

subject pronouns, 5, 21, 101, 104, 124, 143, 197

subjunctive form, 318–319, 327, 328
  past subjunctive tense, 276
  traer, 174
  See also Appendix

superlative forms, of adjectives, 98, 129

su(s), agreement of, 15, 93

tag question, 157, 212

tampoco, 50, 51, 64, 84

tan... como, 139, 140, 142, 144

tanto... como, 139, 140, 142, 144

te, used with verb, 38, 115, 117–118, 143, 161–164, 204–205, 278

telling time, 36–37, 45, 232, 252

tener
  idioms with, 152, 196, 206, 234
  See also Appendix

tense, 135
  conditional tense, 275–276, 300
  future tense, 315–316, 327–328
  imperatives. *See* command forms
  imperfect tense, 135–138, 144, 217, 231–232, 241–242, 251
  present indicative tense, 29, 34, 53, 83, 84, 179
  present perfect tense, 266–267, 268, 299
  preterite tense, 69, 70–82, 85, 188–190, 198, 227, 229–232, 247, 251–253
  subjunctive tense, 174, 276, 319, 320, 327, 328
  See also Appendix

third-person direct object pronouns, 104

tiempo, 58

time expressions
  how often?, 30–31, 45, 49, 64
  in the past, 68, 80, 82, 227
  tiempo, 58
  when?, 27–28, 45

time of day (telling time), 36–37, 45, 232, 252

tomar, preterite tense, 188

trabajar, 28–29

traer
  subjunctive form, 174
  See also Appendix

travel, 306–310, 324

true reflexive pronouns, 117–118, 143

true reflexive verb, 305

tú
  command forms with, 243–244, 253
  plural form of, 52
  versus **usted**, 5, 38

un(a), talking about professions, 313

used to, 136

usted
  command forms with, 244, 246
  plural form of, 52, 52n, 78, 84, 189, 244
  versus **ellos/ellas**, 52, 76, 84
  versus **tú**, 5, 38

venir. *See* Appendix

ver
  command forms of, 244
  imperfect forms of, 241
  See also Appendix

verbs
  command forms, 243–247, 253–254
  conditional tense, 275–276, 300
  direct object pronouns, 100–102, 104, 143, 166, 278–279, 300–301
  future tense, 315–316, 327–328
  imperatives. *See* command forms
  imperfect tense, 135–138, 144, 217, 231–232, 241–242, 251–251
  indirect object pronoun with, 75, 158, 159, 161–164, 166, 211, 278–279, 300–301
  infinitive form of, 29
  irregular, 61, 72, 73, 74, 79, 84
  -ndo form, 60, 63
  present indicative tense, 29, 34, 53, 83, 84, 179
  present perfect tense, 266–267, 268, 299
  preterite tense, 69, 70–82, 85, 188–190, 198, 227, 229–232, 247, 251–253
  reflexive, 29, 34, 53, 118–120, 204–205, 222, 250, 294, 299–300, 301, 305
  spelling changes in, 247, 253, 319
  stem-changing, 29, 34, 53, 71, 73, 78, 84, 179, 189, 198, 253, 320

subjunctive tense, 174, 276, 319, 320, 327, 328

te used with, 38
  See also Appendix

verde, using, 235

vivir. *See* Appendix

Vocabulario (vocabulary)
  academic subjects, 7–8, 20
  addiction, 244, 247, 249
  adjectives, 12–15, 21, 98, 123, 129, 206
  alcoholic beverages, 187, 191, 195, 196
  animals, 255, 258–261, 264–265, 275, 276–281, 285–287, 295, 296
  beverages, 169, 187, 196
  breakfast, 153–155, 168
  carbohydrates, 149, 168
  classroom expressions, 3, 6, 7–8, 20, 37
  clothing, 303–305, 324
  colors, 112–113, 128, 149, 169
  condiments, 169
  cooking methods, 149
  dairy foods, 148, 167
  danger, 239–240
  days of the week, 32–33, 45, 80
  directions, 291, 297
  doubt, expressing, 321, 326
  education, 7–17, 37
  emotions and behavior, 202–208, 219
  family members, 90–91, 93, 96–98, 100–107, 109, 139–140
  family size, 131, 133, 141, 142
  fats and oils, 149, 168
  feeling well, 217–218, 220
  fish and seafood, 148, 167
  food and drink, 146, 148–169, 151, 158–159, 171–173, 176–182, 184
  fruit, 149, 168, 177
  good manners, 2–4, 173, 184
  greetings, 2–4, 20
  health, 239–240, 249
  heredity and genetics, 122–123, 126
  hotels, 308–309, 324–325
  housing, 281–283
  humor, 231–232, 235–236, 237
  impersonal obligation, 174–175, 184
  interrogative words, 93, 109, 143, 154
  leisure activities, 47–48, 64, 176, 214–215, 218–219, 220, 222–227, 229–230, 236
  location, describing, 290–292, 297
  meals, 154–159, 168, 171–184
  meats, 148, 167
  months and seasons, 61–62, 65
  negative emotion, 206

A50

negative words, 50–51, 64, 84
numbers, 15, 21, 131–134, 142
personality traits, 122–123, 128,
    258–269, 271, 272, 313
physical description, 112–113,
    115–116, 128
preferences, 9–10, 21, 55–56
probability, 320–321
professions, 262, 310–315, 325
proteins, 148, 167
reactions, 220
restaurants, 173, 179–184
routine, daily, 26–27, 43, 68–69,
    70, 76
schedule, daily, 42, 63
seafood and fish, 148, 167
seasons of the year, 61–62
sense of direction, 292–293

size, 94n
snacks, 151–152, 153, 168–169
sports, 176, 214–215, 218–219,
    222, 225, 226
starches, 149
subjects (academic), 7, 20
table manners, 173, 184
technology, 321, 322
time, telling, 36–37, 45, 232, 252
time expressions, 27–28, 30–31,
    45, 49, 58, 64, 67–68, 80, 82,
    227
tipping in a restaurant, 182
travel, 306–310, 324
understanding what is said, 6, 8
vegetables, 168
vosotros/as, 52n, 78, 100
weather expressions, 57–58, 64

weekend activities, 47–48, 64, 222–
    227, 229–230
volver(se). *See* Appendix
vosotros
    command forms with, 244
    subjunctive form, 320, 327, 328
    use of, 52n, 78, 100

weather and seasons, 57–58, 64
word order, 164
    descriptive adjectives, 13, 14
    direct and indirect object pro-
        nouns, 166
would
    + verb, 275
    meaning *used to*, 136
years, 131–134, 142
¿y tú?, 125, 157, 212

Topic Index

Culture, country-specific
Argentina
    physical characteristics of people
        in, 114–115
    Sábato, Ernesto, 75
    San Martín, José de, 82
    seasons in, 62
Chile
    wines in, 191
España (Spain)
    birth rate in, 131, 133, 142
    daily schedules in, 42, 63
    family size in, 142
    geography of, 110
    life expectancy in, 132
    subjects studies, 19
    weather in, 59
Guatemala
    coffee drinking, 43
    physical characteristics of people
        in, 114–115
Latinoamérica
    Bolívar, Simón, 82
    drinking habits, 195
    foods, 154–156, 157, 178, 179
    geography, 185, 249, 298
    last names in, 95
    life expectancy in, 132
    meal times in, 153, 167
    physical characteristics of people
        in, 114–115
    religion, 235–236
    restaurants, 181, 183
    sports in, 226
    table manners, 173, 183
    women in the workplace, 318
México
    artists of, 65
    weather in, 59

Puerto Rico
    family relationships in, 108
    family size in, 141
    weather in, 59
Venezuela
    table manners, 183
    weather in, 43
Estados Unidos (United States)
    daily schedules in, 42
    family size in, 142
    foods, 154–156, 157, 178
    meal times in, 153, 167
    preoccupation with health, 248

Culture, general
    afternoon snacks, 151
    age, 131–132, 142
    animals as symbols, 258–261, 265–
        265, 272
    breakfast, 153–155
    calorie counting, 176
    careers and professional life, 7–8,
        11
    Celsius and Fahrenheit tempera-
        tures, 57
    clothing, 303–305, 324
    coffee drinking, 43
    daily routines, 26–27, 42, 68–70,
        73, 76
    days of the week, 32–33, 45, 80
    drinking habits, 195
    education, 7–17, 20
    elephants, social life of, 256
    embracing, 121
    endangered species, 285
    evening activities, 47–48
    expressing feelings, 202–208, 219
    family life and relationships, 90–
        91, 93, 96–98, 100–107, 109

food and mealtimes, 146, 148–169,
    171–173, 176–182, 184
futurism, 320–322
good manners, 2–4, 173, 184
greetings, 2–4, 20, 256
heredity and genetics, 122–123,
    126
higher education, 7–8
Hispanic surnames, 95
housing, 281–283
humor, 231–232, 235–236, 237
laughter, 233
leisure activities, 47–48, 64, 176,
    214–215, 218–219, 220, 222–
    227, 229–230
life expectancy, 132
maps, 18, 110
meal times, 153, 169
months and seasons, 61–62, 65
names, 3, 95
numbers, 15, 21, 131–134, 142
personality traits, 122–123, 128,
    258–269, 271, 272
pets, 255, 276–281, 286
physical appearance, 112–113,
    115–116, 128
physical contact, 121
professional life and careers, 310–
    315, 325
recreation, 47–48, 64, 176, 214–
    215, 218–219, 220, 222–226,
    229–230
restaurants, 173, 179–184
schedule, 26–27, 42, 43
seasons and months, 61–62, 65
snack foods, 151
Spanish
    as a world language, 18, 323
    future of, 323

Culture, general (*continued*)
  Spanish (*continued*)
    tú versus **usted**, 5, 38
    sports, 176, 214–215, 218–219, 222, 226
    storks, 285
    table manners, 173, 184
    technology, 321, 322
    television, 41, 242
    telling time, 36–37, 45
    time expressions, 27–28, 30–31, 45, 49, 58, 64, 67–68, 80, 82
    time of day, 27–28, 30–31, 36–37, 45, 49
    travel, 306–310, 324
    weather, 57–59, 64
    winter depression, 213
    women in the workplace, 318

Literary and artistic selections
  Alarcón, Francisco, *Dialéctica*, 22
  Álvarez, Cecilia Concepción, *Las cuatas Diego*, 111
  Anónimo
    Coplas, 129
    La vida de Lazarillo de Tormes, 142
  Botero, Fernando, *Las hermanas*, 116

Bryer, Diana
    La chica que amaba coyotes, 274
    La tortillera, 87
  Castellanos, Rosario
    Pasaporte
    Válium 10, 237
  Darío, Rubén, *Salutación al águila*, 273
  El Greco, 65
  García Lorca, Federico, *Sorpresa*, 220
  Garza, Carmen Lomas, *Sandía*, 88
  Goya, Francisco de, *Saturno devorando a su hijo*, 199
  Gronk, Glugio Nicandro, *La tormenta*, 200
  Jiménez, Juan Ramón
    La muerte,110
    El viaje definitivo, 326
  Kahlo, Frida, 65
    El camión, 23
    Mis abuelos, mis padres y yo, 120
  Lombarte, Ramón, *Domingo, medianoche*, 201
  Maguregui, Luis, 45
  Mistral, Gabriela, 196
    Oda a la alcachofa, 169

Monterroso, Augusto, *El perro que deseaba ser un ser humano*, 288
  Oller, Francisco, *Plátanos amarillos*, 146
  Picasso, Pablo, *Tres músicos*, 24
  Quiroga, Horacio, *Juan Darién*, 298
  Rivera, Diego, *México a través de los siglos*, 255, 263
  Sábato, Ernesto, *El túnel*, 75
  Scull, Haydée and Sahara, 117
  Tamayo, Rufino, *Bodegón*, 145
  Umpierre-Herrera, Luz María
    La jogocracia, 249
    La receta, 185
  Velázquez, Diego
    Don Juan de Asturia, 304
    La infanta Margarita de Austria, 304
    Las meninas (o Familia de Felipe IV), 256

Mapas (maps), 18, 110

Navegando la red (Internet), 37, 59, 75, 95, 99, 114, 133, 159, 175, 191, 213, 226, 245, 285, 292, 318

About the Authors

Bill VanPatten is Professor of Spanish and Second Language Acquisition at the University of Illinois at Chicago. He has held a variety of administrative positions and is currently the Director of Spanish Basic Language. He received his Ph.D. in Hispanic Linguistics from the University of Texas at Austin in 1983. His areas of research are input and input processing in second language acquisition and the acquisition of Spanish syntax and morphology. He has published widely in the fields of second language acquisition and second language teaching and is a frequent conference speaker and presenter. In addition to *Vistazos* and *¿Sabías que... ?* (2000, McGraw-Hill), he is also the lead author and designer of *Destinos*, a television series for PBS, is the co-author with James F. Lee of *Making Communicative Language Teaching Happen* (1995, McGraw-Hill), and is the author of *Input Processing and Grammar Instruction: Theory and Research* (1996, Ablex). In addition to his involvement in a variety of research projects, Dr. VanPatten is currently working on a book called *Theories in Second Language Acquisition*.

James F. Lee is Professor of Spanish, Director of Language Instruction, and Director of the Programs in Hispanic Linguistics in the Department of Spanish and Portuguese at Indiana University. His research interests lie in the areas of second language reading comprehension, input processing, and exploring the relationship between the two. His research papers have appeared in a number of scholarly journals and publications. His previous publications include *Making Communicative Language Teaching Happen* (1995, McGraw-Hill) and several co-edited volumes, including *Multiple Perspectives on Form and Meaning*, the 1999 volume of the American Association of University Supervisors and Coordinators. Dr. Lee is also the author of *Tasks and Communicating in Language Classrooms* (2000, McGraw-Hill). He has also co-authored several textbooks including *¿Sabías que... ? Beginning Spanish* (2000, McGraw-Hill), *¿Qué te parece? Intermediate Spanish* (2000, McGraw-Hill) and *Ideas: Lecturas, estrategias, actividades y composiciones* (1994, McGraw-Hill). He and Bill VanPatten are series editors for the McGraw-Hill Second Language Professional Series.

Terry L. Ballman is Associate Professor of Spanish and Head of the Department of Modern Foreign Languages at Western Carolina University. Her teaching experience includes Spanish language and linguistics courses, as well as methods courses for foreign language, ESL, and bilingual teachers. She has also coordinated lower-division language programs and supervised student teachers. Professor Ballman is a recipient of several teaching awards, including one from the University of Texas where she received her Ph.D. in Hispanic Linguistics. She is a member of the Team of Professional Development Workshops sponsored by the American Association of Teachers of Spanish and Portuguese and the Office of Education of the Embassy of Spain. A frequent presenter of workshops and papers, Dr. Ballman has published numerous articles in research volumes and journals.